Sammlung Vandenhoeck

Emanzipation

Soll ein Weib wohl Bücher schreiben,
Oder soll Sie's lassen bleiben?

Schreiben soll Sie, wenn sie's kann,
Oder wenn es wünscht ihr Mann,
Und befiehlt er's gar ihr an,
Ist es eheliche Pflicht. –
Aber Schreiben soll sie nicht,
Wenn es ihr an Stoff gebricht,
Oder an gehör'ger Zeit,
Oder gar an Fähigkeit,
Oder mit zeriss'nem Kleid. –
Schreiben soll sie früh und spät,
Wenn es für die Armuth geht,
Wenn sie sonst was Schlecht'res thät' –
Aber Schreiben soll sie nie,
Wenn durch ihre Phantasie
Leidet die Oekonomie. –
Und nun sag' ich noch zum Schluß:
Lebt in ihr der Genius,
Wird sie Schreiben, weil sie muß.

Gaben der flüchtigen Muse
von Ludwig Robert

Flora, Nr. 25, 12. 2. 1832

Beruf: Schriftstellerin

Schreibende Frauen
im 18. und 19. Jahrhundert

Herausgegeben von
Karin Tebben

Vandenhoeck & Ruprecht

Die Deutsche Bibliothek – CIP-Einheitsaufnahme

Beruf: Schriftstellerin :
schreibende Frauen im 18. und 19. Jahrhundert /
hrsg. von Karin Tebben. –
Göttingen : Vandenhoeck und Ruprecht, 1998
(Sammlung Vandenhoeck)
ISBN 3-525-01222-5

Satz: Competext, Heidenrod
Druck- und Bindearbeiten: Hubert & Co., Göttingen

Inhalt

Vorwort

Als gegen Ende des 18. Jahrhunderts der Roman seinen Siegeszug in die Stuben des sich etablierenden Bildungsbürgertums antrat, begann sich ein Literaturbetrieb zu entfalten, der auf die Bedürfnisstruktur eines breiten, wenngleich auch anonymen Lesepublikums antworten mußte. Während noch zu Beginn des Jahrhunderts Literatur überwiegend von finanziell unabhängigen Autoren – zumeist Gelehrten und Geistlichen – verfaßt wurde, entwickelte sich jetzt der Typus des Schriftstellers, der sein Können in den Dienst des Broterwerbs stellte und der bereit war, sein Sendungsbewußtsein mit den finanziellen Interessen seines Schaffens zu vereinbaren. Dichterischer Auftrag und Publikumsinteresse mußten unter dieser Prämisse zumindest partiell eine Symbiose eingehen.

Konsequenzen hatte die Neubewertung des Dichterberufes vor allem im Hinblick auf das Selbstverständnis des Dichters, das Neuorientierung und Neudefinition erforderte. Nicht zufällig existierten deshalb um 1800 mehrere Auffassungen des Dichters nebeneinander. Eines hatten sie jedoch gemeinsam: Die Vorstellung einer autonomen kreativen Autorschaft war an die Person des männlichen Autors gebunden. Zwar akzeptierte das zeitgenössische Lesepublikum inzwischen auch Werke aus weiblicher Hand, freilich nur, wenn sie nicht mehr beanspruchten, als das Produkt einer reizvollen Nebenbeschäftigung zu sein. Goethes Hoffnung, »man lasse doch mich gehen; habe ich Genie, so werde ich Poete werden«; blieb für die Frauen noch weit bis in das 20. Jahrhundert hinein in der Regel utopisch, weil ihnen infolge der zeitgenössischen »Bestimmung des Weibes« der Gedanke sowohl an Genie als auch an Berufsarbeit gleichermaßen untersagt war. Griffen sie dennoch zur Feder, ja maßten sie sich gar an, mit ihrer literarischen Produktion den Lebensunterhalt zu bestreiten, riskierten sie mit ihrer Tätigkeit im Gegensatz zu männlichen Autoren eine existentielle Voraussetzung ihres Daseins: Geschlechtsidentität. Trotzdem wagten schreibende Frauen den Schritt in die Öffentlichkeit, eroberten sich literarisches Terrain und hatten schließlich Erfolg.

Die vorliegende Anthologie behandelt die Entstehung und Entwicklung des weiblichen Berufsschriftstellertums. Reizvoll ist diese Thematik vor allem deshalb, weil gleich zwei literarhistorische Aspekte angesprochen werden, die Herausbildung eines literarischen Marktes im engeren Sinne und die wachsende Zahl schreibender Frauen, die an dieser Entwicklung partizipierten. Zehn Autorinnen repräsentieren die Entwicklungsstadien schriftstellerischer Professionalität im 18. und 19. Jahrhundert; Frauen, die ihre Tätigkeit nicht als Zeitvertreib, Hobby oder Nebenerwerb verstanden, sondern als *den* Beruf, der ihnen ermöglichte, eine unabhängige ökonomische Existenz aufzubauen.

Den Beginn der Geschichte der Berufsschriftstellerin markiert das Jahr 1771. Es ist das Erscheinungsdatum des Debütromans von Sophie La Roche, die als erste deutsche Autorin versuchte, mit ihrem Schaffen ihren Lebensunterhalt zu bestreiten. Der Band schließt mit Gabriele Reuter und Ricarda Huch. Sie verkörpern die um 1860 geborene Generation schreibender Frauen, deren erste Veröffentlichungen noch in das letzte Drittel des ausgehenden 19. Jahrhunderts fallen, also in eine Zeit, in der noch alle Ressentiments gegenüber Vertreterinnen der schreibenden Zunft wirksam sind. Ihre Karrieren reichen jedoch bis zum Zweiten Weltkrieg und spiegeln den Weg über eine zunehmende Akzeptanz dieses Berufszweiges bis zu seiner Selbstverständlichkeit. An ihre Erfolge durfte eine Generation selbstbewußter Berufsschriftstellerinnen anknüpfen, die vom Durchsetzungsvermögen auch jener Pionierinnen profitierte, die in diesem Band außerdem portraitiert werden: Isabella von Wallenrodt, Therese Huber, Sophie Mereau-Brentano, Fanny Tarnow, Luise Mühlbach, Fanny Lewald und Eugenie Marlitt.

Aufgezeigt wird die historische Entwicklung an thematischen Schwerpunkten, die in den einzelnen Beiträgen aufgenommen werden: Um kreatives Schaffen als Lebenszweck zu begreifen und sich mit der literarischen Produktion gegen das Privileg des Mannes durchzusetzen, bedarf es besonderer *biographischer Voraussetzungen*. Milieu, Erziehung, Ausbildung, aber auch Vorbilder und Wegbereiter bestimmen den Werdegang jedes Individuums und verweisen gleichzeitig auf sein Eingebundensein in gesellschaftliche Zwänge. Ob ein frühes Gefühl der Berufung, eine therapeutische Funktion oder ein emanzipatorisches Engagement den Anlaß zum Schreiben bieten, immer ist das *Schreibmotiv* eng verknüpft mit dem *Dichtungsverständnis*. Die *Veröffentlichungspraxis* gibt Auskunft über die herrschenden Bedingungen des Literaturmarktes und den Stellenwert literarischer Werke von Frauen. Informationen über die *Lebens- und Schreibsituationen* der Berufsschriftstellerinnen erlauben einen Blick hinter die Kulissen. In diesen Schreibwerkstätten entstehen literarische Produktionen, deren *Themenspektren*, *Textformen* und *Erzählstile* die Vielfältigkeit weiblicher Erzählkunst offenbaren. Im Spannungsfeld von *Selbstverständnis* und *Rezeption* der Werke zeigen sich sowohl gesellschaftliche Restriktionen gegen schreibende Frauen als auch die Formen möglichen Widerstands.

So unterschiedlich sich die Wege der schreibenden Frauen des 18. und 19. Jahrhunderts zur Berufsschriftstellerin auch ausnehmen mögen: Um aus dem Berufs*wunsch* eine wirtschaftliche Existenzgrundlage werden zu lassen, bedurfte es des finanziellen Gewinns, der Erfolg zur Voraussetzung hatte. Erfolg aber bedeutet Anerkennung. Insofern impliziert eine Geschichte der Berufsschriftstellerin immer auch eine Geschichte des weiblichen Selbstbewußtseins.

Oldenburg, im Mai 1998   Karin Tebben

Karin Tebben

Soziokulturelle Bedingungen weiblicher Schriftkultur im 18. und 19. Jahrhundert. Zur Einleitung

Allen Versuchen zum Trotz, die schreibende weibliche Zunft in ein eng begrenztes »Damenreservat« zu sperren, um sie dort entweder zu bestaunen oder zu bespotten, sind seit den siebziger Jahren zahlreiche Wissenschaftlerinnen nicht müde geworden, Vielfalt, Eigenart und Ästhetik der literarischen Produkte von Frauen nachzuweisen. Literaturgeschichtliche Anthologien,[1] die die Spuren schreibender Frauen bis zu ihren Anfängen zurückverfolgen, bieten hochinteressante Beispiele früher Schriftstellerinnen. Deutlich wird bei allen ernsthaften Bemühungen, den Werken von Frauen einen ihnen gebührenden Platz in der Literaturgeschichte zuzuweisen, jedoch eines: Wer eine Geschichte weiblicher Autorschaft schreiben will, muß sich mit dem Gedanken vertraut machen, gleichzeitig eine Geschichte ihrer Verhinderung zu verfassen.

Neben den höfischen waren es vor allem geistliche Autorinnen,[2] die fernab vom normalen Frauenalltag die Zeit hatten und die Kraft aufbrachten, zur Feder zu greifen – sofern sie überhaupt in den Genuß gekommen waren, die Schriftsprache zu erlernen. Wiebke Freytag verweist in diesem Zusammenhang darauf, daß das ganze Mittelalter eine Phase des Übergangs von der Mündlichkeit zur Schriftlichkeit in lateinischer Sprache darstellt, die an den Wirkungsraum der Kirche gebunden war. Wenn Frauen daran teilhaben konnten, so waren es in der Regel Adelstöchter, die zeitweilig oder lebenslang dem weltlichen Leben entsagten, um als Klosterfrauen und Klausnerinnen ein umfassendes Wissen zu erlangen und schriftstellerisch zu nutzen. Hrotsvits (etwa 935–993) lateinische Dramen, Frau Avas volkssprachliche Bibeldichtung und Hildegard von Bingens (1098–1179) Aufzeichnungen mystischer Erlebnisse und Visionen sind heute dank intensiver Forschungsarbeiten wiederentdeckt und als frühe Zeugnisse schriftkundiger Frauen analysiert und erschlossen worden.[3]

Gegenstand wissenschaftlicher Analysen sind inzwischen auch jene Werke adeliger Frauen,[4] die als Gönnerinnen und versierte Literaturkennerinnen wichtige Funktionen am französischen Hof innehatten, äsopische Fabeln und Verserzählungen verfaßten und als Troubadourinnen Dialog-Lieder und Minnekanzonen dichteten. Allgemein bekannt ist auch Christine de Pizan (1364–1430), weil sie 1399 mit ihrer »Epistre au Dieu d'Amours« einen Skandal provozierte, der Literaturwissenschaftlerinnen (wegen der ideologiekritischen Auseinandersetzung mit dem Rosenroman) und Feministinnen (wegen ihres mutigen Plädoyers für die Menschenrechte der Frau) gleichermaßen begeisterte.

So spannend sich auch die Analysen zu Lebensumständen und Publikationen von Elisabeth von Nassau-Saarbrücken (1393–1456) und Eleonore von Österreich (um 1433–1480) lesen, es steht außer Frage, daß es sich bei diesen Dichterinnen und Schriftstellerinnen um Ausnahmeerscheinungen handelt, die die Literatur des Mittelalters bereicherten.

In der Renaissance, jener Epoche, in der die feudale und klerikale Vorherrschaft abzubröckeln begann und der Blick für die Individualität des Menschen sich zusehends schärfte, erfuhr das weibliche Schrifttum entscheidende Impulse. Frauen waren die Nutznießerinnen des umfassenden humanistischen Bildungskonzeptes, gerade weil an ihrem miserablen Bildungsstand die kulturelle Verspätung gegenüber dem italienischen Vorbild sehr zum Mißfallen der führenden deutschen Intellektuellen sichtbar wurde. Unzweifelhaft ist der Verdienst der deutschen Humanistengeneration:

Die Humanisten erkennen in voller Schärfe den fatalen Zirkel von biologischer Diskriminierung der Frau seit dem Mittelalter, verweigerter und verpaßter Bildungschance und dem daraus resultierenden Mangel an gebildeten, literaturfähigen Frauen. [...] In theoretischen und poetischen Werken stellen sie erstmals die Forderung nach lateinischer Sprechemanzipation und Einbeziehung von Frauen in gelehrten Zirkeln (Sodalitäten), ihrer durch internationale Kontakte und lateinische Sprachkultur gekennzeichneten humanistischen Gelehrtenrepublik (respublica litteraria) und nach einem neuen Partnerkonzept in Ehe und Familie.[5]

Diese im zeitgenössischen Diskurs geradezu als Ungeheuerlichkeiten empfundenen Forderungen nach geistiger Gleichstellung der Frauen gipfelten in einer Schrift des deutschen Gelehrten Cornelius Agrippa von Nettesheim, in der nicht nur die Ebenbürtigkeit der Töchter Evas, sondern ihre Überlegenheit gegenüber dem Mann konstatiert wurde. Ursula Hess warnt jedoch die Begeisterten, die hier bereits die Anfänge der Frauenemanzipation ausmachen wollen, vorschnell zu jubeln. Denn ein Blick auf das in der Zeit des Humanismus zur Norm erhobene Ideal des poeta doctus, das umfangreiche Kenntnissse auf dem Gebiet der klassischen Sprachen ebenso voraussetzte wie das Beherrschen antiker Poetik und Rhetorik, mußte den meisten Frauen die eben theoretisch geöffneten Tore zur literarischen Produktion schnell wieder verschließen. In die Nähe geweihter Kunst gelangten auf diese Weise nur wenige Frauen, Margarete Peutinger (1481–1552) darf als Modell der gelehrten Frau und Partnerin hier wiederum als Ausnahme von der Regel Geltung beanspruchen.

Wo immer sich jedoch in den nächsten Jahrhunderten begrüßenswerte kulturelle Tendenzen zeigten, die auf den ersten Blick als Meilensteine auf dem Weg zur Frauenemanzipation gefeiert werden konnten, folgte diesen bei näherem Hinsehen häufig genug ein Stolperstein. Zwar forcierten die humanistischen Bildungskampagnen die künstlerische Produktivität der Frauen ihrer Zeit, gleichzeitig entstand mit ihr aber ein neues Problem, gegen das sich hartnäckig die Feder in weiblicher Hand sträuben sollte:

Für fast alle humanistisch gebildeten schreibenden Frauen der Epoche war es ein psychologisches Problem, ihre neue ungewöhnliche Position als Gelehrte und Literatinnen sich und der Öffentlichkeit gegenüber zu begründen. Die Eroberung des exclusiv männlichen Sprachterrains – in traditionell geprägten Kreisen oft als Verrat an der genuin weiblichen Bestimmung betrachtet – löste nicht selten Aggression, Diffamierung oder sarkastische Denunziation aus.[6]

Rhetorische Demutsgesten schreibender Frauen in Richtung männlicher Adressaten waren also nicht nur Folge realer sprachlicher Schwächen, die ja aufgrund der mangelhaften Ausbildung tatsächlich bestanden, sondern auch Schutzbe-

hauptungen gegen zu erwartende Angriffe auf die Geschlechtsidentität einer virgo docta. Allerdings, so Ursula Hess, bot das
Spiel mit den dargebotenen weiblichen intellektuellen Schwächen wiederum auch eine glänzende Folie, vor der sich die Elo-
quenz und die Bildung einzelner Frauen um so wirkungsvol-
ler entfalten konnte.

Wesentliche Initiativen für die volkssprachliche Bildung gingen von der Reformationsbewegung aus. Getragen von dem
Bestreben, größeren Teilen der Bevölkerung das Lesen der Bibel zu ermöglichen, ebnete sie zwangsläufig auch vielen Frau-
en den Weg zur Schrift. Im Gegensatz zu den feminae doctae
konnten die Schreibenden, die sich der geistlichen Lieddichtung
widmeten, eine eigene Domäne weiblicher Kreativität behaupten, in der sie vor Anfeindungen relativ sicher waren. Wer aber
kämpferischen Elan in die Glaubensauseinandersetzungen ein-
brachte, wie z.b. Argula von Grimbach (1492–1554), riskierte
böse Schmähschriften, wenn nicht gar das Leben. Der folgende Rat, der einer Frau zuteil wurde, die ihre Grenzen über-
schritt, wird sich als ungemein hartnäckiges »Argument« über
die nächsten Jahrhunderte hinüberretten:

> Vnd spinn dafür an deiner gunckel,
> Oder strick hauben vnd werk borten,
> Ein weyb soll nit mit Gottes worten
> Stoltzieren vnd die Männer lehren,
> Sonder mit Magdalenen zuhören.[7]

Progressive engagierte Schriften und extrem frauenfeindliche,
sich vor allem auf die Bibelexegese stützende Pamphlete be-
gleiteten im nachfolgenden Jahrhundert die literarische Produktion von Frauen. Diejenigen unter ihnen, die sich mühten,
eine Zulassung ihrer Geschlechtsgenossinnen zur Gelehrtenrepublik zu erwirken (wie z.B. Anna Maria von Schurmann in
ihrer Schrift *Dissertatio num feminae christianae conveniat studium
litterarum?*) schwächten zumindest in Deutschland ihre hohen
Forderungen durch Bescheidenheitstopoi ab. Zudem waren die
Voraussetzungen, die die normative Poetik vorschrieb, kaum
von Frauen zu erfüllen. Universitäts- und Sprachgesellschaften,
Brut- und Pflegestätten deutscher Sprache und Poesie, blieben,
von wenigen Ausnahmen abgesehen, den Frauen verschlossen. Dennoch bildeten sich im Barock Nischen heraus, in denen Frauen ihr literarisches Talent erproben konnten, ohne

fürchten zu müssen, mit rigiden Sanktionen belegt zu werden:
In der Schäferdichtung, deren poetologisch eingeforderte natürliche Sprechweise die Teilnahme der Frauen begünstigte,
und in der Gelegenheitsdichtung, die zur Ausschmückung von
Familienfeiern außerordentlich beliebt wurde. So lobenswerte
Tendenzen sich in diesen frühen Zeugnissen weiblicher Schreibkunst zeigen, so muß gleichzeitig beklagt werden, daß genau
hier auch eine poetologische Deklassierung der »Frauenliteratur« ihren Anfang nahm. Die eingängige, scheinbar von Na-
turgesetzen abgeleitete Formel »Frauenliteratur = Unterhaltungsliteratur = minderwertige Literatur«, sollte sich dabei als
ungemein resistent erweisen. Unterstützung fand diese rhetorische Glanzleistung in der Folgezeit durch zwei Schreckens-
visionen männlicher Orakel, die auch in den Köpfen der nachfolgenden Generationen ein unerbittliches Regiment führen
sollten: Schreibende Frauen, so hieß es, vernachlässigen den
Haushalt und gefährden ihre Tugendhaftigkeit. Vor allem letzteres Argument sollte sich als überaus zählebig behaupten.
    Immerhin war der Diskussion über das Für und Wider der
weiblichen Bildung nicht mehr Einhalt zu gebieten, zumal nach
dem dreißigjährigen Krieg wiederum die Verletzung des nationalen Selbstbildes erheblich dazu beitrug, den europäischen
Nachbarländern in Hinsicht auf gebildete Frauen nicht nach-
stehen zu wollen. Soziokulturelle Umformungen, wie die rasch
anwachsende Beamtenschaft, gaben wichtige Impulse zur Veränderung des privaten und geselligen Lebens. Dabei garantierte die sich etablierende Trennung von Privatsphäre und
Arbeitsleben, aus der die strikte Rollenverteilung von Mann
und Frau hervorging, die Herrschaft des Mannes gegenüber
der Frau aufgrund seiner ökonomischen und sozialen Autorität, wertete den Status der »redlichen Haushalterin und getreu-
en Mutter« jedoch gleichzeitig auf.[8] Neu an der von jeher gel-
tenden Inferioritätsbestimmung des Weibes war die Ausschließlichkeit des Programms, das von der Frau nicht nur besondere
Fähigkeiten, sondern jetzt sogar – vermeintlich – natürliche
Eigenschaften erforderte. Was dieses Konzept der »dreifachen
Bestimmung« der Frau als Gattin, Mutter und Hausfrau für
die weiblichen Bildungsverläufe bedeutete, zeigen die jüngst
von Magdalene Heuser u.a. herausgegebenen Autobiographi-
en von Dorothea Friderika Baldinger (1739–1886), Charlotte von
Einem (1756–1833) und Angelika Rosa (1734–1790):[9] Angewie-

sen auf männliche Unterstützung blieben die Chancen, sich umfänglich zu bilden, so marginal, wie die Sehnsucht groß, »so gar gelehrt zu werden«. Unter diesen Umständen beschränkte sich die Bildung in den meisten Fällen darauf, elementare Fähigkeiten im Rechnen, Schreiben und Lesen zu erwerben, darüber hinausgehende Kenntnisse blieben mehr oder weniger dem Zufall überlassen. Gemessen wurde der Wert einer Frau an ganz anderen Tugenden: Frömmigkeit und Keuschheit blieben hoch im Kurs.

Es versteht sich von selbst, daß zu diesem Zeitpunkt allein schon der Gedanke an eine Berufstätigkeit der bürgerlichen Frau verpönt war. Auch die Frühaufklärer, die sich Anfang des 17. Jahrhunderts verstärkt für eine Anhebung der weiblichen Bildung einsetzten, nahmen sich davon nicht aus. Sie bemühten sich zwar um eine Ausbildung der Frauen auf literarischem und sprachlichem Sektor, ohne jedoch an der traditionellen Rollenverteilung zu rütteln.[10]

Für eine Geschichte der Berufsschriftstellerin sind die *Moralischen Wochenschriften* von großer Bedeutung, die sich in der ersten Hälfte des 18. Jahrhunderts zu einer beliebten Lektüre des gebildeten Bürgertums entwickelten. Zunächst als Adressatinnen eines gewinnversprechenden Absatzmarktes umworben, wurden die lesenden Frauenzimmer schnell zu den eigentlichen Nutznießerinnen des neuen Mediums, weil die Herausgeber diese bald verstärkt dazu aufriefen, selbst zur Feder zu greifen und eigene Beiträge zu verfassen. Die Idee einer persönlichen Anbindung der Leserin an »ihre« Zeitschrift stand dabei ebenso Pate wie der konzeptionelle Schachzug, ein möglichst lebensnahes neues Medium anzubieten. Auf diese Weise kam den Journalen schnell die Funktion eines speziell für Frauen geschaffenen Eintrittsbillets in die literarische Öffentlichkeit des 18. Jahrhunderts zu:

Die weibliche Rollenwandlung im 18. Jahrhundert von der Leserin über die Literatin zur Journalistin ist ohne die Vorarbeit der Moralischen Wochenschriften nur schwer vorstellbar; ihr Verdienst ist es, gesellschaftliche Vorurteile gegenüber literarisch und publizistisch tätigen Frauen abgebaut und diese auf ihrem Weg in eine größere Öffentlichkeit unterstützt zu haben.[11]

Gottscheds *Vernünftige Tadlerinnen*, die unter den klassischen Namen Calliste, Phyllis und Iris als fingierte Autorinnen auftraten, beschrieben nun die Zielsetzung der im Rahmen des Schicklichen sich bewegenden weiblichen Gelehrsamkeit. Mit der neuen Wochenschrift sollte »dem deutschen Frauenzimmer ein Blatt in die Hände [gegeben werden], welches ihm zu einer angenehmen Zeitverkürzung dienen, und doch von nützlichem und lehrreichem Zuschnitt seyn sollte, als die gewöhnlichen Romane«.[12] Gottsched reagierte mit diesem didaktischen Prinzip gleich auf zwei wesentliche soziokulturelle Veränderungen: Erstens reduzierten sich die Pflichten der gut situierten bürgerlichen Frau auf Repräsentation und Organisation. Dadurch gewann sie vor allem Zeit, die sinnvoll ausgefüllt sein wollte, Lesezeit. Zweitens erfreute sich um 1720 der galante Roman als Lesestoff größter Beliebtheit, gerade weil er vom höfischen Barockroman Handlungschema und stilistischen Charakter beibehalten hatte, inhaltlich jedoch auf die Geschichte eines Liebespaares reduziert worden war.[13] Obwohl die galanten Romane einen verschwindend geringen Anteil an der Buchproduktion hatten (weniger als 1 Prozent), war ihr Ruf als sittengefährdendes und moralisch verwerfliches Schrifttum phänomenal.[14] Auf der Grundlage frühaufklärerischen Gedankenguts versuchten nun die *Moralischen Wochenschriften* diesem Übel mit der Vermittlung bürgerlicher Werte wie Tugend, Moral, Selbstbewußtsein und Innerlichkeit zu begegnen. Vom programmatischen »sapere aude« der Frühaufklärer konnte auf diese Weise vor allem die weibliche Leserschaft profitieren. In der erklärten Absicht, den Geist der Leserinnen beflügeln zu wollen, unterrichteten nun die neuen Journale ihre Abonnentinnen in der Abfassung von Privat- und Leserbriefen und ermutigten zögernde Leserinnen ausdrücklich zur Nachahmung. Unterstützt wurde dieses Bildungsprogramm in eigens für Frauen zusammengestellten Frauenzimmer-Lexika.

Zum erstenmal fanden Frauen also ein literarisches Medium vor, das vielen offenstand. Und aus dem ließen sie sich fortan nicht mehr vertreiben. Nur wenige Namen schreibender Frauen aus dieser Zeit blieben bekannt, wie Christiana Mariana von Ziegler (1695–1760), Luise Adelgunde Victorie Gottsched (1713–1762) und Sidonia Hedwig Zäunemann (1714–1740), Frauen, die durch ihre Gedichte, Komödien, Briefe und Übersetzungen berühmt wurden und ihrer Nachwelt unersetzliche Dokumente ihres Selbstverständnisses als Frauen der Feder hinterließen. Eines wird an ihnen deutlich: So überzeugt die

Frauen von ihrer Tätigkeit waren, so bemüht zeigten sie sich, sie vor der Öffentlichkeit zu rechtfertigen und ihre Leserschaft zu beschwichtigen.

Trotz dieser Einschränkungen nutzten viele schreibende Frauen die Gunst der Stunde und forderten auch in ihrer Poesie, wie Heuser am Beispiel Sidonia Zäunemanns zeigt, mutig die Gleichberechtigung der Frau ein. Als überaus gewinnbringend für die eigene Selbstbehauptung entwickelte sich zudem eine Kommunikationsbereitschaft, die vor allem unter dem Zeichen der Solidarität stand. Gisela Brinker-Gabler berichtet in diesem Zusammenhang von Dichterinnen, die sich untereinander mit gereimten Briefen bekannt machten, Ärger von der Seele redeten und einander Mut zusprachen.[15] Allmählich griffen sie auch in die öffentliche Diskussion ein, wie z.B. Ziegler 1730 mit ihrem Vortrag zum Thema *Ob es dem Frauenzimmer erlaubt sey, sich nach den Wissenschaften zu bestreben* oder auch Dorothea Christiane Leporin 1742 mit ihrer *Gründliche[n] Untersuchung der Ursachen, die das weibliche Geschlecht vom Studiren abhalten, Darin deren Unerheblichkeit gezeiget, und wie möglich, nöthig und nützlich es sey, Daß dieses Geschlecht der Gelahrtheit sich befleisse, umständlich dargelegt wird.*

Auch die Frühaufklärer hatten trotz aller Bildungsbeflissenheit auf deutlichen Unterscheidungen von weiblicher und männlicher Gelehrsamkeit bestanden und erstere in die engen Grenzen der Schicklichkeit verbannt. Genau hierin boten sie nachfolgenden Zeitgenossen eine dankbare Argumentationsbasis, auf der die ehemals positiv konnotierte Vorstellung vom »gelehrten Frauenzimmer« schnell zu einem Schimpfwort verkommen konnte. Bildungshungrige und schreibfreudige Frauen sahen sich fortan aufgefordert, Angriffe auf ihre Geschlechtsidentität mit überzeugenden Argumenten abzuwehren. Das war indessen kein leichtes Unterfangen, denn unter tatkräftiger Mithilfe führender Philosophen entstand ein Weiblichkeitsbild, das die Bestimmung der Frau nun ganz auf ihre »natürliche« Disposition reduzierte. Der ideologische Schachzug, die Inferiorität der Frau und ihre dem Mann untergeordnete Position auf den allmächtigen Willen der Natur zurückzuführen, bedurfte scheinbar keines Beweises, zumal dem einsichtigen weiblichen Geschlecht zum Lohn Anbetung und Anerkennung *als Frau* in Aussicht gestellt wurde. Als wirkungsvoll erwies sich auch das Versprechen, die Unterwerfung unter ein solcherart festgeschriebenes Weiblichkeitsideal nicht nur mit einer verheißungsvollen narzißtischen Befriedigung, sondern auch mit materieller Versorgung in der Ehe zu belohnen. Durchaus richtig ist es, in diesem Zusammenhang hinsichtlich der Interessen der Frauen von einem neuen Angebot freiwilliger Identifizierung mit dem Weiblichkeitsideal zu sprechen.[16] Leitbilder gab es zudem zur Genüge, denn gerade das bürgerliche Drama und Trauerspiel entwickelte Frauencharaktere, die nachahmenswerte Identifikationsfiguren bereitstellten.

Stärker als je zuvor bildete sich ein auf das Wohl der Familie und die Ansprüche des Hausherrn gründendes Modell des Geschlechtscharakters der Frau heraus, das sich nun auf »typisch weibliche« Eigenschaften wie Häuslichkeit, Passivität, Emotionalität, Schamhaftigkeit, Hingebungsfähigkeit und Religiosität berufen durfte. Da aber offenbar zu wenig Frauen bereit waren, ihrer natürlichen Bestimmung ohne weiteres Folge zu leisten, war Erziehung notwendig, deren Konzeption Rousseau in eindrucksvoller Argumentation 1761 in einem Briefroman veröffentlichte. Es erschien Rousseau notwendig, der Frau, die ja von Natur aus dazu geschaffen sein sollte, »dem Mann nachzugeben und selbst seine Ungerechtigkeit zu ertragen«,[17] den Verlust ihrer geschlechtsspezifischen Reize anzudrohen, sollte sie es wagen, nach der für ihre Erziehung entbehrlichen Gelehrsamkeit zu schielen. Rousseaus Bemühungen, die Inferiorität der Frau zu beweisen, wurden getragen von kulturellen Tendenzen, die seit Mitte des 18. Jahrhunderts einen weiblichen Typus favorisierten, der ausdrücklich gegen das Programm der weiblichen Gelehrsamkeit entworfen worden war.[18]

Als Folge des Empfindsamkeitskultes der Zeit, der zwar als Gefühlskultur von beiden Geschlechtern gepflegt werden sollte, bei der den Frauen aber gleichwohl eine untergeordnete Position zugewiesen wurde, entwickelte sich im Brief ein ästhetisches Ausdrucksmedium, das die ehemals private Schreibpraxis in eine öffentliche zu transformieren erlaubte:

Das 18. Jahrhundert wird nicht zufällig zu einem des Briefes; Briefe schreibend entfaltet sich das Individuum in seiner Subjektivität. In den Anfängen des modernen Postverkehrs hauptsächlich ein Transportmittel für neue Zeitungen, dient der Brief bald auch gelehrter Korrespondenz und familiärer Artigkeit. [...] im Zeitalter der Empfindsamkeit sind Briefe Behälter für die ›Ergießungen der Herzen‹.[19]

In der poetologischen Konzeption des Briefes, wie sie Gellert in seiner *Praktischen Abhandlung von dem guten Geschmacke in Briefen (1751)* entworfen hatte, in der er als »freye Nachahmung des guten Gesprächs« Natürlichkeit des Ausdrucks und Individualität propagierte,[20] boten sich Bedingungen, die den Griff der Frau zur Feder zu forcieren schienen.

Aus diesem Grunde kann man sich sagen, woher es kömmt, daß die Frauenzimmer oft natürlichere Briefe schreiben, als die Mannspersonen. Die Empfindungen der Frauenzimmer sind zarter und lebhafter, als die unsrigen. Sie werden von tausend kleinen Umständen gerührt, die bey uns keinen Eindruck machen [...]. Ihre Gedanken selbst sind, wie ihre Eindrücke, leicht; sie sind ein scharfes, aber kein leichtes Gepräge. Die Frauenzimmer sorgen weniger für die Ordnung des Briefes, und weil sie nicht durch die Regeln der Kunst ihrem Verstande eine ungewöhnliche Richtung gegeben haben: so wird ihr Brief desto freyer und weniger ängstlich.[21]

Vom individuellen Ausdrucksmittel entwickelte sich der Brief zum stilisierten und rezitierbaren Mitteilungsmedium in halböffentlichen Lesezirkeln. Von dort war es nur ein kleiner Schritt zur Literarisierung des Briefes: zum Briefroman. Und mit einem solchen Briefroman beginnt die eigentliche Geschichte der Berufsschriftstellerin. 1771 wurde auf der Leipziger Messe ein Roman vorgestellt, der einen sensationellen Erfolg hatte: *Die Geschichte des Fräuleins von Sternheim.* Autorin, so stellte sich trotz Anonymität schnell heraus, war Sophie La Roche (1731–1807), Gattin des geheimen Staatsrates am Hof zu Trier. Mit der Figur des »papiernen Mädchens«, Sophie von Sternheim, schuf sie ein Paradebeispiel der Empfindsamen und erntete dafür entsprechend viel Lob. Eines ließ der stereotype Geschlechtscharakter der Frau aber auch hinsichtlich dieser Erfolgsautorin nicht zu: das Schreiben für Geld. So war Sophie La Roche genötigt, ihren Gewinn karitativen Zwecken zur Verfügung zu stellen. Aber nicht nur hierin, sondern auch in den Texten selbst offenbaren sich Gudrun Loster-Schneider zufolge die Paradoxien weiblichen Schreibens, die »ideologischen und heute zum Teil so unerträglichen Sinngebungsentwürfe, Weiblichkeitsmaskeraden, Anpassungsmanöver und Rechtfertigungstopoi einerseits, sowie die Widerständigkeit und Brüchigkeit [...] andererseits«.[22] Für Sophie La Roche bedeuteten die normativen Zuschreibungen des Weiblichen, daß sie selbst dann noch gezwungen war, ihrer Tätigkeit das Etikett des Zeitvertreibs aufzudrücken, als sie infolge der unehrenhaften Entlassung ihres Mannes sich die Finger wund schrieb, um die finanzielle Existenz ihrer Familie zu sichern.

Um 1800 wurde das ideologische Konstrukt der Geschlechterpolarität weiter modifiziert, von Humboldt auf anatomische, von Schiller auf ästhetische Merkmale des weiblichen Wesens zurückgeführt. Beide Theorien behaupteten eine grundsätzliche Definition des Mannes als Vernunftswesen und der Frau als Geschlechtswesen. Es ist leicht vorstellbar, daß »gelehrte Weiber«, gar berufstätige Frauen, unter dieser Maßgabe bei manchem Mann »eine Art von Fieberfrost« und »wenn nicht Ekel, so doch Mitleiden« hevorriefen. Für die Beurteilung schreibender Frauen ergaben sich daraus selbstverständlich Konsequenzen, wurde ihnen doch prophezeit, »dass [...] ihre Producte wenig literarischen Werth haben werden, [...] auch dem moralischem Werthe der Verfasserin dadurch grosser Abbruch geschehen [werde]«. Horrorszenarien wurden entworfen:

Ihre Schriftstellerei wird dann weiter nichts für sie seyn, als ein Werkzeug der Coquetterie mehr. Ist sie verehelicht, so erhält sie durch den schriftstellerischen Ruhm eine von ihrem Gatten unabhängige Selbständigkeit, die das eheliche Verhältniss nothwendig entkräftigt und zu lösen droht.[23]

Obwohl seit Ende des 18. Jahrhunderts die Ausbildung der Kinder gesetzlich geregelt war,[24] war das deutsche Schulwesen nur mangelhaft organisiert und weitgehend dem Gutdünken der Eltern unterworfen. Tatsächlich orientierte sich die bürgerliche Mädchenerziehung nach wie vor an der Bestimmung des Weibes. Zudem mußten höhere Ansprüche in kostspieligen privaten Initiativen befriedigt werden, eine Investition, die gewiß nicht darauf ausgerichtet war, Mädchen so auszubilden, daß sie sich mit ihrem Wissensvorsprung zum Gespött ihrer Gesellschaftsschicht machten.[25] Eher war die zeitgenössische Pädagogik, wie Kord analysiert, bemüht, die Frau von der Schrift bzw. vom Schreiben fernzuhalten, als daß sie sich für eine über den Erwerb elementarer Fähigkeiten hinausgehende Ausbildung stark machte.[26]

Nicht wenige Frauen setzten sich zur Wehr und nutzten eine Hintertür zur Frauenbildung, indem sie auf den unschätzbaren Wert intellektueller Bildung hinsichtlich der weiblichen Aufgaben als Mutter, Hausfrau und Gattin aufmerksam machten. Erfindungsreichtum tat not, freilich auch noch aus anderen Gründen: Um 1800 gehörte das Lesen im Bürgertum zur kulturellen und moralischen Orientierung und zur Abgrenzung von (Hoch-) Adel und Proletariat gleichermaßen. Das hatte Folgen für das künstlerische Selbstverständnis derjenigen, die den gesteigerten Bedarf an Lektüre befriedigen sollten:

Es versteht sich, daß Dichten den Charakter der Freizeitbeschäftigung und der Liebhaberei verlieren mußte, als ein bürgerliches Lesepublikum entstand, sich ein freier Markt entwickelte, der dem Produzenten schöngeistiger Literatur einen existenzsicheren Absatz garantierte. Von nun an produzierte er für eine berechenbare Käuferschicht.[27]

War der Schriftsteller gezwungen, von seiner Tätigkeit zu leben – auch Wieland und Goethe gelang das erst spät – so war er in hohem Maße von seinem Erfolg abhängig. Das bedeutete eine Berücksichtigung von Leserinteressen vor allem dann, wenn der Autor noch keinen Namen hatte, aber auch, wenn er bereits über eine Stimme verfügte, mit der er auf die gesellschaftlichen Zustände Einfluß nehmen konnte. Hier liegt der Doppelcharakter der Kunst begründet, den Adorno als eine Soziologie der oppositionellen Autonomie des Kunstwerkes theoretisch entfaltet hat.[28]

Für den Zeitraum von 1750 und 1800 ermittelt Schön 5000 in Deutschland erschienene Romane, die in einer durchschnittlichen Auflage von 700 bis 750 Exemplaren verkauft wurden. Da der Kauf eines Buches allerdings eine kostenintensive Angelegenheit war, wurden zunächst Hausbibliotheken eingerichtet, die vor allem praktischen Wert besaßen, religiöse Standardwerke, medizinische Ratgeber, Rezeptsammlungen etc. beherbergten und die erst im späten 18. Jahrhundert zunehmend um antike Klassiker und politische Bücher ergänzt wurden. Zu berücksichtigen ist, wenn hier vom Bildungsbürgertum gesprochen wird, daß eine Gruppe der Gesamtbevölkerung gemeint ist, die einen Anteil an der Gesamtbevölkerung von ca. 3% einnahm, von der wiederum die wenigsten Haushalte über disponibles Geld verfügten. Mit anderen Worten: Der Besitz von Büchern, gar Bibliotheken war ein Luxus, den sich die meisten Familien nicht leisten konnten. Leihbibliotheken entstanden, die nun ihrerseits Gebühren forderten. Die Folge waren Lesegewohnheiten, die sich sehr zum Nachteil der inhaltlichen Rezeption auswirkten, wie schnelles und willkürliches Lesen. Zielgruppe der Leihbibliotheken wurden Frauen, denn sie waren zwar durch das Verdikt der Erwerbslosigkeit von der Kunstproduktion ausgeschlossen, nicht aber von der Rezeption; im Gegenteil, der schöngeistige Literaturkonsum der bürgerlichen Frau gehörte bald zu ihrem Statussymbol. Wie sehr aber der demonstrative Müßiggang, der dabei vorausgesetzt war, von ihren tatsächlichen Belastungen abwich, vermittelt eine zeitgenössische Schilderung des Bücherlesens:

> Noch theurer und kostbarer wird das Vergnügen des Bücherlesens durch den Zeitaufwand, den es erfordert. Berechnet man, was leselustige Leute, die ihre bestimmten Berufsarbeiten haben, über dem Lesen versäumen, und was sie während der Zeit hätten verdienen können; so macht beydes, das lucrum cessans und das damnum emergans das Lesen immer zu einem sehr beträchtlichen Artikel des Luxus.[29]

Von beruflichen und anderen öffentlichen Betätigungen weitgehend ausgeschlossen, begann das zunächst umworbene weibliche Lesepublikum sich auf dem literarischen Terrain außerordentlich wohl zu fühlen, so wohl, daß sich besorgte Väter, Ehemänner und Brüder zunehmend um das Phantasieleben der Anvertrauten sorgten. Aus der segensreichen Erfindung des Lesens, die die Frauen befähigen sollte, »die Unterredung ihres Mannes und seiner Freunde einigermaßen zu verstehen, [und] nicht durch den Ausdruck der höchsten Langeweile auf ihrem Gesichte diese oft zu unterbrechen«, wurde eine schnell um sich greifende Seuche, die bekämpft werden mußte, weil sie die Tugendhaftigkeit der lesenden Frauen aufs höchste zu gefährden schien. Die sittliche Gefahr, die vor allem von der Lektüre der Liebesromane ausging, wurde offenbar als so groß empfunden, daß im zeitgenössischen Diskurs die schädlichen Folgen denen der Onanie zur Seite gestellt wurden.[30] Wohlgemeinte Warnungen vor weiblicher »Lesewuth«, die die »Nerven schwäche, Verdauungssäfte lähme und Eingeweide schlaff mache«[31] gipfelten in der Vorstellung, daß das Lesen

> »namentlich bey dem weiblichen Geschlechte, recht eigentlich auf die Geschlechtsteile wirkt, Stockungen und Verderbniß im Blute, reitzende Schärfen und Abspannung im Nervensysteme, Siechheit und Weichlichkeit im ganzen Körper. Daß aber in einem siechen und

weichlichen Körper die Reitze der Geilheit viel empfindlicher, daß die Anwandlungen des Geschlechtstriebes in einer, an ihrer inneren Kraft und Selbstthätigkeit gekränkten Seele weit unwiderstehlicher sind, als wenn Leib und Seele einer ungestörten Gesundheit genießen, ist mehrmals gesagt und braucht hier nicht weiter bewiesen zu werden.[32]

Derart kummervolle Gedanken haben jedoch keine gierige Leserin davon abhalten können, jede Lektüre zu verschlingen, derer sie habhaft werden konnte. Viele Frauen nutzten die Gelegenheit, am neu erblühenden kulturellen Leben ihrer Zeit teilzunehmen und ungeachtet des männlichen Diktums an der Ausbildung ihrer Persönlichkeit zu arbeiten. Die normativen Voraussetzungen des Briefromans, d.h. seine potentielle subjektive Ausrichtung, Gesprächsimitation, Reflexionsebene und emotionale Beschaffenheit, machten es gerade Frauen leicht, das neue Medium zu nutzen und ihre Erfahrungen und Einschätzungen über das Leben als Frau an die Öffentlichkeit zu bringen. Verstärkt griffen die Frauen nun zur Feder und nutzten die relative ästhetische Offenheit des neuen Genres für ihre Zwecke. Über die Wiederholung der zeitgenössischen Diskurse hinaus wurde es nun prinzipiell möglich, zaghafte Kritik an der scheinbar naturgewollten dreifachen Bestimmung des Weibes zu üben. Unter den Veröffentlichungsbedingungen, die die Frauen vorfanden, waren auf diese Weise zwar keine utopischen Qualitäten oder gar eine »weibliche Ästhetik« zu erwarten, »wohl aber Erkenntnis darüber, wie einzelne Autorinnen sich zu dem [verhielten], was ihnen um 1800 als solche angeboten wurde«.[33] Aber ganz abgesehen davon, daß in aller Regel die Frage einer weiblichen Identität im Mittelpunkt des Romangeschehens stand, verfügten vor allem Autorinnen, die viel schrieben, bald über ein Bewußtsein des ihnen zur Verfügung stehenden »Raum[es] der Übertretung«.[34] Und trotz des ernsthaften Bemühens dieser Autorinnen, untadlige Heldinnen zu erschaffen, schlichen sich unter der Hand doch inkonsequente Momente in die inhaltlichen und ästhetischen Konzeptionen ein, die auf die Gratwanderung der Autorin zwischen Lob und Tadel, Ruhm und Vernichtung schließen ließen.

Bereits 1790 erschien aus der Feder Samuel Baurs eine »charakteristische Skize« deutscher Schriftstellerinnen. Sie stellt heute ein literarhistorisches Dokument erster Güte dar, nicht nur, weil die Sammlung einen repräsentativen Überblick über die schreibenden Frauen aus der zweiten Hälfte des 18. Jahrhunderts bietet, sondern weil im Erzählduktus der erstellten Portraits viel offenbart wird über die Einstellung männlicher Zeitgenossen gegenüber Frauen der Feder. Kaum ein Werk ist hier ohne kritischen Blick auf das biologische Geschlecht seiner Urheberin rezipiert. Durchgängig entscheidet dabei der Leumund der Frau über die Qualität ihres Werkes.[35] Ästhetischen Gesichtspunkten werden die Werke aufgrund ihrer weiblichen Urheberschaft kaum zugeordnet, dort, wo es trotzdem geschieht, ist das Urteil getragen von milder Nachsicht: »Als Dichterin ist sie so rümlich bekannt, als es eine Dame verlangen kann, von der man, ohne ungerecht zu seyn, keine Manns= Arbeit verlangen kann«,[36] heißt es über Sophie Albrecht, was angesichts der aufrichtigen Freude des Kritikers über »Frauenzimmer, [die] mehr können, als einen unorthographischen Liebesbrief schreiben«,[37] hoch auf der Werteskala angesiedelt werden muß. Angesichts der zeitgenössischen Mädchenbildung ist Baurs Bemerkung weniger deklassierend, als es auf den ersten Blick scheint, zumal sie innerhalb der zeitgenössischen Geschlechterdebatte zu bewerten ist, in der es immer noch um die Frage ging, »ob die Weiber Menschen sind«. Nur so ist zu verstehen, warum »gute moralische Lehren«,[38] die in einem Werk aus weiblicher Hand zu finden sind, anerkennende Worte ernten, und »ein natürliche[r], ungekünstelte[r] Ton, der weder die Empfindung überspannt, noch die Phantasie zu hoch hinauf schwellt«,[39] dem gerade zweiundzwanzigjährigen Kritiker höchste Anerkennung wert ist. Die allerdings ist selten genug, denn: »Zu große Nachsicht schadet, und ein Frauenzimmer, das Bücher schreibt, legt seine Weiblichkeit ab, wird Gelehrter, und muß als solcher beurteilt werden, wenn nicht besondere Umstände eintreten.«[40]

Durchaus wohlwollend wurden die Damen der schreibenden Zunft dort beurteilt, wo sie unterhalb der Ebene der *Kunst*produktion blieben, bescheinigten ihnen doch die normativen Zuschreibungen über das Wesen der Frau durchaus »Schönheitssinn«, wenn auch nicht »eigentlich[es] Kunstgefühl«.[41] Hiermit war der Ausschluß schreibender Frauen von männlich konnotierten Genres wie Drama und Epik vorprogrammiert, weil die Frau per definitionem die erforderlichen Voraussetzungen gar nicht erst aufbringen konnten. Gleichzeitig fand eine Zuordnung zu weiblichen (d.h. formlosen, subjekti-

ven, gefühlsbetonten) Genres statt.[42] Kord zeigt, wie die Polarisierung der Geschlechtscharaktere einen spiegelbildlichen
Ausdruck in den poetologischen Überlegungen fand. Es ist richtig, daß der dominierende literarische Diskurs jetzt eine Genre-
hierarchie festzulegen begann, in deren als minderwertig klas-
sifizierten Bereichen der Frau gestattet war mitzuwirken, also
vorwiegend in Lyrik und Roman. Gerade letzteres Genre bot
aufgrund einer fehlenden maßgeblichen poetologischen Basis
gute Vorbedingungen.

Es darf allerdings nicht vergessen werden, daß spätestens
mit Goethes *Wilhelm Meister* der Roman als Genre in den Stand
hoher Kunst gehoben wurde. Mit dem gesellschaftlichen Pre-
stige erhielt die neue Literaturform jene Weihen, die sie vom
bloßen Zeitvertreib zur unerläßlichen Lektüre des bildungsbeflissenen Bürgers werden ließ. Auch konzeptionell setzte Goethe mit dem klassischen Bildungsroman neue Akzente, die als
Ausdruck des bürgerlichen Selbstverständnisses Geltung beanspruchten und vorführten, daß und wie der (bürgerliche)
Mann »mit seinem Wünschen und Meinen sich in die bestehenden Verhältnisse und die Vernünftigkeit derselben hineinbildet, in die Verkettung der Welt eintritt und in ihr sich einen
angemessenen Standpunkt erwirbt«.[43] Auf einen »Geschlechtscharakter« reduziert, der nach wie vor Passivität, Hingebung
und Anpassung gebot, war für die Frauen kaum Handlungsspielraum außerhalb des Hauses möglich. Mit anderen Worten: Die Konzeption eines weiblichen »Wilhelm Meister« war
unter diesen Voraussetzungen absurd.[44] Hier entstand ein kulturelles Orientierungsmuster, als dessen Folge sich eine heute
noch geltende Klassifizierung von »hoher« und »niedriger«
Belletristik entwickelte. Welchem Bereich die Literatur von
Frauen zugeschlagen wurde, bedarf vor dem Hintergrund der
Geschichte keiner weiteren Erläuterung.[45]

Wenn sich Frauen entschlossen, trotz der gesellschaftlichen
Restriktionen das Risiko einer Autorschaft zu wagen, dann setzte dies um 1800 eine makellose Geschlechtsidentität voraus.
Die allerdings war schon allein durch die Tatsache angreifbar,
daß sich eine Frau entschloß, schriftstellerisch tätig zu werden.
Um aus diesem Teufelskreis zu entfliehen, übten sich viele der
publizierenden Frauen in einem Versteckspiel:

[W]eitaus die Mehrzahl der Autorinnen des 19. Jahrhunderts [beantworteten] ihr Dilemma mit einem Zugeständnis an ihr kulturelles Geschlecht: die Vorstellung der Weiblichkeit wird privat aufrechterhalten, die schriftstellerische Tätigkeit qua Pseudonym als männliche Aktivität ausgewiesen. Im 18. Jahrhundert sind zwei gegensätzliche Tendenzen auszumachen: Schriftstellerinnen, die *als* Mann posierten, und Autorinnen, die *wie* ein Mann auftraten.[46]

Während sich die meisten um 1800 publizierenden Frauen an diese Veröffentlichungspraxis hielten,[47] gab es eine Frau, die darauf pfiff: Isabella von Wallenrodt (1740–1819), eine schillernde Persönlichkeit, die nicht nur wegen ihres Lebenswandels mit Recht, Moral und Gesetz in Konflikt geriet, sondern auch wegen ihrer schriftstellerischen Arbeiten:

Die Moral ihrer Romane ist äußerst lax. Ein bißchen Reue macht auch die schwersten Verbrechen gut. Die Erotik spielt eine große Rolle. Die Verfasserin scheut sich nicht, die Dinge beim Namen zu nennen; Blutschande, Geschlechtkrankheiten, Selbstbefleckung kommen in ihren Erzählungen häufig vor, ohne daß sich etwa aus der Art der Behandlung eine künstlerische Berechtigung solcher Motive ergäbe. Es macht Frau von Wallenrodt im Gegensatz zu ihren schreibenden Genossinnen sichtliches Vergnügen, im Schmutz zu waten.[48]

Immerhin muß es hinreichend viele Leser gegeben haben, die an ihren schriftstellerischen Eskapaden Vergnügen hatten, andernfalls hätte Isabella von Wallenrodt wohl kaum von ihrem Beruf leben können. Andere Autorinnen beschritten ausgewiesene Pfade. Ließen sich Anonymität und Pseudonymität nicht durchhalten, mußte versucht werden, den Schaden zu begrenzen. Dem Erfindungsreichtum waren hier kaum Grenzen gesetzt: Legitimationsbezeugungen, Demutsäußerungen, Entkräften potentieller Vorwürfe, Widmung an eine bedeutende Persönlichkeit etc. künden von dem ungeheuren Druck, dem die schreibende Frau ausgesetzt war. Gleichzeitig aber lassen sich, so Heuser, an den reichhaltigen Variationen des Bescheidenheitstopos »Spuren von selbstbewußter Inanspruchnahme literarischer Öffentlichkeit durch Frauen [...] bei einzelnen Autorinnen durchaus finden«,[49] die sich nicht im Deutungsmuster des Defizits ansiedeln lassen und statt von Hierarchien männlicher und weiblicher Schrift von Differenzen ausgehen.

Auf der Schwelle vom 18. zum 19. Jahrhundert kann hier Therese Huber (1764–1828), die erst spät den Schritt in die Öffentlichkeit wagte,[50] für eine veränderte Auffassung bürgen.

Jenseits devoter Bittstellerei und diesseits selbstbewußter Veröffentlichungspraxis bevorzugte sie das Integrationsmodell, das
auf der Möglichkeit zur Kunstausübung trotz der Pflichten als
Mutter und Hausfrau beharrte.

Die offensichtlich entscheidende Bedeutung männlicher oder
weiblicher Urheberschaft eines Werkes war mitnichten nur für
den Leser/die Leserin von Bedeutung, sondern erwies sich als
psychologisches Dauerproblem der Schreibenden. Freiwillige
oder unfreiwillige Akzeptanz des kulturellen Primats männlicher Autorschaft führten unweigerlich zu Identitätskonflikten:
Veröffentlichte die Autorin nicht anonym, riskierte sie eine Attacke auf ihre Geschlechtsidentität, veröffentlichte sie anonym,
leugnete sie wesentliche Bereiche ihres Selbstverständnisses.

Die öffentlich geführte Debatte »Schriftstellerei versus Weib-
lichkeitsrolle«, hatte somit familieninterne Konsequenzen, die
um so bedingungsloser wirkten, als die fortschreitende Etablierung des Bürgertums auf das ästhetisch-ethische Bild der weiblichen »Anmut und Würde« angewiesen war. Verfügten die
wenigen Schriftstellerinnen der ersten Generation noch über
viel freie Zeit, sich ihren literarischen Produktionen zu widmen, mußte die stets wachsende Zahl bürgerlicher Frauen im
beginnenden 19. Jahrhundert Hausfrauenarbeit und schriftstellerisches Engagement miteinander zu vereinbaren verstehen.
Der demonstrative Müßiggang der Frau, der über das Ansehen des bürgerlichen Mannes entschied, entwickelte sich zum
entscheidenden Hemmschuh verheirateter Schriftstellerinnen.
Berufstätigkeit, also die Arbeit für Geld, ganz abgesehen davon, daß hierfür die Erlaubnis des Ehemannes vorliegen mußte, untergrub die gesellschaftliche Reputation des Hausherrn
und kam einem Rufmord gleich:

Anders als ihre Kolleginnen aus anderen Klassen galten bürgerliche
Autorinnen, oder überhaupt außer Haus arbeitende Frauen des Bürgertums, als existenzgefährdend für die gesamte bürgerliche Kultur, eine Tatsache, die sich im 19. Jahrhundert häufig in panischen
Behauptungen Luft macht, erwerbsarbeitende Frauen gefährdeten
die Familie oder gar den gesamten Staat und zu Recht, da diese
Kultur zum größten Teil gerade auf der Abwesenheit der Frau ba-
sierte.[51]

So verwundert es kaum, daß vor allem solche Frauen schriftstellerisch tätig wurden, die von ihren Familienpflichten ent-

bunden waren, sei es durch Witwenschaft, Ehelosigkeit oder berufliche Abwesenheit des Mannes. Verheiratete Frauen, die in aller Regel auch Mütter waren, sahen sich nicht nur dem psychischen Druck ausgesetzt, sondern waren auch vor organisatorische Schwierigkeiten gestellt, so fehlte das so häufig zitierte »Zimmer für sich allein«.[52] In jedem Fall aber waren schriftstellerisch tätige Frauen auf die Gunst emanzipationsfreudiger und vor allem nicht dem Brotneid verfallener Männer angewiesen, die als Verleger, Mentoren und Berater den Weg in die Öffentlichkeit ebneten. Diejenigen, denen auf diese Weise die Tür zur Schriftstellerei geöffnet wurde, z.b. von Friedrich Schiller,[53] der Beiträge von Frauen in Journale und Almanache aufnahm, durften hoffen, die Trikolore sozialer und individueller Selbstbestimmung, so der schöne Titel der Monographie Katharina von Hammersteins[54] über Sophie Mereau-Brentano (1770–1806) zu tragen. Aber auch im negativen Sinne ist Mereaus Schicksal beispielhaft, ihr Ruhm verblaßte zunehmend neben ihrer Rolle als Ehefrau von Clemens Brentano.[55]

Insgesamt, so führt Lydia Schieth aus, standen inhaltliche und ästhetische Gestaltung der Romane in noch stärkerem Maße als diejenigen aus männlicher Hand in deutlichem Bezug zur Veröffentlichungspraxis:

Der literarische Erfolg einer Autorin hing [...] von der Kooperationsbereitschaft des Mannes ab, von seiner wohlwollenden Unterstützung als Ehemann, Kollege, Verleger und Redakteur. Konkrete Hilfestellungen, die männliche Autoritäten den Schriftstellerinnen in Form von Korrekturlesen, Abfassen von Vorreden, Herausgeberberichten und Rezensionen sowie durch die Aufnahme der Texte in Zeitschriften zukommen ließen, blieben aber auf einen schmalen privaten Raum begrenzt und hatten so durchaus einen ambivalenten Charakter: Der beschränkte und kalkulierte literarische Erfolg der Autorin blieb im Einklang mit den eigenen Interessen.[56]

Schriftstellerinnenkarrieren um 1800[57] sind geprägt vom Wissen um die Mechanismen der Kulturszene und des Buchmarktes, ebenso aber vom selbstbewußten Beharren auf Selbständigkeit und materieller Unabhängigkeit.[58] Einmal bekannt und über ein Renommee verfügend, durften die Schriftstellerinnen die Konzeption des zeitgenössischen »Frauenromans«[59] überschreiten. Dessen inhaltliche Bandbreite ist mit beliebten Grundmotiven wie Liebesleid und -glück, Ehefreuden und -qualen gut zusammenzufassen. Vorsicht ist jedoch auch hier vor der Beurteilung dieser Romane als klischeehaft, trivial oder poetisch minderwertig geboten, bevor nicht die Themenwahl innerhalb des historischen Kontextes gesehen und bewertet wird. Diese Romane, eigens für die weibliche Leserschaft geschrieben, glichen sich vor allem in der moralischen Grundhaltung. Sexuelle Themen waren tabuisiert, familiäre Konfliktsituationen, realistische Alltagsgeschichten, gar alternative Lebensentwürfe zur dreifachen Bestimmung des Weibes weitgehend ausgeklammert.

Festzuhalten ist, daß es einigen Autorinnen allen Abhängigkeiten zum Trotz gelang, »unmißverständlich die Ambiguität bzw. die Aporien des zeitgenössischen Weiblichkeitswahns« zu thematisieren. Zu einem Zeitpunkt, als die Pathologisierung des Weiblichen verstärkt einsetzte und philosophisch, pädagogisch und naturwissenschaftlich fundiert wurde, macht Birgit Wägenbaur zum Beispiel an den Werken von Fanny Tarnow (1779–1862) und Caroline de la Motte Fouqué (etwa 1775–1831) an der Metapher Krankheit ein »kritisches und subversives Potential« fest, das den Weiblichkeitsdiskurs auf subtile Weise gerade hinsichtlich der behaupteten genuin moralischen Liebesfähigkeit ad absurdum führte:

Die Verquickung von Weiblichkeit, Liebe und Leid verleiht der Literarisierung von Krankheiten in den Werken schreibender Frauen symptomatischen Charakter: Die Autorinnen reflektieren die weiblichen Bedingungen anhand des Paradigmas Liebe, entlarven mittels der Krankheit das Glücksversprechen der Liebe als Trug und Täuschung und stellen damit den gegebenen status quo des Geschlechterverhältnisses grundsätzlich infrage.[60]

Zur gleichen Zeit forderte der romantische Themenkatalog nicht nur den emotionalen Luxus der Liebe ein, sondern postulierte frech das Recht der Frau auf die erotisch sinnliche Liebe. Schlegel verband das Thema Liebe mit dem Genre Roman auf ungeheuer kühne Weise, als er 1799 seinen Roman *Lucinde* veröffentlichte, mit dem er zugleich die Theorie der neuen Gattung neu schreiben und die Freuden der erotischen Liebe verkünden wollte. Ergebnis war ein Romanexperiment, das einen Skandal verursachte. Es sind keine zuverlässigen Aussagen darüber zu machen, welche bzw. wie viele Frauen diesen Roman lasen, Tatsache aber ist, daß heftig darüber diskutiert wurde. Und wo immer ein neuer Gedanke sich ausbreitete, der

die Selbstbehauptungsversuche von Frauen unterstützte, gab
es Frauen, die das hervorragend zu nutzen verstanden.

Gewiß sind die Beispiele eigenwilliger und kluger Frauen,
die aus dieser Epoche hervorgingen, Einzelerscheinungen geblieben, aber sie boten Orientierungsmuster, die das traditionelle Weiblichkeitsbild infrage stellten, auch wenn de facto
kaum an den Strukturen gerüttelt wurde. Vor allem aber schrieben diese Frauen, allen voran Rachel Varnhagen (1771–1833),
Briefe, in denen sich beides manifestierte: selbstreflexives
Schreiben und Öffentlichkeitsarbeit. Mattenklott führt hinsichtlich der romantischen Briefkultur aus:

Der Brief wird zum imaginären Aktionsort, zur intimisierten Öffentlichkeit, der für all das zu entschädigen hat, was die Wirklichkeit
dieser neugierigen romantischen Frauengeneration hartnäckig vor-
enthält: die Praxis des selbständigen Handels.[61]

Gelesen wurden diese Briefe wiederum von Frauen, die darin
einem gemeinsamen Geschlechterschicksal begegneten. Genau
diese Erkenntnis mobilisierte in vielen Fällen den Griff zur Feder in einer Absicht, die Kommunikation und Selbstverge-
wisserung gleichermaßen einschloß, »eines Tages nicht mehr
allein zu denken«.[62]

1823 setzte August Schindel die Würdigung der deutschen
Schriftstellerinnen fort und bemühte sich, biographische Notizen zusammenzutragen, die einen »hauptsächlichen Einfluß
auf die Geisteshaltung« vermuten ließen. Nur unzulänglich
konnte er eine positivistische Vorgehensweise verbergen, die
sich konsequent an normativen Solleistungen des Weiblichen
orientierte. Selbst Anonymität geriet nach dieser Maßgabe zum
Ausdruck weiblicher Bescheidenheit und des »stille(n) Sinn(s),
der Frauen so sehr ziert«. Allerdings räumte der Autor auch
andere Ursachen derartig weiblicher Bescheidenheit ein: die
Furcht, von den Männern lächerlich gemacht und vom »schwe-
sterlichen Verein« mißverstanden zu werden. Mit selbstherrli-
cher Attitüde gestand von Schindel sich selbst aber ohne weiteres zu, den Schleier der Anonymität dort zu lüften, wo er
beschloß, ein Werk aufzunehmen in den »schön duftenden
Blüthenkranz«.[63] Ein moralischer Zeigefinger ist kaum zu übersehen:

Eine Beleidigung kann der moralisch Gebildete nur in der Verletzung seiner wahren Ehre finden, und eine literarische Beschäftigung

mag doch nie etwas Entehrendes sein, da wohl nicht leicht eine weibliche Feder einen Gegenstand oder eine Art der Behandlung wählen wird, wovor Sittsamkeit und Tugend erröthen dürfte.[64]

1825 entschloß sich von Schindel zu »Nachträgen und Berichtigungen zum ersten Theile«. Im Vorwort zu dieser ergänzenden Schrift sah er sich genötigt, einige grundsätzliche Anmerkungen *Ueber die Schriftstellerei der Frauen und ihren Beruf dazu* voranzustellen. Sie sind bestens geeignet, den soziohistorischen Kontext der im ersten Viertel des 19. Jahrhunderts schreibenden Frauen zu erfassen. Mehr als 550 Schriftstellerinnen wies von Schindel nach. Offenbar selbst ins Kreuzfeuer der Kritik geraten, sah er sich gezwungen, Maßstäbe der Beurteilung nachzureichen, die sich ausdrücklich gegen die herrschende Meinung richteten:

Einige tadeln fast jede Schriftstellerei der Frauen, als ihrem eigenthümlichen Berufe fremd, und sprechen ihr alles Verdienst ab, da sie nur, von Eitelkeit geleitet, glänzen wollen, und darüber die Pflichten der Haushaltung und Kinderzucht vernachlässigen und unglückliche Ehen befördern. Es fehlt aber auch nicht an Stimmen, welche diese Erscheinung als einen Beleg der fortschreitenden Cultur unseres Zeitalters und einer glücklichen Generation preisen, und sich in schmeichelnden Lobeserhebungen der schriftstellernden Frauen im Allgemeinen ermüden.[65]

Von Schindel selbst mühte sich redlich, einerseits die tadelnden Geschlechtsgenossen mit Hinweis auf die weniger talentierten in den eigenen Reihen in ihre Schranken zu verweisen und andererseits die schriftstellernden Frauen an ihre Pflichten als Gattin, Hausfrau und Mutter zu gemahnen. Immerhin gestand er aber denjenigen Frauen die Schriftstellerei zu, die »ungesucht von einem Manne«[66] nicht »jene[n] süßen heiligen Pflichten ihres höheren Berufs« nachzukommen vermochten. Darüber hinaus hob von Schindel die kompensatorischen und therapeutischen Funktionen des Schreibens hervor, die er vor allem den Frauen anempfahl, die sich von einer unglücklichen Ehe entlasten mußten. Das war nun in der Tat eine geradezu revolutionäre Beurteilung des Schreibens und mancher zeitgenössischen Ehe, die in den folgenden Jahren auf fruchtbaren Boden fallen sollte.

Aktualisiert wurde die Frauenfrage, als infolge der Pariser Revolution von 1830 auch in Deutschland mehr und mehr politische, religiöse und moralische Freiheit eingefordert wurde. Während aber, so Brinker-Gabler, bei allem »Plädoyer für die Emanzipation des Fleisches [...], man geflissentlich die ungleiche soziale und rechtliche Lage der Frau überging«,[67] nutzten die Frauen selbst die Gunst der Stunde und traten für ihre Emanzipationsbestrebungen ein. An der Ehe, dem privatesten aller politischen Erfahrungsgebiete thematisierten sie Rechtlosigkeit und Unmündigkeit der Frau und kämpften für Selbständigkeit und Unabhängigkeit:

> Neben der Verklärung der ›Nur-Hausfrau‹ wurden in dieser Ära zugleich die ersten beruflichen Möglichkeiten für die ›Außer-Haus-Frau‹ geschaffen. Und nicht nur in karitativen Verbänden und in der Krankenpflege gab es für Frauen neue Betätigungsfelder. Auch auf literarischem Gebiet wurden sie zu einem Faktor, der nicht länger ignoriert werden konnte. Ihre schriftstellerische Produktion verlor mehr und mehr den Charakter der Freizeitbeschäftigung und des Nebenerwerbs und weitete sich zur regelmäßigen Berufsarbeit aus.[68]

Im – inzwischen etablierten – Genre des Romans fanden diese Schriftstellerinnen eine adäquate Ausdrucksform, ein vorwiegend weibliches Lesepublikum auf die Ursache der inferioren Situation der Frau hinzuweisen. Kaum zu überhören, ließ ihre Botschaft die Literaturkritiker der Zeit verschreckt aufhorchen: »Der sehr wesentliche Unterschied zu früher,« schrieb Prutz über diese neue Generation von Schriftstellerinnen, »besteht darin, daß diese Frauen sich auch in der Literatur nicht mehr begnügen, bloß in den Bahnen fortzuwandern, welche ihnen die Männer vorgezeichnet haben, sondern daß sie ebenfalls selbständig aufzutreten und ihre eigenen Interessen in ihrer eigenen Weise anzusprechen und zu vertheidigen suchen.«[69]
Als Anwältinnen in eigener Sache traten neben Luise Aston (1814–1871) und Ida Hahn-Hahn (1805–1880) besonders Luise Mühlbach (1814–1873) und Fanny Lewald (1811–1889) hervor, deren Romane Auflagenhöhen von 4000 Exemplaren erreichten. Dementsprechend kamen nun zum ersten Mal Autorinnen in die Situation, mutig die Höhe des Honorars mitbestimmen zu können.[70] So unterschiedliche Wege Lewald und Mühlbach in ihrer Schriftstellerinnenkarriere[71] auch beschritten, so entsprachen sie sich doch in einem wichtigen Punkt: Beide verfügten über ein Maß an Bildung, das nicht zum Standard der Mädchenerziehung gerechnet werden konnte. Beide übten al-

lerdings auch eine Kritik an der fehlenden Berufsorientierung der Frau, die höchst unüblich war.

So ist nachzuvollziehen, daß diese Schriftstellerinnengeneration wie keine andere zuvor den Zorn der Literaturkritiker herausforderte. Die leisen Warnungen, die noch von Schindel ausgesprochen hatte, um die Autorinnen in ihre Grenzen zu verweisen, mutierten 1853 bei Karl Barthel zu handfesten Verleumdungen und Drohungen. Angesichts »der emancipierten, von ihrer wahren Natur abgefallenen Weiber« empfand der Verfasser, wie er gestand, einen Brechreiz, dem er nur dadurch Herr zu werden vermochte, daß er sich weigerte, jene Schriftstellerinnen in sein literaturgeschichtliches Werk aufzunehmen. Hatte von Schindel den Frauen zumindest zugestanden, die Vertreterinnen des eigenen Geschlechts sensibler schildern zu können, drehte Barthel den Spieß nun einfach um: »[D]ie Frau kann den Mann nie vollständig schildern,« tönte er, »denn sie versteht es nicht, was eine concentrierte, auf ein bestimmtes Ziel geleitete und mit unablässiger Ausdauer verfolgte Anstrengung ist.«[72] Aber auch andere Urteile waren an der Tagesordnung. Überschwenglich positiv gebärdeten sich die Kritiker dort, wo sie, wie Möhrmann feststellt, den »Weiblichkeitsbasar« hemmungslos plündern, das »ächt weibliche Eingehen auf das Kleine und Unscheinbare« rühmen, den »milden ächt weiblichen Sinn« würdigen konnten. Mitleiderweckend ist da für heutige Leser die blanke Angst, die aus Johannes Scherrs Schrift spricht:

Ihr könnt darauf schwören, daß das Kontingent der Weiber, welche sich unberufener Weise in die Öffentlichkeit wagen, entweder aus häßlichen und hysterischen alten Jungfern – denen aus physiologischen Gründen verziehen sein mag – oder aus saloppen Hausfrauen und pflichtvergessenen Müttern besteht, deren Haushaltsbücher – wenn sie überhaupt welche führen – in Unordnung, deren Stuben, Küchen, Speisekammern und Weißzeugschränke im Tohuwabohu-Zustand, deren Modistinnenrechnung groß, aber unbezahlt und deren Kinder physisch und psychisch ungewaschen sind.[73]

Derart finstere Aussichten konnten nicht ohne Auswirkungen auf das Selbstverständnis der schreibenden Frauen bleiben. Im Gegensatz zu den Schriftstellerinnen um 1800 begnügten sie sich aber mit einem tadellosen öffentlichen Leumund, während sie in ihren Schriften selbstbewußte Wege beschritten. Langsam, aber stetig gewannen sie auf diese Weise auch bei konser-

vativen Kritikern an Akzeptanz. So stellte z.b. Gottschall 1861
Fanny Lewald das Zeugnis »eine[r] Gesundheit des Geistes
und Unerbittlichkeit des Verstandes«[74] aus, eine Beurteilung
einer schreibenden Frau, die noch zwanzig Jahre zuvor an den
Grundfesten des Bürgertums gerüttelt hätte.

Am Ideal der bürgerlichen Frau änderte jedoch auch die
positive Resonanz, die manche Schriftstellerin für sich verbuchen konnte, nichts. Noch 1882 hob Heinrich Gross voller Bewunderung in seiner Studie hervor, daß es »Ausnahmetalen-
ten« unter den Frauen gelungen sei, trotz ihres kleineren Ge-
hirns durchaus achtenswerte Leistungen auf dem Gebiet der
Lyrik und des Romans vollbracht zu haben.[75] Bis weit in das
20. Jahrhundert hinein blieben die äußerlichen und psychischen
Arbeitsbedingungen von Frauen alles andere als günstig, zumal sich trotz mancher Lobeshymne, die an eine einzelne
schriftstellerisch tätige Frau adressiert war, nichts daran änderte, daß auch der aufgeschlossenste Kritiker davon überzeugt
blieb, Genie sei nun einmal männlich. Auf diese Weise wirkten
die im 18. Jahrhundert entstandenen Kriterien des literarischen
Kanons weiter fort. Bereits Sophie La Roche hatte sich in einem unterhaltsam-didaktischen Genre zurechtfinden müssen,
daß der heteronomen Ästhetik des »prodesse et delectare« Folge
leistete. Auch an der Schwelle zum 20. Jahrhundert war der
Erfolg solcherart ausgerichteter Werke durch dieses Prinzip
garantiert, ebenso aber sein Effekt, der die Rezeption weiblichen Schrifttums nachhaltig beeinflussen sollte: seine Ghetto-
isierung als Trivial- oder, seit dem Vormärz, als Tendenzliteratur; Literatur die einer Tradierung nicht für wert befunden
wurde.[76]

Als Ausnahmeerscheinung wurden die Literaturhistoriker
nicht müde, das Werk Marie von Ebner-Eschenbachs zu loben.
Bezeichnend für das Lob, das Ebner-Eschenbach (neben Annette von Droste-Hülshoff) zuteil wurde, war einerseits, daß
die Literaturhistoriker und -kritiker an ihren Werken die »Qua-
litätsnorm bestätigt fanden, die eigentlich dem männlichen
Autor reserviert war«, daß aber andererseits in der positiven
Bewertung dieser Autorin »wiederum gängige Rollenattribute
zum Vorschein kommen«.[77] Als Vorzeigeschriftstellerin wurde
Ebner-Eschenbach von ihren Berufskolleginnen abgesondert
und als untypische, gleichwohl anerkannte Ausnahme von der
Regel gehandelt. Untadelig in Charakter und Lebensweise, fand

Marie von Ebner-Eschenbach im frühen poetischen Realismus eine geistige Heimat, in der sie ihre besondere Begabung für sensible Charakter- und Milieustudien zur Vollendung bringen konnte – ein Thema, das auch dem eifrigsten Gegner schreibender Frauen Hochachtung abnötigte. Zudem bedurfte diese Autorin nicht des schnöden Gewinns ihrer Arbeit, ein Nebeneffekt des literarischen Schaffens, der sich günstig auf den Gesamteindruck auswirkte. Auch bei Marie von Ebner-Eschenbach war es aber das Bewußtsein von der eigenen, kreativ schaffenden Persönlichkeit, die das Gefühl der Befriedigung hervorbrachte, ein Bewußtsein allerdings, so analysiert Eva D. Becker, das zumindest zu Beginn ihrer schriftstellerischen Versuche mit einem Gefühl des Makels (wegen der damit verbundenen nicht-weiblichen Attribute) deutlich konkurrierte. Kaum ein Unterschied ist daher in Ebner-Eschenbachs Autobiographie in diesem Punkt hinsichtlich anderer Schriftstellerinnen auszumachen: »[D]as gemeinsame Merkmal ›Geschlecht‹ dominiert die Darstellung der eigenen Geschichte [...].«[78]

Ganz anderen Bewertungskriterien als die Werke Ebner-Eschenbachs unterlagen jene Romane, die sich Mitte des 19. Jahrhunderts zu wahren Verkaufsschlagern entwickelten. Für den geringsten Aufwand an Muße und Intellekt boten sie große Gefühle, verwegene Tagträume und Happy Ends, die sich jedem schnöden Realitätssinn entzogen. Voraussetzung für die Ware Massenliteratur, die in diesem Zeitraum entstehen konnte, war die politische und kulturelle Stagnation nach der gescheiterten 48er Revolution, der zufolge die Bereitschaft des Bürgertums, sich mit gedruckten Texten auseinanderzusetzen, deutlich abgenommen hatte.[79] Der Literatur wurde nun generell die Funktion eines unterhaltsamen Mediums zugesprochen – eine Situation, die die Verleger sehr wohl zu nutzen verstanden.

In diesem Metier, in dem Geldsummen zu erwirtschaften waren, die manchen angesehenen Romancier vor Neid erblassen ließen, fand eine Schriftstellerin zu ihrem Beruf: Eugenie Marlitt. Ihre Karriere zeigt, welches Leserinnenpotential um die Jahrhundertmitte erschlossen war. Eugenie Marlitts Schaffen ist nicht zu trennen von der Geschichte der Zeitschrift *Gartenlaube*, in der sie veröffentlichte und der sie durch ihre Fortsetzungsromane zu unglaublich hohen Auflagen verhalf. Programm der *Gartenlaube* und Aussageintention ihrer Geschich-

ten vom *Haideprinzeßchen* und der *Goldelse*, sind in ihrer massen-
psychologischen Wirksamkeit so ineinander verzahnt, daß sie
nur im unmittelbaren Kontext von zeitgenössischem Lesepublikum und Marktbedarf zu verstehen sind. Gerade neuere
Publikationen setzen sich dafür ein – jenseits der Paradigmen
des Trivialromans – in den Romanen der Marlitt deren über-
durchschnittliche Gestaltungskraft zu analysieren und zu würdigen.

Wieder andere Strukturen finden sich bei Ida Boy-Ed (1852–
1928), die Mann und Kindern den Rücken kehrte, um in ihrer
Berufswahl nicht nur die Kunst der Literatur, sondern vor allem die der weiblichen Selbstbehauptung zu entfalten.[80] Ihre
literarischen Anfänge fielen in eine Zeit, in der sich infolge politischer Veränderungen tendenziell wirtschaftliche, naturwis-
senschaftliche, medizinische und ausbildungspolitische Wandlungen abzeichneten. In der sogenannten Bismarckschen Ära
wurde im Zuge der vehement fortschreitenden Industrialisie-
rung die Trennung von Erwerbs- und Privatspäre endgültig
besiegelt und das Ideal der bürgerlichen Kleinfamilie verfestigt.
Staatliche Ausbildungsangebote ermöglichten einen geregel-
ten Schulbesuch der unteren Schichten. Neue Berufsmöglich-
keiten entstanden, von denen vor allem Frauen des Kleinbür-
gertums profitieren konnten: Ein Heer von Telephonistinnen,
Sekretärinnen und Verkäuferinnen sorgte dafür, daß fortan die
weibliche Erwerbsarbeit nicht mehr mit einem Makel versehen war – soweit nicht die gehobenen Schichten des Bürgertums davon betroffen wurde. Hier galt weiterhin das Ideal der
erwerbslosen Frau, die ihren naturgemäßen Pflichten nachzukommen hatte. Entsprechend änderte sich in bezug auf die
bürgerliche Mädchenausbildung trotz wohlmeinender Initiativen wenig. Überwiegend privatem Engagement war es überlassen, ein höheres Mädchenschulwesen zu organisieren.[81] Die
Folge war Uneinheitlichkeit in der Schuldauer, in den Ausbil-
dungsvoraussetzungen des Lehrkörpers und in den Lehrplä-
nen. Letztere orientierten sich an einer geschlechtsspezifischen
Ausbildung als Mutter und Ehefrau, übernahmen aber auch
die Funktion der sozialen Trennung, wenn sie in deutlicher
Abgrenzung zu den Volks- und Elementarschulen ein oder zwei
Fremdsprachen vorsahen. Bis zur Mädchenschulreform, die
1908 zuerst in Preußen durchgeführt wurde, engagierte sich
vor allem die bürgerliche Frauenbewegung für eine Zulassung

der Mädchen zu Abitur und Studium und bot infolge des ausgesprochenen Desinteresses von staatlicher Seite die Vorbereitung dazu in privaten Vorbereitungsanstalten an. 1889 gründete Helene Lange als erste in Berlin derartige Realkurse, die Schülerinnen auf das Abitur in der Schweiz vorbereiteten. Nach 1892 wurden diese Kurse in humanistische Gymnasialkurse umgewandelt, die auf die Abnahme des deutschen Abiturs zielten. 1896 wurden erstmalig sechs Schülerinnen zugelassen und bestanden die Prüfungen. Überhaupt mögen Zahlen hier am besten die Situation widerspiegeln: 1900 besuchten 240 Schülerinnen solche Kurse, 1902 hatten 87 Frauen die Reifeprüfung abgelegt, 1906 bereits 268.[82]

Gegen Ende des 19. Jahrhunderts waren also höhere Töchterschulen die Regel, die nach wie vor »standesgemäßen« Richtlinien folgten und eher Salonfertigkeiten denn selbständiges Denken beförderten. Dieser spezifisch weiblichen Sozialisation zufolge entfaltete sich explosionsartig eine spezifische Lesekultur für Mädchen und junge Frauen, die sich an Anstandsbüchern und Lebenshilfen orientierte.[83]

Die in bürgerlichen Kreisen betriebene Fokussierung der Mädchen und jungen Frauen auf ihre traditionelle Rolle einerseits, die Reaktivierung der sich seit der Achtundvierziger Revolution formierenden Frauenbewegung andererseits, rief Gegner und Befürworter der politischen und sozialen Gleichberechtigung gleichermaßen auf den Plan. Seit Gründung des Allgemeinen Deutschen Frauenvereins 1865 kämpften zahlreiche Frauenverbände entschlossen für verbesserte Ausbildungs- und Erwerbsmöglichkeiten. 1874 trat Hedwig Dohm (1831–1919) mit einer ebenso ketzerisch-mutigen wie scharfsinnig-witzigen Schrift an die Öffentlichkeit, einer Streitschrift, in der sie mit Nachdruck *Die wissenschaftliche Emancipation der Frau* forderte. Neu war an ihrer Argumentationsweise, daß sie das Menschenrecht der Frau auf Studium und Beruf aufzeigte, indem sie die Thesen zur Begründung der Geschlechtscharaktere ernst nahm und damit der Lächerlichkeit preisgab:

Handel, Geschäft, Handwerk und Wissenschaft ist den Frauen verschlossen. Unterricht und Lehrlingsschaft verweigert man ihnen theilweise oder ganz. ›Sie qualificiren sich für diese Beschäftigungen nicht!‹
Wofür qualificiren sie sich denn? Für den Hunger, für den Selbstmord, für die Prostitution?[84]

In einer weiteren Attacke, die Hedwig Dohm mit ihrer Forderung nach dem Frauenstimmrecht zwei Jahre später startete,
deckte die streitbare Frauenrechtlerin vor allem die Absurdität
scheinbar »natürlicher« Geschlechtseigenschaften auf:

> Die Männer meinen, wenn man den Frauen weitere Berufskreise
> eröffnete, so würde ihnen der Besitz der weiblichen Eigenschaften
> abhanden kommen, sie würden aufhören, Weiber zu sein. Geben
> die Herren damit nicht zu, wenn meine Logik mich nicht täuscht,
> daß die sogenannten weiblichen Eigenschaften keineswegs ihnen
> ursprüngliche, angeborne Geschlechtsattribute seien, sondern ledig-
> lich eine von ihrer Lebensweise und Stellung bedingte und abhän-
> gige Eigenart?[85]

Wie notwendig und kühn zugleich 1876 das Beharren auf gleichen intellektuellen Fähigkeiten beider Geschlechter war, zeigen noch jene Schriften, die auf der Grundlage medizinischer
Fakten den Gegenbeweis anzutreten versuchten. Je entschlos-
sener die Frauen sich für ihre Rechte einzusetzen begannen,
desto verzweifelter formierten sich ihre Gegner. Scheinbar wissenschaftlich fundiert, formulierte Möbius noch 1901 seine
Thesen zum «physiologischen Schwachsinn des Weibes« und
begründete eine treue Gefolgschaft.

In dieser Atmosphäre versprach noch am ehesten die künstlerische Laufbahn (Kunst, die dekorativen Zwecken huldigte)
einen Weg aus dem Dilemma, zumal Lehrerinnen- und Gou-
vernantentätigkeiten den unverheirateten Frauen vorbehalten
blieben. Alternative Lebensentwürfe ließen sich also am besten
in den eigenen vier Wänden durchsetzen, z.B. als Schriftstellerin. Vor allzu hoher Erwartung an diesen Beruf warnte 1889
Amalie Baisch. Gleichwohl riet sie jeder schreibwilligen höheren Tochter zur schrittweisen Erprobung ihres Talentes. Ihr
Vorschlag, es zunächst mit kleinen Plaudereien und Kinder-
geschichten im Feuilleton des Provinzblättchens zu versuchen,
berücksichtigte sowohl ungestüme Phantasien junger Autorinnen als auch eine realistische Einschätzung der Möglichkeiten,
mit dem Schreiben Geld verdienen zu können. Gleichzeitig
hütete sich die mütterliche Ratgeberin aber, grenzüberschrei-
tende Vorstellungen vom Frauendasein zu entfalten. Ohne
Zögern, so rief sie ihrer »ruhmesdurstigen Leserin« zu, solle
sie die sich bietende »Hand eines wackeren Mannes« ergreifen
und »getrost ihre überschwenglichen Träume opfern«.[86]

Dennoch war gegen Ende des 19. Jahrhunderts die herrschende Meinung über die Frauen der Feder liberal wie nie zuvor. Eine engagierte Literatur von Frauen entstand, die sich intensiv mit dem »neuen« Frauenbild und der gleichzeitigen emotionalen Gebundenheit an das traditionelle Frauenbild auseinandersetzte. Obwohl eine positive Aufnahme weiblicher künstlerischer Produkte wahrscheinlicher denn je war, konnte von einer vorurteilsfreien Akzeptanz noch keine Rede sein. Vor allem Frauen, die ihre Tätigkeit professionell betrieben, gerieten in Konflikte mit ihrer Umwelt. Notgedrungen wirkte sich ihre Außenseiterposition nicht nur auf ihre privaten Verhältnisse, sondern auch auf ihr Selbstverständnis aus. An ein Schreiben, das von den Rollenerwartungen unberührt blieb, war unter diesen Voraussetzungen nicht zu denken, öffentliche Meinung und eigener internalisierter Widerstand zeigten ihre Wirkung.[87] Überaus aufschlußreich ist in diesem Zusammenhang eine Schrift, die 1914 von Lu Märten verfaßt wurde, *Die Künstlerin*. Märten setzte die künstlerische Produktion der zeitgenössischen Frau in den Zusammenhang soziokultureller und ökonomisch-politischer Rahmenbedingungen und konstatierte gravierende Schwierigkeiten hinsichtlich deren professioneller Tätigkeit, weil die Frau damit ihre »Zweckbestimmung« infrage stelle. Märten stellte fest, daß ein Kunstprodukt grundsätzlich im Falle weiblicher Urheberschaft in Wertung und Aufmerksamkeit herabgesetzt sei. Als Folgen machte sie nicht nur größere wirtschaftliche Existenzsorgen aus, die Künstlerinnen »zu Umwegen zwingen«,[88] sondern bedauerte vor allem psychische Belastungen, »namenlose Genialität«[89] und ein »erotisches Problem«[90] professionell wirkender Künstlerinnen.

Gleichwohl waren auf der Werteskala der künstlerisch tätigen Frauen die Schriftstellerinnen relativ hoch angesiedelt. Eine interessante Einschätzung bietet Sophie Pataky in ihrem 1896 erschienenen »zuverlässigen Wegweiser der Frauenthätigkeit auf litterarischem Gebiete«. Ausdrücklich versuchte sie mit ihrem »Lexikon der Frauen der Feder« Vorurteilen zu begegnen und verzichtete auf biographische Details. In ihrem Vorwort urteilte sie über die Vielfältigkeit der Motive weiblichen Schreibens:

Nicht immer ist es der Drang nach schriftstellerischer Bethätigung, welche die Frau in die Reihe der ›Schreibenden‹ gestellt hat. Gar oft waren es die eigene Not, die Sorge um die darbende Familie, den siechen Gatten, die vaterlosen Kinder oder die Unterstützung bedürftiger Geschwister, welcher der Tochter, der Gattin, der Mutter oder Schwester die Feder in die Hand drückten, um das in ihr schlummernde Talent auszumünzen und so manche unter ihnen hat thränenden Auges ihre ›Humoresken‹ und ›Heitren Bilder aus dem Leben‹ geschrieben.[91]

So vielfältig wie die gesamte Literatur der Jahrhundertwende sich thematisch, ideologisch und stilistisch zeigt, so differenziert ist auch das von Frauen publizierte Schrifttum. Außerdem kennzeichnet die von Frauen verfaßte Literatur des Fin de siècle eine doppelte Blickrichtung, »eine Reflexion auf Traditionen und Erworbenes, die die Fremdbestimmung analysiert und auch eine mögliche neue Besitznahme unter veränderten Vorzeichen miteinbezieht«.[92] Die dem konsequenten Naturalismus zuzurechnenden Romane Klara Viebigs (1860–1952) fanden zu dieser Zeit ebenso begeisterte Leserinnen wie die erotisch-emanzipatorischen Selbstentwürfe der Franziska zu Reventlow (1871–1918). Autorinnen wie Gabriele Reuter (1859–1941) oder Helene Böhlau (1859–1940), die mit einer massiven Kritik an der Gesellschaft auftraten, entdeckten ebenfalls im Naturalismus eine Strömung, die ihrer Schreibintention entgegenkam. Soziologische und biologische Gesetzmäßigkeiten, auf deren Basis Milieu- und Vererbungstheorien entstanden, nutzten die Autorinnen vor allem dort, wo es galt, »Weiblichkeit« als willkürliches Konstrukt zu entlarven und als konstitutive Determinante der bürgerlichen Werthierachie nachzuweisen. Hippolyte Taines »Milieutheorie«, Karl Marxs *Kapital*, Charles Darwins *Entstehung der Arten*, Friedrich Nietzsches »Umwertung aller Werte« und nicht zuletzt die durch Sigmund Freud vermittelten Einblicke in die Strukturen der menschlichen Psyche boten ein geistiges Klima, in dem die Frauen in ihrem Bemühen um Selbständigkeit und Selbstbewußtsein Unterstützung fanden.

Eine ganz andere literarische Richtung jenseits der Frauenemanzipation schlug Ricarda Huch (1864–1947) ein, in deren Werk die sich neu eröffnenden Bildungsmöglichkeiten der Frau sich ebenso spiegeln wie individuelle Voraussetzungen. Ihr untypischer Lebensweg führte sie nach Zürich, wo sie das Abitur bestand, studierte und schließlich als eine der ersten Frauen promovierte. Nicht nur als Romanautorin, sondern auch als Literaturhistorikerin hinterließ sie ein Werk ersten Ranges.

Aufgeschreckt durch eine Schriftstellerinnengeneration, die sich allen Bewertungskriterien entzog, wunderte sich 1907 Theodor Klaiber:»Seltsam, wie hier die üblichen Redensarten vom Naiven und Instinktmäßigen der Frau versagen.«[93] Klaibers Urteil spiegelte um so mehr die gestiegene gesellschaftliche Akzeptanz schriftstellernder Frauen, gerade weil er zwar immer noch erschrak vor »einer Gruppe von Dichterinnen, die einer überhitzten Geschlechtlichkeit und mänadenhaften Perversität verfallen«,[94] inzwischen aber durchaus offen einer »Literatur, die Forderungen erhebt«, gegenüberstand. Verschließt man gütig Augen und Ohren vor manchem Vorbehalt, den Klaiber und andere Kritiker seiner Zeit gegenüber den Werken aus weiblicher Hand noch pflegten, dann bietet seine Quintessenz einen vorzüglichen Schlußsatz für eine Einführung in die Geschichte der Berufsschriftstellerin:»Die ganze Frauenliteratur bedeutet für unser Schrifttum eine wesentliche Bereicherung.«[95]

Anmerkungen

1 Brinker-Gabler, Gisela (Hg.) (1988): Deutsche Literatur von Frauen, 2 Bd., München. Ferner: Gnüg, Hiltrud/Möhrmann, Renate (Hg.) (1995): Frauen-Literatur-Geschichte. Vom Mittelalter bis zur Gegenwart, Stuttgart.

2 Vgl. hierzu Freytag, Wiebke (1988): Geistliches Leben und christliche Bildung. Hrotsvit und andere Autorinnen des frühen Mittelalters, in : Brinker-Gabler, Gisela (Hg.): S. 65-75.

3 Vgl. hierzu Meier, Christel (1988): Prophetentum als literarische Existenz: Hildegard von Bingen (1098–1179), in: Brinker-Gabler, Gisela (Hg.): S. 76-87.

4 Liebertz-Grün, Ursula (1988): Höfische Autorinnen. Von der karolingischen Kulturreform bis zum Humanismus, in: Brinker-Gabler, Gisela (Hg.): S. 39-64.

5 Hess, Ursula (1988): Lateinischer Dialog und gelehrte Partnerschaft. Frauen als humanistische Leitbilder in Deutschland (1500–1550), in: Brinker-Gabler, Gisela (Hrsg.): S.114.

6 Ebd.: S. 124.

7 Zit. nach Brinker-Gabler, Gisela (1978): Einleitung, in: Deutsche Dichterinnen vom 16. Jahrhundert bis zur Gegenwart. Gedichte und Lebensläufe, Frankfurt am Main, S. 28.

8 Wunder, Heide (1992): »Er ist die Sonn', sie ist der Mond«: Frauen in der frühen Neuzeit, München, S. 75.

9 Heuser, Magdalene/Niethammer, Ortrun/Roitzheim-Eisfeld, Marion/

Wulbusch, Petra (Hg.) (1994): »Ich wünschte so gar gelehrt zu werden«: drei Autobiographien von Frauen des 18. Jahrhunderts; Texte und Erläuterungen, Göttingen.

10 Ebd.: Nachwort, S. 262.

11 Brandes, Helga (1988): Das Frauenzimmer-Journal. Zur Herausbildung einer journalistischen Gattung im 18. Jahrhundert, in: Brinker-Gabler, Gisela (Hrsg.): S. 452-468, hier S. 455.

12 Zit. nach Becker-Cantarino, Barbara (1987): Der lange Weg zur Mündigkeit: Frau und Literatur (1500–1800), Stuttgart, S. 262.

13 Spiegel, Marianne (1967): Der Roman und sein Publikum im frühen 18. Jahrhundert 1700–1767, Bonn, S. 11-14.

14 Ebd.: S. 38f.

15 Brinker-Gabler, Gisela (1978): S. 41.

16 Kord, Susanne (1996): Sich einen Namen machen. Anonymität und weibliche Autorschaft 1700–1900, Stuttgart, Weimar, S. 36.

17 Rousseau, Jean-Jacques: (1970): Emile oder Über die Erziehung, Stuttgart, S. 795.

18 Bovenschen, Silvia (1979): S. 159.

19 Habermas; Jürgen (1968): Strukturwandel und Öffentlichkeit: Untersuchungen zu einer Kategorie der bürgerlichen Gesellschaft, Neuwied, S. 62f.

20 Vgl. in diesem Zusammenhang auch Schuller, Marianne (1990): Im Unterschied: Lesen, Korrespondieren, Adressieren, Frankfurt am Main, S. 127.

21 Gellert, Christian Fürchtegott (1751): Praktische Abhandlung von dem guten Geschmacke in Briefen, in: Ders.: Gesammelte Schriften. Kritische kommentierte Ausgabe, hg. von Bernd Witte, Bd. IV: Roman, Briefsteller, Berlin, New York 1989, S. 111-152, hier S. 136.

22 Loster-Schneider, Gudrun (1995): Sophie La Roche. Paradoxien weiblichen Schreibens im 18. Jahrhundert, Tübingen, S. 39, 40.

23 Kord, Susanne (1996): S. 41.

24 Hopfner verweist auf § 74 des Allgemeinen Landrechts für die preußischen Staaten von 1794, der den Familienvater verpflichtete, »daß das Kind in der Religion und nützlichen Kenntnissen den nöthigen Unterricht, nach seinem Stande und Umständen, erhalte.« Vgl. Hopfner, Johanna (1990): Mädchenerziehung und weibliche Bildung um 1800 im Spiegel der populär-pädagogischen Schriften der Zeit, Bad Heilbrunn/Obb., S. 91.

25 Ebd.: S. 100 ff.

26 Kord, Susanne (1996): S. 43.

27 Grimm, Gunter E. (1992): Einleitung: Zwischen Beruf und Berufung – Aspekte und Aporien des modernen Dichterbildes, in: Ders. (Hg.) Das Rollenverständnis deutscher Schriftsteller vom Barock bis zu Gegenwart, Frankfurt am Main, S. 7-15, hier S. 9. Grimm nimmt in seine Anthologie keine Schriftstellerin auf. Desgleichen: Selbmann, Rolf (1994): Dichterberuf. Zum Selbstverständnis des Schriftstellers von der Aufklärung bis zur Gegenwart, Darmstadt.

28 Adorno, Theodor (1970): Ästhetische Theorie, in: Ders.: Gesammelte Schriften, Bd. 7, Frankfurt am Main, S. 334.

29 Beyer, Johann R. G. (1796): Ueber das Bücherlesen, in so fern es zum Luxus unsrer Zeit gehört, in: Akta Akademiae Electoralis Moguntinae Scientiarum Utilium Quae Erfurti est, Vol. XII, 1794/1795, Erfurt, S. 6, zit. nach Schön,

Erich (1990): Weibliches Lesen. Romanleserinnen im späten 18. Jahrhundert, in: Untersuchungen zum Roman von Frauen, hrsg. von Helga Gallas und Magdalene Heuser, Tübingen, S. 20-40, hier S. 25.

30 Vgl. hierzu Meise, Helga (1983): Die Unschuld und die Schrift: deutsche Frauenromane im 18. Jahrhundert, Berlin, S. 73ff.

31 Ebd.: S. 80.

32 Bauer, Karl-Gottfried (1791): Ueber die Mittel, dem Geschlechtstriebe eine unschädliche Richtung zu geben. Mit einer Vorrede und Anmerkung von C. G. Salzmann, Leipzig, S. 189-191, hier S. 192f., zit. nach Schön, Erich (1990): S. 38.

33 Runge, Anita (1997): Literarische Praxis von Frauen um 1800. Briefroman, Autobiographie, Märchen, Hildesheim, Zürich, New York, S. 21.

34 Meise, Helga (1983): S. 204.

35 Baur, Samuel/Sadji, Uta (1990): S. 11.

36 Ebd.: S. 6.

37 Ebd.: S. 6.

38 Ebd.: S. 88.

39 Ebd.: S. 89.

40 Baur, Samuel (1790): Charakteristik der Erziehungsschriftsteller Deutschlands: ein Handbuch für Erzieher, Leipzig, S. XIV.

41 Kord, Susanne (1996): S. 58.

42 Vgl. hierzu ebd.: S. 57.

43 Hegel, Georg Wilhelm Friedrich (1985): Ästhetik, Bd. I, hg. von Friedrich Bassenge, Berlin, S. 568.

44 Aus dem gleichen Grund verbietet sich die Suche nach einer klassischen Autobiographie, wie Ramm zeigt. Ramm, Elke (1995): Warum existieren keine »klassischen Autobiographien« von Frauen?, in: Geschriebenes Leben. Autobiographik von Frauen, hg. von Michaela Holdenried, Berlin, S. 130-141.

45 Schabert, Ina/Schaff, Barbara (1994): Einleitung, in: Autorschaft. Genius und Genie in der Zeit um 1800, hg. von Ina Schabert und Barbara Schaff, Berlin, S. 9-19, hier S.10.

46 Vgl. hierzu Kord, Susanne (1996): S. 99.

47 Vgl. in diesem Zusammenhang Gallas, Helga/Runge, Anita (1993): Romane und Erzählungen deutscher Schriftstellerinnen um 1800. Eine Bibliographie mit Standortnachweisen, Stuttgart, Weimar. Die Bibliographie weist von 396 Veröffentlichungen, die Frauen zugeschrieben werden, 252 als anonym, 7 als kryptonym und 7 als pseudonym aus.

48 Touaillon, Christine (1919): Der deutsche Frauenroman im 18. Jahrhundert, S. 322.

49 Heuser, Magdalene (1990): »Ich wollte dieß und das von meinem Buche sagen, und gerieth in ein Vernünfteln.« Poetologische Reflexionen in den Romanvorreden, in Gallas, Helga/Heuser, Magdalene (1990) (Hg.): S. 52-65, hier S. 59.

50 Hahn, Andrea/Fischer, Bernhard (Hg.) (1993): »Alles ... von mir!« Therese Huber (1764–1828). Schriftstellerin und Redakteurin, in: Marbacher Magazin 65, Stuttgart.

51 Kord, Susanne (1996): S. 81.

52 Vgl. Walter, Eva (1984): »Schrieb oft, von Mägde Arbeit müd'«: Lebenszusammenhänge von Schriftstellerinnen im deutschsprachigen Raum Ende des 18. Jahrhunderts, Stuttgart.

53 Vgl. hier Schiller, Friedrich (1797): Brief an Goethe, Jena 30.697, in: Schillers Werke. Nationalausgabe, 29. Bd.: Briefwechsel, Schillers Briefe 1.11.1796–31.10.1798, hg. von Norbert Oellers und Frithjof Stock, Weimar 1977, S. 92, 93, hier S. 93: »Für die Horen hat mir unsere Dichterin Mereau jetzt ein sehr angenehmes Geschenk gemacht, und das mich wirklich überraschte. Es ist der Anfang eines Romans in Briefen, die mit weit mehr Klarheit Leichtigkeit und Simplicität geschrieben sind, als ich je von ihr erwartet hätte. Sie fängt darinn an, sich von Fehlern frey zu machen, die ich an ihr für ganz unheilbar hielt, und wenn sie auf diesem Wege weiter fortgeht, so erleben wir noch was von ihr. Ich muß mich doch wirklich darüber wundern, wie unsere Weiber jetzt, auf bloß dilettantischem Wege, eine gewisse Schreibgeschicklichkeit sich zu verschaffen wissen, die der Kunst nahe kommt.«

54 Hammerstein, Katharina von (1994): Sophie Mereau-Brentano: Freiheit – Liebe – Weiblichkeit. Trikolore sozialer und individueller Selbstbestimmung um 1800, Heidelberg.

55 Hammerstein, Katharina von (1997): »Der Freiheit, der Liebe und dem Glück leben.« Ein Nachwort zu Sophie Mereaus Romanen, in: Das Blüthenalter der Empfindung. Amanda und Eduard. Romane, hg. und kommentiert von Katharina von Hammerstein, München, S. 263-286, hier S. 267.

56 Schieth, Lydia (1987): Die Entwicklung des deutschen Frauenromans im 18. Jahrhundert. Ein Beitrag zur Gattungsgeschichte, Frankfurt am Main, S. 160.

57 Vgl. zur Problematik weiblicher Kunstproduktion und literarischem Kanon: Kittler, Friedrich A. (1987): Aufschreibesysteme 1800/1900, München, hier im besonderen S. 131ff. Ferner: Schmid-Bortenschlager, Sigrid (1986): »La femme n'existe pas.« Die Absenz der Schriftstellerin in der deutschen Literaturgeschichtsschreibung, in: Die Zeichen der Historie, hg. von Georg Schmid, Wien, S. 145-154.

58 Vgl. Sadji, Uta (1990): »Ein Frauenzimmer, das Bücher schreibt, legt seine Weiblichkeit ab, wird Gelehrter.« Deutsche Autorinnen des ausgehenden 18. Jahrhunderts und ihr Publikum, in: Begegnung mit dem ›Fremden‹: Grenzen – Traditionen – Vergleiche. Akten des internationalen Germanistikkongresses Tokyo 1990, hg. von Eigiro Iwasaki u.a., Bd. 10, S. 237-246, hier S. 242.

59 Marx warnt eindringlich davor, den Begriff »Frauenroman« nach biologischen Kriterien (der Schriftstellerin oder der Leserin) zu definieren und daraus zu schließen, er stelle im wesentlichen weibliche Gefühlswelt und weibliche Interessen zentral dar. Marx, Leonie (1983): S. 435, 436.

60 Wägenbaur, Birgit (1996): Die Pathologie der Liebe. Literarische Weiblichkeitsentwürfe um 1800, Berlin, S. 12.

61 Mattenklott, Gert (1985): Romantische Frauenkultur. Bettina von Arnim zum Beispiel, in: Frauen – Literatur – Geschichte. Schreibende Frauen vom Mittelalter bis zur Gegenwart, hg. von Hiltrud Gnüg und Renate Möhrmann, Stuttgart 1985, S. 123-143. hier S. 127.

62 Bürger, Christa (1997): »Diese Hoffnung, eines Tages nicht mehr allein zu denken.« Lebensentwürfe von Frauen aus vier Jahrhunderten, Stuttgart, Weimar.

63 Schindel, Carl von (1823–1825): Die deutschen Schriftstellerinnen des neunzehnten Jahrhunderts, Leipzig, S. XXVII.

64 Ebd.: S. XXIV/XXV.

65 Ebd.: S. VI/VII.

66 Ebd.: S. XII.

67 Brinker-Gabler, Gisela (1978): S. 56.

68 Möhrmann, Renate (1977): Die andere Frau. Emanzipationsansätze deutscher Schriftstellerinnen im Vorfeld der Achtundvierziger Revolution, Stuttgart, S. 43.

69 Prutz, Robert (1859): Die deutsche Literatur der Gegenwart. 1848–1858, Bd. 2, S. 252.

70 Vgl. Schneider, Gabriele (1997): Aus der Werkstatt einer Berufsschriftstellerin. Unbekannte Briefe Fanny Lewalds an den Verleger Wilhelm Herz, in Forum Vormärz Forschung, Red. Helga Brandes und Detlev Kopp. Bielefeld, S. 113-130.

71 Zu beiden Autorinnen sind jüngst Monogaphien erschienen. Vgl. Schneider, Gabriele (1996): Fanny Lewald, Reinbek bei Hamburg. Und: Tönnesen, Cornelia (1997): Die Vormärz-Autorin Luise Mühlbach. Vom sozialkritischen Frühwerk zum historischen Roman, Neuss.

72 Barthel, Carl (1853): Die deutsche Nationalliteratur der Neuzeit, Leipzig, S. 221.

73 Scherr, Johannes (1875): 1848. Ein weltgeschichtliches Drama, Leipzig, S. 175f.

74 Gottschall, Rudolph (1861): Die deutsche Nationalliteratur in der ersten Hälfte des neunzehnten Jahrhunderts, Breslau, S. 608.

75 Gross, Heinrich (1882): Deutschlands Dichterinen und Schriftstellerinen. Eine literarhistorische Skizze, Wien, S. 7.

76 Vgl. zum Ausschluß weiblicher Erzählkunst aus dem literarischen Kanon die überaus gewinnbringende Studie von Heydebrand, Renate von/Winko, Simone (1994): Geschlechterdifferenz und literarischer Kanon. Historische Beobachtungen und systematische Überlegungen, in: Internationales Archiv für Sozialgeschichte der deutschen Literatur, hg. von Georg Jäger, Dieter Langewiesche und Alberto Martino, 19. Bd., 2. Heft, S. 96-172, hier S. 100.

77 Marx, Leonie (1983): S. 435.

78 Vgl. Becker, Eva Dorothea (1996): Marie von Ebner-Eschenbach: Meine Kinderjahre (1906), in: Heuser, Magdalene (Hg.): Autobiographien von Frauen, Beiträge zu ihrer Geschichte, Tübingen, S. 302-317, hier S. 317.

79 So erschienen erst 1879 so viele Buchtitel wie im Jahre 1843 (ca. 14000). Vgl. Ehlert, Klaus (1979): Realismus und Gründerzeit, in: Deutsche Literaturgeschichte: von den Anfängen bis zur Gegenwart, Stuttgart, S. 204.

80 Zit. nach Wagner-Zereini, Gabriele (1997): Schreiben als Alternative. Ida Boy-Ed (1852–1928), in:»Luftschifferinnen, die man nicht landen läßt.« Frauen im Umfeld der Familie Mann, hg. von Hans Wißkirchen, Lübeck, S. 113-135, hier S. 113.

81 Ich folge hier im wesentlichen den Ausführungen von Ehrich, Karin (1996): Stationen der Mädchenschulreform. Ein Ländervergleich, und Heinsohn, Kirsten (1996): Der lange Weg zum Abitur. Gymnasialklassen als Selbsthilfeprojekte der Frauenbewegung, in: Geschichte der Mädchen- und Frauenbildung, hg. von Elke Kleinau und Claudia Opitz, Bd. 2: Vom Vormärz bis zur Gegenwart, Frankfurt, New York, S.129-148 und S. 149-160.

82 Heinsohn, Kirsten (1996): S. 152. Heinsohn verweist auf die interessante Altersspanne bei den Abiturientinnen: So waren die ersten von ihnen um die dreißig, mit zunehmender Etablierung verjüngte sich der Altersdurchschnitt.

83 Vgl. hier Häntzschel, Günther (Hg.) (1886): Bildung und Kultur bürger-

licher Frauen 1850–1918. Eine Quellendokumentation aus Anstandsbüchern und Lebenshilfen für Mädchen und Frauen als Beitrag zur weiblichen literarischen Sozialisation, Tübingen.

84 Dohm, Hedwig (1982): Die wissenschaftliche Emancipation der Frau, Zürich, S. 28, Reprint der Ausgabe Berlin 1874, mit einem Vor- und Nachwort von Berta Rahm.

85 Dohm, Hedwig (1986): Der Frauen Natur und Recht. Zur Frauenfrage zwei Abhandlungen über Liegenschaften und Stimmrecht der Frauen, Neukirch, S. 49, Reprint der Ausgabe Berlin 1876, Vorwort von Berta Rahm.

86 Baisch, Amalie (1889): Die Schriftstellerin, in: Häntzschel, Günther (Hg.) (1986): S. 295-298, hier S. 298.

87 Boetcher-Joeres, Ruth-Ellen (1990): Der ›Circulus vitiosus‹ der Rollenerwartungen und Selbstbilder. Deutsches Frauenschrifttum im 19. Jahrhundert, in: Begegnung mit dem ›Fremden‹: Grenzen – Traditionen – Vergleiche; Akten des VIII. Internationalen Germanisten Kongresses, Tokyo, Hg. von Eijiro Iwasaki, München, S. 237-246, hier S. 242.

88 Die Schrift konnte wegen des Krieges erst 1919 erscheinen. Märten, Lu (1914): Die Künstlerin, München, S. 42.

89 Märten, Lu (1914): S. 35.

90 Ebd.: S. 77.

91 Pataky, Sophie (1898): Lexikon deutscher Frauen der Feder. Eine Zusammenstellung der seit dem Jahre 1840 erschienenen Werke weiblicher Autoren, nebst Biographien der lebenden und einem Verzeichnis der Pseudonyme, Berlin, S. VII, VIII.

92 Brinker-Gabler, Gisela (1988): Perspektiven des Übergangs. Weibliches Bewußtsein und frühe Moderne, in: Brinker-Gabler, Gisela (Hg.): S.169-205, hier S.170.

93 Klaiber, Theodor (1907): Dichtende Frauen der Gegenwart, Stuttgart, S. 13.

94 Ebd.: S. 15.

95 Ebd.: S. 24.

Gudrun Loster-Schneider

»Ich aber nähre mich wieder mit einigen phantastischen Briefen.«
Zur Problematik der schriftstellerischen Profession

Sophie von La Roche (1730–1807)

Im Jahr 1790 erschien unter dem Titel *Deutschlands Schriftstelle-rinnen* ein Autorinnenlexikon, in welchem der Verfasser, der Ulmer Theologe und Pädagoge Samuel Baur, neben 77 ande-ren deutschsprachigen Schriftstellerinnen auch seine schwäbi-sche Landsfrau Sophie von La Roche vorstellte. Sein differen-ziert ausgebreitetes Lob schlägt am Ende in Diffamierung um, indem es sich als erzwungene Rücksicht auf den common sense selbst entwertet: »Dieß war von ihr gesprochen, wie ihre Freun-de von ihr sprechen [...] und wie man gewisser Leser wegen schreiben muß. Aber wir versichern, daß es uns sehr sauer ge-worden.«[1]

Zumindest in ihrem offiziellen Urteil waren die genannten ›Freunde‹ hierdurch nicht zu beeindrucken, wie etwa ein mit Baurs Text titelgleicher Artikel Wielands von 1803 oder Buris Nachruf auf La Roche im *Neuen Teutschen Merkur* zeigen.[2] Den-noch ist das Urteil Baurs bedeutsam: Wiederholt doch diese auf zwei knappen Textseiten polemisch inszenierte Demonta-ge der zeitgenössischen ›Institution‹ La Roche einen Wert-schätzungsverlust, wie ihn die Autorin selbst schon registriert hatte und wie er im literarhistorischen Gedächtnis des 19. Jahr-hunderts und in der Germanistik bis heute zu beobachten ist.[3]

Für diese doppelte Verdrängung aus der zeitgenössischen Wahrnehmung und dem literarhistorischen Kanon sind schein-bar geschlechtsneutrale Ursachen anzuführen, die in der so-ziokulturellen Transformation des Literatursystems liegen: Da-

zu gehören u.a. die empfindsame, philanthropische und pragmatische Codierung von La Roches Œuvre und ihre Orientierung auf das aufklärerische Kernideologem des ›Wahren, Guten und Schönen‹, die um 1800 im doppelten Wortsinn ›über-
holt‹ werden von einem immer stärker an Ästhetizität, Autonomie und utopischer Widerständigkeit ausgerichteten elitären Literaturbegriff.[4]

Wie wenig individuell oder geschlechtsneutral diese Pro-
blemkonstellation jedoch ist, hat die neuere Genderforschung
gezeigt: Die sexuelle Dichotomisierung der sozialen Hand-
lungsbereiche nach den gott- oder naturgewollten ›Geschlechts-
charakteren‹ und der ›Ordnung der Geschlechter‹ macht vor
dem System Literatur keineswegs halt: Schon die viel zitierte
Schillersche Formel vom ›weiblichen Dilettantismus‹ in der
Kunst zeigt, daß vielmehr das soziale Geschlecht und seine
semantischen Konnotationen auch die literarische Rezeption
und Produktion regeln, bis hinein in die Wertungsopposition
von ›hoher‹ vs. ›niederer‹ Literatur und die ›Schreibweisen‹,
das heißt beispielsweise Systembezüge, Themenwahl, Vertextungsstrategien und Adressatenbezug der AutorInnen.[5] Sofern
die geschlechtsideologischen Kerndichotomien, etwa von aktiv vs. passiv oder Geist vs. Materie, weibliche Produktivität
nicht gänzlich ausschließen, erzwingen sie zumindest einen
erheblichen ideologischen Anpassungsaufwand dieser regel-
widrigen Produktion an die kulturell vorgegebenen Weiblich-
keitsstereotype. Im Fall La Roches bedeutet das die Ausbildung
der drei Autorstereotype ›schöne Seele‹, ›Mütterlichkeit‹ und
›Autorin-wider-Willen‹ sowie die genannte empfindsam-phil-
antropische Codierung ihres Werkes.

Gerade Baurs Beispiel zeigt, daß die Kritiker dieses spezifisch ›weibliche‹ Autorprofil zu Lob und Verriß benutzten.[6]
Aber auch mit einem anderen Profil – wenn ihr als *bonne femme*
ein solches denn möglich gewesen wäre – hätte La Roche keine
Chance gehabt: Wie ein vergleichender Blick in Baurs zeitgleich
erschienene *Charakteristik der Erziehungsschriftsteller Deutschlands* zeigt, basiert seine Polemik gegen die eingestanden berühmteste und erfolgreichste Schriftstellerin ihrer Zeit auf dem
weiblichen Schreibverbot an sich, das La Roche mit ihrem ›weiblichen‹ Profil zu umschreiben sucht: »[E]in Frauenzimmer, das
Bücher schreibt, legt seine Weiblichkeit ab« – Grund genug,
»der Frauenzimmerschriftstellerei« insgesamt »abhold« zu sein,

Sophie von La Roche

»aus Gründen, die mehrere Gelehrte schon vor uns in ein deutliches Licht gesetzt haben«.[7]

Für die Tatsache, daß La Roche unter diesen diskursiven Rahmenbedingungen die literarische Produktion dennoch aufgenommen und aufrechterhalten hat, lassen sich zunächst biographische Ursachen ausmachen – ein Umstand, den gerade auch die jüngere La Roche-Forschung bei aller angemessenen Skepsis gegen biographistische Erklärungsmodelle berücksichtigt hat.[8]

1730 als erstes Kind in einen Kaufbeurer Gelehrtenhaushalt hineingeboren, erhielt Sophie Gutermann eine überdurchschnittlich umfassende, stark pietistisch orientierte Erziehung. Der Tod der Mutter 1748, die Wiederverheiratung des Vaters und das von ihm aufgelöste Verlöbnis Sophies mit dem italienischen Arzt Bianconi markieren eine erste biographische Zäsur: Sophie übersiedelte zu Verwandten nach Biberach, wo, vermittelt über ihren Vetter Wieland, ihre eigentliche literarische Sozialisation im Umfeld der europäischen Empfindsamkeit begann. Das Scheitern der Liebesbeziehung zu Wieland und ihre Heirat mit Georg Michael Frank von La Roche 1754 stellt eine zweite, noch entscheidendere Zäsur dar. Die Heirat mit dem Katholiken und natürlichen Sohn des frankophilen, rationalistischen und adligen Ministers des Kurmainzer Erzbischofs, Graf Stadion, bedeutete einen radikalen Wechsel des bisherigen soziokulturellen Umfeldes, allerdings auch umfassende und fortgesetzte Bildungsmöglichkeiten. La Roche selbst hat diesen Aspekt der Jahre zwischen 1754 und 1768, die sie am Mainzer Hof und an Stadions ›Musenhof‹ in Warthausen verbrachte, immer betont. Nach dem Tod Stadions 1768 unternimmt La Roche mit Wielands Hilfe den entscheidenden Schritt vom jahrelang praktizierten privaten Schreiben in die öffentliche Autorschaft: 1771 erscheint ihr erster Roman. Der große Erfolg der *Geschichte des Fräuleins von Sternheim* und der nachfolgenden Veröffentlichungen La Roches in den siebziger Jahren verlief parallel zur beruflichen Karriere ihres Mannes als kurtrierischer Regierungskanzler, die allerdings 1780 mit seinem Sturz und dem Umzug der Familie von Koblenz-Ehrenbreitstein nach Speyer endete. Die damit verbundenen finanziellen Einbußen, die sich in der politischen Situation der neunziger Jahre verschärften, kompensierte La Roche durch eine zunehmende Professionalisierung ihres Schreibens. Bis zu ih-

rem Tod 1807 in Offenbach, wo sie seit 1786 lebte, entstanden
auf diese Weise neben einer Zeitschrift und einer Fülle kleine-
rer Prosaschriften rund zwanzig eigenständige Romane, Reisebeschreibungen und didaktische Monographien.

Zur Erklärung von La Roches Œuvre und Schreibweise haben Autorin, Zeitgenossen und Forschung allerdings mehr noch
als auf die ›äußere‹ Biographie auf ihre Psychobiographie zu-
rückgegriffen: Fokussiert werden dabei gerade neuerdings die
Auswirkungen der wechselnden soziokulturellen Bezugsfelder,
Rollenerwartungen und Fremdkonditionierungen auf ihre
Identitätskonstitution.[9] Wichtig ist vor allem die hier diagno-
stizierte Grundspannung zwischen narzißtischem Subjektbe-
gehren und Selbstaffirmation einerseits sowie Depersonali-
sierungsprozessen andererseits. Diese These bietet Anschluß-
möglichkeiten an Erkenntnisse aus der historischen Geschlech-
terforschung zur kollektiven Struktur psychosexueller ›Weiblichkeit‹ am Ende des 18. Jahrhunderts, wie auch zur individuellen Struktur von La Roches Schreibweise, die charakterisierbar
ist als ›mittlerer‹, besser ›zweistimmiger‹ Weg zwischen Anpassung und Emanzipationsbegehren, zwischen Normaffirmation und -negation.[10]

Gerade der Öffnung der germanistischen Forschung für
pragmatische Textsorten sowie psychoanalytische und gender-
wissenschaftliche Methoden und Erkenntnisinteressen ist es zu
verdanken, daß mit der Einlösung des lang schon existieren-
den Postulats einer literarhistorisch nur angemessenen ›Wie-
derentdeckung‹ und Rehabilitierung La Roches begonnen werden konnte[11] – eine Entwicklung, die sich nicht nur an der wissenschaftlichen Befassung, sondern auch an der Neuedition
ihrer Werke abgreifen läßt.[12]

Für ein spezifisches Erkenntnisinteresse an den Ausprägun-
gen und Organisationsformen weiblichen Schreibens und ihren soziokulturell bedingten historischen Transformationen ist
der Fall Sophie von La Roche nun in mehrfacher Hinsicht aufschlußreich: Folgt man Kanzogs pointierter und an André Jolles
Terminologie angelehnter Definition von Literatur als einer
›Geistesbeschäftigung mit Normen‹,[13] stellt sich zwangsläufig
die Frage nach dem Bereich von Normen, den ihre Produzenten und Produzentinnen vor der Folie biographischer, soziokultureller und ästhetischer Kontexte fokussieren. Für La Roches ›Normreflexion‹ gilt, daß sie sich über alle ›zeittypischen‹

Problemorientierungen hinaus auf das Literatursystem bezieht, wobei diese poetologische Reflexion sehr deutlich auf die wechselnden Formationen der beiden zeitgenössischen Leitdiskurse über Literatur und Geschlecht reagiert. Dabei behandelt La Roche das Thema ›Frausein und Schreiben‹, das sie ihren Selbstkommentaren und literarischen Werken unterschiedlich explizit einschreibt, keineswegs programmatisch im Sinne eines eigenen und definitiven Konzeptes, gar einer weiblichen Ästhetik. Ebensowenig konzis und stabil ist das Verhältnis zwischen schriftstellerischer Praxis und der besonders stark diskursiv reglementierten ›theoretischen‹ Reflexion. Besonders die Kommerzialität ihres Schreibens ist der neuralgische Punkt dieser Reflexion. Lesbar sind La Roches Selbstkommentare denn auch eher als ein variationsreiches, den jeweiligen Öffentlichkeitsgrad sorgsam berücksichtigendes Ausloten der Möglichkeiten, Spielräume und Legitimationsstrategien, welche sich aus den wechselnden diskursiven Rahmenbedingungen für die literarische Produktion von Frauen ergaben. Dabei entsteht oft eine subtextuelle Argumentationsstruktur, welche – beabsichtigt oder nicht – die Normaffirmation, die auf der manifesten Ebene in aller Regel betrieben wird, in Frage stellt, indem sie ihren unfreiwilligen und strategischen Charakter sichtbar werden läßt.

Angesichts dieses Umstands macht es wenig Sinn, die ›Professionalität‹ oder ›Nichtprofessionalität‹ der Schriftstellerin La Roche anhand spezifischen Datenmaterials oder mit einzelnen, aus kontextuellen Sinngefügen gerissenen Selbstaussagen untersuchen zu wollen. Sinnvoller ist es, an geschlossenen Textsystemen exemplarisch vorzuführen, wie La Roche sich auf den für Frauen zunehmend restriktiven ästhetischen Diskurs bezieht und mit welchen Selbstentwürfen und diffizilen Denk- und Schreibmanövern sie auf ihn reagiert. Im Zentrum der folgenden Untersuchung steht deshalb die Analyse einer knapp sechzigseitigen Autobiographie, die La Roche 1806 ihrem explizit als ›letztem‹ apostrophierten Text, *Melusinens Sommer-Abenden,* voranstellte.[14] Kontrastiert wird die dort gewählte Selbstkonstruktion einerseits mit nichtliterarischem Quellenmaterial und biographischen Daten, andererseits mit Modellen weiblicher Autorschaft, wie La Roche sie in einigen ihrer Romane zur allgemeinen ›Nachahmung‹ entwirft.

Für die vorliegende Problemstellung eignet sich die Autobiographie von 1806 besonders gut. Zum einen reflektiert sie sozusagen ›ultimativ‹ noch einmal die Bedeutung des Schreibens für das eigene Leben, das Selbstbild und den retrospektiv konstruierten Lebenszusammenhang des autobiographischen Ichs. Zum andern ist sie, wie 35 Jahre zuvor La Roches erster Text, von Wieland herausgegeben – die zyklische Wiederkehr einer Konstellation, welche beide ›Partner‹ zu ausgedehnten intertextuellen Rekursen auf die alten, von Wieland einst lancierten Autorstereotype für La Roche benutzen. Der Text bietet deshalb Informationen zu den einzelnen Komponenten des ›La Roche-Mythos‹ wie auch für die ›Arbeit‹ an ihm. Zum dritten aber ist dieser Text ein Dokument für die restriktiven Veränderungen in den diskursiven Rahmenbedingungen für ›schriftstellernde‹ Frauen, wie sie bereits oben, am Beispiel Baurs deutlich wurden. Dieser Dokumentcharakter basiert auf einer spezifischen Eigenschaft der Textstruktur: Was sich zunächst als monolithischer, einem bestimmten historischen Moment zugehörender Identitätsentwurf präsentiert, entpuppt sich als Montage aus unterschiedlich alten Textbausteinen. Und gerade im Hinblick auf den misogynen antiegalitären Rückschlag der postrevolutionären Jahre ist es von einiger Brisanz, daß just für die Passagen, in denen die Verfasserin ihre schriftstellerische Identität thematisiert, sie dies nur im Rückgriff auf ältere Vorfabrikate leistet. Die Prätexte, die hier in einer teleskopartigen chronologischen Staffelungstechnik in den autobiographischen Makrotext von 1806 inkorporiert werden, gehören in den soziobiographischen Kontext der achtziger Jahre und variieren Passagen aus dem *Magazin für Frauenzimmer*, der *Pomona für Teutschlands Töchter* und den *Briefen über Mannheim*.[15]

Bereits die Entstehungsgeschichte und der Herausgeberkommentar Wielands verweisen auf das paradoxe Kernproblem einer schriftstellerischen Professionalität, die gerade in ihrer konsequenten Orientierung am Markt und den dort verkäuflichen Autor- und Geschlechtsstereotypen die Professionalität und die Konstrukthaftigkeit ihres Produktes verbergen muß: Wieland, in Sachen Professionalisierung der zeitgenössische Experte schlechthin,[16] initiiert den autobiographischen Text, um dem »Werkchen einen großen Zuwachs sowohl an innerem Werth als an Verkäuflichkeit und stärkerm Debit« zu geben[17] – eine Marketingidee, deren exhibitionistische Instrumentalisierung von Leben und »Larve« ihrer Person die Auto-

rin La Roche mit einigem »Herzweh« quittierte.[18] Die Schreib-
empfehlungen Wielands verpflichten die angehende Autobiographin auf die Kernaspekte ihres Autorimages, nämlich
Zufälligkeit, Absichtslosigkeit und künstlerische Anspruchs-
losigkeit,[19] Topoi, die das Herausgebervorwort selbst noch einmal aufzählt. Das Faktum der kommerziellen Professionalität
wird von Wieland nicht geleugnet, aber geschickt überblendet
mit einem anderen und geschlechtsideologisch affirmativen
Kernmythem von La Roches Autorimage als mütterlicher *praeceptra germaniae filiarum.* ›Berufstätigkeit‹, individuelle Berufung und der natürliche Beruf des weiblichen Geschlechts, wie
auch Wieland ihn beispielsweise in seiner *Weiblichen Bildung*
propagiert hatte,[20] überlagern sich semantisch, und das Lesepublikum wird vorbereitet auf eine gelungene Lebensgeschichte, die alle Dualismen, etwa die von Rationalität und Emotionalität oder von subjektiver und objektiver ›Bestimmung‹ har-
monisiert.

In seiner Argumentation verweist Wieland nicht nur auf seine eigene und autoritätshaltige Diskursmächtigkeit in Sachen
Bildung, weiblicher Bildung und Bildungsroman. Vielmehr erinnert er das Publikum an die im *Sternheim*-Vorwort erarbeite-
ten Komponenten des empfindsamen Produktes La Roche, Ori-
ginalität, Authentizität, Natürlichkeit, Moralität, reduzierte
Ästhetizität und ›Weiblichkeit‹. Diesen Attribuierungen folgten einst nicht nur der idealtypische Charakter der Heldin Sophie; ihr Briefstil und die Schreibweise des Romans, sondern
auch die drei ›berufsspezifischen‹ Merkmale ihrer Verfasserin:
weiblich adressierte Didaxis, Dilettantismus und das sozial
begründete Privileg einer Dame, keine Schriftstellerin von Profession zu sein.

Diese Vorgaben erfüllt die folgende Autobiographie der greisen 76jährigen La Roche nur teilweise. In einer subtilen Bewegung gegen den Strich enthüllt ihr Entwurf gerade die gänzlich ›inauthentische‹, nach den Publikumserwartungen und
dem restriktiven weiblichen Geschlechtscharakter professionell
und marktorientiert modellierte Konstrukthaftigkeit ihres »un-
geschminkte[n]« »individuellen Charakter[s]«.[21]

Bezeichnenderweise konzentriert sich La Roche auf den Topos von der ›Zufälligkeit‹ und ›Absichtslosigkeit‹ ihrer Schriftstellerei: Bis in die Gegenwart des autobiographischen Ichs hinein stilisiert sie ihr ›Schreiben‹ nicht als ›notwendige‹ und selbst-

verantwortete, sondern ›zufällige‹, fremdinitiierte und nur mit Selbstüberwindung praktizierte Tätigkeit: So wie aktuell eine fiktive männliche Autorität das Textganze von *Melusinens Sommerabenden* abruft, forderten einst reale Personen *Die Geschichte des Fräuleins von Sternheim*, *Rosaliens Briefe an ihre Freundinn Mariane von St** und die *Pomona* ein.[22]

Dabei verfährt La Roche in diesem Punkt noch restriktiver als das ›urszenische‹ Rollenarrangement des *Sternheim*-Vorwortes, wo in der fiktiven Entstehungsgeschichte des Romans lediglich die Veröffentlichung, nicht jedoch seine Entstehung ›okkupiert‹ und aus der Initiative der Autorin entlassen worden war: Eine Frau produzierte »unvermerkt« ein »kleine[s] Werk« und überließ es einem männlichen Freund zum familiären Gebrauch. Dieser mißachtete die private Gebrauchsbestimmung des Manuskripts, schickte die ›Tochter ihres Geistes‹ in die Welt, um sie der ›Mutter‹ anschließend als »gedruckte Copey« und quasi öffentliches Mädchen zurückzusenden. Die narrative Organisation dieses papiernen ›Entwicklungs-Romans‹ in ›absteigender Linie‹ (auch Bücher haben bekanntlich ihre Geschichte!) wurde bei Wieland entscheidend geregelt durch die beiden miteinander gekoppelten Oppositionen von männlich vs. weiblich und öffentlich vs. privat. Das *Sternheim*-Vorwort erzählte so die deutlich erotisierte Geschichte eines ›(Vertrauens-)Mißbrauchs‹ und einer doppelten Normverletzung: Verraten wurde das hier ›freundschaftlich‹ definierte soziale Interaktionsmuster zwischen Mann und Frau, das den Mann auf ›väterlichen‹ Schutz verpflichtet. Verletzt wurden zudem die Regeln der sich gerade etablierenden geschlechtsdichotomischen Neuzuweisung familiärer und gesellschaftlicher Handlungsräume.[23] Nur Wielands affirmatorischer Umgang mit dieser Dissoziation der Geschlechterrollen erklärt die augenscheinliche Intention des *Sternheim*-Vorwortes, die Verfasserin von jeglicher Allein- oder Mitverantwortlichkeit an der Veröffentlichung des Textes freizusprechen. In der gerade stattfindenden geschlechtsspezifischen Dissoziation von Erwerbs- und Familienleben ist die traditionelle Ehrenrührigkeit schriftstellerischer Honorare allenfalls für Männer und Herren, nicht aber für Frauen und Damen zu überwinden.[24]

La Roches 1806 geleisteter Rekurs auf die Wielandsche Argumentation funktioniert, wie bereits angedeutet, nur bedingt: Radikalisiert sie als Reflex auf den misogyner werdenden Krea-

tivitätsdiskurs den Legitimationstopos der fremdverantwor-
teten Text*ausführung*, läßt sie umgekehrt den genuinen, subjektiven Schreib*wunsch* nicht gänzlich verschwinden: In den
einzelnen Werkkommentierungen besteht die ›Zufälligkeit‹ des
Produzierens und Veröffentlichens darin, daß subjektiver
Wunsch und objektive Nachfrage bzw. Erlaubnis ›zusammenfallen‹. Das persönliche Textbegehren wird dabei durchaus
unterschiedlich konzipiert. So erfährt, anders als im *Sternheim*-
Vorwort Wielands, der auf die Horazische Opposition von
otium vs. negotium zurückgreifende Topos, der Roman sei privat, unvermerkt, in pflichtfreien »Nebenstunden« und zur »Ge-
müths-Erholung« entstanden,[25] eine ›gravierende‹ Bedeutungs-
verschiebung. Aus der angenehmen Freizeitbeschäftigung wird
– in bester pietistischer Tradition – die von ›außen‹ legalisierte
selbstdisziplinatorische Praxis in einer akuten Lebens- und
Sinnkrise.[26] Aus dem zweideutigen Begriff der ›Gemütserho-
lung‹ wird auch der letzte Rest anakreontischer Heiterkeit zugunsten empfindsamen Ernstes getilgt.

Der Entstehungskommentar zum *Rosalien*-Roman wiederum deckt sich zwar mit der Adressatenorientierung auf die
Mütter und Töchter der Nation und der moraldidaktischen
Funktionsbestimmung von Literatur, wie sie im Prätext des
Sternheim-Vorwortes vorgegeben sind, korrigiert aber im Bereich von Wielands Schwärmerkritik und Realismusverdikt. Wo
Wieland einst den Detailrealismus und die empirische Qualität von La Roches Schreiben hervorgehoben hatte, insistiert sie
selbst umgekehrt auf dem realitätskritischen Anspruch ihrer
›idealischen‹ Entwürfe: Sie haben für ihre Verfasserin Ersatz-
und Stabilisierungsfunktion:

Beobachtungen über wirkliche Scenen, Lieblingsideen, die ich nicht
ausführen konnte; Gedanken, die ich nicht laut sagen wollte; – alles
dies trug ich in des großen alten Cicero seine Welt der Einbildungskraft, baute Häuser, legte Gärten an, theilte Aemter aus, erzog liebe
Mädchen aus reichen und armen Familien, bildete wackere junge
Männer, und stiftete Heiraten.[27]

Ohne Zweifel: La Roches Selbstkommentare zur Entstehung
ihrer beiden ersten Romane und zu ihren *Moralischen Erzählungen* bestehen auf der ›produktiven Phantasie‹, und mit dieser Qualität stören sie das nur wenige Zeilen zuvor ›linientreu‹
zitierte Schreibprogramm erheblich, wo es um authentische und

empirische Erfahrung, moralischen Lehrsatz und ›reproduzierende Einbildungskraft‹ geht.

Die Selbstkommentare zeigen umgekehrt aber auch schon die geschlechtsideologische Reglementierung gerade dieser genuin ›poetischen‹ Qualität des »Geschreibe[s]«.[28] Während nämlich die jungen »Coblenzer Frauenzimmer« weitere öffentliche »Romane«, also ›Phantasien‹, von der Autorin fordern,[29] tendieren männliche Mentoren zu privaten und/oder pragmatischen Texten, die zudem als bloßer Ersatz für mündliche oder schriftliche, d.h. briefliche Dialoge definiert sind: Der reale Inaugurator des ersten Textes, Pfarrer Brechter, rät denn auch mitnichten zu einer historischen oder gar fiktionalen Geschichte, sondern zur tagebuchartigen Niederschrift ihrer Probleme und »Ideen«.[30] Der letzte *spiritus rector* ihres Textes, Onkel Planberg (!), gibt *Melusinens Sommer-Abende* als Ersatz für den umständehalber erschwerten Briefwechsel der Verfasserin mit seiner Nichte in Auftrag.

Die narrative ›phantastische Einkleidung‹ der Ideen ist aber nicht nur ein Objekt weiblicher Wünsche und männlicher Verbote. Über das geschlechtsspezifische Moment hinaus läßt der autobiographische Text auch eine ständische Problematik erkennen: Des bürgerlichen Rousseauisten Brechters Projektkonzeption eines weiblichen Tagebuchs[31] kann nur modifiziert werden vor dem Hintergrund des höfisch-aristokratischen Lebenskontexts. Das soziokulturelle Milieu in Mainz, am Warthausener Musenhof und insbesondere in Stadions Bibliothek[32] erlaubt mehr als den bürgerlich-konvenablen Rückgriff auf pragmatisch profilierte ›Dames des lettres‹, wie Maintenon, Lambert, Genlis oder Beaumont. Er erlaubt auch den Traditionsbezug auf eine Comtesse d'Aulnoy, eine Riccoboni, eine Scudéry. La Roches Interesse an dieser anderen weiblichen Schreibtradition dokumentiert sich in ihrer entsprechend ausgerichteten literarhistorischen Gedächtnisarbeit,[33] wie auch in ihrer deutlichen Korrektur des pragmatisch-mütterlichen und bürgerlichen Vorzeigemythos der *Sternheim*-Produktion: Gerade die antizipierte Kritik der kulturell und poetisch ambitionierten Hausherren, des »Graf St-n« und G. M. F. v. La Roches, erzwingen/erlauben es, die autobiographischen und pädagogischen »Zettel« in Literatur, in einen Roman zu verwandeln.[34]

Im Hinblick auf diesen ständischen Aspekt ist der 1806 ge-

leistete Rekurs auf die eigene kreative Phantasie und die Teilhabe an der allgemeinen utopischen Vernunft so mehr als die
bloße Korrektur eines restriktiven und reduzierten Schreib-
programms für Frauen.[35] Er ist die Erinnerung an andere und
›liberalere‹, nicht-bürgerliche Modelle weiblicher Autorschaft.
In der interdiskursiven Konstellation von Ästhetik und Ge-
schlechterideologie, wo mittlerweile poetische Kreativität ex-
klusiv ›männlich‹ okkupiert ist, insistiert er auf der weiblichen
Berufung und Befähigung, gemäß einem moralisch-ethischen
Konsens eine bessere als die beste aller möglichen Welten zu
gestalten. Der Text von 1806 enthüllt so den Wunsch auch –
oder gerade? – eines weiblichen, unter ›Obergewalt‹ stehenden Sub-jekts, wenigstens in der Phantasie und der fiktionalen
Rede die Welt zu modellieren. Gleichzeitig praktiziert er subtextuell und listig-rousseauistisch den Widerstand gegen die
aufoktroyierte und internalisierte bürgerliche Poetik.[36] Das In-
sistieren auf dem eigenen Schreibwunsch und der kreativen
Potenz protestiert gegen den selbstreproduzierten Mythos des
fremdinitiierten und pragmatischen Schreibens, so wie der
phantasiegelenkte Schreibakt die Handlungs- und Sprechre-
striktionen der sozialen Lebenswelt kompensiert.

Wie sehr persönliche Motive jenseits aller geschlechtsideologisch affirmativen Instrumentalisierungen und Reduzierun-
gen ›Mama‹ La Roches Verhältnis zum Schreiben bestimmen,
läßt sich textextern gut belegen. So existiert beispielsweise in
der *Pomona* eine alternative Entstehungsgeschichte des *Sternheim*-Romans. Sie relativiert den bei Zeitgenossen und La Ro-
che-Forschern gleichermaßen erfolgreichen ›mütterlichen‹ Mythos, die von Brechter verordnete Schreibtherapie habe der
Trauer über den zeitweisen Verlust der Töchter Maximiliane
und Louise gegolten und den Ausfall der realen Erziehungs-
funktion mit der Schaffung einer symbolischen und metapho-
rischen Mutterschaft für ›papierne‹ und lesende Töchter kompensiert.[37] Die existentielle und lustvolle Bedeutung des Schreibens belegen auch vertrauliche Mitteilungen, wie die an Hirzel
aus dem Jahr 1773. Zu diesem Zeitpunkt lebte La Roche in
Ehrenbreitstein, inmitten ihrer restituierten Familie und unbe-
schwert von etwaigen ›mütterlichen‹ Kompensationszwängen,
auf dem Höhepunkt ihres sozialen und schriftstellerischen Erfolges:

»Ich aber nähre mich wieder mit einigen phantastischen Briefen, die ich an eine gewisse Eufrosine schreibe und in welchen ich eine Reise durch die Schweiz nach den Briefen des La Roche und in meiner Art zu sehen mache. Aber dieses sage ich nur Ihnen, mein Freund Hirzel.«[38]

Die libidinöse Beziehung zum Schreiben beschränkt sich auch keineswegs auf einzelne Lebensphasen: Als junge Frau nutzt La Roche Krankheiten und Wochenbette zum Schreiben, als »arme alte schreibselige Frau« beschleunigt sie mit Schreiben ihre Rekonvaleszenz.[39] Auf Reisen ist das Tintenfaß das zuletzt geschlossene Behältnis, und geschrieben wird unter allen möglichen Umständen – à la Klopstock im Boot und bei Gewitter auf dem Vierwaldstätter See, auf einem Stein im Schatten eines Baumes, an Montesquieus Schreibtisch und am eigenen ›Schreibetisch‹, an den Schanktischen unbeheizter Wirtsstuben oder, mit deutlich obsessiven Zügen, in der Wirtsküche: »In Wahrheit, ich kann nichts mehr denken, ich muß nur schreiben, was ich in meinem Winkelchen neben dem Mehlkasten höre und sehe.«[40] Und zumeist ist es das ›phantastische Schreiben‹, das sie besser als alle »Hausbücher«[41] in Krisenzeiten stabilisiert und das für sie zum Akt persönlicher Freiheit wird – auch und gerade in Sachen ›Mutterliebe‹.[42]

Diese textexternen Dokumente machen die Widersprüche und Tabuzonen des poetologischen Diskurses in der Autobiographie von 1806 erst richtig sichtbar. Erklärbar sind diese ›Defizite‹ zunächst rein ›technisch‹ über die historisch bedingten Diskrepanzen einer rund fünfzigjährigen Diskursformation von der Frühaufklärung bis zur Jahrhundertwende, die hier in einen einzigen Text eingespeist werden. Bezogen auf die Sinnfunktion des ganzheitlichen »Superzeichens« Text[43] hat diese subtextuelle Struktur jedoch zwei ›aufklärerische‹ Effekte: Erstens ›erinnert‹ sie die Öffentlichkeit an ältere, egalitäre, ›kunstfähigere‹, aber verdrängte und problematisierte Modelle weiblicher Autorschaft. Im aktuellen diskursiven Kontext um 1800 ist nur noch die mütterliche *praeceptra filiarum germaniae* kommunizier- und verkaufbar, andere, biographisch und historisch ältere Aspekte von La Roches Autoridentität werden bis zur Unsagbarkeit problematisch. Zweitens zeigt sie die destruktiven Auswirkungen dieser misogynen Ausdifferenzierung von Produktionsästhetik und Literaturbetrieb in der postrevolutionären ›Goethezeit‹ auf das schreibende Subjekt. Es ist gezwungen, das Schreiben als das ursprüngliche Zentrum der narzißtischen Sophienimago aus dem Selbstbild zu verdrängen, auszulöschen oder abzuwerten. Der Effekt ist ein zerstörtes Selbstwertgefühl.

Dieser Prozeß läßt sich gerade wegen der unterschiedlichen historischen Referenzebenen in La Roches autobiographischem Vermächtnistext von 1806 gut verfolgen. Der poetologische Reflexionsstand, den die Autorin mit der intertextuellen Schachtelungstechnik abdecken kann, reicht nur bis 1791, dem Erscheinungsjahr ihrer *Briefe über Mannheim*, aus denen die bisher untersuchten Werkkommentare stammen. Zeigte sich La Roche schon damals recht wortkarg und selektiv in der Kommentierung ihrer zweiten, pragmatischen und bereits stark kommerzialisierten Produktionsphase,[44] enthält sich der ›aktuelle‹ autobiographische Diskurs, der eigentlich die Werkproduktion der verbleibenden Jahre zwischen 1791 und 1806 erfassen müßte, jeglicher poetologischen Kommentierung. In die Lücke fallen pragmatische Texte, wie die Reisebeschreibungen, der ›Werkstattext‹ *Mein Schreibetisch* und die Fortsetzungen der *Briefe an Lina*. Ausgeblendet bleibt schließlich auch die gesamte, in den neunziger Jahren wieder aufgenommene Romanproduktion, etwa *Schönes Bild der Resignation, Erscheinungen am See Oneida, Fanny und Julia, Liebe-Hütten* und *Herbsttage*.[45] Der Satz, der den Abbruch der poetologischen Rede und die Eliminierung der eigenen Autorexistenz ankündigt, benennt als Ursache immerhin ein zerstörtes Selbstwertgefühl und ein verunsichertes Autorbewußtsein. Die diskursiven Hintergründe dieses ›individuellen‹ Problems bleiben freilich unerkannt.

Wie bereits angedeutet: Das Abbrechen des textimmanenten poetologischen Diskurses, das eine fünfzehnjährige Textproduktion einfach verschwinden läßt, entspricht einer Lücke im autobiographischen Selbstentwurf, den diese »einzige Schriftstellerin« am Ende ihres Lebens in die Öffentlichkeit entläßt.[46] Bezeichnend ist in diesem Zusammenhang schon allein der Umstand, daß La Roche der ursprünglichen Schreibanweisung Wielands, in der Autobiographie auch ihre Identität als Schriftstellerin zu behandeln,[47] erst in einer nachgetragenen Textsequenz nachkommt: Der gesamte, bisher analysierte poetologische Diskurs gehört zu den interpolierten und älteren Teilen des Textes. Die erste und jüngere Sequenz entwirft zwar den lebensgeschichtlichen Zusammenhang von 1730–1791, blendet aber, anders als die späteren Autobiographien einer Fanny Lewald, Schopenhauer, Ebner-Eschenbach oder Hedwig Dohm, diesen Kontext aus. Die greise, 76jährige Autobiographin erzählt zwar die Lebenslinie und das Selbstbild einer gescheiterten ›Bücherfrau‹, aber es geht nicht um das Scheitern einer Bücherproduzentin, sondern einer Bücherrezipientin. Es ist eine Geschichte, die geprägt ist vom Wunsch nach Wissen, nach Kontinuität und auch nach Autonomie, deren eigentliches Kontinuitätsmoment aber die verhinderten Wünsche, die Wissensverbote und Diskontinuität sind. Bis zurück in die frühe Kindheit entwirft La Roche zunächst das elitäre, narzißtische Selbstbild des erstgeborenen lesenden Wunderkindes eines gelehrten Vaters. Die Bildungsschauplätze dieser Identität sind die häusliche Bibliothek und die göttliche Natur vor den Toren der Stadt, wo die zur gelehrten Bücherarbeit berufene Vatertocher lernt, auch im Buch der Natur zu lesen. Den abträglichen ›männlichen‹ Implikationen dieses Selbstentwurfs begegnet die Autobiographin im übrigen von Beginn an mit einem entschiedenen Rekurs auch auf ihre ›mütterliche‹ Abstammung: Erhält sie von der väterlichen Seite die Liebe zu Büchern und Individualbewußtsein, verschafft ihr die »gute gefühlvolle Mutter« soziales Verantwortungsgefühl, die Liebe zu Gott, dem Guten und Nützlichen, kurz die notwendigen Attribute einer geschlechtsideologisch vorbildlichen ›weiblichen Natur‹. Vor allem vermittelt sie ihr, ebenfalls literaturgestützt, die »liebe Vorschrift«, sich die Liebe der Umwelt stets durch eine »angenehme[n] Miene« zu sichern. »[I]mmer geliebt seyn« und sein Verhalten auf diesen höchsten Wert funktional abzustimmen, lautet also die einzig im Gedächtnis behaltene mütterlich-weibliche Lebensmaxime Sophie Gutermann-La Roches.[48] In dieser elitären, ›männliche‹ und ›weibliche‹ Anteile harmonisierenden Bildungsgeschichte bildet für die Autobiographin das Verlöbnis mit Bianconi die erste und entscheidende Zäsur. Sie interpretiert den erzwungenen Bruch als Verlust eines Lebenskonzepts, welches den Rückgriff auf die italienische Tradition der *femina docta* und somit die Verbindung zwischen weiblicher Geschlechtsrolle und männlich reservierter ›Wissenschaft‹ versprach.[49] Für ihre weitere Lebensgeschichte zeigt die Autobiographin die zunehmende Diskrepanz von Bildungswunsch und Wirklichkeit auf, aber auch ihr kontinuierliches Bemühen, an das verlorene einheitliche Kon-

zept wenigstens partiell anzuschließen und ihren Willen zum
Wissen doch noch geschlechtsrollenverträglich zu leben. In diese Konfliktsituation mit der geforderten Anpassungsleistung
gehört die Spaltung der Vater-Tochter in eine private und eine
öffentliche, nach den ›väterlich‹-patriarchalen Wissens- und
Diskursverboten ›gestylte‹ Sophie. Zu ihr gehört auch, daß
Sophie aus der erzwungenen Unterwerfung eine besondere
Form des Widerstands entwickelt – den strategischen Umgang
mit der Selbstdarstellung und dem Wissen, über das sie verfügt: Im Augenblick des väterlichen Gewaltspruchs gelobt ihre
»empörte Seele«, »alles dies, was meiner Eigenliebe hätte so
sehr schmeicheln können«, vor der Welt zu verbergen. Die Strategie bewährte sich: Konnte doch, Jahre später, der Gatte La
Roche dem einstigen Verlobten Bianconi stolz vermelden, »daß
ich als eine angenehme vernünftige Frau geschätzt würde, aber
daß er nie etwas von besonderen Talenten an mir bemerkt
habe.«[50]

Es gehört zu der Logik dieses beschränkten öffentlichen
Selbstbildes, daß nach dieser Zäsur der Umgang mit Büchern
vom ›gelehrten‹ Gestus zum »stillen Lesen« verkümmert.[51] Um
so auffallender ist, daß die Autobiographin auch darauf verzichtet, die gewissermaßen frei gewordene narzißtische Funktion des gelehrten Wunderkindes mit ihrem poetischen Talent
zu besetzen, zumal diesem realiter in der Wieland-Zeit eine
zentrale Rolle zukam.[52] Stattdessen knüpft die Autobiographin
an das eingangs gewählte Selbstkonzept an und hebt auch für
die Mainzer und Warthausener Lebensphase lediglich auf die
»Erweiterung der Kenntnisse in der wirklichen und in der
Bücherwelt« ab.[53] Die Wochenbette dienen denn auch nicht dem
Schreiben poetischer Manuskripte, sondern dem Fremdspra-
chenerwerb, und das Schreiben beschränkt sich im autobiographischen Rückblick der ersten Textsequenz auf eine literarische Korrespondenz, die La Roche in klassisch-›weiblicher‹
Helferfunktion zur Entlastung ihres Mannes übernimmt.

Interessant ist diese ganze Konstruktion nicht nur wegen der
Lücke über »meine so genannte Schriftstellerei«.[54] Interessant
ist sie, weil sie dem Schreiben, als es nach dem interpolierten
poetologischen Diskurs der *Briefe über Mannheim* doch noch
irgendwie in das gewählte Selbstkonzept eingearbeitet werden
muß, nur noch ganz bestimmte Funktionen zuweisen kann.

Diese ›späten‹, der soziobiographischen und diskursiven Situation von 1806 zugehörenden Funktionszuweisungen unterscheiden sich von den oben analysierten ›frühen‹ erheblich. Da sie dem identitätspolitischen Interesse der Autobiographie folgen und an das übergeordnete Konzept der verhinderten Gelehrten angepaßt sind, bedeutet Schreiben nun, einen Zusammenhang herzustellen in der bruchstückhaften imaginären Bibliothek. Nur dieses Konzept leistet die lebensgeschichtliche Versöhnung zwischen dem begehrten und vom Vater verwehrten ›männlichen‹ akademischen Diskurs auf der einen Seite und der weiblichen Geschlechtsrolle auf der anderen. Und mit exakt diesem Konzept wird die Verbindung hergestellt zur Marktpositionierung einer Wissensfragmente sammelnden, ›speichernden‹ und ›spendenden‹ didaktischen Schriftstellerin La Roche.

Die poetologische Qualität des Textes beschränkt sich somit nicht auf die interpolierten Werkkommentare. Sie beweist sich, trotz der Ausblendungen, auch in der autobiographischen Gesamtkonstruktion. Liefert doch die Geschichte von der verhinderten Gelehrten mitsamt ihrem fragmentierten, unsystematisch und autodidaktisch erworbenen Wissen eine plausible Erklärung für die enzyklopädische, dabei ›wilde‹ und subjektive Collagenstruktur ihrer Texte.[55] Gemäß der Wielandschen programmatischen Charakterisierung ihrer Schreibweise als dem authentischen ›Abdruck‹ ihrer Persönlichkeit erscheinen ihre Texte als nichtnarrative intertextuelle Collagen. Die momentane Bewertung und das kombinatorische Vermögen von Autorin und Publikum entscheiden darüber, ob diese Schreibweise als Ausdruck einer destruierten Subjektivität gelesen werden muß oder ob sie als Ausdruck eines synthetisierenden und konstruktiven Bewußtseins gedeutet werden kann, als *Ansammlung* von Einzelfragmenten oder als ganzheitliche *Sammlung*. Für beide Metaphern gibt es in den Selbstkommentaren La Roches eine lange Tradition und zahlreiche Bildvariationen. ›Authentisch‹ ist nach Quellenlage eher die erste.[56] Im Dienste ihres identitätspolitischen Interesses wählt die Autobiographin 1806 die zweite, positive Interpretation, gibt sie aber zugleich als Übernahme einer männlichen Fremdzuweisung zu erkennen.[57]

Es überrascht nicht, daß in dieser mühsamen Über- und Umschreibung von realbiographischen Identitätsaspekten, die mit den Autormythen der ›schönen Seele‹ Sophie und ›Mama‹

La Roche unvereinbar sind, gerade auch die Kommerzialität der Autorschaft nicht sagbar ist. Die Wahrheit, daß die späten Texte ihre Verfasserin nicht nur metaphorisch, sondern sehr konkret ›nähren‹ und am Leben halten, muß nach der Logik dieses, auf die interpersonelle Akzeptanz hin sozialisierten Bewußtseins unterdrückt werden, soll sie nicht die autobiographische Konstruktion als Ganzes zerstören. Und so bricht der poetologische Selbstkommentar signifikanterweise ab mit dem Satz:

>»Es ist überhaupt schwer, sehr schwer, von sich selbst zu reden. [...] Alles, was ich nachher schrieb, war Folge der Umstände, die die unselige Revolution in Frankreich über Teutschland wälzte, und meine Feder zu einer Art Stütze für mich machte.«[58]

Ähnlich wie in Sachen Schreiblust und kreativer Phantasie wird auch im Punkt ›Kommerzialität‹ das Ausmaß der Lücke erst richtig sichtbar, wenn man private Quellen hinzuzieht. Diese dokumentieren einen von Anfang an vorhandenen kommerziellen Blick La Roches, aber sie belegen auch ihr Bemühen, diesen Aspekt ihrer Autorschaft standesgemäß und geschlechtsideologisch verträglich zu interpretieren. Gelingen kann dies nur, wenn im Rahmen einer ›weiblichen‹ Zweckbestimmung ›für andere‹ die Nutznießung des Gewinns vom Subjekt wegverlagert ist: So benennt ein Brief an Wieland aus der Entstehungszeit des *Sternheim*-Romans den caritativen Verwendungszweck des zu erwartenden Honorars,[59] ein Faktum, das La Roche im gesellschaftlichen Glanz der Ehrenbreitsteiner Jahre im privaten Kreis gern kolportiert und auf das der verzweifelte *Merkur*-Herausgeber noch 1778 zurückgreift, um seine berühmte und reiche Tugend-Sophie für eine Beiträgerschaft zu ködern:

>»Wie wär es nun, liebe Sophie, wenn Sie alles, was Sie der Iris, wenn Jacobi sie fortgesetzt hätte, gegeben haben würden, künftig dem Merkur gäben [...]? In Ihren Umständen, meine Freundin, bedürfen sie zwar nichts für Sich selbst, aber desto mehr für die Befriedigung der Neigung, Gutes zu thun [...].«[60]

Aber bereits fünfeinhalb Jahre später, nach dem sozialen und ökonomischen Einbruch der Familie La Roche, gratuliert Wieland ihr zur gelungenen »Speculation« des Unternehmens *Pomona*,[61] nachdem er zuvor von La Roche dramatisch und absichtsvoll ins Bild gesetzt worden ist.[62] Dabei war die finanzielle Situation der Familie in den achtziger Jahren allenfalls relativ, gemessen am vorherigen Stand, schlecht. Absolut gesehen war sie es keineswegs: Immerhin erreichten die verbleibenden Pensions- und Kapitaleinkünfte der La Roches noch die durchschnittlichen Jahreseinkommen von Berliner und Frankfurter Theaterdirektoren und von höheren Beamten, etwa einem Hofrat in Dresden oder einem preußischen Regierungsrat.[63] Entsprechend viel Spielraum verbleibt der geschäftstüchtigen Autorin zunächst, um den finanziellen Nutzen zu legitimieren: Sie schreibt für die Ausbildung der beiden unmündigen Söhne,[64] für die krebskranke Schwester oder allenfalls für den ›Luxus‹ einer eigenen Reisegarderobe, bis ihr der schrittweise, persönlich und politisch bedingte Verlust der Pensionseinkünfte doch noch die letzten altruistischen Stilisierungsmöglichkeiten ihres Schreibens nimmt: Vor allem nach 1794 schreibt sie für die nackte Existenz,[65] und die Honorare sind, zusammen mit Geldgeschenken und den Pensionsgeldern von zeitweise einquartierten Bekannten und Enkelkindern, ein fest kalkulierter, unverzichtbarer Teil ihrer Gesamteinkünfte:[66] »Ein Auszug aus der Naturgeschichte, den ich zum Unterricht junger Mädchen schreibe, war mir auch eine Hilfsquelle, und eine Geschichte unter dem Titel *Resignation* fügt einiges für die weiteren Bedürfnisse hinzu.«[67] In der oft benutzten Metapher von der Fronarbeit kommuniziert sie das Demütigende dieser Situation,[68] das ihr auch die letzte Schreiblust und Inspiration nimmt: »Freuen Sie sich mit mir, daß meine Auszüge der *Naturgeschichte* zu Ende gehen, daß ich alsdann das Tintenfaß und die Feder, welche mir zum Bücherschreiben dienten, zu dem Fenster hinauswerfe und nur die für Antwort auf edelmütige Briefe behalten werde.«[69]

Vorderstemann hat am Beispiel der *Pomona* nachgewiesen, daß La Roche zumindest im Selbstverlag gute Gewinne realisiert hat. Und auch der rasche Einstieg in das an Wielands *Teutschem Merkur* als profitabel ausgewiesene Zeitschriftengeschäft ist geeignet, La Roches Geschäftssinn in Zahlen zu belegen: Selbst unter Abzug der Kosten ergibt sich bei 563 Abonnenten und dem Preis von 4 Gulden und 30 Kreutzern pro Jahresabonnement eine Gesamtsumme, die sich neben den jährlichen Pensions- und Zolleinkünften von La Roches Mann in Höhe von circa 2400 Gulden recht ansehnlich ausnimmt.[70] Gleiches gilt für ihre Honorare. Für ihre Reisebeschreibungen über

die Schweiz und Frankreich aus den achtziger Jahren erhielt
sie nach eigenen Angaben pro Bogen sechs Reichstaler, für das
30 Bogen starke Schweizer Tagebuch also 180 Reichstaler, was
immerhin etwas mehr als die Hälfte von Carl von La Roches
Jahresgehalt als Beamter im preußischen Bergbauwesen war.[71]
Auch in Relation zum Durchschnittshonorar von Zeitschriften-
herausgebern sowie von wissenschaftlichen, philosophischen
und literarischen Schriftstellern war das so schlecht nicht: Nach
Engelsing hatten die Bogenhonorare, d.h. der Preis für 16
Druckseiten, am Ende des 18. und zu Beginn des 19. Jahrhunderts eine Spannweite zwischen 3 und 5 bzw. 20 und 40 Talern.
So erhielt Kant 1786 für seine *Kritik der reinen Vernunft* 4 Taler
pro Bogen, Jean Paul steigerte sein Bogenhonorar von anfäng-
lich 2 auf 35 Taler, die er 1804 für die vierbändigen *Flegeljahre*
erzielen konnte. Lediglich gemessen an den Spitzenverdienern,
wie Schlözer, Kotzebue oder dem ›mittleren‹ Goethe mit 40
Talern Bogenhonorar wäre mehr zu wünschen gewesen. Ob
La Roche ihren Marktwert und wenn, wie sie ihn verglichen,
bewertet, gar geschlechtsspezifisch bewertet hat, ist offen. Sicher ist allerdings, daß sie gerade durch ihre persönlichen Kontakte zu den Marktführern die notwendigen Informationen
dazu gehabt hat.

Kein Zweifel also: Die auf das Schreiben als Existenzsicherung angewiesene Geschäftsfrau La Roche bleibt in der mühsam konstruierten Biographie von 1806 ausgespart. Die Selbst-
aufklärung dieses ›professionell‹-unprofessionellen und selbst-
verleugnerischen Mythos, die der Text gleichwohl leistet, geschieht denn auch nicht auf der Inhaltsebene über kontrastiv
gesetzte Selbstbilder.[72] Sie geschieht vielmehr durch den offen
benannten *konstruierenden* Gestus dieses autobiographischen
Bewußtseins. Faßbar wird er in punktuellen Reflexionen, welche die entworfene Lebens- und Schreibgeschichte begleiten,
und im Gesamtgefüge der benutzten ›Vertextungsstrategien‹.[73]

Ein Beispiel für die erste Möglichkeit ist das schon erwähnte Motiv der schwiegertöchterlichen Vorleserin Sophie, die mit
zahllosen Zitatfetzen und in Unkenntnis originärer Sinnzusam-
menhänge die Gesprächsrunden des Stadionschen Musenhofs
inspirieren soll. Diese biographische Information verdankt ihre
Existenz im Text einzig und explizit dem Bemühen des autobiographischen Ichs um die Plausibilisierung des biographischen ›Endprodukts‹ von 1806, der Kenntnisse spendenden

›Pomona‹. Aber damit nicht genug: Selbst die Subjekttheorie, die der ganzen Konstruktion zugrunde liegt, wird offen thematisiert, wodurch die Absicht auf Sinnstiftung noch deutlicher markiert wird. So heißt es gleich zu Beginn des Textes, als es um die Installierung des Bücher und Blumen liebenden Wunderkindes Sophie geht:

Ich führe diese kleinen Umstände an, weil ich vierzig Jahre nachher von Frau v. Stein in Nassau, einer geistvollen, vortrefflichen Familienmutter, hörte, daß sie bei ihren Kindern Neigungen und Charakterzüge, welche sie im zweiten oder dritten Jahr bemerkte, im achtzehnten und zwanzigsten in der größten Stärke wieder gefunden habe. Ich glaubte darin das Bild der ersten Richtung des Ganges meines Kopfes und meiner Gefühle von Glück zu sehen; auch den ersten Grund meiner Liebe zu Büchern, worin ich mit drei Jahren Buchstaben und Worte aussuchte, nachher in teutschen und anderen Schriftstellern, Gedanken und Kenntnisse, wie Blumen sammelte, die ich dann in meinen Schriften wieder verteilte.[74]

Besonders die Formulierung, *glaubte ich*, betont die Subjektivität und Interpretationshaftigkeit, die dem Entwurf dieses Ichs anhaften, welches für sein Ende die Anfänge sucht. Mehr noch: Diese Konstruktion ist nicht einmal der ›authentische‹ Entwurf des Subjekts Sophie von La Roche, was auch offen zugegeben wird: Sie ist der immer schon intersubjektiv, im Hinblick auf die anderen modellierte Entwurf der Muttertochter Sophie, die der Welt von Kindheit an so begegnen soll und will, daß man(n) sie lieben kann.

Diese mütterliche Lebensmaxime hat sich dem Text nicht nur auf der inhaltlichen Ebene der ›liebenswerten‹ und öffentlich konsensfähigen Selbstbilder eingeschrieben, sondern auch auf der Ebene des Diskurses und der Vertextungsstrategie: Indem der autobiographische Schreibakt nicht als Monolog, sondern als imaginärer Dialog des Ichs mit einem Du gestaltet wird, verweist der Text einmal mehr auf die Bedeutung der ›planerischen‹ anderen für die Selbstbilder und das schriftstellerische Selbstverständnis des Ichs. Es ist letztlich diese Interpersonalität des Erzählvorgangs, welche die Objektivität und die Verbindlichkeit der hier kommunizierten Autorklischees unterläuft. Biographisch ›authentisch‹ sind somit auch nicht die ›unprofessionellen‹ Autorstereotype La Roches. Authentisch ist vielmehr die implizit dem Text eingeschriebene Person Sophie von La Roche, die sich als Frau und Schriftstellerin immer schon

professionell an den Blicken der Betrachter, des Publikums orientiert. Biographisch ›authentisch‹ ist diese Konstellation auch
insofern, als sie diese entscheidende, oft wiederholte, manchmal erlittene, manchmal genutzte Grunderfahrung einer ›weiblich‹-abhängigen Identität noch einmal und vermächtnisartig
in einem Textganzen reinszeniert. Was dieses dem Text mitge-
gebene mythenkritische Bewußtsein von den textuellen Vor-
fabrikaten unterscheidet, ist seine Explizitheit und Radika-
lität: »Es ist überhaupt schwer, sehr schwer, von sich selbst zu
reden [...] da wir, ohne zugleich von Anderen zu sprechen,
nichts von uns selbst erzählen können!«[75]

Was bleibt nun aber als allgemeiner Erkenntnisgewinn aus
dieser bisher geleisteten exemplarischen Einzeltextanalyse?
Zunächst ist festzuhalten, daß die komplizierten Schreibma-
növer des Textes implizit die kulturell definierten Tabuzonen
des Schreibens enthüllen, die sie explizit verbergen sollen. Gerade in dieser Konstruktion verweist der Text auf die Regle-
ments und diskursiven Verbote für Schriftstellerinnen, deren
historische Transformationen der Text im übrigen, dank seines
besonderen intertextuellen ›Speichercharakters‹, zum Teil mit
abbildet. Zudem macht der Vergleich der ›offiziellen‹ poetologischen Selbstkommentare dieses ›öffentlichen‹ Textes mit den
›inoffiziellen‹ Äußerungen des privaten Briefwechsels die Spannung sichtbar zwischen der schriftstellerischen Praxis um 1800
einerseits und der Restriktivität der normativen Diskurse andererseits.

Exakt diese Spannung hat sich auch in das literarische Werk
La Roches eingeschrieben, ohne daß allerdings die Chancen
zur ›künstlerischen‹ Verarbeitung des Problems genutzt worden wären. Im Gegenteil: Gegenüber den autobiographischen,
gar privaten autobiographischen Kommentaren wird sie im literarischen Werk eher behindert durch die Öffentlichkeit des
Diskurses und den dort erhobenen Allgemeinheitsanspruch:
Gemeint ist damit, daß La Roches ›Geistesbeschäftigung‹ mit
der Norm des weiblichen Schreibverbotes erstens der beschriebenen Logik folgt, je öffentlicher die Aussage, desto rigider die
Beschränkungen. Der Vergleich der pragmatischen, speziell
autobiographischen Texte mit den fiktionalen zeigt außerdem,
daß auch oder gerade La Roche mit ihrem einst hochvalori-
sierten, narzißtischen Ich die Norm des weiblichen Schreib-
verbots fatalerweise unter dem Gesichtspunkt von allgemei-

ner Regel und persönlicher Ausnahme behandelt. Sei es Resignation, ›Eitelkeit‹, Verfallenheit an das zunehmend ›herr‹-schende Stereotyp von der regulären ›Genielosigkeit der Weiber‹[76] oder alles zusammen: Dem Gros der Sophies, Rosalies und Emilies verweigert ihre Erfinderin die öffentliche Autorschaft, ebenso wie die Chance, sich schreibend eine Welt zu erfinden, wie sie sein *sollte*. In ihren Fiktionen sind allenfalls die ›Weiber, wie sie sein sollten‹ – zumindest, was das Schreiben angeht. ›Mama‹ La Roche, die sich selbst von ›phantastischen Briefen nährt‹, setzt ihre papiernen Töchter auf Diät: Von Sophie Sternheim über Rosalie bis hin zu Sophie in *Fanny und Julia* zücken Frauen die Feder nur zum privaten ›Abschreiben‹ und zur Abfassung von Tagebüchern und Briefen,[77] oder sie überlassen sie gleich ganz den Männern.[78] Ein kurzer exemplarischer Vergleich der ›Erzähl‹-Verhältnisse in drei ausgewählten Romanen soll diese These abschließend verdeutlichen:

Der *Sternheim*-Roman erzählt nicht nur von der Lebens-, Liebes-, Leidens- und emanzipatorischen Bewährungsgeschichte der Heldin Sophie. Er erzählt zugleich die ›verwickelte‹ Geburts- und Entwicklungsgeschichte eines Buches. Die Hauptakteurinnen dieser zweiten Geschichte sind Sophie und ihre Vertraute Rosina. Sophie schreibt, wie all die anderen Figuren des Romans, bekanntlich Briefe, und zwar mit einem hohen narrativen Anteil. Signifikanterweise wird jedoch das ›moralische‹ Gefälle, das beispielsweise zwischen ihr und dem »Bößwicht« Derby besteht,[79] auch durch die Differenz der Schreibfunktionen markiert: Während Derby die Berichtsfunktion seiner Briefe mit einem aktiven planerisch-strategischen Interesse verbindet, schreibt Sophie in der eher reaktiven Absicht, ihre in der höfischen Umwelt zunehmend gefährdete Identität an der vertrauten Briefpartnerin Emilia reflexiv rückzuversichern. Diese selbsteffektive Funktion des Briefdialoges steigert sich parallel zur Irritation Sophies, um schließlich in der Monologphase ihres Tagebuches zu kulminieren. Die selbsttherapeutischen Qualitäten, die diesem ›autobiographischen‹ Schreiben auch von der Forschung lang schon attestiert werden, sind noch einmal verstärkt durch die Abfassung einer ›theoretischen‹ Schrift, des berühmten Erziehungsplans. Anders als Sophies Brief- und Tagebuchdiskurs muß dieser theoretische Diskurs nun aber die männliche Zensur passieren: Bevor er die Adressatin, Frau T. – übrigens auch Verfasserin einer apologetischen

›Lebenshistorie‹ – erreicht, wird er von Emilias Mann, dem
Pfarrer Br[echter] gegengelesen und ausgearbeitet. Noch einmal: Der Griff zur Feder erlaubt der Identifikationsfigur Sophie lediglich ein ›historisch‹-autobiographisches und selbst-
effektives Erzählen. Mit Einschränkung und unter Vorbehalt
erlaubt er auch einen pädagogisch-didaktischen Diskurs. Nie
jedoch bringt er die in Sophies Kopf anfangs vorhandenen fiktionalen Welten zu Papier, in denen sich das bedrängte Subjekt im fröhlichen Geschlechts- und sozialen Rollencrossing und
unter Preisgabe aller sexualmoralischen Rücksichten zur Herrin, zum Subjekt der Welt ermächtigt. [80]
Ähnliches gilt von der zweiten großen Erzählerin des Buches, Emilias Schwester und Sophies Kammerzofe Rosina. Ihre
Rolle beim Zustandekommen des Buches wird gerne vergessen, was strukturelle Gründe hat: Rosina stilisiert sich konsequent als bloße ›Sammlerin‹, ›Auszieherin‹ und ›Abschreiberin‹
von Egodokumenten der Hauptpersonen. Und obgleich bereits
das, angesichts der verwickelten Quellensituation, als philolo-
gisch-detektivische Meisterleistung gewürdigt werden müßte,
verschwindet die ›private‹ Herausgeberin Rosina hinter dem
›öffentlichen‹ Herausgeber Wieland. Zudem handelt es sich bei
der Selbstcharakteristik als Kopistin und Mediatorin um ein
Understatement der Figur, das ihre kompositorischen und er-
zählerischen Eigenleistungen sorgfältig maskiert. Beide sind
jedoch keineswegs gering. Gerade angesichts der gravieren-
den ›Quellenprobleme‹ und Sophies temporärer Sprachlosig-
keit sind vielmehr sie es, die aus den Fragmenten eine kohä-
rente Geschichte machen, mit dem ›Sinn‹, sich und andere an
das »geheiligte Andenken der Tugend und Güte« in der Person Sophies zu erinnern. [81] Gleichwohl ist auch Rosina, wie ihre
Herrin und die anderen Frauen im Text keine *Geschichten-*, sondern eine *Geschicht*serzählerin.
Hieraus lassen sich zwei Schlüsse ziehen: La Roche markiert
zwar schon in ihrem ersten Roman die neuralgischen Zonen
›weiblichen‹ Schreibens, nämlich den akademisch-theoreti-
schen Diskurs, Fiktionalität und Öffentlichkeit. Zumindest für
die beiden ersten Problembereiche schreibt sie 1771 aber noch
kritische Reflexe mit ein: Rosina hat erzählerische Talente, auch
wenn sie diese hinter der ›Weiblichkeitsmaskerade‹ der un-
kreativen Kopistin verbirgt. Sophie bringt ihre Phantasien zwar
nicht zu Papier, hat sie aber immerhin im Kopf. Das kritische

Potential des Textes basiert somit auf einer strukturellen Figur, welche die Diskrepanz zwischen Möglichkeit und Wirklichkeit, zwischen ›eigentlichem‹ Sein und gewähltem Schein aufzeigt. Diese Wahl ist nicht freiwillig, wie der Fall Sophie Sternheims beweist. Mit ihm enthüllt La Roche die Interpersonalität und die Diskursabhängigkeit der ganzen Situation: Sophies interessante und unangepaßte Phantasien reichen textchronologisch nur bis zu dem Schlüsselerlebnis ihrer ›Bildungsgeschichte‹ – dem Treffen mit dem »feinen, gütigen Weisen«, der sie im Rekurs auf die Rousseauistische Geschlechteranthropologie vom »Spekulieren« auf das Handeln und vom »männlichen Ton« ihres Redens und Schreibens auf den »weiblichen Ton« umstimmt.[82]

Dieser kritische, widerständige Impuls in Sachen weiblicher Poetik ist im nachfolgenden Roman, *Rosaliens Briefe an ihre Freundinn Mariane von St*.*, weitgehend getilgt. Zunächst sind die zwei Funktionen von Protagonistin und Herausgeber-Erzählerin auf eine einzige Figur zusammengezogen. Deren narrative Vermittlungs- und Integrationsfunktion gegenüber den vielen inkorporierten Binnenerzählungen ist stark reduziert, und nichts verweist auf die Existenz ungeschriebener Protest-Romane in den Köpfen der weiblichen Figuren. Selbst eine Figur wie Mme. Guden, deren Widerständigkeit gegen die im Text plakativ affirmierte Geschlechterordnung hervorsticht, schreibt, wenn keine Briefe, so Erziehungs- und Brautlehren für die mutterlose Rosalie.[83] Stattdessen haben die Figuren bereits ein starkes Bewußtsein von der Geschlechtsdifferenziertheit ihrer sozialen Rollen. Wenn überhaupt, kann die geschlechtsideologische Bedingtheit und somit die Kritik an der mustergültig-beschränkten ›weiblichen‹ Schreibfunktion dieses Romans nur noch indirekt erschlossen werden: Immerhin enthält der Text, beispielsweise in der Figurenperspektive der Mme. Grave, einen patriarchats- und herrschaftskritischen Diskurs, der allerdings in keinem direkten Zusammenhang zu ästhetischen Fragen steht.

In dem späten, 1798 publizierten und narrativ ungewöhnlich dichten Roman La Roches, den *Erscheinungen am See Oneida* schließlich, ist die Rollenverteilung bei der Produktion und Rezeption von Texten endgültig geschlechtsspezifisch distribuiert. Der Roman hat die Erzählfiktion eines wahren männlichen Reiseberichts, dem über die beiden eingestalteten Adressaten seine ›Herkunft‹ aus Reisebriefen bzw. einem ›dialogisch‹ gehaltenen Reisetagebuch noch deutlich anhaftet. Adressiert ist ein befreundetes Ehepaar in der Heimat. Das entscheidende Reise- und Bildungserlebnis des Erzählers Friedrich ist die Bekanntschaft und die Geschichte der französischen Exilantenfamilie Wattines, die vor der Französischen Revolution zunächst nach Philadelphia und von dort in die amerikanische Wildnis, auf die Insel Oneida, geflüchtet ist, aus deren vorzivilisatorischer Einsamkeit sie sich erst allmählich in die Gemeinschaft einer benachbarten deutsch-holländischen Kolonistensiedlung hineinsozialisiert. Entscheidend ist erstens, daß der Erzähler die einzelnen Passagen seines Berichts in Stoff und Erzählweise deutlich an das Geschlecht seiner aktuell gerade angesprochenen Adressaten anpaßt: Nicht alles paßt für beide, manches richtet sich an den Freund, anderes an die Freundin. Zweitens aber sind bereits dem Quellenmaterial geschlechtsspezifische Differenzen eingeschrieben. Friedrich bezieht seine Informationen zum Teil mündlich, aus alternierenden Gesprächen mit dem Ehepaar Wattines, dem Ehepaar Vandek und dem Deutschen Scriba. Zudem benutzt er die schriftlichen Notizen Frau Vandeks, in denen sie die Erzählungen Emilie Wattines über das Inselleben festgehalten hat. Auch wenn Frau Vandeks Schrift so die flüchtigen Geschichten von Emilie Wattines für die Nachwelt bewahrt, erfüllt ihr eigener Text doch mustergültig die allgemeine Funktion des ›Weiblichen‹, dem männlichen Geist Friedrichs ›Materie‹ und ›Stoff‹ zu sein. Eine selbstaufklärerische Demontage dieser geschlechtsideologisch affirmativen Poetik leistet dieser Roman, wie schon die *Rosalien*-Briefe, allenfalls indirekt. Die ›revolutionäre‹ Message dieses Revolutionsromans und seiner impliziten Poetik liegt nicht in ihrer ›offiziellen‹ Ideologie. Sie liegt in der Einsicht in die kulturelle und interaktionale Bedingtheit persönlicher, ethnischer und sexueller Identitäten, die Friedrich auf seiner Reise in die neue Welt macht. Insofern enttarnt auch der *Oneida*-Roman subtextuell die lebenslänglich und aufwendig ›bewiesene‹ Nichtprofessionalität‹ seiner Autorin als das, was sie ist: eine interaktiv mit den Geschlechtsrollenstereotypen der Umwelt modellierte Weiblichkeitsmaskerade.

Anmerkungen

1 Baur, Samuel (1790): Deutschlands Schriftstellerinnen, Ulm 1790, Repr. Stuttgart 1990, S. 76f.

2 Wieland, Christoph Martin (1803): Deutschland's Dichterinnen, in: Neuer Teutscher Merkur, hg. von Christoph Martin Wieland, Weimar, S. 258-274, hier S. 259; Buri, Wilhelm (1808): Beitrag zu einer Biographie der verewigten Sophie von La Roche, in: Neuer Teutscher Merkur, Weimar, S. 114-137.

3 Vgl. La Roche an Wieland am 06.04.1780, in: Dies. (1983): »Ich bin mehr Herz als Kopf«. Ein Lebensbild in Briefen, hg. v. Michael Maurer, München, S. 220.

4 Entsprechende Thesen vertreten etwa Maurer, Michael (1985): Das Gute und das Schöne. Sophie von La Roche (1730–1807) wiederentdecken?, in: Euphorion 79 (1985), S. 111-138, hier S. 132; und Albrecht, Wolfgang (1997): Das Angenehme und das Nützliche. Fallstudien zur literarischen Spätaufklärung in Deutschland, Tübingen, S. 87.

5 Vgl. in Auswahl: Heydebrandt, Renate; Winko, Simone (1994): Geschlechterdifferenz und literarischer Kanon, in: IASL 19 (1994), S. 96-172; Kittler, Friedrich A. (1985): Aufschreibesysteme 1800–1900, München; Loster-Schneider, Gudrun (1995): Sophie von La Roche. Paradoxien weiblichen Schreibens im 18. Jahrhundert, Tübingen, S. 89-105.

6 Im folgenden wird bei der Schreibung des Adjektivs *weiblich* in eine Form ohne und mit Anführungszeichen unterschieden: Die erste bezeichnet das biologische, die zweite das kulturelle Geschlecht.

7 Baur, Samuel (1790/1990): S. 7.

8 So beispielsweise Maurer, Michael (1985).

9 Ehrich-Haefeli, Verena (1991): Gestehungskosten tugendhafter Freundschaft: Probleme der weiblichen Rolle im Briefwechsel Wieland – Sophie von La Roche bis zum Erscheinen der Sternheim (1750–1771), in: Frauenfreundschaft – Männerfreundschaft, hg. von Wolfram Mauser und Barbara Becker-Cantarino, Tübingen, S. 75-135.

10 So insbesondere Ehrich-Haefeli, Verena (1991) und Albrecht, Wolfgang (1997).

11 Vgl. stellvertretend für andere: Maurer, Michael (1985). Zu Forschungsberichten über La Roche vgl. neuere Monographien der La Roche-Forschung: Heidenreich, Bernd (1986): Sophie von La Roche – eine Werkbiographie, Frankfurt a. M.; Langner, Margrit (1995): Sophie von La Roche – die empfindsame Realistin, Heidelberg; Loster-Schneider, Gudrun (1995): Sophie von La Roche. Paradoxien weiblichen Schreibens im 18. Jahrhundert, Tübingen; Nenon, Monika (1988): Autorschaft und Frauenbildung. Das Beispiel Sophie von La Roche, Würzburg; Wiede-Behrendt, Ingrid (1987): Lehrerin des Schönen, Wahren, Guten. Literatur und Frauenbildung im ausgehenden 18. Jahrhundert am Beispiel Sophie von La Roche, Frankfurt a. M.

12 Vgl. die beiden Bibliographien von Becker-Cantarino, Barbara (1993): Sophie von La Roche (1730–1807): Kommentiertes Werkverzeichnis, in: Das achtzehnte Jahrhundert. Mitteilungen der Deutschen Gesellschaft zur Erforschung des achtzehnten Jahrhunderts 17,1, S. 28-47 und Vorderstemann, Jürgen (1995): Sophie von La Roche (1730–1807). Eine Bibliographie, Mainz.

13 Kanzog, Klaus (1976): Erzählstrategie. Eine Einführung in die Norm-

einübung des Erzählens, Heidelberg, S. 110; Jolles, André (1930/1982): Einfache Formen, 6. Aufl. Tübingen.

14 La Roche (1806): Melusinens Sommer-Abende, hg. von Christoph Martin Wieland. Mit einem Portrait der Verfasserin, Halle.

15 La Roche, Sophie (1782): Mein Glüke, in: Magazin für Frauenzimmer 1, S. 92-101; La Roche, Sophie (1783): Ueber meine Bücher, in: Pomona für Teutschlands Töchter 1,5, S. 419-432; La Roche, Sophie (1791): Briefe über Mannheim, Zürich, S. 199-209.

16 Vgl. Ziegert, Max (1886/87): Wieland und seine Verleger, in: Berichte des Freien Deutschen Hochstiftes 3, S. 11-26.

17 Wieland an La Roche am 15.06.1806, in: Ders. (1820): Briefe an Sophie von La Roche nebst einem Schreiben von Gellert und Lavater, hg. von Franz Horn, Berlin, S. 340 u. 337.

18 La Roche an Solms-Laubach am 05.01.1807, in: Dies. (1965): Briefe an die Gräfin Elise zu Solms-Laubach 1787–1807, hg. von Kurt Kampf, Offenbach, S. 105.

19 Wieland an La Roche am 15.06.1806, in: Ders. (1820): S. 338.

20 Wieland, Christoph Martin (1786): Weibliche Bildung, in: Ders. (1824–1828): Sämmtliche Werke, hg. von J. G. Gruber, Leipzig, Bd. 49, S. 100-108.

21 Wieland, Christoph Martin (1806): Der Herausgeber an die Leser, in: La Roche, Sophie (1806), [o. S.].

22 La Roche, Sophie (1771/1983): Geschichte des Fräuleins von Sternheim. Von einer Freundin derselben aus Original-Papieren und andern zuverläßigen Quellen gezogen, hg. von C. M. Wieland. 2 Teile, Leipzig 1771. Neuausgabe hg. von Barbara Becker-Cantarino, Stuttgart 1983; La Roche, Sophie (1779–1781): Rosaliens Briefe an ihre Freundinn Mariane von St*. Von der Verfasserin der Geschichte des Fräuleins von Sternheim. 3 Bde., Altenburg; La Roche, Sophie (1783f.): Pomona für Teutschlands Töchter, Speyer. Repr. hg. von Jürgen Vorderstemann, 4. Bde., München 1988.

23 Vgl. Hausen, Karin (1978): Die Polarisierung der »Geschlechtscharaktere«. Eine Spiegelung der Dissoziation von Erwerbs- und Familienleben, in: Seminar: Familie und Gesellschaftsstruktur, hg. von Heidi Rosenbaum. Frankfurt a. M.; Hausen, Karin (1989): Öffentlichkeit und Privatheit. – Gesellschaftspolitische Konstruktionen und die Geschichte der Geschlechterbeziehungen, in: Journal Geschichte 1, S. 16-25.

24 Zur Ehrenrührigkeit von Honoraren für das als *nobile officium* geltende Bücherschreiben vgl. einführend: Knudsen, H. (1925/26): Honorar, in: Reallexikon der Deutschen Literaturgeschichte, hg. von Paul Merker und Wolfgang Stammler, Bd. 1, Berlin, S. 523-525.

25 Wieland, Christoph Martin: An D.F.G.R.V.*, in: La Roche, Sophie (1771/1983): S. 9.

26 La Roche, Sophie (1806): S. XXV.

27 Ebd.: S. XXXIf.

28 Ebd.: S. XXXIX.

29 Ebd.: S. XXIX.

30 Ebd.: S. XXV.

31 Vgl. den Sophie von La Roche persönlich gewidmeten Titel: Brechter, Johann Jacob (1773): Briefe ueber den Aemil des Herrn Rousseau. Den Müttern und Töchtern des Vaterlandes. Von ihren Gatten und Liebhabern gewiedmet, 2 Teile, Zürich.

32 Vgl. Erhart, Walter (1992): Von Warthausen nach Kozel: Die Bibliothek des Friedrich Grafen von Stadion (1691–1768), in: Euphorion 86, S. 131-147.

33 Ablesbar ist dieses Interesse beispielsweise in den länderkundlichen Passagen der *Pomona*, wo sie Wielands Projekt einer Literaturgeschichte von Frauen über Frauen aufgreift, oder in dem umfassenden Titel- und *namedropping* ihres *Schreibetischs*. Zum gesamten Zusammenhang vgl. Loster-Schneider, Gudrun (1995): S. 108-119.

34 Verwiesen sei hier ausnahmsweise auf den ›Originaltext‹, die *Briefe über Mannheim*, da in der Version von *Melusinens Sommer-Abenden* der Bezug zu Stadion retuschiert ist. La Roche, Sophie (1791): Briefe über Mannheim, Zürich, S. 202.

35 Zur Reglementierung der weiblichen Phantasie allgemein vgl. Meise, Helga (1983): Die Unschuld und die Schrift. Deutsche Frauenromane im 18. Jahrhundert, Berlin.

36 Zum Konzept der List und ihrer geschlechtsideologischen und ästhetischen Bedeutung vgl. Garbe, Christine (1992): Die weibliche List im männlichen Text, Stuttgart.

37 La Roche, Sophie (1783): S. 1092: »Die Frage, warum ich selbst Romane schrieb, kann ich und will ich ganz einfach nach der Wahrheit beantworten. Ich konnte manchmal etwas gut erzählen, und das geschah einst in der Gesellschaft eines sehr vortreflichen, aber ausserordentlichen Mannes, der über manche Sachen einen schönen, aber sonderbaren Gang der Ideen zeigte. Dieser lobte mich über mein erzählen, und ich sagte im Scherz, da er von Romanen sprach: ›Wenn ich je einen Roman schreibe, so sollen Sie der Held davon seyn.‹ Einige Zeit nachher hörte ich einen Maskeraden Auftritt von einem Hof, den ich auffaßte, und wozu ich die übrige Fäden des Gewebes theils aus dem Zirkel, in dem ich damals lebte, theils aus meinem Kopf und meinem Herzen zog.«

38 La Roche an Johann Caspar Hirzel am 01.11.1773, in: Dies. (1983): S. 319.

39 La Roche an Solms-Laubach am 04.02.1801 und am 23.10.1794, in: Dies. (1965): S. 57 u. S. 89; La Roche an Leonhard Meister am 10.01.1770, in: Dies. (1983): S. 319.

40 La Roche, Sophie (1787): Tagebuch einer Reise durch die Schweitz, Altenburg, S. 142f.; La Roche, Sophie (1787): Journal einer Reise durch Frankreich, Altenburg, S. 347ff.; La Roche, Sophie (1788): Tagebuch einer Reise durch Holland und England, Offenbach, S. 635.

41 La Roche, Sophie (1793): Erinnerungen aus meiner dritten Schweizerreise. Meinem verwundeten Herzen zur Linderung vielleicht auch mancher trauernden Seele zum Trost geschrieben, Offenbach, S. 55; La Roche an Wieland am 25.02.1770, in: Wielands Briefwechsel, hg. von Werner Seiffert, Bd. 4, Berlin 1979, S. 97.

42 La Roche an Solms-Laubach am 09.09.1788, in: Dies. (1965): S. 32.

43 Dieser Textbegriff folgt Jurij Lotman (1972): Die Struktur literarischer Texte, München.

44 Der Text kommentiert lediglich die *Pomona* mit der ersten Staffel der *Linabriefe* und ›im Paket‹ die Reisebeschreibungen. Ausgeblendet werden vor allem die fiktionalen Texte, u.a. die andernorts von ihr positiv erwähnte *Geschichte von Miß Lony und der schöne Bund* von 1789.

45 Zu Einzeluntersuchungen über die hier genannten Texte vgl. die in Anmerkung 12 aufgeführte Bibliographie von Vorderstemann. Insgesamt steht

die ausführliche Auseinandersetzung mit diesem von Zeitgenossen und For-
schung gleichermaßen marginalisierten Spätwerk jedoch nach wie vor aus.
Erste Anstöße leisten die Beiträge von Albrecht, Wolfgang (1997), Heidenreich,
Bernd (1986) und Langner, Margrit (1995).

46 Wieland, Christoph Martin: Der Herausgeber an die Leser, in: La Roche,
Sophie (1806): [o.S.].

47 Wieland an La Roche am 15.06.1806, in: Ders. (1820): S. 338.

48 Zu dem gesamten Kontext vgl. La Roche, Sophie (1806): S. III-XI passim.

49 Ebd.: S. IXf.

50 Ebd.: S. XVf.

51 Ebd.: S. XVI.

52 Loster-Schneider, Gudrun (1995): S. 48-67.

53 La Roche, Sophie (1806): S. XIX.

54 Ebd.: S. 21.

55 Zu historischen Formen der Autodidaxis und ihres funktional ›wilden‹
Wissens vgl. Frijhoff, Willem (1996): Autodidaxies XVIième – XIXième siècles,
Paris.

56 Vgl. La Roche an Wieland am 17.02.1754, in: Dies. (1983): S. 63; La Roche,
Sophie (1799): Mein Schreibetisch. An Herrn G. R. P. in D. 2 Bde., Leipzig, Bd. 2,
S. 48.

57 La Roche, Sophie (1806): S. LI.

58 Ebd.: S. XLVI.

59 La Roche an Wieland am 22.04.1770, in: Lettres de Sophie de La Roche à
C.-M. Wieland, hg. von Victor Michel, Nancy, Paris, Straßburg 1938, S. 37; La
Roche an Hirzel am 26.07.1771, in: Dies. (1983): S. 140.

60 Wieland an La Roche am 20.06.1778, in: Ders. (1820): S. 194f.

61 Wieland an La Roche am 08.01.1784, in: Ders. (1820): S. 249: »Ich beken-
ne Ihnen, wenn ich so glücklich wäre, durch meine Feder dies zu erhalten, was
ich zu meiner Kleidung und für mich brauche, [...] das freute mich. Meine
Kinder haben kein Vermögen durch mich; wenn ich also nur durch meinen
Kopf und Herz etwas sparen helfen könnte, so wäre ich sehr glücklich.«

62 La Roche an Wieland am 31.05.1781, in: Dies. (1983): S. 236f.

63 Nach eigenen Angaben La Roches beliefen sich die Jahreseinkünfte auf
ca. 2400 Gulden, d.h. circa 1600 Reichstaler. Der im folgenden benutzte Um-
rechnungsmodus folgt La Roche selbst, die im Jahr 1798 1 Reichstaler mit 1,5
Gulden ansetzt. Vgl. ihren Brief an Elsy La Roche vom 26.01. 1798, in: Dies.
(1983): S. 366. Zu den Vergleichszahlen vgl. Engelsing, Rolf (1976): Wieviel
verdienen die Klassiker? Zur Entstehung des Schriftstellerberufs in Deutschland, in: Neue Rundschau 87, S. 124-136. Die Zahlen belegen im übrigen, daß
zumindest in Speyer von existentieller Not keine Rede sein konnte. Vgl. auch
Asmus, Rudolf (1899): G. M. De La Roche. Ein Beitrag zur Geschichte der Aufklärung, Karlsruhe, S. 129f.

64 La Roche an Solms-Laubach am 27.10.1782: »[...] ich schreibe *Pomona* für
meinen Carl und meinen Wilhelm, um ihnen in etwa zu ersetzen, was ihnen
die Feinde ihres Vaters raubten.« In: Dies. (1983): S. 245.

65 Die Situation verbesserte sich erst 1800, als La Roche ihre verstorbene
Enkelin Sophie Brentano beerbte.

66 Vgl. u.a. ihre an verschiedene Adressaten gerichteten Briefe vom 21.02.
1788, 30.01.1795, 26.01.1798 und vom 22.10.1800, in: Dies. (1983): S. 305f., S. 354f.,
S. 366 und in: Dies. (1965): S. 89.

67 La Roche an Jean André de Luc am 30.01.1795, in: Dies. (1983): S. 355.

Mit den Auszügen aus der Naturgeschichte sind die 1794 erschienenen *Briefe an Lina als Mutter* gemeint.

68 La Roche an Georg Wilhelm Petersen am 19.04.1880, in: Dies. (1983): S. 378.

69 La Roche an Solms-Laubach am 11.06.1794. In: Dies. (1965): S. 54.

70 Vorderstemann, Jürgen (1987): Sophie von La Roches Unternehmen *Pomona*. Vorwort zum Repr. von Sophie von La Roches *Pomona für Teutschlands Töchter*, Speyer 1783–1784. München, S. XV-XXXVI, hier S. XXXII; vgl. ferner Vorderstemann, Jürgen (1988): Aus dem Schatten der Männer. Sophie von La Roches *Pomona*, in: Die Rheinpfalz, Nr. 25, 30.01.1988. Zu den Pensionseinkünften vgl. La Roches Brief an Wolfgang Heribert von Dalberg am 05.10.1780, in: Dies. (1983): S. 221 und den Brief Heinrich Friedrich Jacobis an Johann Jacob Heinse vom 20.–24.10.1780, in: Ders. (1981): Briefwechsel. Gesamtausgabe, hg. von Michael Brüggen und Siegfried Sudhoff, Bd. 1,1, Stuttgart, S. 207.

71 Vgl. Maurer, Michael (Hg.) (1983): Anmerkungen, S. 439f.

72 Die These von der selbstaufklärerischen Entmythologisierungsarbeit literarischer Texte folgt Barthes, Roland (1964): Mythen des Alltags, Frankfurt a.M., hier S. 121ff.

73 Hierzu zählen insbesondere Verfahren zur Ambiguierung, die sich gerade in größeren Texten von La Roches Alterswerk nachweisen lassen. Vgl. Loster-Schneider, Gudrun (1996): »[...] einen sehr genauen Grundriß von meinem Kopf und meinen Neigungen geben.« Autobiographische Selbstdarstellung und poetologische Selbstreflexion in Sophie von La Roches *Mein Schreibetisch*, in: Autobiographien von Frauen, hg. von Magdalene Heuser, Tübingen, S. 214-232.

74 La Roche, Sophie (1806): S. VI.

75 Ebd.: S. XLIV.

76 Besonders rezeptionsmächtige Vertreter des weiblichen Genieverdikts, wie Meiners, Knigge oder Sulzer, hatte La Roche in ihrer Bibliothek. Auch ›ihr‹ Wieland ist ein anschauliches Beispiel für die androzentrische, misogyne Semantisierung des Geniebegriffs: Eine Frau mit Genie ist ihm immer schon ein Phänomen, »bien capable de renverser tous nos sistemes«, und sie ist ihm zunehmend »Antipode meines Ideals eines Weibes, mit dem man ewig zu leben wünschen möchte«. Wieland an Zimmermann am 08.09.1759, in: Wielands Briefwechsel, hg. v. Hans Werner Seiffert, Bd. 1, Berlin 1963, S. 527; und Wieland an Solms-Laubach am 12.02.1808, zitiert nach Isenburg, Wilhelm Karl von (1927): Um 1800, Leipzig, S. 127.

77 La Roche, Sophie (1801–1802): Fanny und Julia. Oder die Freundinnen. 2 Bde., Leipzig. Gleiches gilt allerdings auch für männliche Figuren.

78 Gerade im Alterswerk nehmen männliche Erzähl- und Herausgeberfiktionen zu. Vgl. u.a. die Romane *Schönes Bild der Resignation* (1795–1796), *Erscheinungen am See Oneida* (1798), *Liebe-Hütten* (1803–1804).

79 La Roche an Wieland am 25.10.1769, in: Wieland (1963): S. 52.

80 La Roche, Sophie (1771/1983): S. 111: »Meine Phantasie stellt mich der Reihe nach an den Platz derer, die ich beurteile [...]. Auf diese Weise war ich schon Fürst, Fürstin, Minister, Hofdame, Favorit, Mutter von diesen Kindern, Gemahlin jenes Mannes, ja sogar auch einmal in dem Platz einer regierenden und alles führenden Mätresse.«

81 La Roche, Sophie (1771/1983): S. 19.

82 Ebd.: S. 126ff.

83 La Roche, Sophie (1781f.): Bd. 1, S. 392f.

Elke Ramm

Schreiben aus »Brodnoth«

Johanna Isabella Eleonore von Wallenrodt (1740–1819)

> Wer kann wohl nachdrücklicher
> vor einem Abgrund warnen als
> der, welcher selbst hineinstürzte
> und kaum mit dem Leben davon
> kam.[1]

Johanna Isabella Eleonore von Wallenrodt ist in ihrem Leben in verschiedene Abgründe gestürzt. Sie erzählt ausführlich darüber in ihrer zweibändigen Autobiographie. Wir erfahren von Familienfesten und -streitigkeiten, von kleinen und großen Betrügereien, wir werden auf Kriegsschauplätze geführt, nehmen teil an den ›Freuden und Leiden‹ dieser adligen Frau, die ihre Selbständigkeit beansprucht und durch ökonomischen Druck und persönliche Krisen zur Schriftstellerin wird.[2]

Der weiblichen Selbstpräsentation in Form einer Autobiographie kommt besonderer Wert zu, denn Wallenrodt ist eine von sehr wenigen Schriftstellerinnen um 1800, die ihre Lebensbeschreibung namentlich und zu Lebzeiten der Öffentlichkeit übergeben hat.[3] Dabei handelt es sich weder um ein religiöses Bekenntnis noch um memoirenhafte Selbstdarstellung, sondern um eine säkularisierte Selbstbiographie, in der das Interesse am eigenen Ich mit literarischen und anthropologischen Absichten verbunden ist.[4]

In der literaturwissenschaftlichen Forschung ist man sich darüber einig, daß die Gattung Autobiographie im letzten Drittel des 18. Jahrhunderts ihren Höhepunkt erreichte. Zahlreiche Zeugnisse von Jung-Stilling (1777) über Ulrich Bräker (1789) bis Goethe (1811/1831) gelten noch immer als vorbildhaft für

die autobiographische Gattung, und Autobiographiesamm-
lungen »merkwürdiger« wie »berühmter« Männer komplet-
tieren diesen Eindruck. Die Verfasser – Ärzte, Gelehrte, Schriftsteller oder andere Vertreter des Bürgertums – nutzten dieses
Genre als Ausdrucksmöglichkeit für ihre Selbstdarstellung. Sie
haben sich dadurch nicht nur ihrer Einzigartigkeit vergewis-
sert, sondern sie auch vor der Öffentlichkeit demonstriert. Frau-
en vermieden diese Form öffentlicher Selbstdarstellung. Was
hätte eine Frau den männlichen Vorbildern an Selbst-Entdek-
kungen und -Entwürfen auch entgegensetzen können?

Die großen und die meisten kleinen Entscheidungen über ihr Leben
treffen diese Männer: wen sie heiratet, was sie liest [...], wo sie wohnt,
mit wem sie verkehrt, wo ihre Kinder erzogen werden. Sie ist immer von der Zustimmung ihrer männlichen Umgebung abhängig,
sei es direkt als Erlaubnis oder indirekt als wohlwollende Anerkennung und Billigung ihres Verhaltens, ihres Auftretens, ihres Wesens,
ihrer Ansichten.[5]

In dem Moment, als sich die Einsicht durchsetzt, daß sich der
Mensch einen Himmel bereits auf Erden schaffen kann, »mit
seinem Wünschen und Meinen sich in die bestehenden Verhältnisse und die Vernünftigkeit derselben hineinbildet, in die
Verkettung der Welt eintritt und in ihr sich einen angemessenen Standpunkt erwirbt«,[6] haben Frauen darauf mit Schweigen geantwortet.
    Bekannt ist, daß ab 1770 auch von Frauen zahlreiche litera-
rische Veröffentlichungen zu verzeichnen sind – allein die Ro-
manbibliographie von Gallas/Runge[7] weist 110 Autorinnen mit
396 Veröffentlichungen um 1800 aus –, und daß die Frauen
durchaus an männliche Literaturtraditionen anknüpften. Im
Fall der Autobiographie aber reagieren sie mit einer eher ablehnenden Haltung, die möglicherweise dem Wissen geschuldet ist, daß die Autobiographie um 1800, von einer Frau geschrieben, eine gesellschaftliche Provokation bedeutet hätte.
Verstieß nicht schon eine Frau, die sich dem Schreiben widmete, gegen die Ordnung der Geschlechter, und hätte sich nicht
eine Frau, die ihre Autobiographie verfaßte, gänzlich zum gesellschaftlichen Outcast degradiert, wenn sie mit solcher Selbstdarstellung sogar vor die Öffentlichkeit trat?
    Wie nun äußert sich J. I. E. von Wallenrodt über ihr Leben in
einer gesellschaftlichen und kulturellen Situation, die vom

Johanna Isabella Eleonore von Wallenrodt

männlichen Individuum die Selbstthematisierung erwartet und
den Prozeß der Individuation vehement unterstützt, während
sie Frauen, gerade entgegen dem Aufklärungsgebot zur Erlangung der eigenen Mündigkeit, auf die weibliche Geschlechts-
bestimmung festschreibt? Wie verarbeitet Wallenrodt diese
Paradoxie? Wie nimmt sie in ihrer Selbstdarstellung die normativen Diskurse des 18. Jahrhunderts auf? Zeigt sie sich ihnen verpflichtet, unterläuft sie sie, oder äußert sie gar Kritik?

Im Titel und Untertitel der Lebensbeschreibung, *Das Leben
der Frau von Wallenrodt in Briefen an einen Freund. Ein Beitrag zur
Seelenkunde und Weltkenntniß*, zeigt die Autorin bereits ihre
Schreibabsicht, die im Vorwort zur Selbstdarstellung[8] nochmals
näher erläutert wird:

Wenn Personen von mehr als gewöhnlicher Bildung des Geistes und
Herzens, deren Leben ein steter Wechsel angenehmer und widriger
Schicksale war, die Begebenheiten ihres Lebens erzählen, und mit
einer edlen Offenheit bekennen, was, und wie viel, ihr Charakter,
ihr Temperament, ihre Sinnes= und Handlungsart, zu den traurigen
Wendungen ihrer Schicksale beigetragen habe, und so sich selbst
und andern eine praktische Rechenschaft von sich ablegen; so stif-
ten sie dadurch ein Vermächtnis für jeden, dessen Studium das
menschliche Herz ist.[9]

Wallenrodt folgt der von Philipp Moritz formulierten »Forderung nach psychologischer Erkenntnis auf der Grundlage von
Selbstbeobachtung (›Seelenkunde‹), und sie nimmt die von
Herder emphatisch formulierte Vorstellung von der moralisch-
politischen Bedeutung von individuellen Lebensbeschreibungen auf (›Weltkenntnis‹).«[10] Die Verheißung, »mit einer edlen
Offenheit [zu] bekennen«, legt die Orientierung an Rousseaus
Bekenntnissen nahe, und schließlich folgt das Versprechen, »einen Beitrag zur Geschichte des menschlichen Herzens«[11] zu liefern, Wielands Vorstellung vom pädagogisch-praktischen Nutzen der Autobiographie. Hier werden Schreibintentionen aufgegriffen, die gewöhnlich für männliche Lebensbeschreibungen charakteristisch sind. Wallenrodt stellt ihren Beitrag in die
autobiographische Tradition und beansprucht, einen eigenen
und allgemeingültigen Beitrag zur autobiographischen Literatur zu leisten. Diese Haltung ist unter den zeitgenössischen
Schriftstellerinnen einzigartig, denn sie üben sich in Zurück-
Haltung und kaschieren schon in der autobiographischen Ti-

telgebung ihre selbstdarstellerische Absicht. Wer würde vermuten, daß sich hinter dem Titel *Wahrheit aus Morgenträumen*
die Autobiographie der Schriftstellerin Friederike Brun verbirgt?[12] In wahren Argumentationsszenarien entschuldigen die
Autorinnen in den Vorworten ihr Veröffentlichen, präsentieren das weibliche Ich als makelhaft und unvollkommen, bieten namhafte männliche Unterstützung auf, um das Schreiben
überhaupt zu rechtfertigen. Alle diese Bescheidenheitsgesten
finden wir bei Wallenrodt nicht. Ihr Adelsstolz verbietet ihr
anscheinend demutsvolle Erklärungen oder Kniefälle.[13]

Ihren autobiographischen Text verfaßt Johanna Isabella Eleonore von Wallenrodt, geb. Freiin von Koppy, entlang biographischer Stationen. Über die Jahre der Kindheit, Jugend und
Ehe erzählt sie im 604seitigen ersten Band; auf den 674 Seiten
des zweiten Bandes bekennt sie die Abgründe ihres Lebens. So
wie sie erzählerisch ihr Leben in zwei Teile spaltet, trennt auch
der gedruckte Lebenstext die Phase des Aufstiegs von der des
Abstiegs.

Adels- und selbstbewußt beginnt die Lebensbeschreibung.[14]
Die Autorin richtet zunächst den Blick auf die Genealogie der
Familie. Sie spricht über ihre Standeszugehörigkeit und über
den einstigen Ruhm und Besitz ihrer Vorfahren. Ein nicht ver-
wunderliches Verfahren, denn es orientiert sich am überkom-
menen Aufbauschema privater Chroniken. Diese wurden im
17. Jahrhundert von Frauen gehobener Schichten verfaßt, die
sich durch das Schreiben von Hauschroniken einen gesellschaftlichen Platz sicherten. Sie verfaßten »Vorlagen für die Personal-
teile ihrer Leichenpredigt als Muster autobiographischen Tra-
dierens«.[15] Weibliches Selbstbewußtsein konnte aus der Position im Generationenverband von Vor- und Nachfahren gezogen werden. Auch Wallenrodt leitet wie schon ihre Vorgängerinnen aus der Zugehörigkeit zu einem höheren Stand das Recht
auf Schreiberlaubnis ab.

J. I. E. von Wallenrodt wird am 28. Februar 1740 in Uhlstädt/
Thüringen geboren. Der frühe Tod des Vaters prägt ihre Kindheit, die sie mit ihrer Mutter und neun Geschwistern auf einem hoch verschuldeten Gut verbringt. Isabellas Erziehung
übernehmen ein Hofmeister und eine Gouvernante; Unterricht
wird in Schreiben, Rechnen, Französisch, Religion, Musik,
Zeichnen und Geographie erteilt. Von der Mutter wird sie in
das religöse Wertesystem des Pietismus eingeführt[16] und kann

als Achtjährige bereits ganze Erbauungsschriften auswendig. Im Hause des Onkels nährt sie ihre intellektuellen Bedürfnisse. Hier werden Theaterstücke aufgeführt und Bücher für sie angeschafft. Der Einfluß männlicher Vorbilder wirkt sich auf ihre ersten schriftstellerischen Versuche aus:

> Kein Geburtstag in der Familie, oder im Hause fiel vor, den ich nicht besang [...]. Ich fühlte die Mängel der schönen Sächelchen selbst, und der Oncle machte mich, wenn er sie zu Gesichte bekam, noch aufmerksamer darauf, indem er zugleich meine Anstrengung lobte, und mich tröstete, daß es nach und nach schon werden würde. [...]. Er liebte mich väterlich, und beschäftigte sich immer mehr mit meinem Unterricht [...], sein Beifall schmeichelte mir besonders, ich überließ mich also dem allen immer mehr.[17]

Andere Schriftstellerinnen weisen der in Kindheit und Jugend erhaltenen Bildung einen noch größeren Wert zu. Der Erwerb von Bildung wird ihnen zum Ziel und Sinn des gesamten Lebens.

Die Väter dieser Autorinnen greifen die Bildungswünsche ihrer Töchter auf, gestatten ihnen Unterricht oder unterweisen sie selbst. Mit dem Erreichen des Jugendalters aber müssen die Töchter auf diese Angebote wieder verzichten, denn die Väter reduzieren die sich herausbildende Eigenständigkeit der Töchter auf die gesellschaftlich fixierte Rolle der ›weiblichen Bestimmung‹. Die Bildungswünsche der Töchter werden fortan ignoriert und die jungen Frauen auf das herrschende Weiblichkeitsmodell von Ehefrau, Hausfrau und Mutter zugerichtet. Aus diesem vielschichtigen Beschneidungsprozeß folgen Verunsicherungen im Selbstbild der Autorinnen. Sozialisationstheoretisch ausgedrückt heißt das: Die selbstbewußte, eigene Kompetenzen erlebende Tochter verliert in der Adoleszenz einen Teil ihres Selbst und verbringt das Ende der Jugendphase damit, dem sich abrupt gewandelten Wunschbild des Vaters und damit dem sozialen Umfeld zu entsprechen. Die Lebensphase der Jugend wird als Bruch in der Identitätsentwicklung erlebt und deshalb auch dramatisch in den weiblichen Selbstdarstellungen verarbeitet.

Einzig die Ich-Darstellung Wallenrodts durchbricht dieses gängige weibliche Schema: Die intellektuellen Betätigungen weichen bald anderen gesellschaftlichen Verpflichtungen, denn sehr zur Freude der jungen Isabella vermehrt sich durch Ein-

quartierungen während der Siebenjährigen Krieges (1756–1763)
die Geselligkeit im Hause der Familie. Es heißt:

Mein Aussehn war ganz gut, [...] einige Hofherren und andere galante Männer fanden für gut, mir Weihrauch zu streuen, und siehe
da! jeder, der etwas gelten wollte, wandte sich an mich. [...] Ich konnte
also unter angesehenen Parthien wählen [...].[18]

Mit solchen Worten erhebt sie sich über die Menge und liefert
zahlreiche Beispiele für ihre Beliebtheit und ihren Eigensinn:
Sie geht nicht zu anderen, man kommt zu ihr; nicht sie paßt
sich an, sondern andere sollen sich ihr anpassen. Diese Selbstsicherheit nährt sich hauptsächlich aus ihrem Standesbewußt-
sein.[19] Sie fühlt sich eingebunden und leitet aus den Privilegi-
en des Adels moralische Freiheiten für sich ab.[20] Der bürgerliche Wertekodex ist für sie weniger verpflichtend und ihre Identität definiert sich nicht hauptsächlich über Bildung, sondern
über die Standeszugehörigkeit.

In der Darstellung verschiedener Affären mit Männern von
Adel kommt das ständisch geprägte Selbstbewußtsein geradezu als Demonstration zum Ausdruck: Liebesbriefe, Huldigun-
gen, Geschenke sind Wallenrodt die gebührenden Gesten
männlichen Werbens. Sollte aber ein Werbender Forderungen
an sie stellen, protestiert sie oder bricht die Beziehung ab: Als
der Vater ihres Freundes stirbt und dieser ihre Anteilnahme
erwartet, fühlt sie sich bevormundet, denn sie müßte durch
die Verpflichtung zur Trauer auf eigene Vergnügungen verzichten. Sie sagt, »der Mensch fängt an den Herrn zu spielen«[21]
und beendet die Affäre in einer Mischung aus Selbstbewußtsein und egoistisch bestimmter Ignoranz. Kontakte zu Männern dienen ihr nicht wie bei den meisten Autorinnen ihrer
Zeit als Ersatz für vorenthaltene Bildung oder fehlenden Selbst-
wert, sondern dazu, ihrer Lebenslust nachzugehen und den
weiblichen Teil ihres Selbst in Szene zu setzen.

Wenn sie sich in ihrem Eigensinn nicht genügend geachtet
und beachtet fühlt, reagiert sie durch offene Auseinandersetzungen und offensive Unnachgiebigkeit. Es fällt auf, wie oft
das Aufbegehren gegen jede Form der Fremdbestimmung von
der Autorin demonstriert wird: »... ich sah mich nun als frei an.
[...] Ich hielt es für eine Schande, wenn ich von itzt an irgend
gehofmeistert werden sollte«.[22] Die Lust am Trotz, die Lust am
Leben herrschen in dieser Phase der Selbstdarstellung vor. Und

während Isabella die gesellschaftlichen Zwänge negiert, wissen wir aus verschiedenen autobiographischen Fragmenten von Sophie von La Roche, daß diese sich den rigiden Lebensvorstellungen ihres Vaters unterordnet und ihr Selbst opfert.[23]

Bei der Herausbildung der eigenen Weltsicht weicht Wallenrodt von den gesellschaftlich vorgegebenen Orientierungen und Denkmustern ab und beharrt auf ihrer Position eines autonom handelnden Subjekts. Sie fordert damit für sich eine Subjekthaftigkeit, die im damaligen Diskurs über Weiblichkeit nicht vorgesehen war und erscheint geradezu als weiblicher Anti-Typ, der sämtliche Regeln und Ressentiments nicht nur in Frage stellt, sondern sich einfach über sie hinwegsetzt. So auch, als sie 1760 während militärischer Einquartierungen den preußischen Rittmeister Georg Ernst von Wallenrodt kennenlernt, und ihn 1762 aus Liebe, nicht aus wirtschaftlichen Gründen, gegen den Willen der Mutter heiratet.[24]

Wallenrodts Einstellungen zur Liebesehe entsprechen denen des Zeitgeistes. Im 18. Jahrhundert erfahren die Anschauungen über Sinn und Zweck der Ehe bedeutende Wandlungen. Der naturrechtliche Standpunkt der Frühaufklärung, der wesentlich Zeugen und Aufziehen der Kinder hervorhebt, verliert zur Mitte des Jahrhunderts an Einfluß, je mehr die Auffassung J.G. Fichtes von der Ehe als natürlicher und moralischer Anstalt an Popularität gewinnt. Das von Fichte erhobene Postulat, Ehe sei ihr eigner Zweck, hebt den sozialen Eigenwert der Ehe hervor und stellt den Anspruch, Ehe auf Liebe aufzubauen. »Ein Ideal wurde vom Himmel auf die Erde herabgeholt«, kommentiert P. Kluckhohn den Prozeß.[25] Zum Ende des Jahrhunderts hat sich das Konzept der Liebesheirat konsolidiert.[26]

Wallenrodts Eheleben beginnt abenteuerlich und unter Einschränkungen »auf dem Fuß der Soldatenweiber«.[27] Von den ungezügelten Freiheiten vor der Ehe ist nichts mehr übriggeblieben, denn der Ehemann zwingt seine junge Frau zu Gehorsam, Sparsamkeit, Ordnung und Bescheidenheit, verlangt all die Tugenden, die ihr vor der Ehe geradezu verhaßt waren.[28] Isabella von Wallenrodt zentriert sich nun darauf, die Unannehmlichkeiten – Geldknappheit, Ungeselligkeit – zu schildern, und stellt dabei besonders heraus, welche großartige Anpassung sie als Ehefrau, Hausfrau und Mutter vollbringt, eine Leistung, die sie gewürdigt wissen will, wobei sie nicht ver-

schweigt, daß sie sie ganz berechnend einsetzt. Wallenrodt benennt offen die Ambivalenz weiblicher Unterordnung und ihr
doppelbödiges Spiel mit männlicher Macht:

> Von Kindheit an hasse ich Weichlichkeit und Unbestimmtheit an dem
> männlichen Geschlecht, lieber hätte ich, wenn mir keine andere Wahl
> blieb, als zwischen einen [!] Menschen, der kein Herz hatte, und der
> schwach genug wäre, sich von mir nach Gefallen beherrschen zu
> lassen, und einem rauhen Mann, von dem ich wol gar Prügel zu
> befürchten gehabt, den letzten gewählt; ich hätte ein solches Un-
> glück nicht lange vielleicht ertragen, aber doch den Mann, weniger
> als jenen verachten können. [...] Weiber, welche anders denken, und
> wol gar mit der Herrschaft über ihre Männer brilliren können, wis-
> sen nicht, wie sehr sie diese und sich selbst entehren.

> [...] indessen ist es auch wahr, daß es Männer giebt, die dieses Her-
> renrecht mißbrauchen, andere, die sehr wohl thun, es ihrer klügern
> Frau abzutreten; wenn sie aber Verstand und Delikatesse genug be-
> sitzt, so wird sie dieses vor andern zu verbergen wissen [...].[29]

Sie durchschaut die Rollenverteilung, sieht aber Herrscher und
Beherrschte nicht als statische Größen, sondern als Variablen
im Spiel der Geschlechter. Dabei erhebe sich die Frau durchaus über den Mann, wenn sie weibliche List im Geschlechter-
spiel einsetzt. Mit weiblicher List geht sie vor und ersinnt ein
System, das sie aus dem Studium der Neigungen und Schwächen ihres Mannes ableitet. Sie erforscht, welches Verhalten er
sich von ihr wünscht[30] und ordnet sich dem Schein nach seiner
Herrschaft unter:

> Ich hatte mir auch vorgenommen, mich ganz nach ihm zu richten
> [...]. [...] und doch geschah immer was ich wünschte, ohne daß er
> glaubte, es sei durchaus mein Wille [...].[31]

Nicht nur als Ehefrau, auch als Hausfrau und Mutter zeigt sie
sich im Sinne des Wortes berechnend: Zunächst wird merk-
würdigerweise von der adligen Wallenrodt, von der der Leser
der Selbstpräsentation das Hausfrauenthema am wenigsten
erwartet hätte, die Hausfrauenrolle besonders ausgeschmückt.
Sie, die eher einen exzentrischen Lebensstil bevorzugt, beschreibt sich emphatisch in dieser Rolle, stellt aber fest, daß sie
den Aufgaben einer Hausfrau gar nicht gerecht werden kann,
weil ihr die praktischen Voraussetzungen zum Haushalten fehlen. Dennoch bemüht sie sich und macht diese Bemühungen
zum Hauptthema ihrer Darstellung, um auf diesem Weg zu

ihrem eigentlichen Ziel, dem der Selbstbeweihräucherung zu gelangen.

Es war mir schmerzhaft, daß ich als Frau, die doch nun einem Hauswesen vorstand, wie ein Kind, oder wie eine Ausgeberinn berechnen sollte [...].

[...] man schätzte meine Wirthschaftlichkeit und Gnügsamkeit ungemein, besonders weil ich dabei immer heiter war, mich keiner Gesellschaft entzog, und jede aufmunterte.

Ich finde selbst, daß ich hier ein beträchtliches Verzeichniß meiner Verdienste mache, doch übersehen Sie mir diese Ruhmsucht, es war meine glänzende Epoche, von der ich spreche, späterhin habe ich leider! nur zu viel Schnitzer zu gestehen.[32]

Die Darstellung der Hausfrauenrolle nutzt die Autorin dazu, ihre Kritik an den Rousseauschen Weiblichkeitspostulaten auszudrücken. Sie macht deutlich, daß sie die gesellschaftlich vorgegebene Rolle übernimmt, sich aber nicht mit ihr identifiziert, sondern sie lediglich als Mittel zu ihren Zwecken, des Selbstlobs, einsetzt.[33]

Ähnlich ist die Selbstdarstellung in der Rolle als Mutter angelegt. Wenn Wallenrodt zunächst über das Mutterdasein als höchstes Lebensglück berichtet und Emotionen zur Schau stellt, inszeniert sie Sentimentalität,[34] um den Leser für sich einzunehmen und ihn von ihren Bemühungen zu überzeugen. Gefühle weichen bald ökonomischen Berechnungen. Fortan finden die vielen Geburten der Autorin nur noch kurze Erwähnung. Sie dienen dazu, die zunehmenden finanziellen Belastungen sichtbar zu machen, die ihren weiteren Lebensweg erschweren.

Unsere Kinder vermehrten sich, und bei jedem derselben gab es doch neue Kosten, viele davon starben wieder, aber ich hatte so lange ich verheirathet war, doch immer kleine Kinder, welche Wartung brauchten, fast beständig hatte ich eine Amme und zwei Kinderweiber.[35]

Emotionaler Verklärung wird finanzielles Kalkül entgegengesetzt und schließlich Mutterschaft als ökonomische Misere gewertet, eine Provokation also der herrschenden Mutterideologie, die zum Ende des 18. Jahrhunderts besondere Aufwertung erfährt.[36] Mutterschaft wird als Erfüllung der Ehe und als höchste Beglückung der Frau proklamiert. Vor allem Rousseau propagiert die Mutterliebe, stilisiert sie zur schönsten Aufgabe der Frau und wertet die Frauen auf, die dieser Aufgabe in seinem Sinne nachkommen.

In all den weiblichen Rollenbeschreibungen wählt Wallenrodt immer dasselbe Schema: Einerseits scheint sie die traditionelle Rolle der Frau mitzutragen, indem sie sich auf die geforderten weiblichen Funktionen einschwört, andererseits führt sie jeweils diese Funktionen ad absurdum, indem sie deren Doppelbödigkeit entlarvt.[37] Ein letztes Beispiel: Als ihr Mann erkrankt und bald darauf stirbt, leistet sie die von einer Ehefrau erwartete Fürsorge und Pflege, kommentiert ihren Einsatz aber wieder mit einem ironischen Seitenhieb:

> Ihr Männer seid doch in jedem Falle glücklich, wenn ihr ein gutgesinntes Weib gehabt, nicht so ganz können wir uns, wenn schwächliche Umstände kommen, auf euch verlassen; ein krankes Weib wird dem besten unter euch zur Last, und das Krankenzimmer ist auf Gottes Boden der Ort, den ihr am liebsten fliehet; zur Pflege schickt ihr euch vollends gar nicht. Ja ihr Herren der Schöpfung seid mit unendlichen Vorzügen begabt, und indem Gott das Weib schuf, sorgte er für eure Freude, sowol, als für eure Bequemlichkeit.[38]

Der Tod des Ehemannes beschließt den ersten Teil der autobiographischen Darstellung.

Im folgenden zweiten Teil stellt Wallenrodt in seitenlangen Passagen ihre Freiheits- und Glücksgefühle als ungebundene Frau dar und beschreibt, wie sie die Verlockungen der Öffentlichkeit nach der ehelichen Privatheit erneut auskostet. Das anfängliche Glücksgefühl der Befreiung weicht jedoch sehr schnell der Sorge um die ökonomische Absicherung des Alltags, so daß aus der lustigen Witwe[39] sehr bald die um die Existenz kämpfende Frau wird, die schwer am Kreuz der ungewohnten Eigenverantwortlichkeit zu tragen hat.

In einer Traumsequenz beschreibt die Autorin ihre Zukunftsvisionen als Witwe, aus denen exemplarisch die Lebensphasen einer Frau ablesbar sind, die durch den Tod des Ehemannes in die Eigenverantwortlichkeit gestoßen ist und sich bewähren muß:

> [...] und nun führte mich ein Traum mit zahlreicher Gesellschaft auf ein reitzendes Gefilde. Alles um mich grünte und blühte; Blumen jeder Art standen überall umher, und der Himmel war heiter. Ich war sehr fröhlich, und tanzte unter der Menge beiderlei Geschlechts, die sich zu mir drängte; jedes Gesicht lächelte mir, und Mannspersonen in Menge wetteiferten, mir Blumen zu pflücken. Diese Blu-

men hatte ich kaum angenommen, so verwelkten sie mir in der Hand.
Ich wunderte mich darüber, und suchte selbst welche, die nicht so
leicht verwelken sollten, auch fand ich eine, die mir besonders ge-
fiel; indem ich sie brach, sah ich ein diamantenes Kreutz dabei liegen, welches ich aufhob, und um den Hals hing. Während ichs that,
erschien mein Mann [...] als Geist, drohte mir, und sagte: ›ich fürchte, dieses Kreutz wirst Du lange tragen, und es wird Dich hart drük-
ken, aber es ist Dein Wille!‹ Hierauf verlor ich meinen Mann aus
dem Gesicht, und zugleich war die frohe Menge mit sammt der schönen Gegend verschwunden, ich wadete im Sumpf und in Morästen,
fiel immer tiefer, rief um Hülfe, und Niemand nahm sich meiner
an.[40]

Die durch die Trauminszenierung kaum kaschierte bekennen-
de Offenheit der Autorin muß als einmalig gewertet werden;
denn keine andere Autobiographin wagte um 1800 in der Öffentlichkeit solche Direktheit der Selbstpräsentation, die dem
Frauenbild der Zeit so ganz widersprach: Hier interpretiert eine
Frau die Ehe als Kerker und propagiert die Selbstverwirklichung der Frau außerhalb der Ehe.[41]
    Wie in Wallenrodts Traumvision die erste Euphorie der Be-
freiung von der ökonomischen Realität des Alltags erschlagen
wird, so löscht sehr bald die Sorge um das nackte Überleben
alle spontane Unbeschwertheit aus. Die Autorin muß sehr konkrete Anstrengungen unternehmen, um ihr Weiterleben zu sichern. Wallenrodt zeigt ausführlich die nervenaufreibenden,
erfolglosen Bemühungen um die ihr zustehende, aber vorerst
ausbleibende Regimentspension.[42] Sie verstrickt sich immer
mehr in Schulden und flieht schließlich vor ihren Gläubigern
von Breslau nach Berlin.
    Geradezu tollkühne Pläne versucht sie nun in Realität um-
zusetzen. Zur Illustration ein außergewöhnliches Beispiel: Getragen von unglaublicher Selbstüberzeugtheit, die das erstaun-
liche Charisma dieser Persönlichkeit ausmacht, gelingt es ihr,
dem König finanzielle Subventionen für ein Unternehmen
höchst abenteuerlicher, zwielichtiger Art abzuringen. Auf der
Suche nach einer wirtschaftlich autonomen Existenz verfällt
sie der aberwitzigen Idee, in einem groß angelegten Projekt aus
Flachs Seide spinnen zu lassen und dieses märchenhafte Unterfangen, das sie den Phantasien eines anderen verdankt, ef-
fektiv zu vermarkten.[43] So sendet sie zunächst eine Probe ihres
Garns an den König, um einen Vorschuß für die Produktion zu

bekommen. Der König sagt ihr Unterstützung vom zuständigen Ministerium zu, wenn sie ihre Versuche in Berlin weiterführen würde. Das zuständige Ministerium lehnt jedoch diese Bitte ab. Trotzdem baut Wallenrodt ihre Produktion, immer auf das Geld des Königs hoffend, aus. Um den Vorschuß zu bekommen, sendet sie dem König ein »weißes Rohseidenband«, das allerdings nicht aus ihrer Fertigung stammte, sondern gekauft war. Dieses seidene Band stößt beim König auf große Bewunderung. Sie erhält einen Vorschuß von 4000 Thalern, wovon sie die Hälfte ihren Gläubigern in Breslau zukommen läßt. Als schließlich ein Inspektor ihre ›Kunst‹ untersucht, fliegt der Betrug auf und sie muß ihre Aktivitäten einstellen.

Ihre finanzielle Not treibt sie ins Spiel mit Menschen und Ideen und bewirkt in ihr soviel Realitätsverlust, daß sie kraft ihres Wunschdenkens meint, Berge versetzen zu können. Sie ignoriert die Illegalität ihres Unternehmens. Selbst als ihr Betrug längst offenkundig ist, verbrämt sie ihre Machenschaft und wandelt weiter auf dem Grat der Tollkühnheit zwischen erschwindeltem Erfolg und abgründiger Verlogenheit. Das Zwielichtige ihres Handelns findet in endlosen Rechtfertigungsversuchen der Autorin sein sprachliches Pendant, und erst nahezu am Ende ihrer Autobiographie ringt sie sich zum Bekenntnis der Verfehlungen und zur Bankrotterklärung ihrer Bestrebungen nach Autonomie durch.[44]

In diesem Offenbarungseid zeigt sich erneut die Schwierigkeit der adeligen Wallenrodt, die Gesetzmäßigkeiten der bürgerlichen Gesellschaft anzuerkennen und sie zu akzeptieren. Ökonomisch autonom zu überleben ist jedoch für die freiheitsbewußte Adelige unmöglich, so daß – als letzter Ausweg – die konventionelle weibliche Bestimmung Wallenrodt wieder in die Abhängigkeit zwingt: Es bleibt nur die Möglichkeit erneuter Unterordnung in einer abermaligen Ehe, im Elternhaus oder gar in den Familien der Kinder. Diese drei Varianten nimmt Wallenrodt – jetzt aus dem Witwenstand – der Reihe nach in Angriff:

Eine neue Ehe war illusionslos nur noch ohne alle früheren Vorstellungen von Liebesheirat denkbar. Als Witwe muß sie zielgerichtet den Zweck der Existenzsicherung durch einen finanzkräftigen Ehemann verfolgen.

Eine Verbesserung meiner Umstände ward auch täglich nothwendiger, ich sehnte mich nach einer veränderten Lage, wie sie sich auch finden würde, und immer hoffte ich noch, es werde sich wieder eine Gelegenheit zeigen, sie durch Heirath zu erlangen.[45]

Mit dafür infragekommenden Männern betreibt sie gleichsam in ›Tarifverhandlungen‹ die Aufrechnung ihres Wertes nach Einzelposten, z.B. Nadel- und Wirtschaftsgeld, Geschenkanspruch, Altersversorgung.[46] Doch solche Ansprüche sind illusionär, es zeigt sich kein entsprechender Bewerber, so daß Wallenrodt schließlich resigniert den Gedanken an eine weitere Ehe aufgibt.

Der Versuch, einen neuen Lebenssinn im Elternhaus zu verwirklichen, führt ebenso in die Resignation, was sich z.B. in der Minimierung der Wünsche bei Wallenrodt ablesen läßt. Der ihr zunächst widerwillige Gedanke der Versorgung im Hause ihres Bruders auf dem Lande wird ihr letztlich fast erstrebenswert:

Ich beschloß, aufs Land zu meinem Bruder zu gehn. [...] Es war mir unaussprechlich kränkend [...] ein ganz niedriges verborgenes Leben widerte mich jetzt noch zu sehr an. [...] Zu dem Gifte der Krankheit gesellte sich der nagende Kummer [...] ich ergriff diese Gelegenheit mit Freuden [...].[47]

Die dritte Möglichkeit, Lebenssicherheit bei ihren Kindern zu gewinnen, erweist sich als nicht weniger vergeblich. Die naheliegenden Möglichkeiten der Existenzsicherung durch erneute Heirat, Rückkehr ins Elternhaus oder Zuflucht zu den Kindern zeigen sich als Fehlschläge, die Wallenrodt in eine Identitätskrise führen, so daß sie sich in der Opferrolle der Leidenden wiederfindet und der Melancholie verfällt:

Als mein Leiden gar zu lang und anhaltend ward, machte es eine widrige Wirkung auf mich, ich schwankte in meinen Grundsätzen. [...] Zuweilen erhob ich mich im Vertrauen auf Gott, dann in Hoffnung auf die Hülfe des Kronprinzen, aber auf mich selbst hatte ich alles Vertrauen, so wie auch meist die Achtung, die man sich schuldig ist, verloren, und dies ist ein großes Unglück![48]

Ergibt sie sich dieser Ausweglosigkeit, findet sie sich in Verwirrung und an der Schwelle zum Wahnsinn, der besonders im 18. Jahrhundert Frauen in ihrer Not der Ich-Begrenzung häufig als Refugium diente. Aus der äußersten Existenzbedrohung führt der Weg nur entweder in die totale innere Isola-

tion der Melancholie oder ins andere Extrem der Raserei oder
aber in die aktive Auseinandersetzung mit dem bedrängten
Selbst: »das Leiden giebt mir Anlaß nachzudenken«.[49] Das
Nachdenken fordert Manifestation, fordert Ausdruck und führt
über die schriftliche Fixierung schließlich an die Öffentlichkeit.
In dem Augenblick, da ihre Identität verloren erscheint, an dem
Ort äußerster seelischer Ausweglosigkeit, beginnt sie zu schrei-
ben. Wallenrodt befindet sich zwischen Selbstaufgabe und
Selbstsorge,[50] zwischen Selbstverzicht und Selbstfindung.

Die Autobiographie endet mit den letzten Jahren ihres Lebens,[51] in denen sie – durch äußere und innere Not gezwungen
–, als Schriftstellerin tätig ist: Schreiben aus »Brodnoth«[52] heißt
die Devise. Für eine Adlige eine nicht unbedingt erstrebens-
werte Perspektive. Und so ist ihr Verhältnis zu dieser Rolle zeitlebens ambivalent. Denn im Gegensatz zu den meisten anderen Autorinnen um 1800 geht für Wallenrodt damit kein gesellschaftlicher Aufstieg, sondern eher eine Deklassierung ein-
her und der Zwang, sich bestimmten Rollenanforderungen des
bürgerlichen Frauenbildes soweit anzupassen, daß ihre Bücher
als Produkte aus ›weiblicher Feder‹ überhaupt verkauft werden konnten.[53]

Von anderen Schriftstellerinnen – beispielsweise Sophie von
La Roche – wissen wir, daß sie auf männliche Unterstützung
zurückgreifen mußten und konnten, um den Weg in die literarische Öffentlichkeit zu finden.[54] »Überhaupt hatten diejenigen
Autorinnen am ehesten eine Chance [...], die mit berühmten
Männern in Verbindung standen; das erwies sich sowohl für
die Möglichkeit des geistigen Austauschs und der Protektion
in der Öffentlichkeit als auch für das Interesse an der Überlieferung der Texte als förderlich.«[55] Wallenrodt stehen diese
männlichen Vermittler mit Rang und Namen nicht zur Verfügung. Also wird sie aktiv und versucht, namhafte männliche
Fürsprache aufzubieten, die das garantiert, was sie nicht bieten kann. Sie wendet sich 1787 in einem hofierenden, kurzen
Brief an Friedrich Nicolai und schlägt ihm, der ihr »in seinen
Schrifften so oft Vergnügen veruhrsacht hat«[56] ein persönliches
Kennenlernen vor. Der Brief ist anscheinend unbeantwortet
geblieben, denn ein halbes Jahr später folgt ein etwas eindring-
licher und deutlicher formuliertes Anliegen. Ohne einschmei-
chelndes ›Vorgeplänkel‹ fordert sie dieses Mal von Nicolai das
Lesen, Korrigieren und Beurteilen eines beigefügten umfang-

reichen Romanmanuskripts von *Heinrich Robers Begebenheiten* und setzt ihm, nachdem sie die Odyssee des Werkes beschrieben hat, eine unmißverständliche Entscheidungsfrist von 8 bis 10 Tagen. Ob und wie Nicolai auf diesen druckvoll-drängenden Brief reagiert hat, ist ebenfalls nicht bekannt, wohl aber, daß der angepriesene Roman nicht bei Nicolai, sondern bei Müller in Leipzig und Riga einige Jahre später verlegt wurde.[57] Als sich Wallenrodt nach einigen Jahren 1791 nochmals an Nicolai wendet, lassen sich aus diesem Brief ihre Erfahrungen im harten Veröffentlichungsgeschäft ablesen:

> Auch bin ich bey weitem nicht mehr die Frau die ich damahls war wo mir eine Menge gegründe [!] Hoffnungen lachten, welche die Zeit in Täuschungen umgeschaffen hat [...].[58]

In devoter Haltung ruft sie sich ein erneutes Mal in Erinnerung. Ihre persönliche Krise andeutend, erbettelt sie geradezu die Unterstützung des bekannten Mannes. Auch in diesem Fall ist über seine Reaktion nichts bekannt, und es kann vermutet werden, daß auch dieser Versuch der Erlangung einer Patronage fehlgeschlagen ist. Vom finanziellen und persönlichen Debakel gezeichnet, verläßt Wallenrodt schließlich Berlin und geht nach Leipzig. Umso erstaunlicher ist es, daß – offensichtlich ohne fremde Hilfe – ihr hier der Durchbruch als Schriftstellerin gelingt. 1793 veröffentlicht sie zwei Romane: »Das erste Produkt meiner Feder in Leipzig war: *Die drei Spinnrocken, oder Herman von Tüngen und Pertha von Salza,* welches bei Herrn Buchhändler Voß in Leipzig herauskam.«[59] Es folgt das Werk *Wie sich das fügt! oder die Begebenheiten zweier guten Familien.*[60] Darüber sagt die Autorin:

> Dies Product, dies Wiegenlied meines Elends nahm ich im Manuscript mit nach Leipzig, und verkaufte es für den Preis, den noch unbekannte Schriftsteller erlangen, an Herrn Buchhändler Schwickert allhier. Es ward unter meinem Namen gedruckt.[61]

In den folgenden Jahren erscheinen in kurzen Abständen weitere Romane, die sie teils unter ihrem Namen, teils anonym bei ständig wechselnden Verlagen herausgibt.[62]

A. Runge ordnet Wallenrodts Texte im wesentlichen drei Genres zu, die sich zum Teil vermischen oder überlappen: 1. Familien(skandal)geschichten (häufig mit autobiographischem Hintergrund); 2. Abenteuerromane mit mittelalterlicher oder orientalischer Einkleidung; 3. säkularisierte Erbauungsschriften (Reflexionen oder Trostbüchlein).[63] Meinen Untersuchungen zufolge muß dieses Spektrum um ein weiteres, den Staatsroman, erweitert werden.

Die deutschen Staatsromane sind Romane des ›vollkommnen Regenten‹, Fürstenerziehungsromane, und darin das genaue literarische Gegenstück des aufgeklärten Absolutismus, seiner Vision des von oben, von der Spitze her mit Vernunft durchtränkten und durch Tugend belebten Staates. Indem sie den Mittelweg zwischen Hobbes und Rousseau einschlagen, übernehmen sie die Widersprüche einer durch den Absolutismus gebremsten Aufklärung.[64]

Um so einen Staatsroman handelt es sich bei *Theophrastus Gradmann*.[65] Die Geschichte des titelgebenden bürgerlichen Helden wird erzählt, der den unterdrückten deutschen Bauern mit Rat und Tat zur Seite steht. Theophrastus übt am deutschen Adel ebenso Kritik wie am französischen, diskutiert über die Folgen der Französischen Revolution und fordert nicht nur die Abschaffung des Pachtsystems, sondern sogar des Ständestaates insgesamt. Monologisierend philosophiert er in Anlehnung an die Naturlehre Rousseaus über die ›natürliche‹ Entstehung von Herrschaft sowie über den Ursprung der Ungleichheit der Menschen. Theophrastus propagiert die Herrschaft eines tugendhaften Fürsten, der qua Tugendhaftigkeit und weiser Pflichterfüllung das Volk ›väterlich‹ regiert, ähnlich dem Hausvater, der seiner Familie vorsteht und dem sich alle Familienmitglieder unterzuordnen haben.

In diesem Roman findet eine Themenverschiebung statt. Die tragenden Motive des Familienromans (Verführung und Läuterung) verarbeitet die Autorin auf Nebensträngen, in den Vordergrund stellt sie politisch-historische Fragen, die das gesamte Gesellschaftssystem betreffen. Der Roman steht auch nicht in der Tradition der Empfindsamkeit und weist durch die gesellschaftspolitischen Debatten sogar über den rationalistischen Familienroman hinaus,[66] so daß er dem Genre Staatsroman zugeordnet werden muß.

Hatte Wallenrodt *Theophrastus Gradmann* 1794 anonym herausgegeben, so engagiert sie sich noch im selben Jahr offen politisch. Ihr Selbstbewußtsein scheint gefestigt. Sie läßt der *Kurmainzische Akademie der nützlichen Wissenschaften zu Erfurt* eine Piece mit dem Titel zugehen: *Was fordert Pflicht und Vortheil der Deutschen? In einem Sendschreiben an den Adel und die Or-densritter der deutschen Länder von einem ihrer Mitglieder*, in dem sie sich gegen die Französische Revolution ausspricht – was sie später relativiert[67] – und für die Aufstellung einer deutschen Adelsarmee plädiert.[68] Es erstaunt, mit welcher Selbstverständ-lichkeit sich Wallenrodt öffentlich in gesellschaftspolitische Debatten einmischt. Sie begreift sich als öffentliche Person und verleiht diesem Bewußtsein rückhaltlos Ausdruck. Die tradi-tionelle Auffassung, daß sich Frauen nicht zu politischen The-men äußern sollten, hält sie für ein Vorurteil.

Selbst in den Romanen, in denen sich Wallenrodt der priva-ten Sphäre der Familien widmet, ist dies von nicht weniger gesellschaftspolitischer Aktualität und Brisanz, denn das herr-schende bürgerliche Ehe- und Weiblichkeitsideal wird von ihr in keiner Weise favorisiert, wie sich am Roman *Goldfritzel*[69] ein-drucksvoll ablesen läßt: Der Leser wird mit einer Rollenvertei-lung von Mann und Frau konfrontiert, die der im 18. Jahrhun-dert gültigen Auffassung von der Herrschaft des Mannes in der Ehe diametral entgegensteht. Die Heldin hat stichhaltige Gründe, die Herrin zu sein. Ihr Mann beugt sich ihren Argu-menten. Wallenrodt führt einen Frauentypus vor, der mit Ei-genschaften ausgestattet ist, die der männlichen Domäne vor-behalten waren: Kraft, Produktivität, Aktivität und Autorität. Die Freiräume dieser Heldin – sie flirtet, tanzt, genießt – wi-dersprechen ganz denen einer empfindsamen tugendhaften Frau nach Richardsons englischem Vorbild.[70] Der Roman en-det provokativ mit dem Triumpf weiblicher Untugenden.

Obwohl *Goldfritzel* anonym erschienen ist, setzte sich Wal-lenrodt mit diesen emanzipatorischen Provokationen der Ge-fahr aus, als Verfasserin verfolgt und entdeckt zu werden, da sie die Grenzen des für eine Frau Erlaubten bei weitem über-schritten hatte. Ihre eigenwillige, unangepaßte, geradezu un-konventionelle Art des Schreibens hat Wallenrodt viel negati-ve Kritik eingebracht. Die meisten ihrer Werke sind von den Zeitgenossen schlecht rezensiert worden. *Theophrastus Grad-mann* wurde ebenso ›verrissen‹ wie *Goldfritzel* oder *Wie sich das fügt*. Der Autorin werden ein langatmiger Stil, unerlaubte neue Wortschöpfungen, eine skandalträchtige Themenwahl und die Nachahmung anderer berühmter Schriftsteller und ihrer Wer-ke vorgeworfen.[71] Über all diese Kritiken setzt sich Wallenrodt mit einer immer gleichen Erwiderungsstrategie hinweg:

Ich habe hiervon zu sagen, was meist von allen meinen Werken gilt, und ich schon erinnert habe: daß die Geistesruhe und selbst die Zeit mir fehlte, um es der Absicht, die ich hatte, ganz würdig zu machen, und es der Vollkommenheit näher zu bringen.

Denn ich empfand das Mangelhafte, hatte nicht Zeit und Ruhe, ihm abzuhelfen, und wollte denn wenigstens anonimisch gesündigt haben, welches freilich auch nicht so ganz der Aufrichtigkeit gemäß ist.[72]

Sie argumentiert zunächst entschuldigend mit Zeitmangel und unruhigen Lebensverhältnissen, um danach in die Offensive zu gehen. Sie verbündet sich mit dem Publikum und schimpft gegen die Rezensenten, die den Lesergeschmack nicht verstünden:

Ich würde bei dem eignen Bekenntniß der Unvollkommenheit meiner Schriften das Publikum um Verzeihung bitten, sie bekannt gemacht zu haben, wenn ich nicht wüßte, daß sie dennoch von vielen mit Vergnügen wären gelesen worden. Habe ich denn zur Unterhaltung mehr Personen auch mein Scherflein beigetragen, darf ich mir keine Vorwürfe machen.[73]

Schließlich belehrt sie sogar ihre Rezensenten oder zieht deren Kritik ins Lächerliche:

Aber bei alledem ist doch wohl die Sache des Aufsehens nicht werth, welche der Herr Rezensent davon macht, indem er es als eine unverzeihliche Freiheit, als einen Eingriff in Majestätsrechte behandelt.[74]

Die letzten Seiten der Autobiographie sind eine Abrechnung mit der gesamten schreibenden Zunft: Je massiver die Rezensentenkritik, desto aggressiver die Antwort der Autorin. Wallenrodt verteidigt und behauptet ihren Platz im Literaturgeschäft. Sie zeigt mit analytischer Klarheit und Schärfe die unausgesprochenen Gesetzmäßigkeiten dieses Betriebs auf, die sie zur Ein- bzw. Unterordnung zwingen. Doch sie beugt sich nicht, sondern trägt ihre Aversionen gegenüber diesen Zwängen schriftlich aus. Sie wird so zur unangepaßten, aufmüpfigen, skandalumwitterten Exotin, die zwar nie zu Ruhm und Ehren gekommen ist, doch ihren Eigensinn schriftstellerisch ausgelebt hat. Dafür gebührt ihr nachträglich Anerkennung.

Anmerkungen

1 [Wallenrodt, Johanna Isabella Eleonore von] (1794): Fantasien meiner schlaflosen Nächte. geschrieben [!] für fühlende Herzen und Leidende, Halberstadt, S. 19.

2 [Wallenrodt, Johanna Isabella Eleonore von] (1797/1797): Das Leben der Frau von Wallenrodt in Briefen an einen Freund. Ein Beitrag zur Seelenkunde und Weltkenntniß. Bd. 1. Mit dem Portrait der Verfasserin nach der Jugend. Bd. 2. Mit dem Portrait der Verfasserinn [!], itzt als Wittwe, Leipzig und Rostock.

3 In meiner Untersuchung über autobiographische Schriften deutschsprachiger Autorinnen um 1800 habe ich 40 Autorinnen nachgewiesen, die um die Jahrhundertwende autobiograpische Schriften verfaßten; 25 von ihnen gehören dem Adel, 15 dem Bürgertum an. Namentlich und zu Lebzeiten haben allerdings nur 12 Verfasserinnen veröffentlicht.

4 Vgl. Runge, Anita (1997): Literarische Praxis von Frauen um 1800. Briefroman, Autobiographie, Märchen, Hildesheim u.a., S. 119.

5 Becker-Cantarino, Barbara (Hg.) (1983): Geschichte des Fräuleins von Sternheim, Stuttgart, Nachwort S. 381-413, hier S. 411.

6 Hegel, Georg Wilhelm Friedrich (1985): Ästhetik. Hg. von Friedrich Bassenge. Bd. I, 4. Aufl. Berlin (West), S. 568.

7 Gallas, Helga/Runge, Anita (Hgg.) (1993): Romane und Erzählungen deutscher Schriftstellerinnen um 1800. Eine Bibliographie, Stuttgart, Weimar.

8 Das nicht unterzeichnete zweiseitige Herausgebervorwort läßt in Aufbau und Stil erkennen, daß – getarnt als fiktiver, namenloser männlicher Herausgeber – Wallenrodt selbst die Verfasserin der Vorrede ist.

9 Wallenrodt, Johanna Isabella Eleonore (1797/1797): Bd. I, S. IIIf.

10 Runge, Anita (1997): S. 120.

11 Wallenrodt, Johanna Isabella Eleonore (1797/1797): Bd. I, S. IV.

12 Brun, Friederike (1824): Wahrheit aus Morgenträumen und Idas ästhetische Entwickelung, Aarau.

13 Selbstbewußte Inanspruchnahme literarischer Öffentlichkeit und selbstbewußte Darstellung eines weiblichen Lebens lassen sich – wenn überhaupt – nur bei Frauen finden, die aus der Anonymität heraus veröffentlichen wie z.B. Anna Maria Sagar. Zu ihrem Roman *Die verwechselten Töchter, eine wahrhafte Geschichte, in Briefen entworfen von einem Frauenzimmer*, Prag 1771, entwirft sie ein ironisches Vorwort, das nicht nur auf Bescheidenheitsgesten verzichtet, sondern präzise die literarischen wie gesellschaftlichen Hürden, die einer schreibenden Frau im Weg stehen, benennt.

14 »Mein Herkommen wissen Sie, theuerster Freund! Wenn es Ruhm wäre, von allen Seiten von dem ältesten Adel abzustammen, und dieser Ruhm unbedingt glücklich machte; so hätte es mir nicht fehlen können.« (Wa I/17) Durch die Anrede ›theuerster Freund‹ wird dem Leser suggeriert – wie schon im Untertitel zur Autobiographie »in Briefen an einen Freund« –, er habe es mit einer Sammlung von Briefen zu tun. Der Freund selbst tritt nicht in Erscheinung – von ihm gibt es keine Briefe –, als Empfänger bleibt er anonym. Vgl. dazu Runge, Anita (1997): S. 123f.

15 Wunder, Heide (1991): Vermögen und Vermächtnis – Gedanken und Gedächtnis. Frauen in Testamenten und Leichenpredigten am Beispiel Ham-

burgs, in: Vogel, Barbara/Weckel, Ulrike (Hgg.) (1991): Frauen in der Stände-gesellschaft, Hamburg, S. 238.

16 Vgl. Wallenrodt, Johanna Isabella Eleonore (1797/1797): Bd. I, S. 24ff.

17 Ebd.: S. 47f.

18 Ebd.: S. 78f.

19 Vgl. ebd.: S. 146ff., S. 337.

20 »Tugend ist für Wallenrodt eine Notwendigkeit für ›Unbegüterte‹ (II/14) und Wohlstand eine Befindlichkeit«, sagt Runge (1997): S. 131.

21 Wallenrodt, Johanna Isabella Eleonore (1797/1797): Bd. I, S. 86.

22 Ebd.: S. 63.

23 Sophie von La Roche schreibt in einem Aufsatz: Ueber meine Bücher, in: Pomona für Teutschlands Töchter. Von Sophie von La Roche. Speyer (1783–1784) (=24 Hefte). Reprint der Originalausgabe Speyer 1783–1784. 4 Bde. Mit einem Vorwort von Jürgen Vorderstemann, München, hier (1987): Heft 5, S. 421: »Umstände verhinderten die Erfüllung meines Wunsches, daß ich als Knabe erzogen werden möchte, um ordentlich gelehrt zu werden. Die Haupt-sache meines Stolzes war also verloren.« – Oder im: Aufsatz über mein Leben, in: Melusinens Sommer=Abende von Sophie von la Roche. (1806): Halle, S. XIV f.: »Stilles Lesen und Leben wurde mein Loos.«

24 Isabellas Mutter hatte die Tochter bereits einem Baron versprochen, von dem eine gute Versorgung zu erwarten war. Als Offizier in preußischen Diensten hatte G.E. von Wallenrodt einer jungen Ehefrau nicht viel zu bieten.

25 Kluckhohn, Paul (1931): Die Auffassung der Liebe in der Literatur des 18. Jahrhunderts und in der deutschen Romantik, 2. Aufl. Halle/Saale, S. 326.

26 Begleitet wird die Entwicklung von der Aufwertung des menschlichen Gefühls: platonische Liebe und empfindsame Schwärmerei drängen den Wert der sinnlichen Elemente der Liebe hinter den der seelischen Freundschafts-beziehung zurück. Reine Liebe, Seelenliebe, wird als Ideal im Zusammenle-ben der Geschlechter proklamiert, Liebe und Freundschaft werden als eng miteinander verknüpft gesehen und gegen ›tierischen Genuß‹ oder ›Rausch der Sinnlichkeit‹ abgegrenzt. Reine Liebe steht der Wollust entgegen.

27 Wallenrodt, Johanna Isabella Eleonore (1797/1797): Bd. I, S. 323.

28 »Der Uebergang von einem doch ziemlich geräuschvollen Leben und einer geräumigen schönen Wohnung, wie ich Zeit meines Lebens gewohnt war, in das unförmige und eingeschränkte, welches ich hier antraf, machte mir auch nicht einen bangen Gedanken.« (Wa I/208)

29 Wallenrodt, Johanna Isabella Eleonore (1797/1797): Bd. I, S. 128f., 129.

30 Sie sagt, »[...] daß W. nicht der sein würde, welcher sich weibliche Herr-schaft gefallen lassen könnte.« (Wa I/212)

31 WA I/212 und Wallenrodt, Johanna Isabella Eleonore (1797/1797): Bd. I, S. 339.

32 Ebd.: S. 352, S. 383, S. 382.

33 In diesem Sinne legt sie einer männlichen Figur, dem Ehemann, solche Worte in den Mund: »Ich habe mich nicht über deine Häuslichkeit zu be-schwern, [...] sie ist aber mehr Klugheit, als natürlicher Trieb bei dir.« (Wa I/361) Damit gelingt der Autorin Selbstlob auf zwei Ebenen: durch die Anerken-nung ihrer häuslichen Leistung gemäß der geforderten Frauenrolle und in li-terarischer Überformung durch das scheinbar objektive männliche Urteil.

34 »Der Gedanke, daß ich bei meiner bevorstehenden Niederkunft sterben würde, war mir fast zur Gewißheit und sehr lieb geworden.« (Wa I/273f.) Wäh-

rend sie hier den Todesgedanken ausspielt, versucht sie an anderer Stelle, den Leser rührend zu umgarnen, wobei sie sogar mit Entschuldigungen operiert, sobald sie befürchtet, daß der Leser ihre Strategie durchschaut:»Spotten Sie ja nicht, daß ich das alles wiederhole, ich sehe ein, daß ich Sie nicht mit diesen Kleinigkeiten ermüden sollte, aber verzeihen Sie es dem schwachen Weibe, welches sich die kleinsten dieser Scenen, die sie damals so glücklich machten, anführt, alle stellen sich, indem ich schreibe, meinem Andenken so lebhaft und süß dar, daß ichs, indem ich Sie davon unterhalte, noch einmal genieße. O, Rückerinnerung! du bist doch ein großes Gut!« (Wa I/288f.)

35 Wallenrodt, Johanna Isabella Eleonore (1797/1797): Bd. I, S. 375.

36 Toppe, Sabine (1996): Mutterschaft und Erziehung zur Mütterlichkeit in der zweiten Hälfte des 18. Jahrhunderts, in: Kleinau, Elke/Opitz, Claudia (Hgg.) (1996): Geschichte der Mädchen- und Frauenbildung. Bd. 1: Vom Mittelalter bis zur Aufklärung, Frankfurt/M., New York, S. 346-359.

37 Heide von Felden dokumentiert in ihrer Untersuchung, wie andere Schriftstellerinnen um 1800 die Ideen Rousseaus verarbeiten. Felden, Heide von (1997): Die Frauen und Rousseau. Die Rousseau-Rezeption zeitgenössischer Schriftstellerinnen in Deutschland, Frankfurt/M.

38 Wallenrodt, Johanna Isabella Eleonore (1797/1797): Bd. I, S. 486f.

39 »Ich wollte nun meine Freiheit vollkommen genießen, es däuchte mir sehr behaglich, aufzustehen, mich schlafen zu legen – zu Hause zu bleiben – auszugehen etc. wenn es mir beliebte, ohne daß diese Ausübung meiner Willführ einen andern hinderlich war, oder kränkte.« (Wa I/597) »Meine Zufriedenheit war also vollkommen, die Zukunft winkte mir freundlich und friedlich zu.« (Wa I/599)

40 Wallenrodt, Johanna Isabella Eleonore (1797/1797): Bd. I, S. 542f.

41 Andere Autorinnen gestalten nur im Schutz der spezifischen Fiktionalität des Romans den Facettenreichtum und die Widersprüchlichkeit des Themenkomplexes Ehe, nicht aber in einer mit dem Namen verbundenen Autobiographie. Im Roman erlauben sie sich phantasiereich die Diskussion über die möglichen Formen des Zusammenlebens von Mann und Frau. Z.B. Elisabeth Eleonore Bernhardi stellt in ihrer 1798 anonym erschienenen Schrift, *Ein Wort zu seiner Zeit*, die Vor- und Nachteile des ehelosen Standes dar; Karoline Auguste Fischer entwirft 1802 in *Die Honigmonathe* alternative Formen des Zusammenlebens; Friderike Helene Unger gestaltet 1806 ein Beispiel freigewählter Ehelosigkeit in: *Bekenntnisse einer schönen Seele* (beide Romane ebenfalls anonym veröffentlicht). F. H. Ungers Titelwahl und ihr provokantes Thema forderten Goethe zu einer Stellungnahme heraus, in der er die weibliche Selbständigkeit als maskulin abwertet. Goethe, Johann Wolfgang (1970): Werke. Bd. 17, Berlin, Weimar, S. 410-422.

42 Vgl. Wallenrodt, Johanna Isabella Eleonore (1797/1797): Bd. II, S. 141ff., S. 173, S. 190ff. – Die zugesagte Pension von Friedrich dem Großen für die Familie Wallenrodts blieb aus und die 300 Thaler jährlich, die das Regiment und die Verwandten zur Verfügung stellten, reichten nicht, um alle anfallenden Kosten zu bezahlen. Nach mehreren Eingaben an den König erhielt sie schließlich von Friedrich Wilhelm II. eine kleine Pension, die ihre finanzielle Situation aber nicht grundlegend verbessern konnte. Sie übernahm Abschreibarbeiten und kam schließlich auf die Idee, mit gewerblicher Tätigkeit Geld zu verdienen.

43 »Ich lernte einen Mann kennen, der sich im Besitz von vielen wichtigen

Geheimnissen glaubte [...] Er zeigte mir unter andern einigen Flachs, den er im Wasser liegen hatte, um Seide daraus zu machen. Das Mittel, welches dies bewirken sollte, nannte er mir nicht gutwillig, doch im Eifer des Gesprächs entschlüpfte es ihm. Sein Flachs lag schon etliche Monate und sollte noch lange liegen, bis er ganz Seide wäre; ich hörte, daß der ehrliche getäuschte Mann das meiste von höherer Mitwirkung erwartete, die aber mit dem Einfluß des Mondes und der Gestirne zusammenhinge, und also nicht so schnell gehen könnte. Er hatte mich durch das materielle Mittel, welches er nannte, blos auf Ideen gebracht, ich begleitete sie, bei meinen wenigen Kenntnissen von chemischen Mitteln, welche ich durch ein davon handelndes Werk noch besser zu ordnen suchte; das Mittel jenes Mannes hatte etwas ähnliches mit dem, was ich mir als wirkend vorstellte, war aber nicht eindringend genug; hingegen kam es mir sehr glaublich vor, daß der Flachs durch gehörige Anwendung tauglicherer Mittel dieser Art sehr weich und seidenartig werden könnte. Ganz Seide, wie wir sie kennen, kann er nie werden, weil diese ins Thierreich, jener aber ins Pflanzenreich gehört, aber doch kann man ein seidenartiges Produkt gewinnen, welches, wenn nicht eben so glänzend, doch eben so fein, so weich, und der Seide sehr ähnlich, wenigstens besser als Floretseide ist. Davon bin ich damals überzeugt worden, und bin es noch.« (Wa II/338f.)

44 »Also wieder wer weiß wie weit ausgewichen! Doch nun will ich den Faden wieder nehmen. Ich nähere dem Bekenntniß meiner Uebereilung; oder eigentlicher, eines großen Wagstücks; da wollte ich mir gar zu gern (wie's zu gehn pflegt, wenn man sich vor einem Bekenntniß scheut) allerlei zu reden machen, um es in Vergessenheit zu bringen; aber mein Vornehmen, nichts auf der Seele zu behalten, läßt es mir doch nicht zu. Also zur Sache.« (Wa II/337f.)

45 Wallenrodt, Johanna Isabella Eleonore (1797/1797): Bd. II, S. 49.

46 Vgl. ebd.: S. 30ff. – In der posthum erschienenen und von Inge Buck herausgegebenen autobiographischen Schrift der Komödiantin Karoline Schulze-Kummerfeld finden wir ähnliche Versorgungsabsprachen. Buck, Inge (Hg.) (1988): Ein fahrendes Frauenzimmer. Die Lebensbeschreibungen der Komödiantin Karoline Schule-Kummerfeld 1745–1815, Berlin, 154ff.

47 Wallenrodt, Johanna Isabella Eleonore (1797/1797): Bd. II, S. 21, S. 24, S. 80, S. 82.

48 Ebd.: S. 168f.

49 Ebd.: S. 59.

50 Zum Begriff ›Selbstsorge‹ bei Michel Foucault vgl. Erdmann, Eva (1991): Was ist eine Autorin? Teil 1: Schreiben als Selbsttechnik bei Michel Foucault, in: Frauen in der Literaturwissenschaft. Rundbrief 30. S. 8-11, hier S. 9: »Man kann sagen, daß in der gesamten antiken Philosophie die Selbstsorge zugleich als eine Technik verstanden wurde, eine grundlegende Verpflichtung und eine Einheit sorgfältig ausgearbeiteter Verfahren«; oder S. 10: »Sich um sich selbst zu kümmern ist demnach nicht eine einfache Vorbereitung für das Leben. Es ist eine Lebensform«, die z.B. in der »Schrift des Selbst« ihren Ausdruck finden kann.

51 Oftmals treten Frauen erst im letzten Drittel ihres Lebens an die Öffentlichkeit. Die »Narrenfreiheit des Alters« begünstigte diesen Schritt. Vgl. dazu Zantop, Susanne (1990): Aus der Not eine Tugend... Tugendgebot und Öffentlichkeit bei Friederike Helene Unger, in: Gallas, Helga/Heuser, Magdalene (Hgg.) (1990): Untersuchungen zum Roman von Frauen um 1800, Tübingen, S. 132-147.

52 Wallenrodt, Johanna Isabella Eleonore (1797/1797): Bd. II, S. 604.

53 Vgl. Runge, Anita (1997): S. 136.

54 Vgl. Christoph Martin Wielands Herausgeberschaft und Vorwort zum Erstlingswerk der Sophie von La Roche (1771): Die Geschichte des Fräuleins von Sternheim, Leipzig.

55 Gallas, Helga/Heuser, Magdalene (Hgg.) (1990): S. 5. Vgl. auch Schieth, Lydia (1987): Die Entwicklung des deutschen Frauenromans im ausgehenden 18. Jahrhundert. Ein Beitrag zur Gattungsgeschichte, Frankfurt/M. u.a. Die Autorin untersucht den Einfluß der männlichen Zeitgenossen als Herausgeber, Verleger, Namengeber und Rezensenten auf die Veröffentlichungs- und Rezeptionspraxis.

56 Johanna Isabella Eleonore von Wallenrodt an Friedrich Nicolai (Brief vom 27. Nov. 1787), in: Runge, Anita (1997): S. 140.

57 [Wallenrodt, Johanna Isabella Eleonore von] (1794): Heinrich Robers Begebenheiten. Aus den Jahren 1740 bis 80. Leipzig und Riga, in ihrer Autobiographie schreibt Wallenrodt über die Entstehungsgeschichte dieses Romans: »Als ich vom Lande, wohin ich mich auf drei Jahre verwiesen hatte [...] zurück nach Breslau kam, [...] begann auch, wie ich schon einst bemerkte, den Versuch eines Romans; es entstanden die drei Theile von Heinrich Robers Begebenheiten, die ich nachher nach Berlin kommen ließ, und erst in Leipzig herausgab.« (Wa II/614)

58 Johanna Isabella Eleonore von Wallenrodt an Friedrich Nicolai (Brief vom 17. Jan. 1791), in: Runge, Anita (1997): S. 143.

59 Wallenrodt, Johanna Isabella Eleonore (1797/1797): Bd. II, S.626. Richtig lautet der Titel: Die drey Spinnrocken oder Bertha von Salza und Hermann von Tüngen. Aus dem 12ten Jahrhundert. Von der Frau v. Wallenrodt, Leipzig 1793.

60 Wallenrodt, Johanna Eleonore Isabella (1793): Wie sich das fügt! oder die Begebenheiten zweier guten Familien in dem Zeitraume 1780–1784 in Dialogen, Briefen und verbindenden Erzählungen von der Fr. v. Wallenrodt, Leipzig.

61 Wallenrodt, Johanna Isabella Eleonore (1797/1797): Bd. II, S. 621.

62 Vgl. Gallas, Helga/Runge, Anita (Hgg.) (1993): Auf den Seiten 166-171 finden sich bibliographische sowie Standortnachweise der Romane J. I. E. von Wallenrodts.

63 Vgl. Runge, Anita (1997): S. 134.

64 Koopmann, Helmut (Hg.) (1983): Handbuch des Deutschen Romans. Düsseldorf, S. 154.

65 [Wallenrodt, Johanna Isabella Eleonore von] (1794/1794]: Theophrastus Gradmann, einer von den seltnen Erdensöhnen. Ein Roman für Denker und Edle. Leipzig.

66 Touaillon, Christine (1919): Der deutsche Frauenroman des 18. Jahrhunderts, Wien und Leipzig, S. 318, stellt Theophrastus Gradmann in die Tradition des englischen Familienromans wie ebenso in die des Verbrecherromans.

67 Wallenrodt, Johanna Isabella Eleonore (1797/1797): Bd. II, S. 602f.

68 Das Pamphlet war zunächst anonym verfaßt. Wallenrodt sagt: »[...] ich habe es unter andern in einem männlichen Namen an verschiedene Fürsten gesand, weil ich glaubte, meine Vorschläge würden mehr Eindruck machen, wenn man sie von einem Manne glaubte.« (Wa II/634)

69 [Wallenrodt, Johanna Isabella Eleonore von] (1797): Goldfritzel oder des Muttersöhnchens Fritz Nickel Schnitzers Leben und Thaten von ihm selbst erzählt, Gera.

70 Über den Einfluß Samuel Richardsons auf den empfindsamen deutschen Frauenroman vgl. Touaillon (1919): S. 67ff.

71 Wallenrodt, Johanna Isabella Eleonore (1797/1797): Bd. II, S. 604ff. Beispielsweise wird ihr vorhalten, daß der Roman *Egonen und Schnaken* Anklänge an die Schreibweise Sternes aufweise oder *Theophrastus Gradmann* die Plagiierung von Salzmanns Carl von Carlsberg sei.

72 Wallenrodt, Johanna Isabella Eleonore (1797/1797): Bd. II, S. 639, S. 649.

73 Ebd.: S. 650.

74 Ebd.: S. 640.

Andrea Hahn

»Wie ein Mannskleid für den weiblichen Körper.«

Therese Huber (1764–1829)

Anfang des Jahres 1828 plante Amalie Schoppe einen »Reichs-
städtischen Almanach«, der »in *jeder* Hinsicht nur etwas *ganz*
Vorzügliches und Ausgezeichnetes« darstellen und »nur die
ersten vaterländischen Dichter-Namen« enthalten sollte. Die
Herausgeberin erhoffte sich Beiträge von Ludwig Tieck und
Ludwig Uhland, sogar »einen kleinen von Vater Goethe« – und
von Therese Huber.[1] Amalie Schoppe räumte ihr damit einen
exponierten Platz unter den »Großen« der Literatur ein, den
man Therese Huber später nie wieder gewähren sollte. Die
Nachwelt wird sie kaum mehr kennen, die Literaturgeschichtsschreibung erst in den 80er Jahren des 20. Jahrhunderts zögernd
wiederentdecken.[2] Lektoren und Verleger sind heutzutage nur
schwer davon zu überzeugen, daß ihr die Aufnahme in einschlägige Lexika zusteht oder ihre Werke und Briefe attraktiv
genug für den Buchhandel sind. Dabei hat Therese Huber Be-
achtliches geleistet, war sie doch eine der meistgelesenen Autorinnen der Goethezeit, eine der ersten Berufsschriftstellerinnen in Deutschland und die erste Frau, die hierzulande eine
bedeutende Publikumszeitschrift redigierte. Sie war in jeder
Hinsicht eine Ausnahmeerscheinung und partizipierte an zwei
recht jungen Entwicklungen: der Herausbildung des literarischen Marktes und der beginnenden Berufstätigkeit der Frau.

Als Amalie Schoppe einen Beitrag von Therese Huber erbat,
war diese fast am Ende ihres ungewöhnlichen Lebenswegs
angekommen – am 15. Juni 1829 starb sie 65jährig – und hatte
den Zenit ihrer Schaffenskraft schon seit einigen Jahren überschritten. Sie lebte zu dieser Zeit weitgehend erblindet und an
Rheuma leidend im ihr verhaßten Augsburg, wo sie zwar ihre

Therese Huber

ältesten Töchter um sich hatte, aber unter den Bürgern der Handelsstadt kaum bekannt und von den Zentren kulturellen Lebens weit entfernt war. Mit Mühe vollendete sie ihre literarischen Projekte und erfuhr die letzte große Verbitterung ihres Lebens: den Bruch der fast 30 Jahre währenden Freundschaft mit ihrem einstigen Vorgesetzten und Verleger Johann Friedrich von Cotta. Eine strittige Abrechnung war von diesem zungunsten Therese Hubers beglichen worden, was zu erheblichen finanziellen Einbußen der keineswegs wohlhabenden Schriftstellerin geführt hatte. Dieser verlorene Kampf war der Schlußpunkt einer endlosen Kette von Streitigkeiten um Veröffentlichungen, Verträge und Honorare in einem Beruf, den Therese Huber als »höchst peinlich, höchst unwohlthätig« empfand und als »eine, unsre Geschlechtsverhältniße zerstörende Laufbahn« charakterisierte.[3] Daß sie sich als Frau in einer von scharfer Konkurrenz gezeichneten Männerdomäne behaupten und mit der merkantilen Seite ihres Berufes auseinandersetzen mußte, hat zu ständigen Klagen und Rollenkonflikten geführt. So schreibt sie an ihren Berater und Mentor Karl August Böttiger, als er die Verhandlungen für eines ihrer Manuskripte übernahm:

Ich bin Ihnen innigen Dank schuldig mir den Vortheil verschaft, und noch mehr, mir die schmerzliche Mühe einen Verleger zu suchen, die noch schmerzlichere keinen zu finden, erspart haben: O mein verehrter Freund, ein Weib verläßt nie ungestraft den Kreis ihres Berufs – und der unsre ist nicht die evidenz vor dem Publikum [...].[4]

Ihrer Freundin Henriette von Reden vertraut sie in einer Zeit, in der sie als Redakteurin harte Kämpfe mit Cotta und dem Literaturkritiker Adolph Müllner zu bestehen hatte, an:

Ich gestehe Ihnen wohl daß ich mich oft so innig sehne nur einmahl wieder da zu sein wo ich jung war. Besonders wenn ich das Allein sein, Wittwe sein, Verantwortlichkeit übernommen haben so recht fühle; wenn ich, die bis im Spätherbst des Lebens von zarten liebenden Händen geleitet nie allein handelte, stand, litt, nun durch Umstände und Pflicht genöthigt bin mehr Thätigkeit in der Außenwelt zu üben wie unseren Geschlecht zukömt – ich mit so reizbarem schüchternem Gemüth! O da sehne ich mich so nach irgend Jemand, irgend Etwas das mich an mich selbst erinnerte! Ich komme mir selbst fremd vor – denn der gereifte, geprüfte, geübte Verstand eines Weibes schüzt ihr Herz nie hinlänglich vor dem Eindruck einer ihr fremden, abholden Welt. Das Leben was ich führe miskleidet den weiblichen Geist wie ein Mannskleid den weiblichen Körper.[5]

Die Angst vor eigenverantwortlichem Handeln in einer fremden, wenn nicht gar feindseligen Welt und die Klagen, als Frau in der Öffentlichkeit – namentlich in der Männerdomäne des Kommerzes, der Konkurrenz, der Berufstätigkeit – fehl am Platz zu sein, sind zugleich Ausdruck mangelnden Selbstbewußtseins Therese Hubers wie gesellschaftlicher Vorurteile. Nach Maßgabe des aufklärerischen Tugendkanons und bürgerlichen Weiblichkeitsideals hatte eine Frau nichts in der Öffentlichkeit zu suchen; ihr Platz war im Haus bei den Kindern und an der Seite ihres Mannes, dem es allein gestattet war, »draußen«, im Berufsleben, in der Politik, auf Reisen, tätig zu sein – getreu Schillers Prämissen aus dem »Lied von der Glocke«:

Der Mann muß hinaus / Ins feindliche Leben, / Muß wirken und streben / Und pflanzen und schaffen, / Erlisten, erraffen, / Muß wetten und wagen / Das Glück zu erjagen. / [...] // Und drinnen waltet / Die züchtige Hausfrau, Die Mutter der Kinder, / Und herrschet weise / Im häuslichen Kreise, / Und lehret die Mädchen, und wehret den Knaben, / Und reget ohn Ende / Die fleißigen Hände, / Und mehrt den Gewinn / mit ordnendem Sinn. / [...] / Und füget zum Guten den Glanz und den Schimmer, / Und ruhet nimmer.[6]

Treusorgend und sanft hatte die bürgerliche Frau ihre Familie zu versorgen, durch Ordentlichkeit und Sparsamkeit im Haushalt den Reichtum zu mehren, durch Bildung – aber nicht Gelehrtheit – den Kindern eine aufgeklärte Erzieherin und dem Mann eine adäquate Gesprächspartnerin zu sein. Öffentliche Wirksamkeit wurde ihr nur indirekt zugestanden: indem sie dem Staat wohlgeratene Söhne und Töchter schenkte und ihrem Gatten als eine den eigenen Status widerspiegelnde Zierde in der (bildungs)bürgerlichen Gesellschaft diente.

Therese Huber, als Therese Maria Wilhelmine Heyne am 7. Mai 1764 in Göttingen zur Welt gekommen, war von ihrem Vater, dem Altphilologen Christian Gottlob Heyne, ihrer Mutter Therese, geborene Weiß, und nach deren Tod von ihrer Stiefmutter Georgine, geborene Brandes, auf eben dieses Ideal hin erzogen worden; ihren Eltern lag es fern, an ihr ein Beispiel weiblicher Bildungsfähigkeit zu statuieren. Normalerweise hatte alle Ausbildung eines Mädchens nur den einen Zweck, es auf seine spätere Rolle als Ehefrau, Hausfrau und Mutter vorzubereiten. Eigenständiges Lernbedürfnis, Studium oder wissenschaftliche Interessen waren von der Natur – wie mit Jean-Jacques Rousseau argumentiert wurde – nicht vorgesehen. Therese Heynes Erziehung bewegte sich (fast) ganz in den konventionellen Bahnen: Sie besuchte nicht etwa eine »Elementarschule«, sondern erhielt zunächst unregelmäßigen und unsystematischen Unterricht durch ihren Bruder und durch Studenten; zur Abrundung ihrer Erziehung (und wohl auch, um der Stiefmutter den Eintritt in die neue Familie zu erleichtern) wurde sie schließlich 1777 für ein Jahr auf ein französisches Pensionat nach Hannover geschickt. Später beklagte sie sich, daß sie »als Kind fast gar nichts« gelernt habe.[7] In einer Hinsicht differiert Therese Hubers Bildungsweg allerdings entscheidend von dem anderer Mädchen: sie bewegte sich von vornherein in einer Atmosphäre der Intellektualität. Göttingen besaß zu dieser Zeit *die* moderne Universität, *die* Universität der Aufklärung, und Heyne war einer von deren einflußreichsten Männern. Zu seinen Schülern gehörten unter anderem Heinrich Christian Boie, Johann Heinrich Voß, Alexander und Wilhelm von Humboldt und August Wilhelm Schlegel; Goethe und Herder zählten zu seinen Korrespondenzpartnern. Das Haus Heyne war den zahlreichen in Göttingen lebenden oder auf Durchreise befindlichen Gelehrten und Schriftstellern ein geistiges Zentrum. Zudem waren Heynes häufige Gäste bei gesellschaftlichen Anlässen. 1783 hatte die Neunzehnjährige dann das für ein Mädchen seltene Glück, eine Bildungsreise machen zu dürfen. Mit ihrem Onkel Professor Karl Johann Friedrich Blumenbach und dessen Frau Louise Amalie fuhr sie über Weimar und Nürnberg in die Schweiz und lernte Goethe, Herder und Wieland, den Prinzenerzieher Knebel, Lavater und Pestalozzi kennen.[8]

Nicht wenige Anregungen und Lektüreempfehlungen mögen im Lauf von Therese Hubers Jugend von Studenten, Gelehrten und Schriftstellern ausgegangen sein; und der Tochter Heynes, der Leiter der Göttinger Bibliothek war, ist es nicht schwergefallen, sich die erwünschten Bücher zu beschaffen. Vertieft wurde manches Gelesene durch Gespräche im Haus sowie das Schreiben von Rezensionen – Übungen, die Stil und Orthographie verbessert und systematisches Denken geschult haben, was ihr später sehr zugute kam. 1816 rekapitulierte sie:

Aber *hören* that ich bloß Wißenschaftliches, so daß ich einen eignen Kindischen Ideengang mir bildete in welchem *kein* christliches dogma und *keine* Mädcheneitelkeit, aber auch keine mädchen Geschicklichkeit und keine Mädchen Ordnung war. [...] ich las, las, las und schwazte mit meinem Vater, der mich über spekulative Gegenstände *alles* schwazen ließ, las alles was mir im Lesen vorgeführt wurde, nur *nichts alt klaßisches.* Das langweilte mich. [...] Ich hörte Archäologie von meinem Vater sprechen Naturgeschichte von Blmbach [Blumenbach], Anatomie u Medizin von meinem Bruder, Politik Staatengeschichte von meinem Onkel Brandes [...].⁹

Doch obwohl Therese Heyne in einer vergleichsweise toleranten und fortschrittlichen Umgebung lebte, war sie den herrschenden Moralvorstellungen unterworfen. Die Gefahr, als gelehrter Blaustrumpf zu gelten und in eine Außenseiterposition zu geraten, die die Heiratschancen deutlich vermindert hätte, schwebte allenthalben über ihr. Sie wußte dies und versteckte ihre Belesenheit hinter konventioneller weiblicher Unwissenheit:

[...] und will wetten man merkt mir meine art lectüre in zehn Unteredungen nicht an, ich nehm mich wohl in acht mirs merken zu laßen, ich mögte um alles in der Welt nicht für gelehrt gehalten sein.¹⁰

Ganz konnte sie dies nicht verbergen, es kam zu harten Urteilen über ihre ›unweibliche‹ Bildung. Die um Jahre ältere Freundin Luise Mejer resümierte am Ende der Schweizerreise: »Sie hat sich an alle verkehrten Köpfe adressiert, ist halb gelehrt und halb Freigeist geworden. Ein unnützes Geschöpf für die Welt, das ich aber dennoch herzlich liebe.«¹¹

Trotz mancher Kritik an Therese Heynes Gelehrtheit und Freigeisterei konnte sie standesgemäß an den Mann gebracht werden, und zwar an einen der faszinierendsten Männer der Zeit. 1785 heiratete sie Johann Georg Forster (1754–1794) und folgte ihm ins damals polnische Wilna, wo der ehemalige Weltreisende, der gefeierte Schriftsteller und Naturforscher eine Professorenstelle innehatte. Ganz Kind des 18. Jahrhunderts und genährt mit der Literatur der Zeit hatte Therese Huber ein Frauenideal verinnerlicht, dem sie letztens Endes nicht gerecht werden konnte: Opferbereitschaft, Pflichterfüllung, Selbstaufgabe zum Wohle des Ehemannes und der Familie führten ihren Tugendkatalog an. Sie stilisierte sich zu einer Frau, die im unzivilisierten Wilna ihrem kränkelnden und überarbeiteten Gatten ein gemütliches Heim bereitet und ihm eine echte Gefährtin ist: »Endzweck, und Lohn jeder meiner Bemühungen [...] – Forster ist glücklich.«[12] Daß die scheinbar ideale Ehe Risse hatte und Therese Forster nicht dauerhaft die Rolle der perfekten Ehefrau spielen konnte, wurde bald offenbar: Eine erste Krise, die wiederaufflackernde Leidenschaft zu ihrem Jugendfreund Friedrich Ludwig Wilhelm Meyer (1758/59?–1840) nach ihrer Rückkehr aus Wilna im Jahr 1778, konnte noch bewältigt werden, aber sie fügte sich nur scheinbar in ihre inzwischen als Joch empfundene Ehe. Als sich dann 1790 in Mainz, wo Forster inzwischen als Bibliothekar an der Universitätsbibliothek tätig war, eine Beziehung zu dem gleichaltrigen sächsischen Legationssekretär Ludwig Ferdinand Huber anbahnte, kam es zum Bruch. Therese Forster nutzte die Besetzung des Rheinlandes durch französische Revolutionstruppen und floh mit ihren beiden Töchtern nach Neuchâtel, Huber reiste ihr wenig später nach. Als Abgeordneter des Rheinisch-Deutschen Nationalkonvents in Paris konnte ihr Forster nicht folgen. Während der Scheidungsverhandlungen starb er überraschend im Januar 1794. Für Therese und Ludwig Ferdinand Huber war der Weg frei, am 10. April 1794 fand in Neuchâtel die Hochzeit statt, und für die Dreißigjährige begann damit eine – obschon von Anfechtungen nicht ganz freie – insgesamt aber glückliche Ehe.

Auch wenn Therese Huber mit ihrem ersten Mann keine erfüllte Liebesbeziehung verbunden hatte, so doch eine enge Freundschaft – und vor allen Dingen eine Geistesgemeinschaft, die wie ihre Herkunft prägend für die spätere Schriftstellerin und Journalistin sein sollte. Das junge Paar lebte in Wilna in einer vom deutschen Standpunkt aus gesehen rückständigen Welt. Die polnisch-litauische Konföderation hatte sich unter König Stanislaus August II. Poniatowski gerade erst auf den Weg zu einem modernen Staatswesen begeben. Schnell eingeleitete Reformen im Sinn der Aufklärung, darunter die Berufung renommierter Wissenschaftler aus der westlichen Welt an die ehemaligen Jesuitenkollegien in Warschau, Krakau und Wilna, sollten den Anschluß an die Nachbarstaaten gewährleisten. Von dem intendierten Fortschritt schienen Forsters allerdings nicht viel zu spüren, statt dessen klagten sie über Ignoranz und Unzivilisiertheit und hielten sich fern von ihrer Umgebung.[13] Um so mehr suchten sie den Kontakt nach Deutsch-

land und retteten sich in ihre umfangreiche Lektüre; sie unterhielten einen ausgedehnten Briefwechsel und investierten etwa
$1/6$ des Einkommens in Bücher und aktuelle Zeitschriften.[14]
Therese und Georg Forster waren in ihrer Isolation und in ihrem beiderseitigen Hunger nach intellektueller Anregung aufeinander angewiesen:

Wir fahren mit allerlei Lecture in unsern Abendstunden fort; neulich haben wir den zweiten Theil von Herder's Ideen, Archenholz
von Italien, und Ferguson vom Fortgang und Verfall der Römer-
republik gelesen, und alle diese Bücher gewähren uns mannigfalti-
ge Unterhaltung, Belehrung und Stoff zu unsern Gesprächen.[15]

Nicht von ungefähr bezeichnete Therese Huber später die zwei
Jahre in Polen als die glücklichste Zeit in ihrer ersten Ehe. In
Mainz waren Forsters nicht mehr auf sich selbst gestellt, hier
unterhielten sie ein offenes Haus, das in der kurfürstlichen und
erzbischöflichen Residenzstadt schnell zu einem geistigen Zentrum avancierte, auf dessen Gästeliste selbst Goethe stand.
Unter Forsters Ägide hatte sich seine Frau schon in Polen mehr
und mehr politischen Fragen geöffnet, in Mainz sollte sie
schließlich unerwartet in die Wirren der Französischen Revolution geraten, als die Stadt 1792 im ersten Koalitionskrieg von
den Sansculotten besetzt wurde. Zusammen mit Forster, Huber und Caroline Böhmer begrüßte Therese Forster begeistert
die Geschehnisse, schien ihr – wie ursprünglich den meisten
deutschen Intellektuellen – die Revolution doch Freiheit, Menschenrechte und die Mündigkeit des Staatsbürgers mit sich zu
bringen: »[...] ich glaubte das Jahrhundert der Freiheit sei gekommen, bei jener schönen Morgenröthe die mir das höchste
feurigste Gefühl gab, das ich je empfand [...].«[16] Während Forster nach einigem Zögern dem Jakobinerklub beitrat, schlug
sich seine Frau nach ihrer Abreise mehr und mehr auf die Seite
der königstreuen Feuillants, die eine konstitutionelle Monarchie anstrebten; Jahre später wird sie stolz darauf sein, vom
württembergischen König empfangen zu werden. Doch obschon sie mittlerweile Forsters politischen Standpunkt nicht
mehr teilte, wirkten viele seiner Grundüberzeugungen in ihr
weiter. Bis zu ihrem Lebensende wird sie eine scharfe Kritikerin der Zustände im eigenen Land sein, die Freiheitskämpfe in
Polen und Griechenland unterstützen und als Publizistin für
eine Gesellschaft eintreten, in der Selbstbestimmung und Men-

schenwürde, aber auch Eigenverantwortung zum Wohle des
Ganzen herrschen.

Therese Forster konnte in der Ehe mit Forster Erlebnishun-
ger und Wissensdurst weit über die für eine Frau üblichen Grenzen hinaus stillen – und dies ohne Rollenkonflikt, schließlich
tat sie es ›nur‹ in ihrer Eigenschaft als Gesprächspartnerin ihres Mannes. Ihr ausgeprägtes Interesse an Naturwissenschaften, Medizin, Geschichte, Geographie und vor allem an Politik
sowie die Fähigkeit zu Kritik und Analyse wurden in einem
Maße gefördert, das ihr in ihrer späteren Berufstätigkeit zum
entscheidenden Vorteil gereichen sollte. Sie selbst urteilte fast
enthusiastisch über die Wirkung, die ihre erste Ehe auf ihren
Horizont hatte:

Ich habe 1000 Nationen gesammelt – denn von meiner Heirath an
sah ich nun Menschen und Welt und lebte mit Forstern im innigsten
Geistesverein – aber *unterrichten* that er mich nie – er ließ mich *mit
seinem Geiste leben* [...].[17]

Als junges Mädchen war Therese Huber bereits eine exzessive
und talentierte Briefschreiberin gewesen, darüber hinaus hatte
sie im stillen Kämmerlein ihre Gedanken und Gefühle niedergeschrieben. Doch dabei war es nicht geblieben: vor der Gesellschaft ebenso verborgen, aber vom Vater geduldet, hatte
sie kurze Aufsätze und Kritiken über Gelesenes verfaßt. Georg
Forster schließlich muß seine Frau nachdrücklich ermuntert
haben, ihre Gedanken zu Papier zu bringen, was diese aber
abgelehnt hatte, denn ihre Feder könne nicht mit der Lebhaf-
tigkeit ihres Denkens mithalten. Statt dessen half sie ihm, als
er mit dem Übersetzungstermin zu *Captain Cook's dritte Entdek-
kungsreise*[18] in Zeitnöte kam:

Um das Schif nicht auf den Grund sitzen zu laßen, hat mir meine
gute Therese versprochen, einen Versuch im übersetzen zu wagen.
Sie soll da anfangen, wo ich aufhöre, und ich werde das Manuskript
durchcorrigiren; so hoffe ich, kommen wir zu Rande mit der Arbeit,
ehe der letzte Termin verfloßen ist.[19]

Ganz so zügig, wie Forster es sich vorgestellt hatte, kamen sie
nicht voran, war doch Therese Forster in dieser Art Arbeit nicht
geübt:»Mein liebes Weibchen ist freylich das Uebersetzen nicht
gewohnt folglich giebt es Rasuras und Correcturas ohne Zahl.«[20]
In Mainz scheint sie dann kaum mehr an den zahlreichen Übersetzungen ihres Mannes beteiligt gewesen zu sein.

Als Therese und Ludwig Ferdinand Huber ins Schweizer
Exil gingen, standen sie vor dem Nichts. Eine Rückkehr nach
Deutschland war für die Frau des Vaterlandsverräters Forster,
die selbst in den Ruf des Jakobinertums geraten war, vorerst
nicht möglich. Huber hatte seinen diplomatischen Dienst quit-
tiert; für den Sohn des Französischlektors und Übersetzers
Michael Huber und der Pariserin Anna Louise, geborene l'Epi-
ne, für den Jugendfreund Schillers, der sich bereits als Drama-
tiker versucht hatte, lag es nahe, in Zukunft den Lebensunterhalt mit Übersetzungen und journalistischen Arbeiten zu verdienen. Therese Huber war – trotz größer werdender Kinder-
schar – helfend tätig, und diesmal begann sie, eigene Texte zu
verfassen. Jahre später klingt der Anfang ihres Schriftstellerinnendaseins so:

Ich versuchte einen französischen Roman zu übersezen. Es ging
elend. Vater Huber strich mir Seitenweise durch. Ich verzweifelte
fast. Da war denn endlich die Übersezung fertig, die hieß »Die noth-
wendige Ehescheidung« das Ende davon mißfiel mir [...]. Ich sezte
den Roman fort und spann das Schicksal der Helden nach psychologischen Folgerungen ab. Der Vater war ganz erstaunt über die
Leichtigkeit meines Erzählens und Erfindens. Von da an habe ich
meine Erfahrungen alle in meine kleine Romane niedergelegt.[21]

Noch bevor die genannte Übersetzung unter dem Titel *Emilie
von Varmont. Eine Geschichte in Briefen, von Louvet* 1794 bei Cotta
in Tübingen erschien, hatte Therese Huber ihren ersten Roman,
Abentheuer auf einer Reise nach Neu-Holland, in Cottas – von
Huber redigiertem – Almanach »Flora« veröffentlicht.[22] Neben
Übersetzungen aus der gemeinsamen Huberschen Werkstatt
folgten schnell weitere eigenständige Werke, und schon 1801 /
02 kam bei Vieweg in Braunschweig eine dreibändige Sammlung von Erzählungen heraus.

Bezeichnenderweise wurde nirgends der Name der Autorin genannt, statt dessen galt den Verlegern wie dem Publikum Ludwig Ferdinand Huber als der wahre Urheber dieser
Werke. Wie viele ihrer schreibenden Zeitgenossinnen hatte
Therese Huber die Anonymität bzw. die Maske gewählt, um
nicht selbst in der Öffentlichkeit agieren zu müssen.[23] Und
während sich ihr Mann dank des Ruhms eines vermeintlich
erfolgreichen Schriftstellers in vornehmen Kreisen bewegte –
die Familie hatte sich bald rehabilitiert und lebte seit 1798 wie-

der in Deutschland, Huber war als Redakteur für Cotta zuerst in Tübingen, dann in Stuttgart und zuletzt in Ulm tätig –, blieb Therese Huber im Hintergrund – und erarbeitete nach eigenen Angaben die Hälfte des Familieneinkommens. Nach Hubers Tod im Jahr 1804 konnte noch für einige Zeit der Kunstgriff »Aus dem Nachlaß von L.F. Huber« angewendet werden. Erst 1811 bei der Herausgabe der *Bemerkungen über Holland,* einer aktuellen Schilderung von Eindrücken einer Reise in die Niederlande und somit unmöglich rückdatierbar, erlaubte sie mit »Therese H.« die Andeutung ihres Namens. Mit der Anerkennung, die diesem Werk beschieden war – ein Vorabdruck erschien in Wielands »Neuem Teutschen Merkur« und eine positive Rezension in den »Göttinger Gelehrten Anzeigen«, vor allem aber reagierte der Vater, der bisher ihrer Arbeit äußerst skeptisch gegenübergestanden hatte, mit Lob – wagte sich Therese Huber weiter aus der Reserve. 1819 schließlich bekannte sie sich in einer Erzählsammlung offen zu ihrer Tätigkeit. Inzwischen war sie aber schon längst zu einer bekannten ›femme de lettres‹ geworden, die sich ihren Lebensunterhalt und den der unmündigen Kinder Luise und Aimé weitgehend selbst verdiente.[24] 1816 wurde Therese Huber zunächst als Redakteurin von Cottas »Kunst-Blatt«, einer Beilage zu seiner vielbeachteten Publikumszeitschrift »Morgenblatt für gebildete Stände«, und 1817 schließlich als Redakteurin für dieses selbst berufen.[25]

Ob aber in der Vorrede zu der genannten Sammlung von 1819 oder in ihren Briefen – die Entschuldigungen hinsichtlich ihrer Berufstätigkeit sind Legion und alle im gleichen Tenor verfaßt: einzig ihr Beruf als Mutter habe sie dazu bestimmt, den häuslichen Kreis zu verlassen, um in der Öffentlichkeit zu wirken. Zuerst stand das Argument im Vordergrund, daß sie ihre Familie miternähren müßte, dann – nach dem Tod Hubers – die Finanzierung der Ausbildung des Sohnes und schließlich der didaktische Nutzen ihrer Arbeit für das Publikum: »Die greisende Matrone hat nun keinen Hausstand mehr, sie kann jetzt noch Mutter-Pflichten *erfüllen,* indem sie schreibt; nicht sie *vernachläßigen.*«[26] Ihrem Vater gegenüber rechtfertigt sie sich:

Mir ist das Gedruckt sein immer ein beunruhigendes, schmerzliches, demütigendes Gefühl. Es ziemt dem Weibe nicht. Hätte ich darum je ein paar Strümpfe zu wenig gestrickt, ein Loch ungeflickt gelaßen,

eine Nätherinn halten müßen, einen Lehrmeister für meine Kinder
bezahlt, so hätte ich gefühlt ich handle unweiblich; aber ich habe
das nie gethan, ich nehte, strickte, kochte, und lehrte meine Kinder –
das Schreiben ausgenommen – alles selbst – da durfte ich schreiben.[27]

Briefstellen wie diese sind zum einen Ausdruck der realen
Vielfachbelastung, der Therese Huber ausgesetzt war, zum
anderen der Anerkennung der gesellschaftlichen Normen. In
den Schweizer Jahren war die Familie von Armut bedroht, an
viel Personal war wie auch in späteren, finanziell etwas besseren Jahren nicht zu denken – Therese Huber wusch in der
Schweiz laut Aussage ihres Sohnes ihre Kartoffeln mit den Bäue-
rinnen am Dorfbrunnen.[28] In der Zeit zwischen 1794 und 1807
waren sechs Umzüge zu bestreiten, sechsmal war der Hausstand neu aufzubauen sowie ein neuer Gesellschaftszirkel zu
finden.[29] Eine Schwangerschaft löste die andere ab,[30] in den
meisten Fällen war Therese Huber selbst die Amme, ebenso
die Lehrerin; kranke Familienmitglieder nahmen viel Pflege in
Anspruch, und der Tod einiger Kinder und schließlich Hubers
stellte eine immense seelische Belastung dar. Als Witwe hatte
sie zunächst noch Aimé und Luise zu versorgen, dann kam die
Hilfe bei den Enkeln hinzu. Im Freundeskreis und in der Nachbarschaft sprang Therese Huber vielfach helfend ein. Ruhiger
hatte sie es bezüglich des Haushalts in den Stuttgarter Jahren,
wo ihr Luise und nach deren Heirat für einige Zeit die Enkelin
Molly und eine weitere Haustochter zur Hand gingen. Zuletzt,
in Augsburg, nahm sich die älteste Tochter, Therese Forster,
des Haushalts der Mutter an.

Bei aller objektiven Belastung betonte Therese Huber aber
allzu gern ihr Engagement als Mutter und ihre Vortrefflichkeit
als Hausfrau. Wie das Versteckspiel um ihre Autorschaft ist auch
dies hauptsächlich darauf zurückzuführen, daß sie sich nicht
von dem traditionellen Frauenideal zu lösen vermochte, vielmehr dieses verinnerlicht hatte. Sie hatte sich der herrschenden Meinung angeschlossen, nach der eine Frau nicht die ihr
von der Natur gesteckten Grenzen, also die der Familienfür-
sorge, überschreiten dürfe. War sie allerdings durch ein widri-
ges Schicksal gezwungen, sich ihr eigenes Brot zu verdienen,
dann durfte sie das bestenfalls als Erzieherin tun, dem einzigen Beruf, der ihrer Weiblichkeit nicht widersprach. Schreibende Frauen wurden zwar – wie Luise Adelgunde Viktorie Gott-

sched und Sophie La Roche – bis zu einem gewissen Grad geduldet, aber dennoch nicht als Selbstverständlichkeit angesehen. Das seit dem 18. Jahrhundert durchaus nicht mehr seltene
Auftreten von Schriftstellerinnen wurde mit Argwohn begleitet, sie standen in der ständigen Gefahr, auf der einen Seite als
Dilettantinnen, auf der anderen als schlechte Hausfrauen, Ehe-
frauen und Mütter diskreditiert zu werden. Auch Therese Huber konnte einschlägige Erfahrungen sammeln:

Aber seit ich Schriftstellerinn bin, habe ich den festen Boden unter
meinen Füßen verloren. Obgleich als gute Hausfrau, Nätherinn,
Köchinn und all das von allen Bekannten anerkannt, muß ich so oft
die beleidigende Bemerkung hören: daß ich für solche Dinge freylich
nicht Zeit habe – Ich muß von den Weibern mir die Vergebung für
mein kleines Talent durch die sorgfältigste Behutsamkeit täglich erwerben, ich sehe die Männer mehr oder weniger stez sur le qui vive
mir gegenüber stehen.[31]

Die Reaktionen der Männer fielen dann besonders heftig gegen Therese Huber aus, wenn ihre Interessen unmittelbar auf-
einanderstießen; die Konkurrenzsituation wurde nolens volens
auf die Geschlechtsebene übertragen. Dies war in erster Linie
in Redaktionsangelegenheiten für das »Morgenblatt« der Fall.
Wenn Therese Huber Einsendungen liegenließ, zurückschick-
te oder korrigierte, gab es immer wieder Angriffe gegen ihr
Geschlecht. So beklagt sich Robert Ludwig gegenüber Cotta
und unterschlägt stillschweigend, daß ›redigieren‹ immer auch
›bearbeiten‹ heißt:

So sehr ich nun der Madame Huber ihren Gerad- und Scharfblick
Gerechtigkeit wiederfahren lasse, so muß ich doch für die Folge höf-
lichst ersuchen, daß, wenn meine Arbeiten dieser Dame nicht gefallen, dieselben mir zurückgesendet, nicht aber verbessert werden –
eine Forderung, die wahrlich! nicht biliger seyn kann und unter
Männern sich von selbst versteht, da ja nur die Anmaßung einer
gelehrten Frau im Stande ist, sich über jede hergebrachte Rücksicht
so keck hinweg zu setzen.[32]

Besonders scharf wurde Therese Huber von dem Literaturkritiker Adolph Müllner attackiert, der selbst gern die »Morgenblatt«-Redaktion übernommen hätte und für einige Zeit durchaus Chancen hatte. Er glaubte, keinem »*Freunde* [...] mit gutem
Gewissen zumuthen« zu können, »unter den Pantoffel einer
Matrone zu kriechen«.[33] Allerdings wurde die »gräuliche Pan-

toffelregierung«[34] nicht nur angegriffen, es gab auch positive Stimmen. Franz Horn ist geradezu überschwenglich davon angetan, daß eine Frau die Redaktion übernommen habe, denn

wahrlich es ist hohe Zeit, daß edle Frauen sich unsrer Literatur noch mehr als sonst annehmen, damit [...] Feinheit und Gewandtheit von neuem gelten, und endlich jener oft vermisste reine Geselligkeitsgeist sich immer mehr in unserer Literatur verbreiten möge.[35]

Therese Huber hat sich gewiß nicht nur aus Gründen der gesellschaftlichen Dezenz und des Geschlechterkommaents dem Publikum gegenüber zu verstecken versucht, sondern wohl auch aus taktischen Gründen: bei Verhandlungen mit Verlegern erschien es klüger, wenn ein Mann auftrat. Eine Frau mußte im Literaturbetrieb damit rechnen, schlechter honoriert und leichter ausgenutzt zu werden. Amalie von Helvig, die hoffte, in Cotta einen Verleger mit »ehrenvoller Gesinnung« zu finden, kritisiert die Ungerechtigkeiten vieler Verleger einer Frau gegenüber:

Ich bin ein Weib und habe mir bey mehrern meiner herausgegebenen Arbeiten die Erfahrung unserer Hülflosigkeit gegen das stärkere Geschlecht noch in manchen Variationen gesammelt. Man hat mir oft 6 Friedrichd'or per Bogen gegeben, noch öfter aber nicht einmal die Hälfte dessen, was man mir versprochen.[36]

Therese Huber, die geschäftüchtig agierte und sich nach Hubers Tod mit einflußreichen Beratern wie Paul Usteri und vor allem Karl August Böttiger umgab, mußte die Erfahrung machen, daß Cotta doch nicht ganz »ehrenvoll« einer Frau gegenüber war und sie schlechter als ihre männlichen Kollegen honorierte. Sie wollte sich allerdings nicht schweigend ins Unrecht fügen:

Warum sollte eine Mutter die sich von allen ihren Gewohnheiten loßreißt und nicht in Schlendrian sondern aus Mutterpflicht ein Männergeschäft übernimmt, spärlicher bezahlt werden wie ein Mann?[37]

Das Maskenspiel zum einen, die auf Mitleid abzielenden Klagen einer verwitweten Mutter, die sich für ihre vaterlosen Kinder aufopfert, zum anderen können als gezielte Strategie Therese Hubers gewertet werden, sowohl das Publikum, als auch Verleger und andere einflußreiche Zeitgenossen für sich einzunehmen und ihre Stellung im Kampf um Honorare und Leserzahlen zu stärken. In einer Gesellschaft, in der die Frau auf eine einzige Rolle und auf klar kodifizierte Eigenschaften festgeschrieben wurde, versuchte sie sich mit Hilfe eben dieser Rolle und eben dieser Eigenschaften auf dem männlichen Berufsterrain zu behaupten – und es gelang ihr außerordentlich gut.

Therese Hubers Rollenspiel hatte allerdings in der Literaturgeschichtsschreibung die negative Konsequenz, daß sie immer wieder als Brotschriftstellerin, die in schneller Folge triviale Massenware verfertigt habe, abgetan wurde. Man könnte bei oberflächlicher Betrachtung ihrer Äußerungen den Eindruck gewinnen, daß sie nur um des (Zu-)Verdienstes willen als Schriftstellerin und Redakteurin gearbeitet habe. Tatsächlich war sie eine engagierte Literatin, die mit ihrem Werk öffentliche Wirksamkeit anstrebte und zugleich innere Erfüllung in ihrer *Berufung* fand. Engen Freunden gegenüber gibt es immer wieder Äußerungen, die – wie die beiden folgenden – darauf verweisen, daß Schreiben für Therese Huber nicht nur eine Einnahmequelle, sondern auch Selbstverwirklichung bedeutete. Als sie sich nach ihrem Umzug nach Augsburg in depressiver Stimmung befand, schrieb sie an Mariette von Hartmann: »Ich bin sehr angegriffen und verlange nur nach Arbeit am Schreibtisch – die stärkt mich.«[38] Und an die Schriftstellerin Karoline Pichler ist zu lesen:

Ich bin sehr heitern Geistes und muntern Umganges aber so tief zu bewegenden Gefühls daß ich ihm nicht erlauben darf halb oder viertel laut zu werden – es muß schweigen – bis ich Romane schreibe.[39]

In ihren Texten hatte Therese Huber die Möglichkeit, Lebenskonzepte und Persönlichkeitsentwürfe auzuprobieren, Spielräume auszuloten, die der enge gesellschaftliche Rahmen in der Realität nicht ungestraft zuließ. Hier konnte sie zugleich die eigene Biographie als Erfahrungsschatz nutzen, ihre Krisen ›verarbeiten‹ und empirisch-sinnliche Normvermittlung durch Anschauung leisten. So kommt es nicht von ungefähr, daß namentlich in ihrem frühen Werk zahlreiche autobiographische Spuren zu entdecken sind. Sie war sich dessen bewußt:

Viele der Geschichte bezeichnen Epochen in der Geschichte meiner Ehe. *Sophie* schrieb ich wie Huber vom liebhaber zum Ehemann überging und ich das kränkend fühlte – Ich that ihm Unrecht, aber ich litt lange. Sophie bin ich, so wie die Clemence in dem Dinge das du

kennst. In den Briefen im Damen kalender ist die kleine Blanche ein
Kind das ich in der Schweiz verlor, ein liebes, wunderbares, von der
Geburt bis ins frühe Grab leidendes Wesen – ich schrieb es im tiefsten Schmerz über ihren so lange sie lebte, erflehten Tod. In den neu
holländischen Briefen (mein erster Versuch) war Rudolph, Forster
so wie er mir durch seine Briefe seit unsrer Scheidung erschien –
Kurz diese Dinge sind alle nur Abdrucke meines Gefühls.[40]

Die Zeit, in der Therese Huber diese Erzählungen und Romane schrieb, war für sie eine Zeit persönlicher Krisen: Sie hatte
sich von Forster getrennt und trug sich mit schweren Schuld-
gefühlen wegen seines einsamen Todes in Paris; ihre zweite
Ehe blieb nicht von den Mühen des Alltäglichen verschont, was
sie nach allem, was sie dafür riskiert hatte, schockierte; der Tod
mehrerer Kinder kam hinzu und das Ausgeschlossensein aus
der deutschen Gesellschaft, in der sie zeitweise als Jakobinerin
und Ehebrecherin verfehmt war. Entsprechend häufig finden
sich vor allem in ihren Anfangswerken innerlich zerissene
Menschen, die an der Gesellschaft und deren strengen, oft genug sinnlosen Konventionen scheitern – insbesondere Frauen,
die sich, wie einst Therese Huber, nicht mit dem Los einer Existenz als unbedeutende, dekorative Ehefrau abfinden können,
und idealistische Männer nach dem Muster Georg Forsters, die
die Diskrepanz zwischen Wirklichkeit und Ideal nicht bewälti-
gen können.

Therese Huber verarbeitete zwar ihre Erlebnisse und Erfahrungen, indem sie schrieb, doch es blieb nicht bei dieser persönlichen Konfliktbewältigung: Sich ihrer eigenen Ausnahme-
existenz bewußt, wollte sie von Anfang an mit ihren Werken
ein Publikum erreichen, das sich in einer Zeit der Orientierungs-
losigkeit befand, und ihm Orientierungshilfe geben. Sie schrieb
in einer Epoche, die den Aufbruch in das moderne Industrie-
zeitalter angetreten hatte. Die Französische Revolution und im
Anschluß daran Napoleon hatten die Grundmauern Europas
erschüttert und den Zerfall des Heiligen Römischen Reiches
deutscher Nation beschleunigt. Die Ständegesellschaft erlebte
ihren Schwanengesang, das Bürgertum den Aufstieg. Republi-
kanische Tendenzen und ein Streben nach mehr Autonomie
wurden allerdings zunächst von der Restauration zunichte
gemacht, die Menschen statt dessen in den Rückzug auf eine
scheinbar idyllische Privatsphäre getrieben. Doch auch das
Familienleben hatte sich verändert, das »ganze Haus« war auf-

grund der gewandelten Berufswelt zerfallen und hatte der bürgerlichen Kleinfamilie Platz gemacht, die neben finanziellen Abhängigkeiten starke emotionale Verflechtungen mit sich brachte. Und schließlich konnte nicht einmal mehr der Glaube Geborgenheit und Sicherheit gewähren, denn die alten religiösen Überzeugungen waren zunehmend einem neuen Skeptizismus und dem anthropozentrischen Weltbild gewichen. Die Menschen Mitteleuropas waren verunsichert und auf der Suche nach neuen Standorten. Als wache Beobachterin ihrer Zeit und politisch versierte Frau nahm Therese Huber die gesellschaftlichen Veränderungen, die sich um 1800 vollzogen, durchaus wahr. Als Kind der Spätaufklärung, wohl auch als zehnfache Mutter brachte sie ein großes didaktisches Interesse in ihre Arbeit ein. Sie hatte sich ausgiebig mit pädagogischen Fragen beschäftigt, entsprechende Literatur gelesen, hatte Pestalozzis Institut in Yverdon besichtigt und für die Erziehungsinstitute Philipp Emanuel von Fellenbergs einen Werbefeldzug gestartet. In den Jahren von 1806 bis 1811 war sie mehrmals auf dessen Schweizer Gut Hofwyl zu Gast gewesen, wo ihr Sohn Aimé als erster Zögling weilte und ihre älteste Tochter, Therese Forster, für kurze Zeit als Erzieherin angestellt war. Sie selbst war eine interessierte, kenntnisreiche Beraterin und Korrespondenzpartnerin des Reformpädagogen und Philanthropen. Die Idee, sich in Hofwyl niederzulassen und am Aufbau der Einrichtungen mitzuarbeiten, realisierte sich aber ebensowenig wie diverse Pläne, Leiterin eines Erziehungsinstituts zu werden. Allerdings hatte Therese Huber in die Verwirklichung dieser Vorhaben nicht die größte Energie gesetzt. Viel wichtiger scheint es ihr statt dessen gewesen zu sein, mit Hilfe ihrer Schreibkunst zu belehren und zu erziehen:

Meine Romane sind nicht schwankende Exertionen Zweckloser Fantasie. Ich habe – ich glaube nicht *einen einzigen* – dieser kleinen Aufsätze niedergeschrieben, ohne eine klare, abgeschloßne moralische Ansicht [...].[41]

Obwohl sie mit ihrer literarischen Produktion den Lebensunterhalt verdienen mußte, folgte Therese Huber ihrem eigenen ästhetischen – von spätaufklärerischen Positionen getragenen – Anspruch, nach dem »ein *literarisches* Werk nur durch den Verein der Moralitet mit der Fantasie und dem Geist ein sichres Ziel erreicht«.[42] Infolgedessen lehnte sie die rein auf Unterhal-

tung ausgerichtete Trivialliteratur ab – und gerade mit Schau-
er- und Abenteuerromanen wäre auf einem literarischen Markt,
der von der Lesesucht des auf Neuerscheinungen und Spannung erpichten Publikums lebte – schnell Geld zu verdienen
gewesen. Auch die gelehrte Literatur, die nur wenigen Spezia-
listen etwas sagen konnte, hielt sie für wirkungslos:

Ich gestehe wohl daß mich diese deutsche Belletristerei durch mark-
lose Seichtigkeit, und die Gelehrte durch Hochmuth um so mehr
anekelt, da auf beiden Wegen unsre Nation zu keiner Bildung kommt.
Die erste erschlafft und zieht in geistlose Lüstelei, die zweite schreibt
gelehrten Bombast für Gelehrte – und die Nation bleibt roh und
schwerfällig.[43]

Therese Huber wollte einen Beitrag zur moralischen Erneue-
rung der als depraviert empfundenen Gesellschaft leisten. Und
um dies zu erreichen, mußte sie ein großes Publikum ansprechen und es durch interessante, anspruchsvolle, aber eben auch
belehrende Lektüre fesseln.

Ihre Redaktionstätigkeit war ein Weg dazu: So versuchte sie,
Cottas Vorgaben und gleichzeitig ihrem eigenen Interesse folgend, Leser verschiedenster Herkunft mit niveauvollen Informationen aus allen Wissensbereichen, mit Artikeln in klarer,
verständlicher Sprache und mit aussagekräftigen Inhalten zu
versorgen, ohne sie dabei durch Gelehrsamkeit zu langweilen.
Ihr Bemühen war von Erfolg begleitet, denn das »Morgenblatt«
wandelte sich unter ihrer Leitung (1817–1823) von einem schwäbischen Provinzblatt zu einer angesehenen nationalen Kultur-
zeitschrift, die trotz schwerer Zeiten im Buchhandel mit einer
respektablen Auflagenerhöhung aufwarten konnte.[44] Gustav
Schwab charakterisierte in seinem Nachruf auf Therese Huber
ihre Arbeit zutreffend:

Mit wirklich männlichem Geiste suchte die neue Redaktion aus allen Fächern des Wissens dasjenige in ihren Kreis zu ziehen, was für
denselben irgend passend, was zur Belehrung, zur Erhebung des
Geistes ihrer Leser, ohne intellektuelle und moralische Pedanterie,
dienen konnte. Sitten und Institutionen, Erfindungen, Entdeckun-
gen am Himmel und auf der Erde, nach allem sah der gebildete und
wißbegierige Geist dieser Frau sich um, zog, was in dem Bereich
ihres Blattes war, herein in dasselbe, und erweiterte die Rubriken:
Reisen, Länder- und *Völkerkunde, Naturwissenschaftliches*; während der
Raum für Erzählungen und Romane, selbst unter dem Tadel des nach
leichterer Speise verlangenden Publikums beschränkt blieb.[45]

Ihr erzählerisches Werk bot Therese Huber eine weitere Platt-
form. Mit einer breiten Fächerung der Gattungen versuchte sie
›ihr‹ Publikum zu gewinnen: So gehören zu ihren Werken Romane und Erzählungen, Märchen und Legenden, Reiseberichte, die Biographien und Briefausgaben von L. F. Huber und
Georg Forster, Übersetzungen und Bearbeitungen aus dem
Englischen und Französischen, Essays und Rezensionen. Vieles davon erschien im »Morgenblatt«, für das Therese Huber
bereits von dessen Gründung im Jahr 1807 an bis zu ihrem To-
desjahr 1829 Beiträge lieferte. Die meisten Erzählungen wurden in Almanachen und Taschenbüchern wie »Flora«, »Taschenbuch für Damen«, »Minerva«, »Urania«, »Cornelia« publiziert
und in den Sammlungen von 1801/02, 1819 und 1830–34 neu
aufgelegt.[46] Therese Huber verfaßte ausschließlich Prosa und
wählte damit die eigentlich aufklärerische Gattung; darüber
hinaus plazierte sie ihre Werke geschickt in den modernsten
Medien der Zeit: der Zeitschrift, dem Almanach und dem Taschenbuch, die eine hohe Distribution garantierten.

Entsprechend ihrer Intention, dem Publikum Orientierung
in einer orientierungslos gewordenen Gesellschaft zu geben,
zeigt Therese Huber in ihrem epischen Werk Mißstände in der
Gesellschaft auf und stellt ihr Ideal dagegen. Häufig werden
politische Sujets aufgegriffen: In *Abentheuer auf einer Reise nach
Neu-Holland*, dem ersten Werk der Weltliteratur, das vor dem
Hintergrund der Kolonialisierung Australiens spielt, stellt sie
die Situation der in den Strafkolonien lebenden Engländer dar;
in *Die Familie Seldorf* dient die Französische Revolution nicht
nur als Hintergrund, vielmehr setzt sich die Autorin darin mit
konkreten politischen Inhalten auseinander; in *Klosterberuf* wird
der Freiheitskampf der Polen thematisiert.[47] Kernpunkt aber
ist die Auseinandersetzung des einzelnen Menschen mit der
Gesellschaft und den ihn umgebenden Beziehungen. Konflikte zwischen Triebhaftigkeit, Emotionalität und Vernunft, zwischen Leidenschaft und Pflichterfüllung, daraus resultierende
Spannungen zwischen Mann und Frau, Eltern und Kindern,
die Reflexion über einengende gesellschaftliche Konventionen
sind die Hauptthemen Therese Hubers, die einerseits alles
sprengende Gefühle durchlebt hatte, andererseits jeglichem
Subjektivismus ablehnend gegenüberstand, die im Zeitalter der
Empfindsamkeit und des Sturm und Drang aufgewachsen war,
sich mit Klassik und Romantik in der Mitte ihres Lebens aus-

einanderzusetzen hatte und am Ende vom beginnenden Biedermeier nicht unberührt geblieben ist.

Ansatzpunkt ihrer Kritik ist die Denaturierung der Gesellschaft wie des einzelnen: Die politischen und sozialen Entwicklungen im 18. Jahrhundert, die Entstehung der modernen Staatswesen haben nach Meinung Therese Hubers eine Entfremdung des Menschen von seinen natürlichen Ursprüngen bewirkt. Das Gleichgewicht der Kräfte ist aus dem Lot geraten, unüberschaubare Verflechtungen machen es dem Menschen nun schwer, sich zurechtzufinden. Abhilfe kann nur die Rückkehr zur Natur – und damit zur Einfachheit – schaffen: »Das ist der schönste Triumph der schönen Menschennatur, daß sie um sich her das Einfache, Natürliche wieder herstellt.«[48] Im Sinn des Idealismus bedeutet auch bei Therese Huber »Natur« ein harmonisches Ganzes, in dem sich die Kräfte, insbesondere Gefühl und Vernunft, in einem ausgeglichenen Verhältnis entwickeln können. Ist der Mensch in Übereinstimmung mit seiner Natur, so kann er leicht zu wahrer Humanität finden, egoistischen Bestrebungen entsagen und sich in die Gemeinschaft einbringen. Letzteres ist Ziel und Zweck aller Bemühungen, denn die individuelle Bestimmung ist immer auf Gemeinnützigkeit ausgerichtet – auf den »naheliegenden, in die Augen fallenden Zweck, ein nützlicher Bürger zu werden«[49] –, und kann nur erfolgreich umgesetzt werden, wenn subjektive Ansprüche und objektive gesellschaftliche Anforderungen sich decken, wie nach langem Irrweg bei Melanie in der Erzählung *Die ungleiche Heirath:* »Jetzt war ihre Individualität im Einklange mit ihrer Lage; ihre Pflichten mit ihrer Vernunft; ihre Wünsche mit ihren Kräften.«[50]

Basis für eine geglückte Einheit der Kräfte ist die Erziehung, die wiederum die Bereitschaft zu ständiger Selbsterziehung und damit zur optimalen Ausnutzung des eigenen Potentials und der eigenen Fähigkeit zur Vervollkommnung gewährleistet:

Frei ist aber nur Der, welcher ohne Zwang gehorchen und ohne Eigennutz befehlen kann, sei es den Menschen oder den Umständen oder sich selbst; – dazu gelangt der Mensch jedoch nur durch ununterbrochen fortgesetzte Selbsterziehung, und diese zu entwickeln, scheint mir der Erziehung einziger Zweck.[51]

Die Einfachheit wird zudem durch klare Grenzziehungen garantiert, die es jedem leicht machen, seinen Platz zu finden. So bleibt die Ständegesellschaft unangefochten, und entsprechend werden auch die traditionellen Geschlechterrollen nicht angetastet: Der Mann ist das Oberhaupt der Familie, die Stütze von Frau und Kindern; die Frau unterwirft sich dieser Herrschaft, die allerdings keine willkürliche sein darf, sondern die Menschenwürde achten muß, und stellt sich ganz in den Dienst der Erziehung der Kinder zu mündigen Bürgern. Auf diese Weise wird die Familie zur Keimzelle eines funktionierenden Staatswesens:

Jede also vereinte Familie ist ein Pflanzgarten der Bürgertugend, des Staatenglückes; und das Land, wo solche Pflanzgärten zahlreich werden, streut den Samen des Guten nach und nach allenthalben umher. Deshalb Heil dem Hausvater, der Hausmutter, die in jener Ansicht die Bande der Natur wiederherstellen![52]

Um die Bürgerpflicht zu erfüllen, ist es dem Mann erlaubt, ja geboten, außerhalb des Zirkels der Familie zu wirken. Die Bestimmung der Frau dagegen ist die Einbettung in eine Familie, ist die – physische oder psychische – Mutterschaft, die allein Selbstverwirklichung ermöglicht:

Die Gefahren, die Aufopferungen, durch welche der Mann seine Würde erringt, muß er meistens in fremden, fernen Verhältnissen finden; Alles, Gefahren, Aufopferungen, und ihre höchste Würde, ist dem Weibe im Schooße der Natur und der Liebe beschieden.[53]

Der Kreis zu Schillers »Lied von der Glocke« schließt sich damit. Allerdings faßt Therese Huber die Begriffe Weiblichkeit und Mutterschaft sehr viel weiter, denn die Wiederherstellung der »Bande der Natur« bedeutet für die Frauen nicht notwendig die Ehe, wie in Therese Hubers letztem Roman, der den programmatischen Titel *Die Ehelosen* trägt, anhand verschiedener Frauenfiguren demonstriert wird.[54] Diese wird unter Umständen sogar abgelehnt, da von keinem Mädchen erwartet werden könne, daß es einen ungeliebten oder moralisch tieferstehenden Mann heiratet. Die Ehe darf nur im Einklang mit dem eigenen Gefühl und der eigenen Überzeugung eingegangen werden und die weitere Entwicklung der Frau nicht verhindern. So Sara Holm in den *Ehelosen*:

Ich sehe in jeder Ehe eine Mangelhaftigkeit, ein Hinderniß, der Vollendung zuzureifen, – und einen andern wie diesen Zweck kann ich der Ehe nicht geben. Das mag Ueberspannung sein; soll ich denn aber mit Besonnenheit eine Lage wählen deren Bedingungen meinen Geist zu verkümmern, zu verkrüppeln drohen?[55]

Eine Ehe muß aber nicht das Ende der Entwicklung bedeuten, im Gegenteil: für Julie in *Jugendmuth* ist ihre erste – unglückliche und aus jugendlicher Überheblichkeit geschlossene – Ehe nur eine Station zur Mündigkeit, die dann eine befriedigende Verbindung gewährleistet. Und in einer glücklichen Ehe, die auf den Prinzipien der Natürlichkeit aufbaut, kann sich auch die Frau weiterentwickeln und ihre Bestimmung voll entfalten. Entscheidet sich ein Mädchen allerdings aus freiem Willen und ohne Überspannung gegen eine Heirat, so darf sie nicht durch irgendeine Berufstätigkeit aus dem Kreis ihres Geschlechts ausbrechen, nur als Pflegerin kranker Verwandter oder Bekannter und als Erzieherin kann sie wirkliche Befriedigung finden. Erlaubt ist darüber hinaus, wie in den »Ehelosen« an Elisabeth van Herbert demonstriert wird, die Übernahme eines Gutes und damit die Einbettung in eine patriarchalisch geprägte, naturnahe Idylle. Eine Position als Lehrerin in einem Pensionat ist dagegen nicht anzustreben, denn Erziehung hat immer Familienerziehung zu sein. Therese Huber vereint damit das tradierte Frauenbild mit modernen Anschauungen von der Selbstbestimmung aller Menschen. So nah sie einerseits Schillers Familienidyll und Frauenbild kommt – neben Schiller ließen sich noch die Verfasser der aufklärerischen Hausväterliteratur und viele andere nennen, am häufigsten angeführt wird Joachim Heinrich Campe und sein *Vaeterlicher Rat für meine Tochter* (1796) –, so weit entfernt sie sich andererseits davon und präludiert einem späteren Weiblichkeitsideal, in dem Selbstbestimmung, Eigenverantwortung und schließlich doch auch freie Berufsausübung keine Fremdworte mehr sind.

Therese Huber entfaltet ihr Menschen- und Gesellschaftsbild nicht in einseitigen Typisierungen und einer utopischen Welt à la Insel Felsenburg; die meisten Romane und Erzählungen sind Entwicklungsdarstellungen, in denen der Werdegang der Figuren – in den überwiegenden Fällen Frauen, was schon Titel wie *Sophie, Hannah, Die Häßliche* demonstrieren – in psychologischer Folgerichtigkeit über mehrere Stufen hinweg verfolgt wird. Sowohl in ihrer privaten Lektüre, als auch bei ihrer Redaktionsarbeit war die Geschichte bevorzugte Disziplin Therese Hubers, denn

diese sehe ich als Spiegel der Gegenwart oder Prophezeihung der Zukunft an. Schicksale, Züge die also lehren: sonst wars eben so – oder: *das* kann jezt nicht mehr geschehen – oder: nehmt euch in acht sonst geschieht das wieder – oder: das muß auch bei euch geschehen können – also lebendige Darstellung, aber kurz und einfach, lieber hölzern als blumig.[56]

Und so wie gelebtes Leben dem Leser als nachahmenswertes Beispiel oder zur Abschreckung dienen soll, so soll ihn realitätsnahe Fiktion zugleich zu einem vollkommeneren Leben führen. Therese Huber nähert sich damit der spätaufklärerischen Roman-Propädeutik Friedrich von Blanckenburgs, der die Erzählprosa als moralisch-didaktisches Bildungsinstrument nutzen will. Mittels kausaler Abfolge eines psychologisch motivierten Geschehens soll ein Roman »die möglichen Menschen der wirklichen Welt«[57] darstellen; analog möchte Therese Huber den Leser mit Hilfe des literarischen Mikrokosmos zu seiner wahren Bestimmung führen.

Blankenburgs Diktum nach größtmöglicher Wahrhaftigkeit folgend, greift Therese Huber in formaler Hinsicht auf Herausgeberfiktion, die häufige Verwendung der Briefform und tagebuchähnlicher Notizen zurück. Vor allem in den späteren Werken werden zahlreiche, zum Teil sehr lange Reflexionen eingeschaltet, um die jeweilige Aussage zu transportieren. Die Handlungsabfolge muß ebenso in sich stimmig sein wie die Figurenzeichnung; extrem tugend- oder lasterhafte Figuren widersprächen der Wirklichkeit, genauso wie die Überstrapazierung des Zufalls (wobei dieser nicht immer umgangen wird). Äußeres Geschehen und innere Entwicklung orientieren sich in ihrem Wechselspiel an psychologischen Kriterien. Ihrer Kollegin Karoline Pichler gegenüber ›fachsimpelte‹ Therese Huber:

Liebe verehrte Pichler – ich soll meine Romane nicht unglücklich enden lassen? hängt denn das von mir ab, so bald meine Karaktere entworfen sind? müßen sie dann nicht das Schicksal herabziehen? Ich suchte den deus ex machina immer zu vermeiden, meine Menschen spannen sich ihr Schicksalskleid und ich ließ keine ganz unglücklich, konnte aber auch keinen mit überschwänglichem Glück von Schauplaz abtreten lassen, so bald er Stoff zu einem Roman gegeben hatte [...].[58]

Tatsächlich enden besonders die frühen Werke Therese Hubers, so *Die Familie Seldorf, Luise* und *Das mißlungene Opfer,* um nur einige zu nennen, häufig tragisch. Die Belehrung des Lesers erfolgt hier weniger direkt, vielmehr soll er im Sinne der Katharsis – Lessings Dramaturgie ist zeitlich noch nah – zum Mitleiden angeregt und geläutert werden. Die Protagonisten aus dieser Zeit sind, wie Goethes Werther, sehr viel weniger fähig, sich in die als richtig erkannten Grenzen und Prinzipien zu finden. Die Überbetonung ihrer Gefühle und Triebe macht ihnen ein gelassenes Sichfügen schwer, wenn nicht gar unmöglich. Marianne aus der Erzählung *Das mißlungene Opfer* ist mit ihrem Aufbegehren ein typisches Beispiel:

Wenn nun eine schaale Alltäglichkeit Gefühl und Geist entbehrlich macht, wenn das vergötterte Mädchen, das angebetete Weib mit der Zeit zur wohlbestellten Haushälterin und Kinderwärterin werden mußte – an *mir* ist ja die Schuld, daß in diesem Busen ein noch innigeres Feuer lodert, wie damals, da Jugend noch meine Wangen färbte. Entschädigt bin ich: was ich als Hausfrau, als Kinderwärterin thue, das Hemd, das ich nähe, der Brei, den ich rühre – es macht mich stolzer, wie ehemals meiner Liebe Glük. Aber wehe dem Mann, der sein Weib zwingt, sich das Bewußtseyn erfüllter Pflicht genügen zu lassen![59]

Folgerichtig kommt Marianne in Gefahr, aus ihrem Gefängnis auszubrechen, als ihr ein Jugendfreund wiederbegegnet; sie entscheidet sich zwar für ihre Ehe, ohne aber wirklich Erfüllung zu finden: »Vieles war wieder schön zwischen ihnen, aber er *liebte* sie, und *sie* konnte nicht mehr glüklich sein.«[60] In späteren Werken dagegen werden viel häufiger den mehr realistisch gezeichneten Figuren ideale entgegengestellt, eingeschaltete Reflexionen und harmonische Ausgänge, allerdings nicht ohne eine nachdenklich stimmende Schlußbemerkung, sind die Regel – die Vorbildfunktion wird somit betont, was nicht zuletzt auf frühbiedermeierliche Tendenzen zurückzuführen ist. Die Figuren dieser Romane und Erzählungen verlieren gleichwohl an Lebendigkeit und Unmittelbarkeit, sie wirken oft hölzern und betulich. Therese Hubers Wunsch, das Publikum zu belehren, tritt im Laufe ihres Œuvres – jedenfalls für den heutigen Geschmack – zu augenscheinlich in den Vordergrund.

Auch wenn vor allem die späteren Publikationen Therese Hubers einem modernen Publikum nicht leicht zu vermitteln sein dürften, so ist dies kein Grund, die Schriftstellerin unbeachtet zu lassen. Ein Roman wie *Die Familie Seldorf* ist noch immer lesenswert und kann manch berühmteres, heute noch aufgelegtes Werk männlicher Autoren in den Schatten stellen. Vita und Schaffen dieser Ausnahmefrau bieten einem breiten Publikum ebenso wie der Fachwelt interessante Einblicke in private und berufliche Lebenszusammenhänge einer Zeit, in der das Althergebrachte in Auflösung begriffen war, Neues sich konstituierte und der einzelne nur schwer einen sicheren Standpunkt finden konnte. Dies gilt in besonderem Maß für die Frauen, für die sich im Lauf des 18. Jahrhunderts völlig neue Bedingungen ergeben hatten: So stand auf der einen Seite die Erkenntnis ihres Eigenwertes und ihrer Bildungsfähigkeit, auf der anderen die Festlegung auf die einengende Rolle der Hausfrau und Mutter und die dazu nötigen Eigenschaften. In diesem Spannungsfeld, in dem sich die meisten Frauen noch heute bewegen, konnte sich Therese Huber erfolgreich behaupten. Ihre Werke zeigen ebenso wie ihre Redaktionstätigkeit oder ihre Briefe, wie engagiert sie trotz aller Rollenkonflikte, trotz aller Mehrfachbelastung ihrer Berufung folgte. Herkunft, Bildung und Weltkenntnis, Kritikfähigkeit und Phantasie, zu guter Letzt auch Geschäftssinn und Durchsetzungsvermögen prädestinierten sie dazu, ihr Schreibtalent in finanzieller und ideeler Hinsicht gewinnbringend einzusetzen. Obwohl aus wirtschaftlichen Gründen auf ihre Berufstätigkeit angewiesen, verharrte Therese Huber nicht im ambitionslosen – auflagenorientierten – ›Brotschriftstellern‹, im bloßen Unterhalten der Leser, sondern bemühte sich, ihr Publikum wachzurütteln, es aufzuklären über vermeintliche Mißstände und ihm ein nachahmenswertes Leitbild mit auf den Weg zu geben. Sie tat dies getreu ihrem Motto: »Weil ich das Leben kenne lehr ich, übe ich das Rechte.«[61]

Anmerkungen

1 Amalie Schoppe an Therese Huber, Hamburg, 8. Januar 1828 (Abschrift aus Privatbesitz).

2 Folgende Werk- und Briefausgaben erschienen in den letzten Jahren (Sekundärliteratur kann aus Platzgründen nicht nachgewiesen werden): Hahn, Andrea (Hg.) (1989): »Die reinste Männerliebe, die reinste Freiheitsliebe!« Ein Lebensbild in Briefen und Erzählungen, Berlin. – Heuser, Magdalene (Hg.)

(1989ff.): Romane und Erzählungen, 12 Bde., Hildesheim. [Bisher: Bd. 1: Die Familie Seldorf; Bd. 2: Luise. Ein Beitrag zur Geschichte der Konvenienz; Bd. 4: Ellen Percy oder Erziehung durch Schicksale.] – Leuschner, Brigitte (Hg.) (1995): Schriftstellerinnen und Schwesterseelen. Der Briefwechsel zwischen Therese Huber (1764–1829) und Karoline Pichler (1769–1843), Marburg.

3 Therese Huber an Elise von Löffelholz, Stuttgart, 10. April 1822 (Niedersächsiche Staats- und Landesbibliothek Göttingen, Nachlaß Therese Huber; künftig zit. als: NSUB Göttingen / NL Th. Huber).

4 Günzburg, 25. September 1810 (Sächsische Landesbibliothek, Nachlaß Karl August Böttiger; künftig zit. als: SLB Dresden / NL Böttiger; hier: Mscr. Dresd. h 37, Bd. 94 (4°), Nr. 54).

5 Stuttgart, 15. Juni 1818 (NSUB / NL Th. Huber).

6 Schiller, Friedrich (⁸1987): Sämtliche Werke, Bd. 1: Gedichte / Dramen I, auf Grund der Orig.-Ausg., hg. von Gerhard Fricke und Herbert G. Göpfert, München, S. 432f., V. 106-132.

7 An Karl August Böttiger, Günzburg, 10. Januar 1816 (SLB / NL Böttiger, Mscr. Dresd. h 37, Bd. 94 (4°), Nr. 54).

8 Zu den Eindrücken der Schweizreise vgl. auch Leuschner, Brigitte (1991b): »...ohne Vorurtheil irgend einer Art ...«. Impressionen und Reflexionen in Reiseberichten von Therese Huber, in: Begegnung mit dem »Fremden«. Grenzen. Traditionen. Vergleiche, hg. von Eijiro Iwasaki [u.a.], Bd. 9: Sektion 15. Erfahrene und imaginierte Fremde, München (Akten des Internationalen Germanistenkongresses, 8), S. 220-228.

9 An Karl August Böttiger, Günzburg, 10. Januar 1816 (SLB Dresden / NL Böttiger, Mscr. Dresd. h 37, Bd. 94 (4°), Nr. 54).

10 An Luise Mejer [ohne Angaben] (NSUB Göttingen / NL Th. Huber).

11 Luise Meyer an Heinrich Christian Boie, Celle, 7. Oktober 1783; zit. nach: Schreiber, Ilse (Hg.) (1963): Heinrich Christian Boie und Luise Mejer. Ich war wohl klug, daß ich dich fand. Briefwechsel, 2., durchges. und erw. Aufl., München (1961), S. 249.

12 An Thomas Samuel Soemmerring, Wilna, 2. Weihnachtstag 1785 (GSA Weimar / Autographensammlung).

13 Zum Polenbild Therese Hubers in Briefen und Dichtung vgl. Leuschner, Brigitte (1991b) und Becker Cantarino, Barbara (1988): Therese Forster-Huber und Polen, in: Daß eine Nation die ander verstehen möge. Festschrift für Marian Szyrocki zu seinem 60. Geburtstag, hg. von Norbert Honza und Hans-Gert Roloff, Amsterdam, S. 53-66.

14 Vgl. Hagenmaier, Monika (1994): Lesen und Rezensieren im 18. Jahrhundert: zum Beispiel Georg Forster, in: Weltbürger – Europäer – Deutscher – Franke. Georg Forster zum 200. Todestag. Ausstellungskatalog, hg. von Rolf Reichard und Geneviève Roche, Mainz, S. 139-149, hier S. 139.

15 Georg Forster an Christian Gottlob Heyne, Wilna, 9. März 1786; zit. nach: Forster, Georg (1978): Werke. Sämtliche Schriften, Tagebücher, Briefe, hg. von der Akademie der Wissenschaften der DDR. Zentralinstitut für Literaturgeschichte, Bd. 14: Briefe 1784 – Juni 1787, bearb. von Brigitte Leuschner, Berlin, S. 444. Vgl. auch Hagenmaier, Monika (1994): S. 143.

16 An Emil von Herder [Stoffenried, 1805–1807] (NSUB Göttingen / NL Th. Huber).

17 An Karl August Böttiger, Günzburg, 10. Januar 1816 (SLB Dresden / NL Böttiger, Mscr. Dresd. h 37, Bd. 94 (4°), Nr. 54).

18 »Des Captain Jacob Cook's dritte Entdeckungs-Reise [...].« Aus dem Englischen übersetzt von Georg Forster [...]. Mit Zusätzen für den deutschen Leser, imgleichen mit einer Einleitung des Uebersetzers vermehrt und durch Kupfer und Charten erläutert, 2 Bde., Berlin 1787/88.

19 Georg Forster an Johann Karl Philipp Spener, Wilna, 21. Januar 1787; zit. nach: Forster, Georg (1978): S. 627.

20 Georg Forster an J.K.Ph. Spener, Wilna, 8. April 1787; zit. nach: Forster, Georg (1978): S. 668.

21 An Viktor Aimé Huber, Stuttgart, 9. Januar 1817 (NSUB Göttingen/NL Th. Huber).

22 »Abentheuer auf einer Reise nach Neu-Holland« (1793–94; s. Anm. 46).

23 Zum Thema Anonymität vgl. z.B. jüngst Kord, Susanne (1996): Sich einen Namen machen. Anonymität und weibliche Autorschaft 1700–1900, Stuttgart/Weimar.

24 Außer ihrem Redaktionsgehalt erhielt Therese Huber eine kleine Pension, da Huber im Jahr seines Todes in bayerische Staatsdienste getreten war. Allerdings blieben die Zahlungen infolge der napoleonischen Kriege für einige Zeit immer wieder aus.

25 Auch als Redakteurin wollte Therese Huber unbedingt anonym bleiben, was allerdings durch Indiskretion und wohl auch aus praktischen Gründen vereitelt wurde.

26 Aus der Vorrede zu: L.F. Hubers gesammelte Erzählungen (1819; s. Anm. 46), Bd. 1, S. V f. Vgl. auch Heuser, Magdalene (1990): »Ich wollte dieß und das von meinem Buche sagen, und gerieth in ein Vernünfteln.« Poetologische Reflexionen in den Romanvorreden, in: Untersuchungen zum Roman um 1800, hg. von Helga Gallas und Magdalene Heuser, Tübingen, S. 52-65.

27 An Heyne, Günzburg, [Eingangsverm. 4. September 1810] (NSUB Göttingen/NL Th. Huber).

28 Viktor Aimé Huber an Wilhelmine Cranz, Werningerode, 17. Januar 1855 (Privatbesitz, zit. nach einer Abschrift aus dem Deutschen Literaturarchiv Marbach a. N./Cotta-Archiv, Stiftung der Stuttgarter Zeitung; künftig zit. als DLA/CA).

29 1794 von Neuchâtel in das nahegelegene Dorf Bôle; 1798 im Mai nach Tübingen, im September nach Stuttgart; 1804 nach Ulm; 1805 mit ihrer Tochter Claire von Greyerz und deren Familie nach Stoffenried südlich von Günzburg; 1807 mit diesen nach Günzburg; 1816 übersiedelte Therese Huber nach Stuttgart; 1823 schließlich nach Augsburg, ihrem letzten Wohnort.

30 Aus beiden Ehen gingen zusammen zehn Kinder hervor; vier nur – Therese Forster, Claire Forster, verh. von Greyerz, Luise Huber, verh. von Herder, Viktor Aimé Huber – erreichten das Erwachsenendasein.

31 An Elise von Löffelholz, Stuttgart, 10. April 1822 (NSUB Göttingen/NL Th. Huber).

32 Robert Ludwig an Johann Friedrich Cotta, Mannheim, 12. Februar 1819 (DLA/CA).

33 Adolph Müllner an J.F. Cotta, Weißenfels, 15. Juni 1818 (DLA/CA).

34 Adolph Müllner an J.F. Cotta, Weißenfels, 24. Juni 1820 (DLA/CA).

35 Horn, Franz (1819): Umrisse zur Geschichte und Kritik der schönen Literatur Deutschlands, während der Jahre 1790 bis 1818, Berlin, S. 239f. Bezeichnenderweise argumentiert Horn mit typischen Geschlechtszuweisungen: Den

edlen Frauen eignet Feinheit und Geselligkeit, die rohen Schreier sind auf der Seite der Männer zu suchen.

36 Amalie von Helvig an J. F. Cotta, Schloß Engers, 21. November 1823 (DLA/CA).

37 An F. W. Cotta, [Stuttgart] 26. Juni 1817 (DLA/CA). Als Redakteurin des »Morgenblatts« verdiente sie 700 Gulden; ihr Vorgänger Georg Reinbeck hatte 800 Gulden erhalten; Adolph Müllner für die Redaktion der Beilage »Literaturblatt« 800 Reichstaler; August von Witzleben, ein Bewerber um die Nachfolge, forderte 2000 Gulden für die Mitredaktion des »Morgenblatts«, einschließlich der Redaktion des »Taschenbuchs für Damen«, das Therese Huber ebenfalls betreute. Vgl. dazu Hahn, Andrea / Fischer, Bernhard (Bearb.) (1993): »Alles ... von mir!« Therese Huber (1764–1829). Schriftstellerin und Redakteurin, Marbach am Neckar (Marbacher Magazin, 65), S. 82-84. – Fischer, Bernhard (1995): Cottas »Morgenblatt für gebildete Stände« in der Zeit von 1807 bis 1823 und die Mitarbeit Therese Hubers, in: Archiv für Geschichte des Buchwesens, Jg. 43, S. 203-239, hier S. 226-228; darin auch bes. den Briefwechsel zwischen Cotta und Therese Huber zur Abrechnung der Jahre 1824 und 1825, S. 229-238.

38 Augsburg, 29. November 1823 (Landesbibliothek Stuttgart/Nachlaß Hartmann).

39 Stuttgart, 26. März 1820; zit.nach: Leuschner, Brigitte (Hg.) (1995): S. 53.

40 An F. L. W. Meyer, Ulm, 5. Oktober 1804 (NSUB Göttingen/NL Th. Huber).

41 An Henriette von Reden [etwa 1818] (NSUB Göttingen/NL Th. Huber).

42 Therese Huber an Karoline Pichler, Augsburg, 29. Januar 1827; zit. nach: Leuschner, Brigitte (Hg.) (1995): S. 136.

43 Therese Huber an Karoline Pichler, Augsburg, 29. Januar 1827; zit. nach: Leuschner, Brigitte (Hg.) (1995): S. 137.

44 Siehe dazu: Hahn, Andrea/Fischer, Bernhard (1993): S. 69; Fischer, Bernhard (1995): S. 211.

45 Morgenblatt für gebildete Stände, Nr. 194 (14. August 1829), S. 774.

46 Werke in Auswahl: Abentheuer auf einer Reise nach Neu-Holland, in: Flora. Teutschlands Töchtern geweiht, Tübingen: Cotta, Jg. 1 (1793), Bd. 4, S. 241-274; Jg. 2 (1794), Bd. 1, S. 7-43, 209-275. – Die Familie Seldorf. Eine Geschichte von L.F. Huber, 2 Bde., Tübingen: Cotta, 1795/96. – Luise oder Ein Beitrag zur Geschichte der Konvenienz, Leipzig: Wolf, 1796 (2. Aufl. Frankfurt a.M.: Sauerländer, 1819). – Erzählungen von L. F. Huber, 3 Bde., Braunschweig: Vieweg, 1801–02. – L. F. Hubers sämtliche Werke seit dem Jahr 1802, nebst seiner Biographie, 2 Bde., Tübingen: Cotta, 1806–10. – Bemerkungen über Holland aus dem Reisejournal einer deutschen Frau, Leipzig: Fleischer, 1811. – L. F. Hubers gesammelte Erzählungen, fortges. von Therese Huber, 2 Bde., Stuttgart/Tübingen: Cotta, 1819. – Hannah. Der Herrenhuterin Deborah Findling, Leipzig: Brockhaus, 1821. – Ellen Percy oder Erziehung durch Schicksale, 2 Bde., Leipzig: Brockhaus, 1822. – Jugendmuth. Eine Erzählung, 2 Bde., Leipzig: Brockhaus, 1824. – Die Ehelosen, 2 Bde., Leipzig: Brockhaus, 1829. – Johann Georg Forsters Briefwechsel. Nebst einigen Nachrichten von seinem Leben, Hg. von Th. H., geb. H., 2 Bde., Leipzig: Brockhaus, 1829. – Erzählungen von Therese Huber. Hg. von V[iktor] A[imé] H[uber], 6 Bde., Leipzig: Brockhaus, 1830–34. – Die Weihe der Jungfrau bei ihrem Eintritt in die größere Welt, Leipzig: Brockhaus, [1831].

47 Sowohl »Die Familie Seldorf« (1795/96) als auch »Klosterberuf« (in: Erzählungen, 1830, S. 143-341) waren teilweise von der Zensur verboten worden. »Familie Seldorf« ist der in der Forschungsliteratur (die hier aus Platzgründen nicht genannt werden kann) meistbeachtete Roman Therese Hubers. = (1795/96), in: Der deutsche Roman der Spätaufklärung. Fiktion und Wirklichkeit, hg. von Harro Zimmermann, Heidelberg, S. 171-194.

48 Huber, Therese (1824): Jugendmuth, Bd. 2, S. 123.

49 Der Wille bestimmt die Bedeutung der That, in: Huber, Therese (1830): Erzählungen, Bd. 5, S. 215-320, hier S. 233.

50 In: Huber, Therese (1830): Erzählungen, Bd. 2, S. 205-326, hier S. 320.

51 Huber, Therese (1829): Die Ehelosen, Bd. 1, S. XIf.

52 Ebd.: Bd. 2, S. 91.

53 Fragmente eines Briefwechsels, in: Huber, Therese (1830): Erzählungen, Bd. 1, S. 3-98, hier S. 9.

54 Vgl. auch den jüngst erschienenen Aufsatz von Goetzinger, Germaine (1997): »Daß die Ehe in dem Zustande der Gesellschaft, wie er sich jetzt gestaltet, nicht mehr Naturgebot sei ...«. Therese Hubers Roman »Die Ehelosen« (1829) als Vorentwurf zu einer Theorie sozialer Mütterlichkeit, in: Autorinnen des Vormärz, red. von Helga Brandes und Detlev Kopp, Bielefeld, S. 15-26.

55 Huber, Therese (1829): Die Ehelosen, Bd. 2, S. 289f.

56 An Paul Usteri, Stuttgart, 7. Februar 1817 (Zentralbibliothek Zürich/ Ms. V 512.160).

57 Blanckenburg, Friedrich von (1965): Versuch über den Roman, Faksimiledruck der Originalausgabe von 1774, mit einem Nachw. von Eberhard Lämmert, Stuttgart, S. 257.

58 An Karoline Pichler, Stuttgart, 31. Dezember 1822; zit. nach: Leuschner, Brigitte (Hg.) (1995), S. 103.

59 Huber, Therese (1800): Das mißlungene Opfer. Eine Erzählung, in: Taschenbuch für Damen auf das Jahr 1801, Tübingen: Cotta, S. 204-248, hier S. 238.

60 Ebd.: S. 248.

61 An Karoline Pichler, Stuttgart, 26. März 1820; zit. nach: Leuschner, Brigitte (Hg.) (1995): S. 54.

Katharina von Hammerstein

»Eine Erndte will ich haben ...«
Schreiben als Beruf(ung)

Sophie Mereau-Brentano (1770–1806)[1]

»Was der Mensch seine Lage nennt, das heißt seine Verhältniße
gegen andre Menschen, das bildet er sich selbst«,[2] diese selbstbewußte und geradezu programmatische Formulierung aus
dem Jahr 1795 reflektiert ein auf die Kraft des Individuums
bauendes, bürgerlich-aufklärerisches Menschen- und Selbstverständnis und stammt aus der Feder der klassisch-romantischen
Schriftstellerin Sophie Mereau, geborene Schubart, in zweiter
Ehe verheiratete Brentano.[3] Über die Entfernung zweier Jahrhunderte hinweg mutet ihre, gerade was die Einflußmöglich-
keiten von Frauen auf ihre Lage anbetraf, weniger auf Tatsa-
chen beruhende als vom Wunschdenken geleitete Feststellung
allerdings an wie das tapfere Pfeifen im dunklen Walde. Zweifel an der Allgemeingültigkeit der hoffnungsvollen Aussage
kamen bereits der Verfasserin, die in ihren handschriftlichen
persönlichen Betrachtungen zuweilen fatalistisch beklagte, »ein
feindliches Gestirn waltete bei meiner Geburt [...] Wo hätte ich
den Muth hernehmen sollen, das Schicksal zu bezwingen?«[4]
Feindlich standen die zeitgenössischen gesellschaftlichen Verhältnisse in der Tat auch noch im Jahrzehnt nach dem bürgerlichen Befreiungsakt der Französischen Revolution den Bestrebungen einiger freiheitsbegeisterter und talentierter Frauen
nach Selbstbildung und -bestimmung gegenüber, man werfe
nur einen Blick in das *Allgemeine Landrecht für die preußischen
Staaten*,[5] das 1794 als Reform galt, oder in Johann Gottlieb
Fichtes *Grundriß des Familienrechts*, Teil seiner viel beachteten
Wissenschaftslehre aus dem Jahr 1796; darin propagiert er ausdrücklich »die unbegrenzte Unterwerfung der Frau unter den
Willen des [Ehe-]Mannes« und erklärt »die Begierde der Wei-

ber, Schriftstellerei zu betreiben«, als dem »moralischen Werthe der Verfasserin« unzuträglich.[6]

Das in Sophie Mereaus Tagebuch verzeichnete ambivalente »Schwanken zwischen Ergebung und Muth«[7] ist symptomatisch für die Erfahrung, die Menschenrechte von der deutschen Intelligenz begeistert aufgenommen, aber auf Frauen kaum angewendet zu sehen. Es ist repräsentativ für die Haltung jener nonkonformen Zeitgenossinnen, die wie Rahel Levin-Varnhagen, Caroline Böhmer-Schlegel-Schelling, Dorothea Veit-Schlegel, Karoline von Günderrode und Bettine Brentano-von Arnim, um nur einige zu nennen, gegen erhebliche Widerstände die Umsetzung der Ideale von Freiheit und Gleichheit auch für ihr Geschlecht in Anspruch nahmen und sich schreibend oder redend einen Platz in der öffentlichen Kultur der jüdischen Salons in Berlin und der klassischen und frühromantischen Kreise in Weimar und Jena eroberten. Im Verfassen von halböffentlichen Briefen und veröffentlichten Werken schufen sie sich nahezu ohne Vorbilder, wenn man einmal von Sophie Mereaus Schwiegergroßmutter Sophie von La Roche und wenigen anderen absieht,[8] einen »imaginären Aktionsort«, der ihnen eine sonst vorenthaltene »Praxis selbständigen sozialen Handelns« und Wirkens bereitstellte.[9] Insbesondere Sophie Mereau nutzte den Schutzraum der fiktionalen Verschlüsselung, um Alternativen zu dem als unbefriedigend erlebten Status quo zu entwerfen und öffentlich vorzustellen.[10]

Gerade fiktionale Texte, so betont Anton Kaes als Vertreter des ausdrücklich von einer Interrelation zwischen Literatur und Geschichte ausgehenden anglo-amerikanischen Neohistorismus, seien prädestiniert, vorhandene gesellschaftliche Spannungen und Widersprüche zum Ausdruck zu bringen und ihrerseits in soziale Prozesse einzugreifen:

Fictions can suggest, manipulate, and toy with solutions that, outside of literature, would be dismissed as impractical, miraculous, criminal or insane. Literary works can thus be seen as social documents that intervene in the material world [...].[11]

Texte werden demnach einerseits angeregt, begrenzt, geprägt durch die gesellschaftlichen, politischen, und kulturellen Institutionen, in deren Rahmen sie entstehen. Andererseits aber sind »literarische Dokumente [ihrerseits] nicht lediglich Ausdruck kultureller Zustände, sondern gleichzeitig aktive ge-

Sophie Mereau-Brentano

schichtsmächtige Wirkungskräfte ihrer Zeit«[12] und fungieren »als Aktant[en] in der Geschichte«.[13] Sie repräsentieren Stimmen von AutorInnen, die, sofern man sie weder im Sinne einer individualistischen Schöpfungsästhetik zu inspirierten Genies kürt noch wie Roland Barthes für tot erklärt, ebenfalls als sozial und diskursiv beeinflußte und zugleich Einfluß nehmende Instanzen gelten müssen. Wer spricht, hat die Macht zu sprechen[14] bzw. nimmt sich das Recht dazu, tritt somit aus der passiven Rolle des Opfers von Verhältnissen heraus und fordert durch den mündlichen oder schriftlichen Sprechakt den Part eines handelnden Subjekts.

Um dieses sich in Mereaus Schriften manifestierende Spannungsfeld zwischen Geprägtheit und Einflußnahme, Anlehnung an Traditionen und mündiger Innovation, Fremd- und Selbstbestimmung, Realitätsbezug und fiktionalen Utopieentwürfen, um den Doppelcharakter der Kunst, wie Adorno ihn definiert, als »fait social« zwischen gesellschaftsbedingter Entstehung und »autonomer«, d.h. gesellschaftskritischer Opposition[15] soll es in der vorliegenden, bewußt textnah gehaltenen Untersuchung gehen. Meine Aufmerksamkeit gilt zunächst den Voraussetzungen, d.h. Förderungen und Behinderungen von Sophie Mereaus Schriftstellerei sowie ihrer Veröffentlichungspraxis in einer Zeit, die selbständiges öffentliches Auftreten und bezahlte Erwerbstätigkeit für Frauen der mittleren und oberen Stände zum Tabu erklärte. Es entwickeln sich daraus Fragen nach Mereaus Schreibmotivation und Selbstverständnis als Schriftstellerin sowie nach thematischen Akzentsetzungen in ihren Schriften, insbesondere betreffend die Verarbeitung ihrer Erfahrungen als Frau und Schriftstellerin zu Aussagen über Dichtertum und zu fiktionalen Entwürfen von Frauenleben und selbständiger weiblicher Berufstätigkeit.

Mit Recht wird Sophie Mereau in der Sekundärliteratur immer wieder als erste oder doch eine der ersten deutschen Berufsschriftstellerinnen bezeichnet,[16] denn sie betrieb das Schreiben nicht nur aus Freude am phantasievollen Spiel mit Gegenwelten, sondern auch als Broterwerb, zumal sie von den Eltern her über kein monetäres Vermögen verfügte. Ausgestattet dagegen mit reichem literarischen Talent, hoch motivierter Arbeitsamkeit und einem nüchternen Geschäftssinn arbeitete sie an der Verwirklichung des zunächst nur dem Tagebuch anvertrauten »Traum[s] von Ruhm«[17] und der dort ebenfalls immer

wieder beschworenen »Selbständigkeit«. Schon früh erkannte
sie die Notwendigkeit einer finanziellen Basis für diese Selbständigkeit, die einer Frau ihrer Zeit kaum ideell, aber mangels ehrenbarer Erwerbsquellen schon gar nicht praktisch zugestanden wurde. Seit 1795 trat der materielle Aspekt ihrer
künstlerischen Tätigkeit als Tor zu »Freiheit u. Unabhängigkeit« und damit zur eigenbestimmten Lebensgestaltung verstärkt in den Vordergrund:

Ich meine [...] *die Freiheit*, die [den Menschen] in den Stand versetzt,
den Dingen außer sich eine selbstbeliebige Form zu geben, u. sie zu
seinen freien Zwecken zu gebrauchen. Dies Bestreben wird, bei unserer jezigen Verfaßung, [...] *durch Geld* am leichtesten u. bequem-
sten erreicht.[18]

Das aufklärerische Ideal der Freiheit des Individuums findet
hier seine materielle Anbindung. Die ökonomische Eigenständigkeit, die in der zweiten Hälfte des 19. Jahrhunderts der bürgerlichen Frauenbewegung zum Programm wird, verwirklichte Mereau als Einzelgängerin schon um 1800. Zu Lebzeiten
zählte sie zu den angesehensten Schriftstellerinnen Deutschlands und konnte von ihrer kreativen Tätigkeit leben. Erst die
selbstgeschaffene materielle Unabhängigkeit ermöglichte ihr
– rechtlich freilich noch immer an die Erlaubnis des Landes-
herrn und Einwilligung des Ehemannes gebunden –, einigen
»Dingen außer [ihr] eine selbstbeliebige Form zu geben«, sich
nämlich 1801 als erste Frau im Herzogtum Sachsen-Weimar
scheiden zu lassen, ohne aus Versorgungsgründen umgehend
eine zweite Ehe in Erwägung ziehen zu müssen. Gerade am
Beispiel von Sophie Mereau zeigt sich die komplexe Verbindung von künstlerischen, ideellen und materiellen Aspekten
eines Berufsstandes,[19] der – neben den Tätigkeiten der Übersetzerin, Schauspielerin,[20] Sängerin, Gouvernante und Gesellschafterin – gebildeten Frauen um 1800 die einzige Möglichkeit der Versorgung und »selbstbeliebigen« Lebensform außerhalb einer Ehe bot.

　　Sophie Mereau wuchs als Kind eines herzoglich-sächsischen
Obersteuerbuchhalters in Altenburg auf. Auch die Töchter der
bildungsbeflissenen Bürgerfamilie erhielten eine außergewöhn-
lich gute Ausbildung, besonders in den Fremdsprachen, so daß
Sophie und ihre unverheiratete Schwester Henriette Schubart
sich später in der Lage sahen, ihre Befähigung zu professionel-

len Übersetzungen aus dem Italienischen, Französischen, Spanischen und Englischen zu vermarkten. Sophies erste, aus Gründen der Versorgung eingegangene Ehe mit dem Jenaer Universitätsbibliothekar und späteren Professor der Rechte Friedrich Ernst Karl Mereau, der sie abgöttisch liebte, ohne daß sie seine Gefühle erwiderte, brachte sie 1793 in das Umfeld der als revolutionsfreundlich beleumundeten sachsen-weimarischen Avantgarde-Universität, wo sie sich mit den Schriften Kants vertraut machte und als einzige Frau in den Genuß kam, Vorlesungen bei Fichte zu hören. Im Kreis der hier versammelten deutschen Geisteselite um Herder, Goethe, Schiller und die FrühromantikerInnen Schlegel fand sie aufgrund ihrer anziehenden Erscheinung, Charakter- und Geistesgaben nicht nur als Muse, sondern als selbstschaffende Schriftstellerin große Anerkennung und erfreute sich zusammen mit Amalie von Imhoff und Caroline von Wolzogen der besonderen Protektion Schillers und Goethes.[21]

Schon 1791 debütierte Mereau als Demoiselle *** mit einer lyrischen Apotheose der Freiheit zu Ehren des ersten Jahrestages der Französischen Revolution,[22] machte sich sonst aber zunächst als Verfasserin von Landschaftsgedichten einen Namen. Schiller las ihre Gedichte »mit vielem Vergnügen«, sprach mit der »Freyheit eines Redacteur« und viel Achtung vor der künstlerischen Freiheit der Verfasserin zuweilen behutsame Korrekturempfehlungen aus, riet aber wohl auch einmal von der Veröffentlichung einer Erzählung ab, deren Figurenzeichnung seinen Moralvorstellungen widersprach.[23] Er lud sie zu Beiträgen in seiner »Thalia«, den »Horen« und seinem »Musen-Almanach« ein und suchte, professionelle Verbindungen für sie zu knüpfen.[24] Ihm gebührt zweifellos der Rang ihres literarischen Ziehvaters, doch trat neben die Förderung ihres Talents auch die sanfte Zügelung von allzu eigenständigen Entwicklungen. Schon 1796 wurde Mereau in Johann Friedrich Reichardts Zeitschrift »Deutschland« neben prominenten Namen wie Bürger, Claudius, Goethe, Herder, Schiller und Schlegel als eine(r) »unserer beliebtesten Dichter« gefeiert[25] und erlangte somit in frühem Alter auf der Grundlage ihrer eigenen Leistung einen außerordentlichen Ruf. Angesehene Verlage veröffentlichen ihre beiden gut rezensierten Romane, *Das Blütenalter der Empfindung* (Gotha: Julius Perthes 1794) und *Amanda und Eduard. Ein Roman in Briefen* (Frank-

furt/M.: Friedrich Wilmans 1803).[26] Desweiteren schrieb sie
Erzählungen und Aufsätze für Almanache und Journale, übersetzte Schriften unter anderem von Boccaccio, Ninon de Lenc-
los, Montesquieu, Corneille und Rousseau und verfaßte Nachdichtungen, denen sie eine eigene Note beizumischen wußte.
Anders als die meisten ihrer unter Pseudonym schreibenden
Zeitgenossinnen setzte sie sich bald selbstbewußt über das für
Frauen geltende Öffentlichkeitsverdikt hinweg und trat mit
ihrem eigenen Namen vor das Publikum. Aus einer Schaffens-
periode von nur fünfzehn Jahren (1791–1806), in denen sie
zweimal heiratete, fünf Kinder zur Welt brachte, alle außer
einer Tochter verlor und mehrfach umzog – nach Jena, Cam-
burg, Weimar, Marburg und Heidelberg –, liegt uns ein reiches literarisches Werk vor.

Ungewöhnlich an Mereaus Karriere ist aber vor allem, daß
sie sich – nicht zuletzt aus dem Wunsch heraus, eine selbständige Existenz außerhalb ihrer Ehe finanziell sichern zu können – als eine der ersten deutschen Frauen der Feder an die
Herausgabe von Zeitschriften bzw. Almanachen wagte. Der
erste Plan, 1795 ein Journal eigens »für ihr Geschlecht« herauszugeben, scheiterte noch am eindringlichen Abraten Schillers, der ihr statt dessen Übersetzungen und »poetische Arbeiten in Versen und Prosa« empfahl und ihr detailliert vorrech-
nete, wieviel sie durch Beiträge in seinen »Horen«, Zahns »Flora« oder Wielands »Merkur« verdienen könne.[27] Der Rolle der
folgsamen Schülerin entwuchs Mereau jedoch mit zunehmender professioneller Sicherheit. Sie entschloß sich zur Mither-
ausgabe des Göttinger »Romanen-Kalenders« (1799–1801),
übernahm die alleinige Herausgabe des »Berlinischen Damen-
kalenders« (1800–1801) und Göttinger »Musen-Almanachs für
das Jahr 1803« und entwarf schließlich doch ihre eigene Frauenzeitschrift »Kalathiskos« (1801–1802).[28] Wie das Vorwort ankündigt, war dieses Journal »selber von weiblicher Hand [...]
den Frauen geweiht« und zeugt von den pionierhaften Anfängen der Tradition autonomer, d.h. von Frauen für Frauen her-
ausgegebener Zeitschriften.[29] Durch die Tätigkeit als Herausgeberin erweiterte Mereau ihre schriftstellerische Kompetenz
um editorische, organisatorische und verhandlungstaktische
Fähigkeiten, erarbeitete sich eine öffentliche Position auf dem
Literaturmarkt, in der sie konzeptionell arbeiten und auch
Angebote von Frauen für Frauen einführen konnte,[30] und si-

cherte sich obendrein aufgrund der höheren Auflagen und des periodischen Erscheinens dieser Publikationen ein regelmäßiges Einkommen.

In den Verhandlungen mit Verlegern über Honorare, Bogenpreise, Auflagenhöhen, Ausstattungen, Motive von Kupferstichen, Werbung etc. bewies Mereau kommunikatives Geschick und geschäftliche Hartnäckigkeit.[31] Ihr Marktwert stieg über die Jahre, so daß ihre Arbeiten ihr allein in der zweiten Hälfte des Jahres 1803 ein Einkommen von 700 Reichstalern bescherten.[32] Was für einen Wert die finanzielle Unabhängigkeit für Mereau darstellte, läßt sich abgesehen davon, daß sie eine unglückliche Ehe lösen und eine andere aus freiem Willen schließen konnte, aus der bis dato an Frauen nicht gekannten Selbstsicherheit ablesen, mit der sie dem wohlsituierten Kaufmannssohn Clemens Brentano bald nach der Hochzeit eine getrennte Kasse vorschlug, denn sie wolle nicht weiter für seine Ausgaben aufkommen und könne für ihr eigenes »Persönchen [...] bei freier Anwendung [ihr]er Zeit« schon sorgen.[33]

Freie Zeit erweist sich allerdings für eine Frau beim Stand der Hauswirtschaft um 1800 als überaus kostbares Gut, dessen Mangel den Schriftstellerinnen die kontinuierliche Arbeit an komplexeren Vorhaben erschwerte und vielen die Beschränkung auf sogenannte kleine literarische Formen wie Lyrik und kürzere Prosa auferlegte. Zwar verfügte Mereau schon in Jena über ein eigenes Zimmer mit Schreibpult und Sofa, was für den Respekt spricht, der ihrer schriftstellerischen Arbeit in diesem Hause gezollt wurde. Doch dokumentieren viele ihrer Briefe und Notizen die Zeitnot der vielbeschäftigten Professorenfrau, die obendrein einen Mittagstisch für Studenten zu führen, gesellschaftlichen Verpflichtungen nachzukommen und ein unharmonisches Eheleben zu verkraften hatte:

Ach, es verstimmt mich so oft daß ich zu Geistarbeiten, nicht Ruhe, nicht Freiheit genug habe! – ich fühle meine Kraft, und niemand sieht das Unvollkommene meiner Schreibereien heller als ich. Unaufhörlich mahnt mich ein höheres Gefühl an etwas beßeres, vollkommeneres, und ach! da zwingen mich meine Verhältniße nur Bruchstücke, armseelige Bruchstücke zu liefern![34]

Die Klage über Mangel an Zeit und Ruhe paart sich mit Zweifeln an der Qualität der eigenen Leistung. In den Äußerungen professioneller Unsicherheit spiegelt sich – einmal abgesehen von üblichen Schaffenskrisen – bei schreibenden Frauen des 18. Jahrhunderts ein ohnmächtiges, da kaum zu überwindendes Minderwertigkeitsgefühl, denn verglichen mit ihren Kollegen verfügten sie über eine ungleich schlechtere Ausbildung, und Abweichungen gegenüber den Standards der von Männern bestimmten, normativen Ästhetik wurden ihnen unweigerlich als Defizite angelastet. Aufgrund eines selbstzensierten stilistischen Ungenügens scheute sich beispielsweise Rahel Levin-Varnhagen trotz ihrer anerkannten Denk- und Sprechfähigkeit davor, für den Druck zu schreiben. Das überrascht nicht, denn die »gewiße Schreibgeschicklichkeit«, die diese Autodidaktinnen auf »dilettantischem Wege« ausbildeten, wurde im Urteil der *maßgebenden* Richter – beispielsweise Schillers – dann doch nur als »der Kunst nahe kommen[d]« abgetan.[35] Die Macht der restriktiven Wertsetzung korrespondierte mit der Großmut der fördernden Wertschätzung: »Unsere Frauen sollen gelobt werden, wenn sie so fortfahren, durch Betrachtung und Uebung sich auszubilden«, heißt es wohlwollend bei Goethe; doch erkannte er das Dilemma der »neuern Künstler«, die ohne Vorbilder eigene Wege zu erschließen hätten, und empfahl, jeder möge »durch Theilnahme und Anähnlichung [...] sein armes Subject ausbilden«.[36]

»Anähnlichung« an vorgegebene Muster bot für Mereaus ehrgeizige, innovative Vorhaben jedoch keine Orientierungshilfe, denn innerhalb eines androzentrischen Diskurses rang sie um eine authentische, bislang kaum entwickelte Sprache für die Darstellung ihrer subjektiven, mithin weiblichen Vorstellungswelt:[37]

Ich fand *in mir eine Welt*, die mich beschäftigte, die ich gern *in die Wirklichkeit hinstellen* wollte, ein angenehmes *Bild für die Zuschauenden*! wo ich nur *Ruhe* von außen brauchte, um *auszubilden, was in mir lag*! – Das Schicksal gönnte mir diese Ruhe nicht.[38]

In einer Zeit, da die Selbstdarstellung des bürgerlichen Mannes sich das Recht auf literarische Öffentlichkeit erstritt, erklärte auch Mereau ihre eigene Erfahrung für wert, literarisiert zu werden. Doch ging es ihr nicht um Autobiographik im engeren Sinne, sondern darum, durch unverfälschte sprachliche Bilder eine Verbindung zwischen der Innenwelt ihres (Wunsch-) Denkens, der Außenwelt der Wirklichkeit und dem Publikum herzustellen. Wie sich zeigen wird, entwarf sie ihre Phantasie-

welt nicht als bloßen Gegenstand der Unterhaltung für die
»Zuschauenden«, sondern beabsichtigte auch – und das vermutlich schon, bevor Novalis das romantische Motto von der
notwendigen Poetisierung der Welt prägte, – sie »in die Wirklichkeit hin[zu]stellen«, d.h. Poesie in die Realität zu überfüh-
ren bzw. durch dichterische Gedankenexperimente Denkanstö-
ße zur Wirklichkeitsveränderung bereitzustellen. Dabei wird
deutlich, daß Mereaus Schreibmotivation zwar, wie oben aus-
geführt, auch der eitlen Freude am Ruhm und der ökonomischen Notwendigkeit des Verdienstes entsprang, im Kern jedoch von zwei ungleich gewichtigeren Faktoren ausging: Auf
der persönlichen Ebene hatte das Schreiben für sie eine nach
innen gewandte, therapeutische Wirkung, und auf der Ebene
ihrer Kommunikation mit dem Publikum erfüllte es eine nach
außen gerichtete, idealistisch-didaktische Funktion.

Mereaus Tagebuch, in dem keine Beschäftigung so oft erwähnt wird wie »gearbeitet« – meist versehen mit Zusätzen
wie »zufrieden«, »glücklich«, »wohlgelungen«, »selbständig«
– dokumentiert eindrücklich den beflügelnden und zugleich
stabilisierenden Effekt der schriftstellerischen Tätigkeit auf die
Lebensfreude und das Selbstbewußtsein der Verfasserin. In allen Lebensphasen, vor allem aber in den Zeiten größter Nie-
dergeschlagenheit angesichts der immer wieder schmerzlich
vermerkten »Lage, wo alles sich widerstreitet«,[39] stellten Ruhe,
Phantasie und die Arbeit an der kreativen Umsetzung der
Gedankenbilder Kraftquellen auf dem durchaus dornigen Pfad
der Unkonventionalität dar:[40] Nicht von ungefähr erdichtete
sie mit der Figur der Amanda eine Protagonistin, der in verzweifelter Situation »während des Schreibens unvermerkt wieder leichter geworden ist«, und deren willensstark vorgebrach-
ter Entschluß »ich will allein sein« mit dem provokativen Zusatz »ist es denn so unmöglich, daß ein Weib sich selbst genug sein kann?«[41] erahnen läßt, wie normbrechend der Anspruch einer Frau auf Privatheit um 1800 gewirkt haben muß.
Schillers Beobachtung, Mereau habe sich »in einer einsamen
Existenz und in einem Widerspruch mit der Welt gebildet«,[42]
beweist zwar sein Gespür für ihr unausgeglichenes Lebensgefühl, doch übersah er die kausale Verbindung: Einsamkeit
wurde hier einer Frau zum Balsam, deren Streben nach privater und professioneller Selbständigkeit sie auf einen kraft-
aufwendigen und oft zermürbenden Konfrontationskurs ge-

genüber einer Gesellschaft drängte, in der für eine unabhängige weibliche Lebensgestaltung noch kein Platz vorgesehen
war.

Anders aber als etwa Karoline von Günderrode ging Mereau
an der Kraftanstrengung des Schwimmens gegen den Strom –
zumindest zunächst – nicht zugrunde, sondern fand in der
Schriftstellerei ein konstruktives Ventil für die erfahrene Fru-
stration: »Ich habe auch zu kämpfen, [...] es giebt Stunden, wo
ich nah an Verzweiflung bin – aber ich bin thätig u. dies reißt
mich wieder heraus«.[43] Sie versuchte, das eingangs zitierte,
ursprünglich privat geäußerte Credo von der selbstbestim-
menden Kraft des Individuums, das sie einige Jahre später leicht
abgewandelt in »Amanda und Eduard« öffentlich wiederholte, im eigenen Leben praktisch anzuwenden: »Das ist die Freiheit des Menschen und sein Wert, daß er mit Weisheit in die
Umstände eingreift, die ihn umgeben.«[44] Der Kontrast zwischen
der »freien poetischen Stimmung« und »dem kalten Hauch der
Nothwendigkeit« wurde von Mereau als Auslöser eines Lebens-
kampfes erkannt, in dem sie selbst »das Ruder ergreifen oder
untergehen« müßte.[45] Gerade aus der Spannung zwischen der
realen Fremdbestimmung und jenem in der Phantasie ausge-
lebten Ideal der Selbstbestimmung[46] erwuchs Mereau die Trieb-
feder zum Eingreifen in die »Umstände«. Für ihren romantisch-
idealistischen Helden Eduard formulierte sie, daß in einem
solchen Prozeß Erfahrungen als Ausgangspunkte, Ideen aber
als »Leitsterne« der Handlungen fungierten.[47] Die tägliche Rei-
bung an der Norm inspirierte entsprechend ihre fiktiven Entwürfe von alternativen Lebensmöglichkeiten, die sich an den
Idealen von Freiheit und Gleichheit orientierten. Vom Objekt
restriktiver gesellschaftlicher und persönlicher Umstände entwickelte sich Mereau – sei es aus Selbsterhaltungstrieb, sei es
aus Pflichtgefühl gegenüber einem größeren Ganzen – zum
handelnden Subjekt. Durch ihre Publikationen machte sie auf
unbefriedigende zeitgenössische Zustände – wie die Tradition
der Konvenienzehe und die Beschränkung der Frau durch un-
zureichende Ausbildung und gesetzliche und moralische Be-
stimmungen – aufmerksam und beteiligte sich auf diese Weise
aktiv an Bestrebungen zur Umgestaltung der Mißstände. Trost
zog sie gerade aus der Hoffnung, »ein weises Schicksal habe
mich für höhere Zwecke an diesen Ort gestellt, meinen Schmerz
zum Gewinn für tausende bestimmt«,[48] d.h. zum Wohle einer

breiteren, von ihren literarischen Mitteilungen berührten und bewegten Öffentlichkeit.

Betrachtungen über die Rolle des »Dichters« – von Mereau zeitgemäß in der männlichen Form gebraucht – und damit auch über ihr eigenes Selbstverständnis als Schriftstellerin stellte Mereau in diversen Notizen und Werken an.[49] In Übereinstimmung mit dem klassischen und romantischen Dichterbild schrieb Mereau dem Dichter eine ganymedische Mittlerrolle und didaktische Aufgabe zu; er sei »zugleich Lehrer, Wahrsager, Freund der Götter und der Menschen«[50] und berufen, dem Publikum seine Einsichten in größere Seinszusammenhänge in einer faßbaren, bildhaften Form zu vermitteln:

Und sieh! das ist die Gewalt des Dichters, daß er durch eine *wahre Empfindung*, die er in das *Zauberkleid der Dichtung* hüllt und an ein fremdes Schicksal knüpft, in dem ähnlich empfindenden Gemüte eine *schöne Kette von Bildern*, ein magisches *Gemisch von Wahn und Wirklichkeit hervorrufen* kann.[51]

In Verbindung mit Mereaus Gedicht »Erinnerung und Phantasie«, in dem sie der Vorstellungskraft die befreiende, visionäre Fähigkeit einräumte, »im Reich der Möglichkeiten ein Glück, das keine Wirklichkeit umspannt«, zu entwerfen, wird deutlich, daß die Verfasserin dem »Wahn« der Fiktion eine utopische Qualität zusprach: als »der Hoffnung lichtes Morgenrot« verkünde die Phantasie eine »schön're Lebensfülle«.[52] Bei der Wahl des literarischen Stoffes zog Mereau die »poetische Wahrheit« einem Realismus vor, ohne aber ein Konzept der absoluten Kunstautonomie zu vertreten.[53] Wie die vorangegangenen Ausführungen nachweisen, konzeptualisierte sie vielmehr eine Anbindung von Phantasie und Fiktion an eine »wahre Empfindung«, so daß die Wirklichkeit sowohl als stimulierender Auslöser des kreativen Prozesses als auch als Ziel seiner Wirkung ein Orientierungspunkt blieb. Mereaus Formulierung von jenem beim Publikum hervorzurufenden »Gemisch von Wahn und Wirklichkeit« belegt obendrein ein Wissen darum, daß Fiktionen an den Realitätshintergrund der Leserschaft anknüpfen müssen, um eine Wirkung zu erzielen.[54]

Mereau ging davon aus, repräsentative Erfahrungen und Beobachtungen gemacht zu haben.[55] Die Schriftstellerei – ein Berufsstand, dessen Vertreter sie als Hüter der innovativen Phantasie auch in gesellschaftlichen Umbruchszeiten betrachtete,[56] – entwickelte sich für sie zu einem Wirkungsbereich, der ihr erlaubte, ihrem – vornehmlich weiblichen – Publikum im phantasievollen »Zauberkleid der Dichtung« spielerisch alternative Denk- und Lebensmodelle vor Augen zu führen, von denen einige real umsetzbare Verhaltens- und Handlungsmöglichkeiten für Frauen eröffneten. Mereaus Dichtungskonzept weist damit ein Verständnis von der Wechselwirkung zwischen literarischem und sozialem Diskurs auf, wie es auch in einigen Theorien des 20. Jahrhunderts diskutiert wird. Von der bei Mereau zu beobachtenden idealistischen Akzentuierung des kritischen Potentials von Phantasie und Fiktion in seiner Rückwirkung auf die gesellschaftliche Wirklichkeit lassen sich Verbindungslinien ziehen zu dem, was Kaes, wie oben zitiert, als Interventionen literarischer Texte »in the material world« bezeichnet, bei Adorno autonome »Gegenposition zur Gesellschaft« heißt,[57] und auch von Marcuse als »kritische Funktion der Phantasien« hervorgehoben wird, die »in ihrer Weigerung [liege], die vom Realitätsprinzip verhängten Beschränkungen des Glücks und der Freiheit als endgültig hinzunehmen, in ihrer Weigerung zu vergessen, was sein könnte«.[58]

Es ist deutlich geworden, daß Mereau nicht allein zur persönlichen Befriedigung oder bloßen Erstellung unterhaltsamer Bilder, nicht einmal nur für die Gegenwart schrieb. Gerade die dichterische Vorstellungskraft galt ihr als ein Medium, das »Schätze« zu schauen erlaube, die erst »tief im Schoß der fernen Nachwelt« zum Erblühen kämen.[59] Die im Zusammenhang mit ihrer schriftstellerischen Tätigkeit wiederholt verwendeten Bilder des Blühens und der wachsenden Natur korrespondieren mit Mereaus Selbstbild als Gärtnerin, die auf das Aufgehen ihrer Saat hinarbeitet: »ich will nicht nur für den Augenblick allein leben, ich will auch für die Zukunft säen; eine Erndte will ich haben«.[60] Schillers Stanze, die Mereaus Sammelband *Gedichte* (1800) als ehrenvolle Einleitung voran steht, ihren Versen aber nur eine vorübergehende Resonanz voraussagt – »zur fernen Nachwelt wollen sie nicht schweben, / sie tönten, sie verhallen in der Zeit« –, verfehlt das Selbstverständnis der Verfasserin, insofern diese durchaus vertraut war »mit dem Entzücken«, das einen Dichter »mit der Ahndung seiner Unsterblichkeit durchfliegt [...] – denn jeder große Geist lebt mehr für die Zeit, die nach ihm kömmt«.[61] Bei aller Freude am Schreibprozeß selbst lag ihr doch auch daran, ihre literarischen *Sätzlin*-

ge einst knospen und eine Wirkung hervorrufen zu sehen. Nach dem schwungvollen Motto »Schaffen wir uns neue Welten [...], denen nichts als die entbehrliche, traumerfüllte Beglaubigung der Wircklichkeit fehlt«,[62] schrieb sie Gedichte, Erzählungen und Romane, deren großenteils innovative Inhalte in der Tat Entwicklungen vorausnehmen, die – wie beispielsweise die Berufstätigkeit der Frau und generelle Veränderung der sozialen Geschlechterrollen – seither in vielen Ländern von der Wirklichkeit bestätigt wurden. In dem »wir« der hier zitierten persönlichen Betrachtung mag Solidarität mit gleichgesinnten Aufbrechenden zum Ausdruck kommen, in jedem Fall aber das persönliche Engagement der Verfasserin.

Mereaus Werke sind, wie schon erwähnt, nicht im eigentlichen Sinne autobiographisch, zumal die Verfasserin es ablehnte, »vor Geld [ihre] liebsten Geheimniße auszuplaudern oder Erfahrungen zu machen nur auf Speculation, wie jezt so viele Schriftsteller thun«.[63] Die Inhalte repräsentieren weniger Wiedergaben von spezifischen Lebenssituationen der Verfasserin als die Verarbeitung von miteinander verwobenen Themenkomplexen, die Mereau ihr Leben lang beschäftigten: Am hervorstechendsten sind darunter die Sehnsucht nach Glück unter Bedingungen gesellschaftlicher Freiheit und individueller Selbständigkeit, das Eintreten für die freie Ausbildung der Persönlichkeit und der Talente, das Bedürfnis nach wechselseitiger, Geist, Körper und Herz ansprechenden Liebe in einer gleichberechtigten Partnerschaft, die kritische Auseinandersetzung mit den Geschlechterrollen im privaten wie gesellschaftlichen Bereich, die Freude an einer vergöttlichten Natur und schließlich die im Rahmen des vorliegenden Beitrags relevante Betrachtung der Rollen von Phantasie und Künstlertum.

Aus der Fülle möglicher Beobachtungen zu Inhalten und Formen von Mereaus Werk sollen hier nur einige Beispiele ihrer Beiträge zu den Diskursen über Geschlechterrollen und künstlerische Berufstätigkeit von Frauen herausgegriffen werden. Das zeitgenössische Repertoire an klassischen und romantischen Helden – man denke etwa an Goethes Wilhelm Meister, Friedrich Schlegels Julius in *Lucinde,* Tiecks Sternbald, Novalis' Ofterdingen, Dorothea Veits Florentin und Brentanos Godwi –, denen weibliche Figuren als inspirierende Episoden auf ihrem Weg der Selbst- und Aufgabenfindung zugeordnet werden, erweiterte Mereau um weibliche Hauptfiguren, die weder Beiwerk sind noch auf die im 18. Jahrhundert verbreitete entsagungsvolle Opferrolle des leidenden Weibes reduziert bleiben. Vielmehr entwarf Mereau in den meisten Fällen Protagonistinnen, die die Einlösung des aufklärerischen Anspruchs auf individuelle Glückserfüllung selbstbewußt auch für ihr Geschlecht einfordern und, um abermals auf das anfangs zitierte Credo zurückzukommen, sich und ihre Verhältnisse selbst zu bilden trachten. Das bürgerlich humanistische Bildungsideal, das dem Individuum die Verantwortung für sein Handeln und Glück selbst überträgt und in seiner literarischen Repräsentation spätestens seit Wilhelm Meister und seinem zum Sprichwort gewordenen Wunsch, »mich selbst, ganz wie ich da bin, auszubilden«,[64] von einem breiteren Publikum rezipiert wurde, wird bei Mereau auf weibliche wie männliche Figuren angewendet. Die Charakterzeichnung der Figuren weist eine Art Androgynisierung auf, insofern das Eigenschafts- und Verhaltensrepertoire der VertreterInnen beider Geschlechter um Dispositionen bereichert wird, die um 1800 der Konvention nach als Rollenbestandteile des je anderen Geschlechts betrachtet wurden. So zeichnen sich mehrere von Mereaus Heldinnen durch unerschrockenen Unternehmungsgeist, intuitive Geistesschärfe und die Ausübung künstlerischer Talente aus, und ihre Partner sind zumeist als empfindsame, tolerante und ebenfalls künstlerisch begabte Liebhaber angelegt, die freilich eher dem Wunschbild der Verfasserin als einem zu ihrer Zeit verbreiteten Männertypus entsprachen. Den sanften, aber durchaus nicht unmännlichen Helden, die das Eigenleben und Freiheitsstreben ihrer gleichberechtigten Partnerinnen respektieren und sie selbst in der Liebe nicht mit eifersüchtigen Besitzansprüchen belästigen, stehen Kontrastfiguren von herzloser Brutalität, intoleranter Herrschsucht und intrigantem Egoismus gegenüber, woraus sich eine scharfe Kritik an den zeitgenössischen Geschlechterverhältnissen ergibt.

Auffallend an der Personenzeichnung und den Handlungsgängen in Mereaus Werken ist die wiederholte Thematisierung von Ausbrüchen aus persönlichen und gesellschaftlichen Beschränkungen bzw. von Überschreitungen moralischer Normen, wobei die FrevlerInnen für ihre im zeitgenössischen Kontext skandalöse Nonkonformität nicht bestraft, sondern letztendlich mit Glück belohnt werden, so daß sie als positive Identifikationsfiguren zur Nachahmung anregen. In *Das Blütenalter der Empfindung* beispielsweise lehnen sich Held und Heldin gegen die gesetzlichen Beschränkungen auf, denen Frauen auch nach der Französischen Revolution noch ausgesetzt seien,[65] und entscheiden sich für die Auswanderung in die unabhängigen Vereinigten Staaten von Amerika, dem damaligen Inbegriff schrankenbrechender Rebellion und staatlicher Umsetzung der Ideale von Freiheit und Gleichheit. Die Titelfigur der Erzählung *Marie* (1798) gestaltet sich zwar innerhalb ihrer Gesellschaft, aber außerhalb des für zeitgenössische Frauen vorbestimmten Lebensweges einer Ehefrau und Mutter eine »selbsterworbene[ ] freie[ ] Existenz« als Schauspielerin.[66] Amanda (1797/1803)[67] leistet es sich, innerhalb einer Konvenienzehe ohne Schuldgefühle der außerehelichen Liebe zu Eduard nachzugehen. Und die Ich-Erzählerin von *Die Flucht nach der Hauptstadt* (1806) schließlich bricht aus dem bürgerlichen Elternhaus aus, ignoriert alle Ansprüche an weibliche Tugend und Pflicht und genießt ebenfalls das »freie, leichte, unabhängige Leben« einer Schauspielerin.[68] Allen genannten Figuren gemeinsam ist ein äußerst unkonventionelles, abwechslungsreiches Liebesleben ohne priesterlichen oder staatlichen Segen sowie ein hohes Maß an Selbständigkeit. Kritik an beklagenswerten gesellschaftlichen Zuständen verbindet sich mit Darstellungen lebensfroher Varianten ihrer Unterwanderung.

Das bei Mereau vorgestellte Frauenbild unterscheidet sich somit grundsätzlich von einer *Elisa oder das Weib wie es seyn sollte* (1795),[69] ebenso von der aus Schillers *Über Anmut und Würde* (1793) und Goethes *Wilhelm Meister* (1795/1796) bekannten »schönen Seele«, insofern Mereaus Heldinnen Neigung und Gefühl als einer Pflicht gegen sich selbst den Vorzug vor der Pflicht gegenüber den Ansprüchen einer von außen an sie herangetragenen konventionellen Moral geben.[70] Gerade in bezug auf die Entfaltung und den Einsatz der Talente von Frauen grenzte sich Mereau explizit von Schillers Ausführungen zur Polarisierung von männlicher Geistigkeit hie und weiblicher Natürlichkeit da ab: »Es ist ein unwürdiges Vorurtheil, daß freie Uebung der Kräfte, und Sinn für den lebendigen Genuß des Seins, den Werth des weiblichen Charackters vermindern und der sanften Anmuth ihres Wesens Gewalt anthun könnte.«[71] An der Figur der Amanda demonstrierte Mereau das um 1800 repräsentative unglückliche Los einer Frau des bürgerlichen Mittelstands, der es mangels Ausbildung der in ihr

»schlummernden Talente« und Kräfte unmöglich ist, einer un-
erwünschten Konvenienzehe zu entgehen, da ihr – im Unterschied zu der Verfasserin – der Weg nicht offen steht, durch
einen Beruf die »Mittel zu einem leichten und anständigen
Unterhalt« zu erwerben und »die Sorge für [ihre] Erhaltung
selbst zu übernehmen«.[72] Gerade diesen unkonventionellen, für
die meisten von Mereaus Zeitgenossinnen nicht gangbaren
Lebensweg entwirft sie dagegen in den beiden Erzählungen
Marie und *Die Flucht nach der Hauptstadt*. Beide Protagonistinnen finden aufgrund von selbständigen Entschlüssen hinsichtlich ihres Liebeslebens und beruflichen Werdegangs als professionelle Schauspielerinnen persönliche Erfüllung und schaffen sich eine finanziell »unabhängige und sicher[e] Lage«.[73]
Marie stellt eine in der deutschen Literatur neuartige Frauen-
figur dar, insofern sie nicht in der Ehe, sondern in der beruflichen Selbstverwirklichung die »Erfüllung [ihres] Lieblings-
wunsches« findet; das Werk, dessen Heldin in offensichtlicher
Anlehnung an Goethes Wilhelm Meister danach strebt, »durch
Irrtümer selbst sich [zu] bilden« und durch die Verarbeitung
von vielerlei Eindrücken schließlich »das ganz [wird], was sie
sein wollte«,[74] repräsentiert als weibliche Bildungserzählung
obendrein eine neue Gattung. Dagegen bezeichnet Christa Bürger »Die Flucht nach der Hauptstadt« zu Recht als eine »Par-
odie auf das Schema des Bildungsromans«.[75] Es handelt sich
nicht um die Darstellung eines Selbstfindungsprozesses, sondern als Erzählung der lebensfrohen Bedürfnisbefriedigung
um eine Ironisierung der zeitgenössischen Tugend- und Ver-
zichtmoral, die insbesonders Frauen an einer unabhängigen
Lebensgestaltung hinderte – man erinnere sich an Fichtes Besorgnis um die Beeinträchtigung des »moralischen Werthe[s]«
einer Frau infolge der Schriftstellerei. In der sorglosen Anspielung von Mereaus Ich-Erzählerin auf die schlechte Reputation weiblicher Berufstätigkeit überhaupt und des Gauklerlebens
insbesondere mag eine augenzwinkernde Selbstreflexion der
Autorin liegen: »und ist der Gewinn auch schwankend, so
spricht doch der Beruf in uns so laut, daß er uns den Ruf zu
sichern scheint«.[76] Der Tradition der passiven, tugendhaften,
häuslichen Heldin wird hier die Perspektive der aktiven, un-
ternehmungslustigen, entschlußfreudigen, beruflich engagierten Protagonistin gegenübergestellt. Der Versuch, Berufs- und
Privatleben auf Dauer miteinander zu verknüpfen, bleibt al-

lerdings in beiden Erzählungen ausgespart. Auch die didaktische Komponente, die Mereaus eigenes Künstlertum kennzeichnet, spielt in den Handlungsgängen der Erzählungen keine Rolle, kommt jedoch auf der Ebene der Kommunikation mit den Leserinnen zum Tragen, die durch die Darstellung eines fröhlichen Nonkonformismus zur Reflexion ihrer eigenen Lage inspiriert werden.

Bei einem Blick auf die zeitgenössische Rezeption fällt auf, daß das – gerade die Frauenrolle betreffende – kritische Potential vieler von Mereaus Arbeiten, das in *Das Blütenalter der Empfindung* obendrein in das traditionell männliche Terrain der politischen Reflexionen eingebettet ist, in den zeitgenössischen Rezensionen gänzlich unbeachtet blieb. Herder hob in seiner Besprechung von Mereaus Gedichten nach einem Kommentar über die »so geschiedenen Grenzen der männlichen und weiblichen Poesie« sogar lobend hervor, Mereau trete »nie über die Grenzen ihres Geschlechts hinaus« und sage alles »aus dem Herzen, mithin weiblich«.[77] In der reduzierten Wahrnehmung der Veröffentlichungen von Frauen als »Äußerungen eines reinen Gefühls«[78] liegt freilich ein Element des Totschweigens ihrer kritischen Sprengkraft. Insgesamt erfreuten sich Mereaus Werke zu ihren Lebzeiten einer sehr guten Aufnahme. Dagegen sah sie sich ausgerechnet von seiten ihres Kollegen, Liebhabers und schließlich zweiten Ehemannes Clemens Brentano einer zermürbenden Kritik ausgesetzt, die das Selbstbewußtsein der erfolgreichen Schriftstellerin auf Dauer nachhaltig erschütterte.[79] Als er sie Anfang 1803 warnte, »[e]s [sei] für ein Weib sehr gefährlich zu dichten, noch gefährlicher einen Musenalmanach herauszugeben«, und ihr vorwarf, sich »das ganze Jahr mit Dingen [zu] beschäftigen, zu denen [s]ie eigentlich keinen Beruf habe«,[80] gelang es Mereau zunächst noch, aus der emotionalen Distanz heraus mit gelassener Ironie zu reagieren:

Was Sie mir über die weiblichen Schriftsteller, und ins besondere, über meine geringen Versuche, sagen, hat mich recht ergriffen, ja erbaut. Gewiß ziemt es sich eigentlich gar nicht für unser Geschlecht und nur die außerordentliche Großmut der Männer hat diesen Unfug so lange gelassen zusehen können. Ich würde recht zittern wegen einiger Arbeiten, die leider! schon unter der Presse sind, wenn ich nicht in dem Gedanken an ihre Unbedeutsamkeit und Unschädlichkeit einigen Trost fände. Aber für die Zukunft werde ich wenigstens mit Versemachen meine Zeit nicht mehr verschwenden, und wenn ich mich ja genötigt sehen sollte, zu schreiben, so gute morali- sche, oder Kochbücher zu verfertigen suchen. Und wer weiß, ob Ihr gelehrtes Werk, auf dessen Erscheinung Sie mich gütigst aufmerk- sam gemacht haben, mich nicht ganz und gar bestimmt, die Feder auf immer mit der Nadel zu vertauschen.[81]

Doch ermüdete ihre Verteidigung angesichts der Angriffe, die mit zunehmender Gefühlsnähe des 1803 frisch versöhnten Paa- res härter und umfassender wurden: es sei ihr »auf Erden noch nichts gelungen, keine Liebe, keine Freundschaft, keine Müt- terlichkeit, keine Kunst, keine Andacht«.[82] Brentanos Herab- setzung von Mereaus schriftstellerischer Leistung ist nicht nur repräsentativ für die generellen Widerstände, die der »Begier- de der Weiber, Schriftstellerei zu betreiben«[83] zu Mereaus Leb- zeiten entgegengebracht wurden, sondern wurde auch weg- weisend für einen Teil der nachfolgenden Rezeption.[84] Nach- dem aber Mereau wie die meisten ihrer Kolleginnen in den vergangenen zwei Jahrhunderten von der am Kanon der »gro- ßen« Werke männlicher Autoren orientierten Literaturge- schichtsschreibung weitgehend vergessen bzw. zum Unter- kapitel der Brentano-Forschung reduziert wurde, kommt es in den letzten beiden Jahrzehnten im Rahmen der Forschung über die Literatur von Frauen zu einer begrüßenswerten Renaissance ihrer Rezeption, so daß Leben und Gesamtwerk der Autorin Schritt für Schritt aufarbeitet werden.[85]

Im Zusammenleben mit Clemens Brentano hielt der von ihm wiederholt beschworene Traum, »mitten in dem wirklichen prosaischen Leben, eine freie poetische fantastische Lebensart« zu schaffen,[86] eben jener Wirklichkeit nicht stand. Obwohl Bren- tano mit diversen schreibenden Frauen verwandt und befreun- det war, erwies er sich – sei es aufgrund seiner Persönlichkeits- struktur, sei es infolge einer sozial-historischen Eingebunden- heit in überkommene Geschlechterrollenmodelle – als unfähig, bei der eigenen Frau die Personalunion einer gefühlvollen Ge- liebten und anerkannten Schriftstellerin zu akzeptieren. Immer wieder verletzte er das ihr zutiefst eigene Freiheitsbedürfnis, inspirierte, aber behinderte auch ihr schriftstellerisches Schaf- fen.[87] Die eheliche Berg- und Talfahrt zwischen »Himmel und Hölle«,[88] Brentanos Untergrabung von Mereaus Selbstwertge- fühl als Person und Schriftstellerin und die ihr im Namen der Liebe abverlangte Selbstverleugnung[89] führten schließlich in ihrem letzten Lebensjahr zu einer im Tagebuch verzeichneten »Ermüdung der Seele von der schweren, traurigen Anstrengung, die sie erlitten«, und zur Trauer »über mein verlornes Leben, ich traure, daß ich nichts bin [...]«.[90] Ihre Resignation repräsentiert ein Ermatten in dem ständigen Kampf gegen normative Vorgaben, der sich im Privaten am schmerzhaftesten manifestierte. Auf fatale Weise bestätigte sich Fichtes Warnung vor den schädlichen Folgen der durch Schriftstellerei erworbenen »unabhängige[n] Selbständigkeit« einer Frau.[91] Ausgerechnet in der zweiten, der Liebesehe, in der sich Mereau emotional freilich um so verwundbarer zeigte, bewahrheitete sich jene Kräfteaufzehrung und Selbstaufgabe, die sie Jahre zuvor als ein Ergebnis der einengenden Verhältnisse in ihrer ersten Ehe befürchtet hatte: »Hab ich die Kraft, mich herauszureißen, so werde ich es, hab ich sie nicht, so bestimme ich mich selbst zur Resignation.«[92]

Kehren wir also ein letztes Mal zu Mereaus eingangs zitierter Hoffnung auf die Kraft des Individuums zurück, die ihm erlaube, seinen Verhältnissen eine »selbstbeliebige« Form zu geben. Dieser Überforderung des Subjekts durch das Konzept der absoluten Eigenverantwortung entspricht im Fall des Versagens die individuelle (Eigen-)Schuldzuschreibung. Je aussichtsloser in den nachrevolutionären Jahrzehnten in Deutschland die Hoffnung auf eine Verwirklichung freier gesellschaftlicher Verhältnisse war, desto beharrlicher entwickelte die deutsche Intelligenz von Kant über Fichte zu Hegel Konzepte der Autonomie, die das Individuum von äußeren Lebensumständen unabhängig zu machen suchten. Entsprechend zuversichtlich heißt es auch bei Mereau, es sei »doch gewiß, daß sich die äußern Umstände öfterer nach dem Menschen formen, als er sich nach ihnen«.[93] Die Ambivalenz zwischen ihrer selbstbewußten Aufbruchsstimmung und selbstzerstörerischen Resignation reflektiert gerade die eklatante Diskrepanz zwischen den idealistischen Ansprüchen, mit denen sie an ihren Lebensplan und ihren Beruf heranging, und den (Un-)Möglichkeiten ihrer realen Umsetzung. Als Privatperson scheiterte sie an der praktischen und noch heute aktuellen Schwierigkeit, Karriere und Privatleben zu vereinen und als Ehefrau und erfolgreiche Expertin gleichermaßen ernst- und wahrgenommen zu werden. Als Schriftstellerin präsentierte sie idealistische Ansprüche und beschritt – ausgehend von Denk- und Schreibmustern ihrer historischen Epoche und literarischen Periode – unzweifelhaft neue Wege. Das Schreiben diente ihr als psychische Stütze und Grundlage materieller Unabhängigkeit, darüber hinaus aber als Medium der Teilnahme an für sie relevanten Diskursen und der Einwirkung auf gesellschaftliche Verhältnisse, insofern ihre Werke fiktive, zu Gedanken- und Handlungsexperimenten anregende Gegenwelten vorstellen. Als Verfasserin dieser poetischen »Aktant[en] in der Geschichte«[94] entwickelte sie sich zu einem sozial handelnden Subjekt. Gerade ihr »Wissen um die Wechselwirkung zwischen dem zur Eigeninitiative fähigen Individuum und einer Gesellschaft, die von ihr nicht mehr als statisch begriffen wird«, unterschied Mereau von Schriftstellerinnen wie Charlotte von Kalb oder Caroline von Wolzogen[95] und bildete die Grundlage ihres schriftstellerischen Selbstverständnisses. Wie sie ihre Phantasie und ihr schriftstellerisches Schaffen durch äußere Verhältnisse beeinflußt, ja oft beeinträchtigt sah, so sollte umgekehrt ihre Poesie auf dem Wege der Beeindruckung der Leserschaft Einfluß auf – teils unzulängliche – Realitäten nehmen.

In einer Zeit, in der weibliche Bildung, Intellektualität, Schaffenskraft und Erwerbstätigkeit in Maßen gefördert, häufiger aber skeptisch betrachtet oder gar angefeindet wurde und nur eine Rahel Varnhagen – mit der Mereau vermutlich nicht persönlich bekannt war – auf die Frage »Ob eine Frau schreiben soll?« mit einem überzeugten »Sie *muß* es, wenn sie ein großer Autor ist« antworten konnte,[96] war die Schriftstellerei für Mereau Beruf und Berufung zugleich: »Denn der Dichter [sei] ein zweites Schicksal«,[97] selbst wenn »er« wie Mereau einen hohen Preis dafür zahlen müsse. Ihre risikofreudige, selbständige Lebenseinstellung schloß ihre Haltung zur Schriftstellerei ein: »Plänen? – ja! ich habe welche, [...] ich weiß daß ich dabei mein Leben wage, aber ist es zu viel, wenn man um zu leben, ein Leben wagt, daß ohne dem kein Leben ist?«[98] Entsprechend empfahl sie, es möge »niemand nur mit halben Beruf sich einem Künstlerleben [...] widmen«; mit ganzem Einsatz müsse die kreative Persönlichkeit ihrer natürlichen Neigung folgen, das angeborene Talent identifizieren und ausbilden und es sowohl zum Zwecke der persönlichen Befriedigung als auch zum Wohle der gegenwärtigen und künftigen Allgemeinheit zur Anwendung bringen: »Ja! möchte doch jeder seiner Eigenthümlichkeit folgen, denn durch die Neigung hat uns die Na-

tur gelehrt, wie wir am besten zu dem Ganzen mitwircken können.«[99]

Anmerkungen

1 Dem vorliegenden Beitrag liegen zum Teil Überlegungen zugrunde, die
bereits in meinen vorangegangenen Veröffentlichungen über Sophie Mereau-
Brentano angesprochen wurden: Hammerstein, Katharina von (1997a): »In
Freiheit der Liebe und dem Glück zu leben«. Ein Nachwort zu Sophie Mereaus
Romanen, in: Mereau-Brentano, Sophie (1997): Liebe und allenthalben Liebe.
Werke und autobiographische Schriften, 3 Bde., hg. von Katharina von Hammerstein, Bd. Das Blütenalter der Empfindung. Amanda und Eduard, Mün-
chen, S. 263-286; Hammerstein, Katharina von (1997b): »Schaffen wir uns neue
Welten«. Ein Nachwort zu Schreibspuren in Sophie Mereau-Brentanos Lyrik
und Erzählungen, in: Mereau-Brentano, Sophie (1997): Bd. »Ein Glück, das
keine Wirklichkeit umspannt«. Gedichte und Erzählungen, S. 231-259; Hammerstein, Katharina von (1997c): »Dies höchste Glück, es heißt – Selbständigkeit«.
Ein Nachwort zu Leitwerten in Sophie Mereau-Brentanos Leben, in: Mereau-
Brentano, Sophie (1997), Bd. »Wie sehn' ich mich hinaus in die freie Welt«.
Tagebuch, philosophische Betrachtungen und vermischte Prosa, S. 249-278;
Hammerstein, Katharina von (1994a): Sophie Mereau-Brentano: Freiheit – Liebe – Weiblichkeit. Trikolore sozialer und individueller Selbstbestimmung um
1800, Heidelberg; Hammerstein, Katharina von (1994b): »Unsere Dichterin
Mereau« als Frau der »Goethezeit« zu Liebe und Revolution, in: Goethe Yearbook, hg. von Thomas P. Saine, Columbia, SC/USA, Bd. 7, S. 146-169. Mereaus
Schriften werden im folgenden nach den nicht numerierten Bänden der Werkausgabe zitiert: der Band »Das Blütenalter [...]« wird mit »Romane« abgekürzt,
der Band »Ein Glück [...]« mit »Glück« und der Band »Wie [...] freie Welt« mit
»Welt«.
2 Sophie Mereau an Heinrich Kipp, 26.10.1995, abgedruckt in: Dechant,
Anja (1996): Harmonie stiftete unsere Liebe, Phantasie erhob sie zur Begeisterung und Vernunft heiligte sie mit dem Siegel der Wahrheit. Der Briefwechsel
zwischen Sophie Mereau und Johann Heinrich Kipp, Frankfurt/M., S. 191-
467, hier S. 335. Mereau konnte sich unter anderem auf Schillers Ausführungen stützen, der den Menschen in »Über Anmut und Würde« (1793) als freies
Wesen bezeichnete, »welches selbst Ursache, und zwar absolut letzte Ursache
seiner Zustände sey« (Schillers Werke: Nationalausgabe [im folgenden: NA],
begr. von Julius Petersen, hg. von Norbert Oellers u. a. im Auftrag der Nationalen Forschungs- und Gedenkstätte der klassischen deutschen Literatur in
Weimar [Goethe- und Schiller-Archiv] und des Schiller Nationalmuseums in
Marbach, Weimar 1953–1987, Bd. 20, S. 262). Später fand Mereau in Goethes
»Wilhelm Meisters Lehrjahre« (1795/96), den sie im Winter 1796/97 mit großem Interesse las (vgl. Tagebucheintragungen zwischen dem 6.11.1796 und
4.1.1797, Welt, S. 21-24), ihr Konzept bestätigt und das Bild jenes Menschen
gepriesen, der auf der Grundlage allseitiger Bildung sein Schicksal selbst in
die Hand nimmt: »Des Menschen größtes Verdienst bleibt wohl, wenn er die

Umstände soviel als möglich bestimmt und sich so wenig als möglich von ihnen bestimmen läßt.« (Goethes Werke, Hamburger Ausgabe in 14 Bänden [im folgenden: HA], hg. von Erich Trunz, Hamburg 1950–1953, Bd. 7, S. 405).

3 Im folgenden wird der Name Sophie Mereau verwendet, da die Autorin unter diesem Namen als Schriftstellerin bekannt wurde.

4 Mereau-Brentano, Sophie (1997): Welt, S. 126. Bei den undatierten handschriftlichen Betrachtungen läßt sich nicht immer eindeutig bestimmen, ob es sich um Schreibübungen oder autobiographische Notizen handelt, zumal Mereau häufig persönliche Erfahrungen in ihre Werke einfließen ließ.

5 Hattenhauer, Hans (Hg.) (1970): Allgemeines Landrecht für die preußischen Staaten (1794), Frankfurt/M.

6 Fichte, Johann Gottlieb (1962–94): Gesamtausgabe der Bayerischen Akademie der Wissenschaften, hg. von Reinhard Lauth und Hans Gliwitzky. 26 Bde., Stuttgart-Bad Cannstatt, hier Bd. I,4, S. 113 u. 135f.

7 Mereaus Tagebuch, 1.1.1799, in: Mereau-Brentano, Sophie (1997): Welt, S. 52.

8 Mereau widmete ihren Band »Bunte Reihe kleiner Schriften« (1805) La Roche, die als erste anerkannte Romanschriftstellerin und Herausgeberin der Frauenzeitschrift »Pomona« der nachfolgenden Generation schreibender Frauen als eins der wenigen weiblichen Vorbilder gelten konnte. Im Juli 1799 besuchten Mereau und Brentano dessen Großmutter, die 1804 angesichts der Besorgnis ihrer Enkelkinder um Clemens' Wohl an der Seite einer geschiedenen Frau für Mereau Partei ergriff, vgl. Mereau-Brentano, Sophie (1997): Glück, S. 288f.

9 Vgl. Mattenklott, Gert (1985): Romantische Frauenkultur. Bettina von Arnim zum Beispiel, in: Frauen – Literatur – Geschichte. Schreibende Frauen vom Mittelalter bis zur Gegenwart, hg. von Hiltrud Gnüg und Renate Möhrmann, Stuttgart 1985, S. 123-143, hier 127.

10 Vgl. Weigel, Sigrid (1981): Sophie Mereau, in: Frauen. Porträts aus zwei Jahrhunderten, hg. von Hans Jürgen Schultz, Stuttgart, 1981, S. 20-32, hier S. 30. Vgl. ferner: Dies. (1983): Der schielende Blick. Thesen zur Geschichte weiblicher Schreibpraxis, in: Die verborgene Frau. Sechs Beiträge zu einer feministischen Literaturwissenschaft, hg. von Inge Stephan und Sigrid Weigel, Berlin 1983, S. 83-137, hier S. 92.

11 Kaes, Anton (1989): New Historicism and the Study of German Literature, in: The German Quarterly, Bd. 62.2, S. 210-219, hier S. 213.

12 Lützeler, Michael (1990): Der postmoderne Neohistorismus in den amerikanischen Humanities, in: Geschichte als Literatur. Formen und Grenzen der Repräsentation von Vergangenheit, hg. von Hartmut Eggert u. a., Stuttgart, S. 67-76, hier S. 73; Lützeler nimmt Bezug auf Lentricchia, Frank (1980): After the New Criticism, Chicago, und ders. (1983): Criticism and Social Change, Chicago.

13 Hohendahl, Peter Uwe (1990): Nach der Ideologiekritik: Überlegungen zu geschichtlicher Darstellung, in: Eggert u.a. (Hg.), S. 77-90, hier S. 88.

14 Vgl. Kaes, Anton (1990): New Historicism: Literaturgeschichte im Zeichen der Postmoderne, in: Eggert, Hartmut u. a. (Hg.), S. 56-66, hier S. 58; Kaes nimmt Bezug auf Foucault, Michel (1967): Über verschiedene Arten, Geschichte zu schreiben, in: Antworten der Strukturalisten, hg. von Adalbert Reif, Hamburg 1973.

15 Adorno, Theodor (1970): Gesammelte Werke, Frankfurt/M., Bd. 7, S. 334.

16 Vgl. Stern, Selma (1926): Sophie Mereau, in: Die Frau. Monatszeitschrift für das gesamte Frauenleben unserer Zeit. Organ des Bundes Deutscher Frauenvereine, Bd. 33.4, S. 225-235, insbesondere S. 225; Gersdorff, Dagmar von (1981a): Einleitung, in: »Lebe der Liebe und liebe das Leben«. Der Briefwechsel von Clemens Brentano und Sophie Mereau, hg. von ders. (1981b), Frankfurt/M., S. 11-71, insbesondere S. 29; Weigel, Sigrid (1983): S. 95; Fleischmann; Uta (1989): Zwischen Anpassung und Aufbruch. Untersuchung zu Werk und Leben der Sophie Mereau, Frankfurt/M., S. 128ff.; Bürger, Christa (1990): Leben Schreiben. Die Klassik, die Romantik und der Ort der Frauen, Stuttgart, S. 33; Schwarz, Gisela (1991): Literarisches Leben und Sozialstrukturen um 1800. Zur Situation von Schriftstellerinnen am Beispiel von Sophie Brentano-Mereau geb. Schubart, Frankfurt/M., insbesondere 63ff; Dechant, Anja (1996): S. 38; und andere. Siehe zu Mereaus Werken, Handschriften, Übersetzungen und Herausgaben im einzelnen die Literaturverzeichnisse der Mereau-Brentano Werkausgabe (1997).

17 Mereaus Tagebuch, 11.8.1796, in: Mereau-Brentano, Sophie (1997): Welt, S. 16.

18 Mereau an Kipp, 7.11.95, in: Dechant, Anja (1996): S. 347.

19 Vgl. Gisela Schwarz' gründlich recherchierte Dissertation.

20 Vgl. zu Mereaus eigenen schauspielerischen Ambitionen: von Hammerstein, Katharina (1997b): S. 249f.

21 Vgl. zu Sophie Mereaus Leben die Anmerkungen zu ihrem Tagebuch in: Mereau-Brentano, Sophie (1997): Welt, S. 9-97, ferner Dagmar von Gersdorffs umfangreiche, aber nicht immer zuverlässig dokumentierte Biographie (1984): »Dich zu lieben, kann ich nicht verlernen«. Das Leben der Sophie Brentano-Mereau, Frankfurt/M., und diverse Passagen in: von Hammerstein, Katharina (1997 a,b,c), hier insbesondere (1997c): S. 259-264 u. 269f.

22 Mereau, Sophie (1791): Bey Frankreichs Feier. Den 14ten Julius 1790, in: Thalia, hg. von Friedrich Schiller, Bd. 3/XI, S. 141f., abgedruckt in: Mereau-Brentano, Sophie (1997): Glück, S. 9f.

23 Schiller an Mereau, 18.6.1795, NA, Bd. 27, S. 199; zur Erzählung: Schiller an Mereau, Mitte Juli 1796, NA, Bd. 28, S. 266.

24 Beispielsweise mit Joh. Friedrich Reichardt und Joh. Friedrich von Cotta (NA, Bd. 28, S. 17 u. Bd. 29, S. 156).

25 Ohne Verfasser (1796): Neue deutsche Werke, die nächstens erscheinen werden, in: Deutschland, hg. von Johann Friedrich Reichardt, Bd. 2, 6. St., Nr. 8, S. 386-392, hier S. 387.

26 Außer den Abdrucken der Romane in der Mereau-Brentano Werkausgabe (1997) liegen zum Zeitpunkt der Drucklegung dieses Manuskripts unvergriffen vor: Mereau, Sophie (1982): Das Blüthenalter der Empfindung. Roman (1794), Neuaufl. in Faksimile, hg. und mit einem Nachwort von Herman Moens, Stuttgart und die ausgezeichnet kommentierte Neuausgabe Mereau-Brentano, Sophie (1993): Amanda und Eduard. Ein Roman in Briefen, hg. und mit einem Nachwort von Bettina Bremer und Angelika Schneider, Freiburg/Br. Die meisten Besprechungen dieses Romans sind dort abgedruckt, S. 417-426. Siehe ferner die Auflistung der Rezensionen in: Mereau-Brentano, Sophie (1997): Romane, S. 312.

27 Mereau an Schiller, 18.11.1795, NA, Bd. 36I, S. 21; Schiller an Mereau, 23.12.1795, NA, Bd. 28, S. 139f.; vgl. ferner Mereau an Schiller, 19.1.1796, NA, Bd. 36I, S. 86; und Mereau an Kipp, 15.1.1796, in: Dechant, Anja (1996): S. 379.

28 Siehe als (vergriffene) Neuausgabe: Mereau, Sophie (1968): Kalathiskos, Faksimiledruck nach der Ausgabe von 1801–02, hg. und mit einem Nachwort von Peter Schmidt, Heidelberg.

29 Vgl. Geiger, Ruth-Esther/Weigel, Sigrid (Hg.) (1981): Sind das noch Damen? Vom gelehrten Frauenzimmer-Journal zum feministischen Journalismus, München.

30 Auch der Band »Bunte Reihe kleiner Schriften« wendet sich laut Vorwort (Widmung an Sophie von La Roche) an eine weibliche Leserschaft (Mereau-Brentano, Sophie (1997): Glück, S. 288-290).

31 Teile der Korrespondenz mit den Verlegern Wilmans, Göschen, Unger, Dieterich und anderen befinden sich im Nachlaß Mereau (Varnhagen Sammlung, Biblioteka Jagiellonska, Uniwersytet Jagiellonski, Krakow, Polen, Kasten 122 u. 123); einige Briefe sind abgedruckt in: Schwarz, Gisela (1991): S. 191-198, 210-214. Zum Verhältnis von Mereau zu einzelnen Verlegern vgl. Schwarz, Gisela (1991): S. 132f.; zu Einzelheiten bzgl. Einnahmen, Bogenpreisen etc. vgl. Schwarz, Gisela (1991): S. 83-87 u. 118 und Dechant, Anja (1996): S. 38-40.

32 Mereau an Brentano, 14.9.1803, in: von Gersdorff, Dagmar (1981b): S. 204.

33 Mereau an Brentano, 21.1.1804, in: von Gersdorff, Dagmar (1981b): S. 301.

34 Mereau an Kipp, 30.11.1795, in: Dechant, Anja (1996): S. 358.

35 Schiller an Goethe im Zusammenhang eines Lobes über Mereaus Manuskript »Briefe von Amanda und Eduard« für »Die Horen«, 30.6.1797, NA, Bd. 29, S. 93.

36 Goethe an Schiller, 1.7.1797, NA, Bd. 37I, S. 55.

37 Zu Mereaus Sprachskepsis vgl. French, Lorely (1989): »Meine beiden Ichs«: Confrontation with Language and Self in Letters by Early Nineteenth-Century Women, in: Women and German Yearbook. Feminist Studies and German Culture, Bd. 5, S. 73-89, insbesondere S. 76f.

38 Mereau-Brentano, Sophie (1997): Welt, S. 126, Hervorhebungen von K. v. H.; vgl. Mereau-Brentano, Sophie (1997): Welt, S. 127 u. 128.

39 Mereau-Brentano, Sophie (1997): Welt, S. 123.

40 Vgl. Briefe und Tagebucheintragungen in Dechant, Anja (1996): S. 410; Mereau-Brentano, Sophie (1997): Welt, S. 78f. und von Gersdorff, Dagmar (1981b): S. 301. Vgl. ferner aus dem Gedicht »Erinnerung und Phantasie« (1796): »Entführe du auf deinen muntern Schwingen, / o Phantasie, mich diesem finstern Harm! / Schon fühl' ich Kraft durch jeden Nerven dringen, / und fliehe leichter aus der Schwermut Arm«, in: Mereau-Brentano, Sophie (1997): Glück, S. 27.

41 Mereau-Brentano, Sophie (1997): Romane, S. 97 u. 83.

42 Schiller an Goethe, 17.8.1797, NA, Bd. 29, S. 119.

43 Mereau an Kipp, Ende Oktober/Anfang November 1795, in: Dechant, Anja (1996): S. 338.

44 Mereau-Brentano, Sophie (1997): Romane, S. 163.

45 Mereau an Brentano, Ende November 1799, in: von Gersdorff, Dagmar (1981b): S. 84f. Vgl. dazu die literarische Umsetzung in »Amanda und Eduard«, in: Mereau-Brentano, Sophie (1997): Romane, S. 162.

46 Beispielsweise phantasierte Mereau gegenüber ihrem ersten Ehemann von einem freien Leben und sprach »halb scherzend, halb ernst, von Plänen in die weite Welt zu gehen« (an Kipp, 27.7.1795, in: Dechant, Anja (1996): S. 257), die sich gegenüber Kipp konkretisierten: »Ich muß Geld haben – mein Kind muß mit mir – M<ereau> darf nichts erfahren, bis ich schon weit weg bin. Ich

gehe dann an einen entfernten Ort, wo ich ganz unbekannt bin, u. werde Schauspielerin, um doch etwas zu sein, u. schreibe dabei, das versteht sich« (15.1.1796,
in: Dechant, Anja (1996): S. 380f.).

47 Mereau-Brentano, Sophie (1997): Romane, S. 163.

48 Mereau-Brentano, Sophie (1997): Welt, S. 123.

49 Darunter fallen ihre bewußt informell gehaltene Rezension »Fragment
eines Briefs über Wilhelm Meisters Lehrjahre. 1799« (1801) (Mereau-Brentano,
Sophie (1997): Welt, S. 181-186), einige Gedichte, das Fragment »Gespräch über
Poesie« (Mereau-Brentano, Sophie (1997): Romane, S. 258-262) und der Roman »Amanda und Eduard«.

50 Mereau-Brentano, Sophie (1997): Welt, S. 183.

51 Mereau-Brentano, Sophie (1997): Romane, S. 209. Hervorhebungen von
K. v. H.

52 Mereau-Brentano, Sophie (1997): Glück, S. 27. Der Hinweis auf die Schönheit der evozierten »Kette von Bildern« spielt auf die didaktische Funktion an,
die der Ästhetik und damit dem schöpferischen Menschen spätestens seit Schillers programmatischen Briefen »Über die ästhetische Erziehung des Menschen«
(1795) in bezug auf die Herbeiführung einer besseren Gesellschaftsordnung
zugesprochen wurde, insofern »es die Schönheit [sei], durch welche man zu
der Freiheit wander[e]« (2. Brief, NA, Bd. 20, S. 310-312).

53 Ebd.: Glück, S. 134. Es zeigt sich Mereaus Abgrenzung und Nähe zur
romantischen Ästhetik: Novalis erklärte den Künstler im »Blüthenstaubfrag-
ment« für unabhängig vom wirklichen Geschehen (Athenaeum, 1798, Bd. 1,
St. 1, S. 75); auch Schlegel hob das Realismusgebot auf (Athenaeum, Bd.1, St. 2,
S. 201).

54 Vgl. zum Komplex der Rezeptionsästhetik: Iser, Wolfgang (1984): Der
Akt des Lesens: Theorie ästhetischer Wirkung, 2. Aufl., München.

55 Vgl. Mereau-Brentano, Sophie (1997): Romane, S. 163, und Welt, S. 129.

56 Vgl. das Gedicht »Dichterglück«, in: Mereau, Sophie (1800): Gedichte, 2
Bde., Berlin, Bd. 1, S. 19-21.

57 Adorno, Theodor (1970): S. 334.

58 Marcuse, Herbert (1957): Eros und Kultur. Ein philosophischer Beitrag
zu Sigmund Freud, Stuttgart, S. 136.

59 Mereau-Brentano, Sophie (1997): Glück, S. 27.

60 Mereau an Brentano, 21.1.1804, in: von Gersdorff, Dagmar (1981b): S. 301.

61 Mereau-Brentano, Sophie (1997): Romane, S. 260.

62 Mereau-Brentano, Sophie (1997): Welt, S. 116.

63 Ebd.: S. 132. Dennoch lassen sich bei diversen Gedichten biographische
Bezüge belegen, ebenso bei »Amanda und Eduard« (vgl. Mereau an Kipp,
8.7.1795, in: Dechant, Anja (1996): S. 224). Darin kommen in einer Textmontage
aus authentischen Passagen von Mereaus Korrespondenz mit Kipp, literarischen Elementen und eigenen Fiktionen die weibliche und die männliche
Hauptfigur je als eigenständige Subjekte zu Wort, so daß Anja Dechant von
einer Mereau ganz »eigene[n] Ästhetik« im Diskurs über Liebe spricht (S. 180).
Vgl. ferner Treder, Uta (1990): Sophie Mereau. Montage und Demontage einer
Liebe, in: Untersuchungen zum Roman von Frauen um 1800, hg. von Magdalene Heuser und Helga Gallas, Tübingen, S. 173-183; ferner das Kapitel »Gleichheit der Liebe im Spiegel der Romanstruktur« in: von Hammerstein, Katharin-
na (1994a): 262ff. und von Hammerstein, Katharina (1997a): S. 282f.

64 Goethe, Johann Wolfgang von (1950–53): HA, Bd. 7, S. 290.

65 Vgl. die scharfen Vorwürfe gegen die diskriminierende Gesetzeslage, Mereau-Brentano, Sophie (1997): Romane, S. 43.

66 Mereau-Brentano, Sophie (1997): Glück, S. 79f.

67 Eine Aufstellung der Veränderungen von der ersten Fassung der 1797 in den »Horen« erschienenen ersten acht »Briefe von Amanda und Eduard« zur Endfassung in zwei Teilen (1803) leistet Kastinger Riley, Helene (1986): Die weibliche Muse. Sechs Essays über künstlerisch schaffende Frauen der Goethezeit. Columbia, SC/USA, S. 71f. Neudrucke der Horen-Fassung liegen vor in: Die Horen. Eine Monatszeitschrift (hg. von Friedrich Schiller, Tübingen), fotomechanisch hergestellte Neuausg. von Paul Raabe, Darmstadt, 1959, Bd. 10, 6. St. (1797), S. 49-68, Bd. 11, 7. St. (1797), S. 38-59, Bd. 12, 10. St. (1797), S. 41-55, und in: Mereau-Brentano, Sophie (1997): Romane, S. 227-257.

68 Mereau-Brentano, Sophie (1997): Glück, S. 213. Bei jener Erzählung, von deren Veröffentlichung Schiller Mereau schon Mitte Juli 1796 abriet, weil »die Maximen, nach denen gehandelt wird, [...] sich nicht ganz billigen lassen« (NA, Bd. 28, S. 266), könnte es sich um eine Fassung von »Marie« oder »Die Flucht nach der Hauptstadt« gehandelt haben. Als einziges von Mereaus Prosawerken wurde bisher »Flucht ...« ins Englische übersetzt: Flight to the City. (1806), übers. von Jacqueline Vansant, in: Bitter Healing: German Women Writers from 1700 to 1830, hg. von Jeannine Blackwell und Susanne Zantop, Lincoln/USA 1990, S. 380-399. Zur Thematik von Wirklichkeit und Theaterwelt in »Flucht ...« vgl. Arons, Wendy (1997): Sophie Goes to the Theater: Performances of Gender and Identity in Sophie Mereau's »Flight to the City« (University of California at San Diego, USA), unveröffentlichtes Manuskript des Vortrags vom 29.12.1997, Modern Language Association Conference, Toronto, Kanada.

69 Wobeser, Wilhelmine Karoline von (1795): Elisa oder das Weib wie es seyn sollte, Leipzig.

70 Vgl. von Hammerstein, Katharina (1997b), S. 249 und Mereau-Brentano, Sophie (1997): Glück, S. 277, und dies. (1997): Romane, S. 305.

71 Mereau-Brentano, Sophie (1997): Welt, S. 108.

72 Mereau-Brentano, Sophie (1997): Romane, S. 79.

73 Mereau-Brentano, Sophie (1997): Glück, S. 79.

74 Ebd.: S. 79f., 74, 80.

75 Bürger, Christa (1990): S. 46.

76 Mereau-Brentano, Sophie (1997): Glück, S. 215.

77 Herder, Johann Gottfried (1800): [Rezension von Sophie Mereaus Band »Gedichte«], in: Nachrichten von gelehrten Sachen, hg. von der Akademie nützl. Wissenschaften in Erfurt, 29.9.1800, S. 361-364, hier S. 362. Siehe ferner die Auflistung der Rezensionen zu den einzelnen Publikationen in: Mereau-Brentano, Sophie (1997).

78 Nicolai, Christoph Friedrich (1795): [Rezension von Sophie Mereaus Roman »Das Blütenalter der Empfindung«], in: Neue allgemeine deutsche Bibliothek, Bd. 20, H. 2, St. 1, S. 75f., hier S. 75.

79 Zu Brentanos Haltung gegenüber Mereaus Schriftstellerei vgl. von Hammerstein, Katharina (1994a): S. 80ff.

80 Brentano an Mereau, 10.1.1803, in: von Gersdorff, Dagmar (1981b): S. 104 u. 101.

81 Mereau an Brentano, 20.11.1803, in: von Gersdorff, Dagmar (1981b): S. 116.

82 Brentano an Mereau, 9.9.1803, in: von Gersdorff, Dagmar (1981b): S. 191.

83 Fichte, Johann Gottlieb (1962–94): Bd. I,4, S. 135.

84 Walther von Hollander beispielsweise bestätigt Brentanos hier zitierte Einschätzung und bescheinigt Mereau in seiner geradezu schockierend misogynen Einführung zu der Neuausgabe ihres ersten Romans: »Ihre Schreiberei [sei] kaum etwas anderes als Broterwerb und seelischer Notbehelf« gewesen: Mereau, Sophie (1920): Das Blütenalter der Empfindung. Ein Roman, hg. und mit einer Einführung von Walther von Hollander, München, S. 2.

85 Vgl. den detaillierten Forschungsbericht zur Mereau-Rezeption bis zum Stand von 1994 in: Bremer, Bettina (1995): Sophie Mereau. Eine exemplarische Chronik des Umgangs mit Autorinnen des 18. Jahrhunderts, in: Athenäum. Jahrbuch der Romantik, hg. von Ernst Behler u. a., Paderborn, 5. Jg., S. 389-423.

86 Brentano an Mereau, 9.9.1803, in: von Gersdorff, Dagmar (1981b): S. 187.

87 Vgl. Mereau an Brentano, 17.11.1804, in: von Gersdorff, Dagmar (1981b): S. 324. Während der zweiten Ehe ging Mereau keine großen literarischen Projekte mehr an, sondern arbeitete an den weniger aufwendigen Übersetzungen, Nachdichtungen, Gedichten, Erzählungen und Herausgaben.

88 Sophie (Mereau-)Brentanos Charakterisierung ihres ehelichen Alltags, versehen mit dem Zusatz »aber die Hölle ist vorherrschend« (Mereau an Charlotte von Ahlefeld, zit. nach: Amelung, Heinz (1908): »Einleitung«, in: Briefwechsel zwischen Clemens Brentano und Sophie Mereau, 2 Bde., Leipzig, Bd. 1, S. XXIII).

89 Vgl. die Tagebucheintragungen in Mereau-Brentano, Sophie (1997): Welt, 86f., insbesondere vom 12.8.1805.

90 Mereaus Tagebuch, 30.10.1805, in: Mereau-Brentano, Sophie (1997): Welt, S. 90, und Brentano an Achim von Arnim, 1.1.1806, in: Seebaß, Friedrich (Hg.) (1951): Clemens Brentanos Briefe, 2 Bde., Nürnberg, Bd. 1, S. 299.

91 Fichte, Johann Gottlieb (62-94): Bd. 1,4, S. 136.

92 Mereau an Kipp, 26.10.1795, in: Dechant, Anja (1996): S. 335.

93 Mereau-Brentano, Sophie (1997): Romane, S. 185.

94 Hohendahl, Peter Uwe (1990): S. 88.

95 Fetting, Friederike (1992): »Ich fand in mir eine Welt«. Eine sozial- und literaturgeschichtliche Untersuchung zur deutschen Romanschriftstellerin um 1800: Charlotte von Kalb, Caroline von Wolzogen, Sophie Mereau-Brentano, Johanna Schopenhauer, München, S. 72.

96 Varnhagen, Rahel (1983): Rahel-Bibliothek. Rahel Varnhagen. Gesammelte Werke, hg. von Konrad Feilchenfeldt u. a., 10 Bde., München, Bd. 3, S. 10.

97 Mereau-Brentano, Sophie (1997): Welt, S. 181.

98 Mereau an Brentano, November 1801, in: von Gersdorff, Dagmar (1981b): S. 87.

99 Mereau-Brentano, Sophie (1997): Romane, S. 261 u. 262.

Birgit Wägenbaur

Die Vermarktung der Gefühle

Fanny Tarnow (1779–1862)

Fanny Tarnow, heute allenfalls noch als Korrespondenzpartnerin berühmterer Kolleginnen und Kollegen bekannt, veröffentlichte im Jahr 1830 eine umfangreiche Werkausgabe: Ein erster Rückblick auf mehr als 25 Jahre Autorschaft. Der Ausgabe ist ein 23 Seiten langes Subskribentenverzeichnis vorangestellt, rund zwei Drittel der genannten Personen sind Frauen. In den 20er Jahren des 19. Jahrhunderts gehörte Tarnow angeblich zu den »gelesensten Romanschriftstellerinnen«.[1] Noch zwanzig Jahre nach ihrem Tod erinnerte man sich ihrer als »Liebling der weiblichen Lesewelt«.[2] Auch nach dem Erscheinen der Werkausgabe war Tarnow noch produktiv. Bei Goedeke finden sich aus einem Zeitraum von über 50 Jahren insgesamt 74 Titel: hauptsächlich Erzählsammlungen, einige Romane sowie zahlreiche Übersetzungen und Bearbeitungen aus dem Französischen und Englischen.

Franziska (Fanny) Christiane Johanna Friederike Tarnow wurde am 17. Dezember 1779 in Güstrow als Tochter des Advokaten und späteren Stadtsekretärs Johann David Tarnow und seiner Frau Amalie Justine geboren.[3] Die Mutter stammte aus altem holsteinischem Adel. Das Kind, Liebling des Großvaters, des Landrats Franz Heinrich von Holstein, wuchs die ersten Jahre in besten gesellschaftlichen Kreisen auf. Mit vier Jahren stürzte Fanny aus einem Fenster im zweiten Stockwerk des elterlichen Hauses und war daraufhin lange Zeit von anfälliger Gesundheit. Sie begann exzessiv zu lesen: Auf die sich daraus ergebenden Folgen für ihre Entwicklung reflektierte sie später in dem autobiographischen Roman *Natalie. Ein Beitrag zur Geschichte des weiblichen Herzens* (1811). In den 90er Jahren beschloß der Vater, sich als Gutsbesitzer selbständig zu machen. Er gab seine Stelle am Landgericht auf und zog mit der

Hamburg d 9ten December 19.

Ich verdanke Ihrem Briefe einen Genuß der mir in dieser Art im Leben
nur selten u nie reiner zu Theil geworden ist, den mich einem edlen
Manne für Theilnahme u Großmuth
auf das Innigste u herzlichste verpflichtet zu fühlen. Für uns Frauen
ist es ein hartes Loos wenn wir, isoliert im Leben u ohne ein Interesse
des Herzens das uns zur Thätigkeit
aufruft, mit dem Schicksal um den
Gewinn des täglichen Brodes kämpfen müssen u meine Kränklichkeit
erschwert mir diesen Kampf indem
sie ihn zugleich herbeiführt. – In einer trüben, sorgenvollen Stunde erhielt ich Ihren Brief; den Dank dafür
bewahrt mein Herz gewiß so lange
als ich lebe. Mögte es mir doch gelingen für das Morgenblatt auch irgend einmal etwas schreiben zu
können das Ihre Güte zu verdienen
vermöchte!
Höchst schmerzlich ist es mir daß

meine Unkunde alles Geschäftlichen
des litterarischen Verkehrs mir gegen Sie den Schein des Undanks u
der Unart gegeben hat, indem ich
ohne Ihre Erlaubniß ueber einen
Wiederabdruck meiner Glaubensansichten verfügte. Lassen Sie mir meine Unwissenheit zu Gute kommen
da ich jezt von meinem Unrecht belehrt, gewiß nicht zum Zweitenmal
in dieser Art fehlen werde.
Für den Verfasser des Feldzugs in
Portugall werde ich mir von Hⁿ Perthes 8 Louisd'or zahlen lassen, als
Honorar für zwei Bogen. Es liegt
ihm nichts an der Beschleunigung
des Abdrucks, allein diese Zahlung
wird ihm sehr erwünscht seyn. –
Genehmigen Sie die Versicherung
der ausgezeichneten u dankbaren
Hochachtung mit der ich mich dem
güten Andenken

Ew: Hochwohlgeboren
ganz ergebenst empf
Fanny Tarnow

Familie aufs Land. Er verkalkulierte sich jedoch, verlor das gesamte Vermögen und war gezwungen, unter Aufgabe des bisherigen großzügigen Lebensstils mit Frau und Kindern nach Neu-Buckow umzuziehen. Für Fanny Tarnow bedeutete dies, daß ihre Chancen auf eine gute Heirat sanken und sie selbst für ihren Lebensunterhalt aufkommen mußte. Sie verließ das Elternhaus und arbeitete in wechselnden Anstellungen bis 1812 als Erzieherin. Danach kehrte sie nach Hause zurück, pflegte drei Jahre lang die kranke Mutter und reiste nach deren Tod nach St. Petersburg, wo sie für eineinhalb Jahre bei einer Freundin wohnte. Nach der Rückkehr nach Deutschland lebte sie hauptsächlich in Lübeck, Hamburg und Dresden. Für mehrere Jahre übernahm sie die Erziehung einer Stieftochter Julius Eduard Hitzigs, die sie als ihr Pflegekind betrachtete. Der Plan, gemeinsam mit Amalie Schoppe in Hamburg ein Erziehungsinstitut für Mädchen zu gründen, zerschlug sich aufgrund persönlicher Differenzen zwischen beiden Frauen. 1829 büßte Tarnow durch eine schwere Krankheit vorübergehend ihre Sehkraft ein und zog zu ihrer Schwester nach Weißenfels. Dort lebte sie mit kleineren Unterbrechungen bis 1841. Die letzten zwanzig Lebensjahre verbrachte sie in Dessau, wo sie am 4. Juli 1862 starb.

Schon als Jugendliche hatte Fanny Tarnow 1794 und 1795 in der »Monatsschrift von und für Meklenburg« kleine Lieder und Aufsätze veröffentlicht. Die erste eigene Erzählung *Allwina von Rosen* erschien jedoch erst zehn Jahre später unter ihrem Vornamen Fanny in Friedrich Rochlitz' »Journal für deutsche Frauen« von 1805. Wiederum nach einigen Jahren Abstand kam 1811, als vierte Lieferung der von Karoline von Fouqué betreuten »Kleinen Romanenbibliothek von und für Damen«, der Roman *Natalie* heraus. Seit 1815 erschienen neben Beiträgen in Zeitschriften fast jährlich Bücher von ihr: abgesehen von dem zweiten großen Roman *Thorilde von Adlerstein* (1816), handelte es sich dabei vor allem um Erzählsammlungen. Im Jahr 1817 übernahm Tarnow durch Vermittlung Friedrich von Fouqués und Hitzigs die *Korrespondenz-Nachrichten aus Petersburg* für Cottas »Morgenblatt für gebildete Stände«. Dort veröffentlichte sie weiterhin regelmäßig bis 1821, dann wieder 1827 und zuletzt noch zwei Erzählungen im Jahr 1846. In ihrem Tagebuch notierte sie:

Die Redaction des Morgenblattes [Therese Huber] hat mich wiederholt zu Beiträgen aufgefordert. Meine Aufsätze finden großen Beifall; man schreibt mir: sie seien eine Zierde des Journals. Das ist alles recht angenehm, allein – was gewinnt das Herz dabei?[4]

Auch wenn diese »Aufsätze« nicht ihrem Verständnis von Literatur als ›Herzensbildung‹ entsprachen, war die Verbindung zu Cotta doch eine ihrer wichtigsten finanziellen Stützen. Anfang der 20er Jahre hatte sich Tarnow als Schriftstellerin bereits einen Namen gemacht. Sie war damit an das Ziel ihrer Wünsche gelangt, wenngleich sie über ihr Talent im Zweifel blieb: »Ich bin jetzt als Schriftstellerin sehr geachtet und beliebt; das freut mich, obwohl es mir wie ein geliehenes Gut erscheint.«[5]

Die Werkausgabe von 1830, die angeblich auf Initiative von Freunden veranstaltet wurde, um Tarnow in schwieriger Zeit ein Auskommen zu sichern, stellte eine Zäsur dar.[6] Tarnow glaubte sich 1829 dem Tode nahe und begriff die Ausgabe als ihr Vermächtnis. Sie nahm daher in diese nur Texte auf, die ihr selbst am Herzen lagen, d.h. keine Nachbildungen und Übersetzungen fremder Werke.[7] Hatte sie in den 20er Jahren nur vereinzelt französische und englische Bearbeitungen übernommen, widmete sie sich nach ihrer Gesundung fast ausschließlich diesem Geschäft, u.a. übersetzte sie als erste George Sand.[8] Insofern bezeichnet die *Auswahl aus den Schriften* in der Tat das Ende von Fanny Tarnows Karriere als Autorin und den Beginn ihrer Laufbahn als Übersetzerin. Amely Bölte berichtet:

Als ihre Augen besser wurden, versuchte sie aus dem Französischen zu übersetzen, und da sie jeden Morgen einen Bogen zu schreiben im Stande war, der ihr mit 3 Thalern honorirt ward, so wurden ihre Umstände dadurch nicht nur gebessert, sondern wirklich gut.[9]

Nach weiteren 16 Jahren setzte sich die inzwischen 67jährige zur Ruhe. Bis dahin hatte sie rund 50 Bearbeitungen und Übersetzungen fertiggestellt. Am 1. Januar 1846 zog sie gegenüber Louise von François das Resümee ihres Lebens als Berufsschriftstellerin:

Meine literarische Laufbahn ist beendet, ich schreibe und übersetze nichts mehr, [...]. Schreiben war mir seit 56 Jahren ein Bedürfnis, schriftstellerische Tätigkeit ein Bedürfnis; nun mit Einemmale haben sich alle Verhältnisse verändert, und ich habe so ganz alle Lust zum Arbeiten verloren. Höchst merkwürdig macht dies aber keine Lücke in meinem Leben, ich ruhe aus und empfinde die Süßigkeit

des far niente. In meiner Einnahme bin ich nun natürlich sehr beschränkt, [...]; allein ich habe mir soviel erworben, daß ich für das
Notwendige nicht zu sorgen brauche.[10]

Tarnow setzte ihr Vorhaben in die Tat um: Wie hier angekün-
digt, veröffentlichte sie nach 1846 nichts mehr. Sie gehörte zu
den wenigen Frauen, denen es in der ersten Hälfte des 19. Jahrhunderts gelang, nicht nur vom Schreiben zu leben, sondern
sich auch für den Lebensabend eine bescheidene ›Rente‹ zu
erwerben. Rund 15 Jahre konnte sie auf den Früchten ihrer Arbeit ausruhen, bevor sie starb.

Ihr Lebensweg war nicht immer leicht. Tarnow litt häufig
unter der zweifachen Ungesichertheit ihrer Existenz: als unverheiratete Frau und als freischaffende Literatin. Selbst auf
dem Höhepunkt ihres Erfolgs plagten sie die Unlust am Schreiben und – unmittelbar damit zusammenhängend – Zukunfts-
sorgen. Unter dem Zwang zur Produktivität und Kreativität
stehend, sehnte sie sich nach der sicheren Routine eines Haus-
frauendaseins:

Wie ängstigt mich diese Armuth an productiver Kraft. Was soll aus
mir werden, wenn das so fortgeht! [...] Ach! Hätte ich doch Arbeit,
die mit Pflichttreue für mein Haus verrichtet werden könnte und
am Abende jedes Tages zu einer gesegneten Ruhe führte.[11]

In der Übersetzertätigkeit fand sie das Gewünschte. Da es
Tarnow vor allem auf die Inhalte literarischer Texte ankam,
begriff sie die Bearbeitung fremder Stoffe nur als Handwerk:
als bloße, mit Disziplin zu bewältigende Lohnarbeit.

Seit dem Tod der Mutter, konkret wohl seit der St. Petersburger Zeit, war Tarnow auf den Verdienst aus literarischen
Arbeiten angewiesen. Dabei war sie gezwungen, äußerst sorgfältig zu haushalten. So erschien es ihr als ein Geschenk Gottes, als sich der Verleger Rein entschloß, eine mehrbändige Ausgabe ihrer Erzählungen zu veranstalten, die ihr den Lebensunterhalt für zwei Jahre sichern würde.[12] Immer wieder finden
sich im Tagebuch genaue Aufrechnungen ihrer Einkünfte und
Ausgaben. Eine große Rolle spielt dabei, wie erwähnt, Cotta,
von dem sie sich zeitweilig knapp die Hälfte ihres Jahresein-
kommens erhoffte.[13] Zur Aufbesserung ihrer finanziellen Lage
veröffentlichte sie manche Erzählungen zweimal: nach der un-
selbständigen Publikation in einer Zeitschrift oder einem Almanach noch einmal in einem Erzählband. Allerdings mußte

dafür die Rechtsfrage geklärt sein, wie Tarnows Entschuldigung bei Cotta, ohne dessen »Erlaubniß ueber einen Wiederabdruck meiner Glaubensansichten«[14] verfügt zu haben, zeigt. Ein deutliches Beispiel einer solchen Mehrfachverwertung stellen die im »Morgenblatt« abgedruckten Reiseeindrücke aus Rußland (1817) dar. Diese wurden zum großen Teil wortwörtlich in die zwei Jahre später erschienenen *Briefe auf einer Reise nach Petersburg an Freunde geschrieben* (1819) übernommen. Das Briefbuch bildete dann wiederum in leicht überarbeiteter Form den achten Band der Werkauswahl von 1830 – Tarnow bedauerte, daß sie aus gesundheitlichen Gründen keine Ergänzungen, sondern nur Streichungen von veralteten Stellen vornehmen konnte. Einige dieser Ergänzungen mochte sie in ihren letzten Roman *Zwei Jahre in Petersburg. Aus den Papieren eines alten Diplomaten* (1833) eingeflochten haben, der neben einem handlungszentrierten Teil (Liebesgeschichte) auch politische und historische Betrachtungen enthält. Im Vorwort zur zweiten Auflage, die im Revolutionsjahr 1848 erschien, druckte sie zum vierten Mal den zuerst im »Morgenblatt« publizierten Bericht über Friedrich Maximilian Klinger ab, dem das Buch implizit gewidmet ist. Gleichzeitig nahm sie endgültig Abschied von ihrer Leserschaft. Sie bedankt sich bei den »jungen Literaten«, daß sie »das Andenken an eine der Lieblingsschriftstellerinnen ihrer Mütter geachtet haben« und stellt sich zugleich – ähnlich wie Bettine von Arnim – mit dem Hinweis, daß trotz des Alters ihr Herz noch jung geblieben sei, auf deren Seite: »und so verklärt sich mir das Abendroth meines Lebens zum Morgenroth einer schönern Zukunft für Deutschland und seine Söhne und Töchter.«[15] Im Rückblick auf eine »mehr denn 50jährige [...] literarische [...] Laufbahn« erinnert sich Tarnow vor allem an das Positive, an das »Liebe [...] und Freundliche [...]«, das ihr während dieser zuteil wurde. Aber auch schon früher war sie sich trotz der Geldnöte und des Produktionszwangs durchaus der Vorteile bewußt, die sie durch ihre Unabhängigkeit genoß. So betonte sie in einem Brief an Amalie Schoppe, die »große Freiheit der Lebensgestaltung, die mir die Verhältnisse meiner letzten Lebensjahre vergönnt haben«.[16] Die häufigen Wohnortwechsel etwa wären mit Familie unmöglich gewesen.

Die tiefere Ambivalenz des Schriftstellerinnendaseins lag für Fanny Tarnow – und wohl für die meisten ihrer Kolleginnen –

nicht im Zwiespalt zwischen äußerer Freiheit und Gebundenheit, sondern im Gegensatz zwischen ihrer Lebensweise und
den zeitgenössischen Weiblichkeitsvorstellungen. Tarnow hatte
die vorgegebenen Verhaltensmuster für Frauen, die sich unter
dem bekannten Schlagwort der dreifachen Bestimmung der
Frau als Gattin, Hausfrau und Mutter subsumieren lassen,
zweifellos verinnerlicht. Symptomatisch für ihr schriftstellerisches Selbstverständnis ist die 1820 entstandene Erzählung *Das
Ideal*, in deren Mittelpunkt die Frage nach der Vereinbarkeit
von Weiblichkeit und Autorschaft steht.

Der Protagonist, ein feuriger Befürworter weiblicher Schriftstellerei, vertritt die damals avanciertesten Ideen über Frauenbildung. Nicht umsonst heißt er Julius, wie der Held aus Friedrich Schlegels *Lucinde*. Sein Ideal »einer hochgebildeten, talent-
vollen Frau«[17] verkörpert die Schriftstellerin Sidonie, in die er
sich – ohne sie je gesehen zu haben – allein aufgrund der Lektüre ihrer Werke verliebt. Julius wird, ohne es zu wissen, Gast
im Hause der Geliebten, die unter dem Namen Dorothea zurückgezogen bei ihrer Freundin und deren Gatten lebt. Schon
bald prallen die unterschiedlichen Weiblichkeitsvorstellungen
aufeinander. Dorothea sieht allein im häuslichen Bereich Entfaltungsmöglichkeiten für den ›wahren Wert‹ und den ›wahren Beruf‹ der Frau: »Nur in der Verborgenheit, nur in der
Umschirmung frommer, häuslicher Sitte gedeihen wir«, um
»die schönsten und zartesten Blüthen der Gefühle zu entfalten«.[18] Die Blumenmetaphorik stimmt mit der Position des
konservativen Ehemanns der Freundin überein, der »die schöne Bewußtlosigkeit des heiligen Naturdaseins«[19] preist, aber
auch mit Julius' Befürwortung der »schöne[n] Blumennatur«[20]
der Frau. In der keineswegs originellen Zuordnung der Frau
auf ein vegetatives Pflanzendasein, dem die ornamentale Note
nicht fehlt, sind sich alle Beteiligten einig. So überrascht es nicht,
daß sich Julius schnell von Dorothea überzeugen läßt:

Der Glanz des Künstlerlebens ist mit einem rein weiblichen Dasein
unvereinbar; nicht die Poesie, deren sanfter, milder Blüthenstaub
unser ganzes Sein und Leben durchhauchen muß, wohl aber *alles
selbstschöpferische Bilden*, weil uns dieses dem Wirkungskreis entfremdet, den die Natur uns zur sichernden Lebensschranke angewiesen
hat.[21] (Herv. d. Verf.)

Der Gegensatz zwischen Poesie als einem weiblich-rezeptiven

Vermögen und der Produktion eigenständiger Werke ist klassisch. Zwar wird den Frauen die Fähigkeit zu künstlerisch-kreativem Schaffen nicht geradezu abgesprochen, aber sie steht im Widerspruch zu deren eigentlicher Bestimmung. Aktives Künstlertum bedeutet notwendig Selbstentfremdung der Frau. Vertreten wird diese Position in der Erzählung von einer Figur, die – selbst eine berühmte Schriftstellerin – aus eigener Erfahrung spricht und daher umso überzeugender argumentieren kann. Als Tarnow ihrem fiktiven alter ego den Namen Dorothea gab, mag sie dabei auch an Dorothea Schlegel gedacht haben, die sich im *Florentin* sehr viel weniger weit hervorwagt als Friedrich Schlegel in der *Lucinde*. In der Erzählung entlarvt Dorothea die geheimen Beweggründe für Julius' romantische Überhöhung der Frau: Diese diene nur der männlich-eitlen Selbstbespiegelung, verkenne jedoch den »wahren Wert« der Frauen.[22] Letzterer liegt für Tarnow in der weiblichen Empfindungsfähigkeit, im Gefühl, welches denn auch den Ausschlag für ihr schriftstellerisches Selbstverständnis gibt. Die im *Ideal* formulierte Begründung für die Ablehnung weiblicher Autorschaft deckt sich zum Teil wörtlich mit Tarnows eigener Rechtfertigung ihres Schreibens.

Ein hochgeistiges Leben ist für uns Frauen immer ein kränkelndes, und meine eigene Erfahrung, so wie die Beobachtungen, die ich zu machen Gelegenheit gehabt habe, haben mich überzeugt, daß das Leben einer Schriftstellerin oder Künstlerin fast ohne Ausnahme zu einem unnatürlichen wird. Vor der Göttlichkeit des echten Dichterberufes muß freilich die Anforderung jedes irdischen Verhältnisses verschwinden; [...] allein den Frauen gibt die Natur höchstens leichte Talente, doch nie jene selbstschöpferische Geniuskraft, die diese zur genialischen Einheit verbindet, und damit ist auch dem verkünstelten Künstlerleben, dem jetzt so viele Frauen nachstreben, das Urtheil gesprochen. [...] Eine Erfahrung, die ich machte, war mir vorzüglich schmerzlich, in dem, was ich schrieb, spiegelte sich, vielleicht aus Mangel an Talent, das Selbstempfundene, Selbsterlebte treu ab, und diese Wahrheit der Empfindung und der Darstellung war, wie ich glaube, das einzige Verdienst, auf das ich als Schriftstellerin Anspruch machen konnte; allein es ist unglaublich, wie sich das, was ich so darstellte, gewissermaßen von meinem Leben ablösete und zu Etwas außer mir Existirendem wurde. – Der tiefste Schmerz, den ich empfunden hatte, war der über den Verlust meiner Eltern; ich sprach ihn einst in einer mir heiligen Stunde unter tausend heißen Thränen in einem Gedichte aus, das man für mein

gelungenstes hält; aber mir war und ist es noch eine Entweihung;
ich habe das Gedicht nie, seitdem es gedruckt ist, wieder lesen können; ich fühlte durch sein Dasein das Heiligthum meines Grams
entweiht.[23]

Der Text vollzieht an dieser Stelle eine selbstreferentielle Bewegung: Zuerst kritisiert eine hochgebildete Literatin weibliche Schriftstellerei auf der Basis ihrer Erfahrungen als Schriftstellerin, dann wandelt sich der Text zur Konfession über seinen eigenen bekenntnishaften Charakter. Im Vorwort zur Werkausgabe unterstreicht Tarnow selbst die »volle [...] Wahrheit
des Selbstgedachten und Selbstempfundenen«[24] als die einzige Qualität ihrer Schriften. Die Stimmen von Heldin und Autorin sind hier wie auch in anderen Texten kaum mehr zu dif-
ferenzieren. Aus der Verschränkung von Leben und Werk resultiert eine unauflösbare Vermischung von Privatem und Öf-
fentlichem, unter der Tarnow leidet und die sie im *Ideal* zu analysieren versucht.

Die zwei Namen Dorothea und Sidonie indizieren die Trennung von Frau und Schriftstellerin und damit eine schmerz-
hafte Identitätsspaltung. Sidonie ist als »Verfasserin von Olga«
bekannt und berühmt – den gleichen Titel sollte ein Text tragen, den Tarnow nach *Das Ideal* schreiben wollte[25] – sie wird
also über einen Teilaspekt ihrer Existenz (das Schreiben) definiert und nicht um ihrer selbst willen geschätzt. Genau das ist
der Vorwurf, mit dem sie Julius konfrontiert: Nur in der Gestalt der Dorothea konnte er seine Geliebte als ›das, was sie
wirklich ist‹ lieben lernen, während er in Sidonie immer nur
die geistreiche Dichterin gesehen haben würde. Sidonie, die
gefeierte Schriftstellerin, entsagt der Welt, um als Dorothea ganz
ihre ›weiblichen‹ Eigenschaften entfalten zu können. Der Vorwurf der Oberflächlichkeit, der gegen die Gesellschaft erhoben wird, erhält hier einen neuen Sinn: Soziale Achtung und
Anerkennung können nie die ganze Persönlichkeit erfassen.
Psychologisch gesehen handelt es sich um eine mißglückte
Kompensation: Die Heldin (und mit ihr die Autorin) ist eine
empfindsame Dichterin ohne Familienangehörige und ganz auf
sich gestellt. Daher erwartet sie unwillkürlich von der Öffentlichkeit, daß sie ihr den Stellenwert eines liebenden Gegenübers
ersetze. Die anonyme Leserschaft kann eine solche persönliche Zuwendung aber nicht leisten. Sidonies Anspruch bleibt

unerfüllt, und in der Folge verdammt sie die weibliche Schriftstellerei insgesamt als ›unnatürlich‹.

Tarnow legt hier ihre geheime Schreibmotivation offen, die darin besteht, die Liebe des Lesers zu erringen. Diesem Ansinnen ist aber – so ihr eigener Befund – grundsätzlich kein Erfolg beschieden. Als Grund dafür erkennt sie den Gegensatz zwischen Selbstbild und Fremdbild: von »Herz« – dem Signalwort für Individualität – auf der einen Seite und »Geist« auf der anderen. Geist und Schrift werden von den Lesern irrtümlicherweise ineins gesetzt: »das ist eben das Unglück, dem Schriftstellerinnen und Künstlerinnen in ihrem Verhältnisse zur Außenwelt selten zu entgehen vermögen, daß man im Umgang mit ihnen vorzugsweise ihren Geist in Anspruch nimmt.«[26] Tarnow hält dies für eine falsche Rezeption. Ihrer Meinung nach solle »Dichtung im Gefühl, nicht im Begriff, also nicht als Kunstleistung, sondern als etwas wirklich Lebendes und Erlebtes«[27] aufgefaßt werden. Das unmittelbare Mitempfinden soll die Distanz zwischen Leser/in und Autorin überwinden. Nun stellt aber gerade ein solches identifikatorisches Lesen einen Akt der Vereinnahmung dar. Dies veranschaulicht in der Erzählung der von Julius geäußerte Enthusiasmus nach der Lektüre eines Buchs seiner Geliebten: »(N)icht nur ihr Bild, nicht nur die heiße Liebe zu ihr, nein, sie selbst, ihr eigenstes wahres Sein ruht tief in meinem Herzen und ist ein Theil meines eigenen Selbsts geworden.«[28] Der Prozeß des Lesens verwandelt das Fremde dem Eigenen an und der Leser wird durch die produktive Wahrnehmung selbst zum Autor. Er erschafft sich sein eigenes Frauenbild, das mit dem Selbstentwurf der Autorin nicht mehr viel zu tun hat. Durch die Publikation gehen also die eigenen, innersten Empfindungen in den Besitz anderer über und werden von diesen sich anverwandelt. Hier liegt die Ursache für den quälenden Eindruck der »Entweihung« des Intimsten vor den Augen der Öffentlichkeit.

Umgekehrt findet eine Vermarktung von Gefühlen statt. Wie Sidonie bekennt auch Tarnow programmatisch: »Mein Gefühl war meine Muse: daß ich tiefer und wahrer empfand als manche Andre [...] gibt meinen Schriften den einzigen Werth, den sie in meinen Augen haben.«[29] Ihre Bücher enthalten Empfindungen, deren Authentizität für die Wahrheit des Geschriebenen bürgen soll. Sie verkauft ihre Emotionen, um sich den Lebensunterhalt zu verdienen. Die blanke Notwendigkeit legiti

miert die Selbstvermarktung, solange diese gleichsam wider
Willen geschieht. Das Schreiben der Gefühle wird daher als –
bemitleidenswerte – Kompensation für ein verhindertes Leben
bewertet. Tarnows Rechtfertigung weiblicher Autorschaft lautet folgendermaßen: Entweder muß für eine Frau die Möglichkeit einer Liebesbeziehung – die Versorgung durch die Ehe –
ausgeschlossen sein oder sie ist finanziell auf das Schreiben
angewiesen:

Ein Anderes ist es, wo das Schicksal eine Frau mit allen Ansprüchen
ihres Herzens auf Glück zur Resignation bestimmt hat, [...], oder wo
sie ihres Talentes bedarf, sich selbst und ihrer Familie einen anständigen Lebensunterhalt zu erwerben; da laßt uns schonend urtheilen
und theilnehmend wünschen, daß es der Poesie gelingen möge, dem
Dornenkranz, den sie trägt, die scharfen Spitzen zu nehmen, und in
den Gebilden ihrer Phantasie Trost für die Leiden einer rauhen Wirklichkeit zu finden. – Aber selbst in solcher Lage ist die Kunst nur ein
Nothbehelf.[30]

Die Dichtung erhält kompensatorische Funktion. Schreiben soll
sich gleichsam selbst nivellieren, der schriftliche Notbehelf über
die dürftige Realität hinwegtrösten und für das Leiden an einer »rauhen Wirklichkeit« entschädigen. Tarnows Petersburger
Tagebuch, aus dem Adolf Thimme Auszüge veröffentlichte,
beweist, daß sie sich tatsächlich die eigene Wirklichkeit erschreibt: Imaginäre Liebesbeziehungen, die sie nicht ausleben
konnte oder wollte, bilden die Grundlage für ihre Bücher.[31]
Gleichzeitig spricht sich im Tagebuch auch die panische Angst
vor dem »Ehebett« aus. In Tarnows Vorstellung ist der Ehe-
alltag unweigerlich mit dem »Mißbrauch der männlichen Härte«[32] verbunden. Nur in der Literatur kann sie ihre Phantasien
Realität werden lassen, ohne von der Willkür eines Mannes
abhängig zu sein. Die Kunst verwandelt sich unter der Hand
zum besseren und eigentlichen Leben, für welches die tatsächlichen Ereignisse nur Anregung und Stoff liefern.

Fanny Tarnow zählte *Das Ideal* zu ihren gelungeneren Erzählungen: hier – wie überall in ihrem Werk – liege die Stärke
in der »psychologischen Entwickelung der Charaktere, [...] nicht
in Neuheit und Reichthum der Erfindung; denn das ist meine
schwache Seite«.[33] Obwohl Tarnow 1820 bereits als Autorin
bekannt war, veröffentlichte sie die Erzählung anonym: nicht
um als Frau nicht an die Öffentlichkeit zu treten, sondern um
den Erfolg des Textes unabhängig von der eigenen Berühmt-

heit zu testen.[34] Paradoxerweise wollte sie also den Publikumserfolg als Gradmesser ihrer dichterischen Qualifikation gerade mit Hilfe eines Textes erproben, dessen Heldin den Prüf-
stand der Öffentlichkeit ablehnt. Der Versuch, eine Bestätigung
für die literarische Qualität des eigenen Schaffens zu erhalten,
zeugt sowohl von Selbstbewußtsein – als anerkannte Autorin
konnte sie es sich leisten, ihre Leser auf die Probe zu stellen –
als auch umgekehrt von der Unsicherheit über die eigene Begabung. In ähnlicher Weise wie die Heldin Sidonie auf ihren
Mangel an Talent verweist, beteuert Tarnow selbst: »Meiner
Ueberzeugung nach habe ich keinen Anspruch auf dichteri-
sches Talent zu machen.«[35] Während jedoch in der Erzählung
die Angewiesenheit auf »Selbstempfundene[s], Selbsterlebte[s]«
nicht nur als Verdienst, sondern auch als Ausdruck mangeln-
der Schöpfungskraft begriffen wird, versteht Tarnow diese im
Vorwort zur Werkausgabe als Gegengewicht zum Fehlen »dichterischen Talent[s]« – und dreht damit den üblichen Bescheidenheitstopos um:

Mein Gefühl war meine Muse: daß ich tiefer und wahrer empfand
als manche Andre; daß in jeder Beziehung und in jedem Verhältniß
des Lebens Treue der Grundton meines Daseins blieb, gibt meinen
Schriften den einzigen Werth, den sie in meinen Augen haben, den:
daß sie das Eigenthümliche weiblicher Sinnes- und Empfindungs-
weise in der vollen Wahrheit des Selbstgedachten und Selbstempfundenen aussprechen.[36]

Die Hybris, tiefer als andere Frauen gefühlt und authentischer
als andere gelebt zu haben, rechtfertigt das Schreiben. Die
›Wahrheit‹ der eigenen Weiblichkeit als der individuellen Aus-
formung eines allgemein gültigen Geschlechtscharakters steht
für Tarnow außer Frage. Mit der geschickten Wendung, die
Weiblichkeit als Legitimationsgrund und zugleich als Motiv
des Schreibens anzuführen, untergräbt sie alle Vorwürfe, als
selbständige Berufsschriftstellerin eine Frauen nicht gemäße
Karriere eingeschlagen zu haben. Indem sie jedoch auf die
Weiblichkeitsideologie rekurriert und ihr Werk explizit mit diesem Vorzeichen versieht, entzieht sie es von vornherein der literarischen Kritik: Bei ihren Romanen und Erzählungen handle es sich nicht um Kunst, sondern um Gefühle – als solche
sollen diese jenseits des Bereichs der herkömmlichen Ästhetik
angesiedelt sein.

Folgerichtig bringt sie am Ende ihrer Laufbahn das Gesamtwerk auf den kurzen Nenner von »einfachen Darstellungen aus der Gemüthswelt«.[37] Die Titel ihrer Erzählungen sind sprechend: *Mädchenherz und Mädchenglück. Erzählungen für Gebildete* (1817), *Schuld und Buße* (1820), *Treue und Dankbarkeit* (1821), *Glaubenskraft* (1823), *Frauenliebe und Frauenfreundschaft* (1824) oder *Weibliche Seelenstärke* (1827), um nur einige zu nennen. Daneben gibt es solche Texte, die nur den Namen einer Frau, der Protagonistin, im Titel tragen. Zum Teil greift Tarnow auch historische Stoffe auf (z.B. *Franz von Bourbon und Margarethe von Valois, Kleopatra, Königin von Aegypten, Eudoxia Feodorowna, Kaiserin von Rußland*). Auch bei diesen stehen nicht die geschichtlichen Ereignisse, sondern die Affekte der Heldinnen und Helden im Vordergrund. Besonders deutlich wird die unauflösbare Verschränkung von Leben und Schreiben, die wohl nicht nur für Tarnow, sondern für viele damalige Schriftstellerinnen typisch ist, bei den Texten, für die es weder eine literarische Vorlage noch ein historisches Vorbild gab. Im Sinne emotionalen (Er)Lebens sind alle ihre Schriften autobiographisch. In manchen setzt Tarnow sich jedoch expliziter als in anderen mit Begebenheiten ihrer Biographie auseinander, so etwa in *Erinnerungen aus Franziskas Leben* (1821) und dem schon erwähnten Roman *Natalie. Ein Beitrag zur Geschichte des weiblichen Herzens* von 1811. Bei letzterem handelt es sich um einen psychologischen Entwicklungsroman. Die Gründe für den späteren Lebenslauf der Heldin – die einzelnen Stationen sind durch Liebesbeziehungen zu verschiedenen Männern unterschieden – werden konsequent aus deren Kindheit hergeleitet. *Natalie* stellt hinsichtlich der Erzählperspektive und des Erzählverfahrens das weibliche Pendant zu Karl Philipp Moritz' *Anton Reiser* dar: ein seltener, wenn nicht sogar einmaliger Fall in der Literaturgeschichte.[38] Die Psychologisierung entlarvt die immanenten Widersprüche der Weiblichkeitsideologie, auf die Tarnow sich an anderer Stelle – zur Legitimation des eigenen Schreibens – beruft.

Tarnows zweiter großer Roman *Thorilde von Adlerstein oder Frauenherz und Frauenglück* ist zwar weniger deutlich autobiographisch, jedoch auf andere Weise exemplarisch für ihr Schreiben. Es ist der einzige fiktionale Text, auf den sie im Vorwort zur Schriftenauswahl Bezug nimmt. Da hier noch radikaler als in *Natalie* ein weiblicher Dekompositionsprozeß vorgeführt wird, fühlt sie sich verpflichtet, die Entstehung dieses »Nacht-stück[s]«, wie sie den Roman bezeichnet, zu erläutern:

Thorilde geht unter, weil ihr bei allem sittlichen Adel ihrer Grund-sätze und ihres Charakters die Kraft fehlt, sich mit ihrem Schicksal zu versöhnen. [...] Es ist gewiß, daß das Erdenleben dem zagenden Herzen in der Verkettung von Tugend und Laster und dem täuschen-den Anschein ihrer Folgen zuweilen finstre, furchtbare Räthsel vor-legt; soll man sich aber von diesen feige abwenden? – Nein, auch ihnen soll man muthig in's Auge blicken, denn es gibt hienieden keine Klage ohne Trost, keine Frage an das Schicksal, auf die der Glaube nicht eine versöhnende und erhebende Antwort zu geben hätte. In diesem Sinne schrieb ich Thorilde; in diesem Sinne möge sie gelesen und beurtheilt werden![39]

Mit dem Hinweis auf den Glauben als dem unsichtbaren Telos des Romans hofft sie, ihm seine Schärfe zu nehmen und ihn wieder in die Galerie harmlos-gefühlvoller, weiblicher Lebens-bilder einreihen zu können. Die Rezeptionsanweisung, der Roman sei zum Zwecke der Versöhnung und Erhebung ge-schrieben, läßt daran keinen Zweifel. Nun stellt *Thorilde von Adlerstein* aber alles andere als eine religiöse Erbauungsschrift dar. Tatsächlich handelt es sich dabei um den einzigen Text Tarnows, der die Rigidität einer universalen Moral scharf an-greift. Weibliche Sittlichkeit erscheint hier plötzlich in einem ganz anderem Licht als gewöhnlich in Werken schreibender Frauen.

Der Roman setzt am 28sten Geburtstag der Heldin ein, ei-nem tiefen Einschnitt in ihrem Dasein: Es ist der letzte Tag ih-res alten Lebens und zugleich der Beginn eines neuen. Thorilde, verwitwet und seit kurzem mittellos, hat beschlossen, sich nach ihrem Geburtstag unter falschem Namen als Gesellschafterin zu verdingen. Zuversichtlich geht sie auf die unbekannte Zu-kunft zu, denn: »Was konnte die fürchten, deren ganzes Leben Liebe, Treue und Güte war?«[40] Thorilde wird in überragender Idealität vorgestellt, die sich aus einem umfangreichen Kata-log von Eigenschaften zusammensetzt: Dazu gehören ihr »um-fassender Geist, ihr Talent, die Menschen [...] zu leiten«, ihr »theilnehmendes, zu Rath und That gleich bereites Herz, ver-bunden mit dem Einfluß, den ihr ihre Schönheit, ihr Reichthum, ihr Name, der zu den edelsten des Reichs gehörte, und die Flek-kenlosigkeit ihres Rufes« gaben. Frauenfreundschaft entschä-digt sie für »versagte Mutterfreude und versagtes Liebesglück«.[41] Die in der Exposition hervorgehobene Positivität unterstreicht die Fallhöhe zwischen Romananfang und Romanende. Ein Rückblick auf Kindheit, Jugend und Ehe der Heldin zeigt, wie sie zu dem geworden ist, was sie ist.

Thorilde wächst als Waise bis zu ihrem sechzehnten Lebensjahr bei mißgünstigen Verwandten auf, dann wird sie vom sechzigjährigen Grafen Adlerstein geheiratet. Zwischen beiden herrscht ein Vater-Tochter-Verhältnis: Er gibt ihr seinen Namen – ein Indiz für den Identitätswechsel –, übernimmt ihre Erziehung für die Welt und vollzieht damit an ihr gleichsam eine zweite, soziokulturelle Geburt. Er begreift seine »junge, bildsame Gattin« als Stoff, um daraus »ganz sein Geschöpf, ganz sein Werk«[42] zu formen. Sein Ziel besteht darin, in diesem Kunstwesen auf verjüngte und verschönte Weise weiter zu existieren: »Sie sollte gewissermaßen sein Leben fortsetzen, und all der Einfluß, den er sich zu verschaffen gewußt hatte, sollte auf sie übergehen, vom Zauber der Schönheit und der Jugend verstärkt und beseelt.«[43] Eines aber vernachlässigt er bei seinen Plänen: die im Wesen von Mann und Frau begründete Differenz der Geschlechter, von der Tarnow fest überzeugt ist. Der Graf behandelt Thorilde, als sei sie ein Mann. Er bildet nur ihre intellektuellen Fähigkeiten aus, versäumt aber, auf ihre emotionalen Bedürfnisse einzugehen. Ihre Moralität erwächst aus der Vernunft, anstatt im »Glauben und der Liebe zu Gott« eine »unerschütterliche [...] Basis«[44] zu finden. Der entscheidende Fehler des Grafen besteht also in der Verkennung der spezifisch weiblichen Bedürfnisstruktur: Damit erweist sich die (männliche) Kultur als defizitär gegenüber der (weiblichen) Natur, die allein den Frauen ihre Stärke verleiht.

Die in Herzensdingen unerfahrene Heldin fällt den Künsten eines Verführers anheim. Sie nimmt seine Liebesschwüre für bare Münze und verhält sich in den Augen des Mannes wie »eine alberne Romanheldin«,[45] obwohl oder gerade weil sie selbst noch nie einen Liebesroman gelesen hat. Tarnow versteht die Romanlektüre positiv: Diese rege die Phantasie an und helfe so, zwischen Kunst und Wirklichkeit, zwischen wahrer und falscher Liebe zu unterscheiden. Die Lektüre trägt zur Herzensbildung bei und tritt damit in aufklärerische Dienste. Die in dieser Hinsicht ungewappnete Thorilde stellt dagegen ein leichtes Opfer dar. Nicht an der körperlichen Gewalt, sondern an der moralischen Zerstörung der Frau ist dem Verführer in erster Linie gelegen. Er will seine Machtvollkommenheit auch auf den seelischen Bereich erstrecken. Die Frau soll an ihrer eigenen Leidenschaft zugrunde gehen. Seine Sicht der Verführungsszene offenbart diese Absicht: Thorilde »hatte die Hände in höchster Seelenangst wie zum Gebet gefaltet; zum erstenmal fühlte sie, die Stolze, Uebermüthige, daß sie ein Weib und ich ihr Herr sey«.[46] Tarnows zentrales Thema ist die Destruktivität der Leidenschaft. Die ausgeblendete Sinnlichkeit kommt nur negativ, als Aggressivität, ins Bild.

Thorildes – trotz allem vorhandene – Religiosität rettet sie an diesem prekären Punkt vor einer Selbstpreisgabe. Der vorgebliche Liebhaber erscheint ihr folgerichtig als »Teufel«. Hilfesuchend wendet sie sich an ihren ›Vater‹:

Mein Freund, mein Gatte, mein Vater, o mein Vater, in deine Arme werfe ich mich. Eile zurück, schütze mich vor der Gewalt eines Teufels, dessen Bosheit mein ganzes Wesen finster umgewandelt, mich mir selbst unkenntlich gemacht hat.[47]

Als Vaterfigur repräsentiert der Ehemann alle Facetten der Männlichkeit, bis auf die des Liebhabers. Seine einseitig-rationale Weltklugheit verleitet ihn, die Liebe für ein Werk der Überspannung zu halten. Gerade das Fehlen wahrer Liebe in ihrem Leben hatte Thorilde aber für die Beteuerungen der Leidenschaft anfällig gemacht. Diese erschüttert ihre ganze, bis dahin auf Vernunft gegründete Selbstsicherheit, entfremdet sie sich selbst. Der Schmerz der enttäuschten Liebe wirft sie aufs Krankenlager. Die Krankheit – ein unmißverständliches Signal für die Krise und für einen Wendepunkt im Leben der Heldin – wird vom Grafen nicht als das erkannt, was sie ist: eine Folge der Beschneidung lebenswichtiger Funktionen. Nach der Gesundung schließt sich die folgsame ›Tochter‹ seinem Urteil an. Resignierend schwört sie ihrem Traum vom Glück der Liebe ab: »frei will ich bleiben von der kleinlichen Schwäche eines Irrwahns«.[48]

Bevor nun die negative Wendung in Thorildes Leben eintritt, erörtert die Erzählerin kurz am Beispiel einer Binnenerzählung ihre Auffassung des Verhältnisses zwischen Freiheit und Tod: Ein junger Mann und eine junge Frau finden ineinander die große Liebe des Lebens. Da die Frau verheiratet und eine Scheidung nicht möglich ist, trennen sich beide. Sie beginnt daraufhin zu kränkeln und an Auszehrung zu leiden. Als

ihr Ehemann stirbt, und dem Glück scheinbar nichts mehr im
Wege steht, ist es schon zu spät: »Ihr war ein schöneres Loos
beschieden als das Glück ihrer Liebe an der Sicherheit des Be-
sitzes und der erkältenden Wirklichkeit verbleichen zu sehen.«[49]
Der Tod rettet sie vor einer Desavouierung des Ideals durch
die Wirklichkeit. Allein die Todesnähe erlaubt ein Erfassen der
Liebe in ihrer ganzen Idealität, die die Dauer eines Lebens zerstören würde: »O wenn Liebe Leben ist, wo lebt es sich dann
schöner als am Rande des Grabes, [...] nur am Grabe ist man
frei!«[50] Nur der Augenblick des Todes rechtfertigt den Glauben an die Ewigkeit und an die alles übersteigende Intensität
der Liebe. Die desillusionierte Bewertung der alltäglichen Wirklichkeit bereitet Tarnows Theorie des Aufschubs vor:

Die Erfüllung unserer Wünsche ist nicht immer ein Glück; allein die
Fähigkeit, wünschen zu können, ist es, wenigstens in jener Lebenszeit, wo sich so süß alle unsere Hoffnungen noch in Einer vereini-
gen. Der Augenblick der Erfüllung dagegen ist ja immer der der
Zerstörung unserer Hoffnung, statt deren dann, im Besitz des ge-
wünschten Gutes, Furcht und Zweifel uns an die Herrschaft des
Wechsels hienieden mahnen.[51]

Selten wird so klar die Erfüllung mit der Zerstörung der Wünsche gleichgesetzt. Eine Erkenntnis, die die Romane von Frau-
en zwar implizit voraussetzen und illustrieren, indem sie die
Entsagung heroisieren und damit eine Aufrechterhaltung des
Begehrens herbeiführen,[52] die sie aber so gut wie nie aussprechen.

Die Reflexionen der Erzählerin über den Zusammenhang
von Freiheit, Tod und Idealität der Liebe leiten über zum zweiten Teil des Romans, der die Verhinderung der Liebe durch die
Konvention behandelt. Thorilde nimmt nach dem Tod ihres
Mannes und dem Verlust ihres Vermögens die Stelle einer Gesellschafterin an. Es ergibt sich – mit vertauschten Rollen – eine
ähnliche Situation wie in der zuvor eingeschobenen Binnen-
episode: Thorilde und der Bruder ihrer Dienstherrin verlieben
sich ineinander. Er jedoch ist mit einer anderen Frau verlobt
und heiratet, nicht zuletzt auf Anraten Thorildes, diese aus
Pflichtgefühl. Zuvor besorgt er für Thorilde einen mit seinem
Trauring identischen Ring. Durch eine Verwechslung erhält
Thorilde den echten Ring, so daß sie symbolisch mit dem Geliebten den Bund fürs Leben schließt – während er tatsächlich

mit einer anderen Frau verheiratet ist. Die Ringsymbolik ent-
lastet einerseits von der Schuld einer verbotenen Liebe und
verweist andererseits auf die Eigengesetzlichkeit der Liebe. So
argumentiert der anderweits gebundene Geliebte:

[...] für mich giebt es kein Gesetz mehr als meine Liebe, und im Himmel und auf Erden keinen Richterstuhl als den ihrigen. Ich weiß es,
daß sie mich über die Gränze aller Moral und aller Sitte gerissen hat
– aber ist es meine Schuld, daß ich mit der leidenschaftlichsten Anbetung bis zum Wahnsinn liebe? – und kann man denn auch anders
lieben? [...] wie darf denn irgend ein Gesetz sich über eine Leidenschaft erstrecken, die außer der Macht jedes Gesetzes liegt?[53]

Nicht die (ehebrecherische) Liebe, sondern ihre Verkennung
als »höchste[s] Gesetz«[54] sei frevlerisch. Die immer präsente
Erzählerin verurteilt den Bruch des ehelichen Treueschwurs
zugunsten der Leidenschaft nicht. Thorilde jedoch bleibt unter
dem Hinweis auf Ehre und Pflichterfüllung standhaft. Der Preis
für ihre Tugendhaftigkeit ist hoch: Dem Verzicht auf das Glück
folgt der soziale Abstieg. Als sie schließlich erfährt, daß der
Geliebte aus Verzweiflung zum Säufer, Spieler und Wüstling
wurde, wird sie wahnsinnig. In »unheilbarer Raserei«[55] wird
sie in die öffentliche Irrenanstalt eingeliefert.

Obwohl also die Heldin ihr ganzes Leben lang treu der »Liebe zur Tugend« huldigt, ist sie »nie glücklich«.[56] Zuletzt ist sie
von einer »finstere[n] Bitterkeit gegen die Tugend« erfüllt, die
ihr das Opfer ihres Lebensglücks abforderte: Sie vollzieht »das
ihr durch die Pflicht verkündete Gebot murrend, wie den Be-
fehl eines despotischen, innerlich gehaßten Gebieters«.[57] Doch
die Auflehnung gegen das aufklärerisch-vernünftige Weltbild,
das Thorilde im Zusammenleben mit ihrem ersten Ehemann
verinnerlichte, erfolgt zu spät. Die Botschaft von Tarnows Roman lautet: Der Konflikt zwischen individuellem Glücksan-
spruch und allgemeiner Moral führt zur Vernichtung des Individuums und entlarvt die Tödlichkeit einer Pflichtethik, die
Glück und Tugend zu verschmelzen vorgibt. Der Grund für
das Scheitern der Heldin liegt darin, daß die »erhabensten Vor-
schriften der Moral« nicht nur den Verzicht auf Glück bedeuten, sondern vielmehr unmittelbar »sittliche[s] Verderben«[58]
nach sich ziehen. *Thorilde von Adlerstein* decouvriert die Hybris eines auf der Vernunft gegründeten, universalen Tugend-
gebots. Gerade aufgrund des Allgemeingültigkeitsanspruchs

dieses Gebots kann die leidenschaftliche Liebe als höchste Gewalt reüssieren. Der Glaube erscheint nur ex negativo als Desiderat.

Doch gerade in der Größe der Verzweiflung liegt für Tarnow die Gewähr dafür, daß der Glaube Trost zu spenden vermag. In diesem Sinne will sie den Roman gelesen wissen und in diesem Sinne will sie ihn auch geschrieben haben:

> Um mich selbst in dieser Zuversicht [zu Gott] zu stärken, um sie lebendiger in mir zu entwickeln, schrieb ich Thorilde zu einer Zeit, wo ich mit einem furchtbaren Seelenschmerz zu kämpfen hatte, und ich verdanke ihr viel von der freudigen Klarheit, die sich in den Erzählungen des folgenden Bandes [...] ausspricht.[59]

In der therapeutischen Funktion, sowohl was die Rezeption als auch die Produktion betrifft, liegt für sie die Bedeutung eines Romans, der mit aller Schärfe die verlogene Doppelmoral der Gesellschaft geißelt und damit eben die Kraft des Glaubens in Frage stellt, die er angeblich erzeugen soll. Ein Wiederabdruck ist für Tarnow – aus inneren und äußeren Gründen – nur möglich, indem sie dem Buch den kritischen Stachel nimmt, den es zweifellos hat. Als Frau und Berufsschriftstellerin hat sie sich den Gesetzen des literarischen Marktes zu unterwerfen, wenn sie Erfolg haben will. Das weibliche Themenspektrum ist im wesentlichen auf den familiären und sozialen Bereich eingeschränkt, wobei sich eine wissenschaftlich oder gesellschaftskritisch orientierte Perspektive von vornherein ausschließt. Tarnow fügt sich im allgemeinen dieser Regel, schon weil sie selbst von der ›heiligen Unschuld‹ des weiblichen Wesens überzeugt ist. Doch ist sie sich auch der dadurch entstehenden Einschränkungen bewußt. In ihrem Tagebuch äußert sie:

> Wenn ich mir die Gewißheit verschaffen könnte, daß mein Name verborgen bliebe, ja vor meinem Tode nie verrathen würde, so möchte ich einen Roman schreiben, wie ihn noch nie eine Frau abgefaßt hat, noch abfassen wird; denn er sollte zur Aufklärung des gefährlichen Irrthums dienen, dem man bis jetzt in Bezug auf die Treue nachgeht; man beachtet nämlich nur immer die äußeren Folgen der Verirrungen, und doch ist der Einfluß auf Gesinnung, Glauben, Idealität und Willenskraft viel größer, wichtiger und dazu auch ganz unvermeidlich. Die äußeren Folgen sind mit den inneren, in Bezug auf Seele und Gemüth, in gar keinen anderen Vergleich zu stellen.[60]

Tarnow bezieht sich in diesem Passus auf die ihrer Meinung nach falsche Darstellung der Liebe in der zeitgenössischen Literatur und Philosophie. Meist werde die Hingabe der Frau überbewertet, Keuschheit dagegen als falsche Tugend diffamiert. So habe sie selbst »diese Hingebung denn auch immer romantisirt, und in der Bewahrung der weiblichen Unschuld eine Unnatur gesehen, die die bürgerlichen Verhältnisse zur Nothwendigkeit der Klugheit machen«.[61] Dieser Standpunkt aber verkenne die Komplexität des weiblichen Gefühls der Treue: hierbei handle es sich nicht nur um Treue in der Liebe, sondern um die grundsätzliche Integrität des weiblichen Wesens. Werde diese erschüttert, so seien alle »äußeren Folgen« nur peripher im Vergleich mit den Auswirkungen auf die gesamte Identität – »Gesinnung, Glauben, Idealität und Willenskraft« – der Frau. Über diese weitgehenden, psychologischen Folgen der Untreue hätte Tarnow gerne einen Roman geschrieben, wenn ihre Anonymität gesichert gewesen wäre – teilweise, was die Folgen falsch verstandener Treue und Pflichterfüllung angeht, verwirklichte sie das Vorhaben in *Thorilde von Adlerstein*.

Tatsächlich zeichnen sich Tarnows Texte, will man diese überhaupt loben, durch psychologischen Scharfblick aus. Sie ist sich darüber selbst im klaren: »(I)ch habe kein schaffendes Genie, keine neuen Ideen, es ist alles nur angeeignet. [...] Anders ist es mit dem, was sich auf Empfindungen bezieht! Hier bin ich reich in mir selbst, durch mich selbst.«[62] Um Empfindungen schildern zu können, bedarf es jedoch eines Rahmens. Tarnow wählt in der Regel konventionelle Personenkonstellationen, häufig Dreiecksbeziehungen, in denen das Konfliktpotential am offensichtlichsten vorgegeben ist. Ihr Werk läßt sich grob in zwei Gruppen mit einem jeweils anderen Erzählschema einteilen: Auf der einen Seite werden Protagonistinnen entworfen, die – häufig vor dem Hintergrund einer starken Vaterbeziehung – von einer leidenschaftlichen Liebe ergriffen werden. In der Liebe äußert sich ihr Anspruch auf individuelles Glück und Selbstverwirklichung: ein Anspruch, der an den sozialen Gegebenheiten prinzipiell scheitert. Krankheit und Tod sind das Schicksal dieser Heldinnen. Auf der anderen Seite dominieren solche Frauenfiguren, die – meist vor der Folie einer starken Mutterbindung – ihren Träumen von Liebe und Glück entsagen und auf der Basis des Glaubens zu einem zufriedenen und ver-

gleichsweise erfüllten Leben in der Gesellschaft finden. Dem
Konzept romantischer Liebe als der geglückten Selbstverwirklichung beider Geschlechter in der Liebesehe erteilt Tarnow eine
Absage: in keiner ihrer Erzählungen zeichnet sie davon ein
positives Bild.

Der thematischen Konzentration auf »Empfindungen« entsprechen idealiter sowohl der Produktions- als auch der Re-
zeptionsprozeß. Wurde in der Erzählung *Das Ideal* ein distanz-
loser, emotiver Nachvollzug als angemessenste Art der Lektüre favorisiert, so gilt Ähnliches für Tarnows Schreiben. Ihre
bereits oben zitierte Behauptung »Mein Gefühl war meine
Muse« gewinnt an praktischer Bedeutung, wenn man das Tagebuch hinzuzieht. Hier heißt es etwa:»Gestern morgen vollendete ich den ersten Abschnitt meiner Natalie und las ihn mir
laut vor. Es sind Stellen darin, die ich unter heißen Thränen
geschrieben habe und die ich nie ohne Thränen werde lesen
können.«[63] Schreiben – wie auch Lesen – dient der unmittelbaren Vergegenwärtigung des Ursprungsaffekts. Daß Schrift immer nur die Stelle der Repräsentation einnehmen kann, wird
ausgeblendet. Tarnow scheint das Schreiben als eine Art prä-
sentischer Wiederholung zu verstehen, die die Illusion der
Authentizität vermitteln soll. Die Gewähr dafür liefert das
Gefühl, das mit der immer gleichen Intensität reproduziert wird
und das als solches in den Text eingeht. Die bereits in der Empfindsamkeit bekannte Tatsache, daß der Anschein von Unmittelbarkeit, der beim Lesen die Gefühle evozieren soll, nur durch
eine bewußte Handhabung des Mediums Schrift als eines
künstlichen – künstlerischen – Ausdrucksmittels zu bewerk-
stelligen sei, scheint Tarnow zu ignorieren. Sie verfährt meist
nach dem Prinzip, daß die schlichte Behauptung des Affekts
diesem gleichzusetzen sei. Doch es genügt eben nicht zu schreiben: »Sie litt unsäglich.« Gerade die Unsagbarkeit des Leidens
oder auch der Liebe – übrigens ein beliebter Topos – muß in
Sprache übersetzt, ›sagbar‹ gemacht werden; Goethe fand schon
im *Werther* dafür Ausdrucksmöglichkeiten – Parenthesen, El-
lipsen, etc. –, bei Tarnow und manchen ihrer Kolleginnen scheinen dagegen solche Mittel sprachlicher Expressivität vergessen zu sein. Dennoch ist sich Tarnow offensichtlich über die
Notwendigkeit künstlerischer Gestaltung von Sprache im klaren, wie anders hätte sie sonst versuchen können, ihre angebli-
che Talentlosigkeit mit dem Hinweis auf die Tiefe ihrer Gefüh-

le auszugleichen. Tatsächlich verhält es sich jedoch umgekehrt: Nicht die Authentizität gelebter Empfindungen wertet das schriftstellerische Unvermögen auf, sondern das ›Schreiben des Gefühls‹ ist – aller Wahrscheinlichkeit nach – für die mangelnde künstlerische Ausdruckskraft verantwortlich. Die Schrift der Tränen erzeugt keine Tränen, solange der Stil davon unberührt bleibt. Hier zeigt sich, in welchem Ausmaß ein kulturelles Stereotyp – Weiblichkeit als authentische Natur, die der Verstellung und ›Kunst‹ unfähig ist – eine individuelle Disposition zu beeinflussen vermag. Nicht der direkte, verobjektivierbare Druck von außen, sondern die Verinnerlichung diffuser Weiblichkeitsnormen führt zur eigentlichen Verhinderung: der sprachliche Gestaltungswille wird erst gar nicht entwickelt, sondern von vornherein als unweibliche Eigenschaft abqualifiziert.

Nun hat Fanny Tarnows einseitiges Beharren auf dem Gefühl als Schreibimpetus sicherlich zwei Seiten: Zum einen zeigt sich darin eine Folge der Verinnerlichung zeitgenössischer Weiblichkeitsnormen, zum anderen aber handelt es sich dabei um eine starke Selbststilisierung zur Rechtfertigung ihres ›unweiblichen‹ Berufs. Das Bemühen, den gängigen Weiblichkeitsvorstellungen zu entsprechen, kostet Kraft. Wie nicht wenige ihrer Kolleginnen wünscht Tarnow sich, ein Mann zu sein: »Ach! warum bin ich ein Weib! warum ward mir in der zerbrechlichen Hülle dieser Geist!«[64] Während der gesamte emotionale Bereich für die Frauen reserviert ist, bleibt der Geist eine männliche Domäne. Der Ausruf Tarnows erinnert spontan an eine ähnliche Äußerung Karoline von Günderrodes: »Warum ward ich kein Mann! ich habe keinen Sinn für weibliche Tugenden, für Weiberglükseeligkeit. Nur das Wilde Grose, Glänzende gefällt mir. [...] ich bin ein Weib, und habe Begierden wie ein Mann, ohne Männerkraft.«[65] Die alte Klage von der Unangemessenheit der eigenen Wünsche kehrt in verschiedener Form immer wieder. Wie Günderrode bedauert auch Tarnow, u.a. im Zusammenhang mit den Befreiungskriegen und in bezug auf Ernst Moritz Arndt, für den sie jahrelang eine unerfüllte Leidenschaft hegte, daß kein weiblicher Heroismus existiere: ohne Bürgerrechte, ohne Heldentum, d.h. ohne soziale und ideelle Möglichkeiten der Selbstbestätigung, bleiben nur die ›tiefen‹ Gefühle, um sich der Einmaligkeit der eigenen Individualität zu versichern.

Tarnow erschreibt sich nicht nur ihr Leben, sondern sie schreibt auch, um zu überleben. Während »die Hand, die euch [die Texte] niederschrieb, [...] bald in Staub zerfallen«[66] sein wird, sollen diese ihr zur Unsterblichkeit in der Nachwelt verhelfen. Sie hofft, daß »die Liebe zum Guten, Schönen und Wahren, die das Herz beseelte, welches sich in euch ausspricht«[67] überdauern möge. Wieder fällt das Stichwort »Herz« als Signum der Individualität der Autorin. Deren Besonderheit soll sich nun aber gerade durch eine ganz allgemeine Tugend auszeichnen: durch die Beförderung der klassischen Trias des »Guten, Schönen und Wahren«. Der unhinterfragbare Normativitätsanspruch dieser Werte soll für die Beständigkeit von Tarnows Werk garantieren. Die Hoffnung erfüllt sich jedoch nicht, Werk und Autorin geraten noch zu deren Lebzeiten weitgehend in Vergessenheit. Es darf mit Recht bezweifelt werden, ob Tarnow jemals aufgrund der moralischen Qualitäten gelesen wurde, mit denen sie ihr Schreiben rechtfertigt und mit denen sie sich zu verkaufen sucht. Ganz entsprechend dem Befund in der Erzählung *Das Ideal*, klaffen Selbst- und Fremdbild auseinander. Umso aufschlußreicher ist ein Selbstporträt, in dem Tarnow sich wie mit fremden Augen sieht:

Fanny Tarnow: verblüht, mit Spuren, daß sie ehemals hübsch war – lebendig theilnehmend an allem, was in diesem Kreise gesprochen wurde – sittig mehr zuhörend als selber sprechend – ach! eine Matrone an Erfahrung und an Herzenswärme noch immer so jugendlich![68]

Die Beschreibung changiert zunächst zwischen der Art, wie Tarnow glaubt, daß sie wahrgenommen wird, und der, wie sie gerne wahrgenommen werden würde, bis sie mit einem »ach« umkippt in die Innenperspektive: das Leiden unter der Diskrepanz zwischen reifer Erfahrung und frischer »Herzenswärme«. Tarnow ist zu dem Zeitpunkt bereits über 40 Jahre alt und steht auf dem Höhepunkt ihres Erfolgs.

Nicht nur, daß sich ihre Bücher gut verkaufen, sondern sie werden auch in zahlreichen literarischen Zeitschriften besprochen. Estermann führt allein 22 Zeitungen und Zeitschriften auf, die zwischen 1820 und 1840 Beiträge über Fanny Tarnow enthalten, darunter so renommierte Organe wie die »Allgemeine Literatur-Zeitung«, die »Zeitung für die elegante Welt«, in der von Tarnow auch eigene Texte erscheinen, die »Blätter für

Literarische Unterhaltung« und selbstverständlich das »Morgenblatt für Gebildete Stände«.[69] Mit anderen Schriftstellerinnen ihrer Zeit steht sie zum Teil in intensivem Kontakt, u.a. mit Amalie von Helvig, Amalie Schoppe und Helmina von Chézy. Allerdings kommt es mit diesen auch zu persönlichen Konflikten. Das beste Verhältnis mit männlichen Kollegen verbindet sie sicherlich mit Friedrich von Fouqué, mit dem sie über lange Jahre einen Briefwechsel führt, mit Friedrich Rochlitz und mit dem Verleger Julius Eduard Hitzig. Ernst Moritz Arndt muß an der Stelle ebenfalls erwähnt werden, auch wenn diese Beziehung wohl nicht auf Gegenseitigkeit beruhte – zumindest nicht in dem Ausmaß, in dem Tarnow es sich wünschte.[70] Tarnow setzt ihm, ihrer ersten großen Liebe, in dem Roman *Natalie* ein Denkmal. Auch die Freundschaft mit Hitzig findet Eingang in ihr Werk: In *Erinnerungen aus Franziskas Leben* faßt sie diese in das Bild eines platonischen Bundes für das Leben, den die Heldin mit dem Arzt Werner schließt, dessen Töchter sie erzieht und dem sie auch dann noch die Treue hält, als sie sich in einen anderen Mann verliebt. Wie immer im einzelnen die Umstände gewesen sein mögen, fest steht, daß Hitzig und Tarnow tatsächlich einen sehr offenen und äußerst vertrauten Umgang miteinander pflegten. Im gleichen Ton, in dem Tarnow ihm ihr Herz ausschüttet – »Sie und nur Sie allein sollen wissen, wie es Ihrer Fanny geht«[71] –, sind auch seine Briefe gehalten: »Gott, meine Freundin! was werden Sie sagen, daß ich über mich mit Ihnen spreche, wie mit Niemand außer Ihnen, als mit unserm Fouqué! – aber es ist mein einziger Trost.«[72] Nikolaus Dorsch vergleicht Hitzigs Briefe an Fanny Tarnow nach dem Tod seiner Frau mit »schriftlichen Selbstbekenntnissen, wie sich keine anderen finden. [...] Diese Anhänglichkeit, dieses Vertrauen mußte fast zwangsläufig zu Liebe werden. Zwar dachte keiner an eine offizielle Verbindung, doch behielt ihr Verhältnis bis zum Tode den Grad seltener Freundschaft.«[73] Hitzig steht bis zum Verkauf seines Verlags im Jahr 1814 im Mittelpunkt des literarischen Lebens. Mit der Übernahme und Veröffentlichung der *Natalie*, von woher auch beider Bekanntschaft datiert, öffnet er Tarnow den Zugang zur literarischen Welt.

Tarnow selbst wiederum verstand sich Jahre später, nachdem sie ihre schriftstellerische Laufbahn bereits abgeschlossen hatte, als Freundin und Mentorin einer sehr viel jüngeren Autorin, Louise von François, die sie in Weißenfels bei ihren Lese-

und Literaturabenden kennengelernt hatte. Auch nach dem
Umzug nach Dessau brach der Kontakt nicht ab: 30 Jahre lang,
bis zu ihrem Tod, standen beide Frauen miteinander in Verbindung. Tarnow ermutigte ihre junge Freundin zum Schreiben.
Sie unterstützte sie sowohl emotional als auch mit praktischen
Ratschlägen. Aufgrund ihrer langjährigen Erfahrungen im Umgang mit Verlagen gab sie Empfehlungen – für den Druck der
gesammelten Erzählungen verweist sie z.B. auf Franz Duncker
in Berlin – und freute sich über François' erstes Honorar, das
auf ihre Vermittlung zurückzuführen war, fast mehr als diese
selbst. Die Zweifel der Jüngeren über ihre Berufswahl versuchte
sie zu zerstreuen: »Ist es denn nicht auch dankenswert, daß Sie
in Ihrem Talent ein ebenso ehrenvolles als einträgliches Mittel
besitzen, sich ein eignes selbständiges Einkommen zu verschaffen? Sie dürfen nicht so kleinmütig sein!«[74] Durch ihren treuen
Beistand hatte Fanny Tarnow nicht unwesentlichen Anteil an
François' schriftstellerischer Karriere.

Adolf Thimme entdeckte dann später Tarnows Briefe und
Tagebücher im nachgelassenen Besitz der Louise von François.
Er stellt Tarnow den großen Frauen der Romantik gleich: mit
»Henriette Herz, Rahel Levin [Varnhagen], Caroline Schlegel
[-Schelling], Therese Heyne [Huber]«.[75] In der Tat lernte Tarnow
Anfang der 20er Jahre Rahel Varnhagen persönlich kennen und
wurde von dieser auch geschätzt. Doch was den »Glanz[...] ihrer
Persönlichkeit«[76] betrifft, so konnte sie mit den Berliner Salonièren wohl kaum konkurrieren. Thimmes Einschätzung erscheint zu euphorisch. Bettine von Arnim wiederum verhielt
sich Tarnow gegenüber deutlich abweisend.[77] Ein heutiges Interesse an Fanny Tarnow rührt weniger aus dem Vergleich mit
den berühmten Zeitgenossinnen, als vielmehr aus den – für
das Gros der damaligen Schriftstellerinnen – typischen Zügen
ihres Schreibens und ihres Selbstverständnisses. Bezeichnend
für die existentielle Rolle des Schreibens für ihr Leben ist das
Bekenntnis zu ihrem Beruf, das sie gegenüber Louise von François äußerte: »(W)ie unabhängig machen uns unsere Dichtungen von der Außenwelt! Was habe ich nicht alles in der Welt
mein genannt, ohne es je zu besitzen! Liebe Luise, ich weiß
nichts Besseres für Sie als literarische Tätigkeit.«[78]

Anmerkungen

1 Thimme, Adolf (1921): In Petersburg vor hundert Jahren. Aus einem Tagebuch von Fanny Tarnow, in: Deutsche Rundschau, Berlin, Bd. 189, S. 83-99, hier S. 83.

2 Groß, Heinrich (1882): Deutschlands Dichterinnen und Schriftstellerinnen, 2. Ausg., Wien, S. 40.

3 Zur Biographie: Bölte, Amely (1865): Fanny Tarnow. Ein Lebensbild, Berlin. – Mendheim, Max (1894): Fanny Tarnow, in: Allgemeine Deutsche Biographie, Leipzig, Bd. 37, S. 399-402.

4 Zit. nach Bölte, Amely (1865): S. 120. Bölte, eine Nichte Tarnows, veröffentlichte in ihrer Biographie Auszüge aus den Tagebüchern ihrer Tante – leider ohne Datumsangabe und mit Zensur aller ihr intim erscheinenden Details. Bölte vernichtete später vier Tagebücher. Nur zwei, die Fanny Tarnow Louise von François vermacht hatte, blieben erhalten und gingen in den Besitz Adolf Thimmes über. Vgl. Thimme, Adolf (1927a): Fanny Tarnow. Eine Skizze ihres Lebens nach neu erschlossenen Quellen, in: Jahrbuch für mecklenburgische Geschichte und Altertumskunde, Bd. 91, S. 257-278, hier S. 263.

5 Zit. nach Bölte, Amely (1865): S. 250.

6 Tarnow, Fanny (1830): Auswahl aus Fanny Tarnows Schriften, Leipzig, 12 Bde., Bd. 13-15 auch unter dem Titel: Novellen.

7 Vgl. Tarnow, Fanny (1830): Bd.1,Vorrede, S. XXXIII.

8 Indiana (1836) und Mauprat (1838).

9 Bölte, Amely (1865): S. 291.

10 Thimme, Adolf (Hg.) (1927b): Aus den Briefen von Fanny Tarnow an Luise von François (1837–62), in: Deutsche Rundschau, Berlin, Bd. 212, S. 223-234, hier S. 226.

11 Bölte, Amely (1865): S. 278f.

12 »Gott hat mir wiederum geholfen. Rein will 2 bis 3 Bändchen von mir in Verlag nehmen – schon gedruckte Erzählungen mit etwas Neuem vermischt; das sichert meine Existenz auf die beiden nächsten Jahre, [...].« Zit. nach Bölte, Amely (1865): S. 240. Es handelt sich um Lilien, 4 Bde., Leipzig 1821–1823.

13 Vgl. insb. Bölte, Amely (1865): S. 248f.

14 Der unterwürfige Ton – die Beflissenheit des ganzen Briefes (siehe Abb.) – spricht für die Bedeutung Cottas. Schiller Nationalmuseum/Deutsches Literaturarchiv, Cotta-Archiv (Stiftung der Stuttgarter Zeitung), Marbach am Nekkar/Biefe Fanny Tarnow Nr. 10.

15 Tarnow, Fanny (1848): Zwei Jahre in Petersburg. Aus den Papieren eines alten Diplomaten, Leipzig, 1833, S. XXXVIII. Ariane Neuhaus-Koch sieht in der von Tarnow bis ins hohe Alter favorisierten »idealistisch-überhöhte[n] Liebesphilosophie« einen entscheidenden Unterschied zwischen ihr und Bettine von Arnim sowie den Vormärz-Autorinnen. Neuhaus-Koch, Ariane (1990): Bettine von Arnim im Dialog mit Rahel Varnhagen, Amalie von Helvig, Fanny Tarnow und Fanny Lewald, in: »Stets wird die Wahrheit hadern mit dem Schönen.« Festschrift für Manfred Windfuhr zum 60. Geburtstag, Köln, Wien, S. 103-118, hier S. 112.

16 Zit. nach Bölte, Amely (1865): S. 215f.

17 Tarnow, Fanny (1830): Bd.12, S. 122.

18 Ebd.: Bd.12, S. 159.

19 Ebd.: Bd.12, S. 148.

20 Ebd.: Bd.12, S. 145.

21 Ebd.: Bd.12, S. 167.

22 »so viele Männer der jetzigen Zeit [erheben] unser Geschlecht nur so hoch [...], um sich desto eitler in der phantastischen Huldigung bespiegeln zu können, die sie ihm darbringen.« Tarnow, Fanny (1830): Bd 12, S. 159. Barbara Becker-Cantarinos Aufdeckung der Janusgesichtigkeit der frühromantischen Weiblichkeitsideologie findet hier eine frühe Vorwegnahme. Vgl. Becker-Cantarino, Barbara (1979): Priesterin und Lichtbringerin. Zur Ideologie des weiblichen Charakters in der Frühromantik, in: Die Frau als Heldin und Autorin: Neue kritische Ansätze zur deutschen Literatur, hg. von Wolfgang Paulsen, Bern, München, S. 111-124.

23 Tarnow, Fanny (1830): Bd.12, S. 181ff.

24 Ebd.: Bd.1, S. XXXII.

25 Bölte, Amely (1865): S. 260.

26 Tarnow, Fanny (1830): Bd.12, S.186.

27 Ebd.: Bd.12, S. 149.

28 Ebd.: Bd.12, S. 125f.

29 Tarnow, Fanny (1830): Bd.1, S. XXXII.

30 Ebd.: Bd.12, S. 182.

31 Vgl. das Kapitel über Fanny Tarnow in: Wägenbaur, Birgit (1996): Die Pathologie der Liebe. Literarische Weiblichkeitsentwürfe um 1800, Berlin, S. 94-194, hier S. 179-182.

32 Thimme, Adolf (1921): S. 85.

33 Bölte, Amely (1865): S. 262.

34 Vgl. Bölte, Amely (1865): S. 260.

35 Tarnow, Fanny (1830): Bd.1, S. XXXII.

36 Ebd.: Bd.1, S. XXXII.

37 Tarnow, Fanny (1848), S. XXXVII.

38 Vgl. Wägenbaur, Birgit (1996): S. 126-139.

39 Tarnow, Fanny (1830): Bd.1, S. XXXIIIf.

40 Tarnow, Fanny (1816): Thorilde von Adlerstein oder Frauenherz und Frauenglück. Eine Erzählung aus der großen Welt, Leipzig, S. 2.

41 Ebd.: S. 2.

42 Ebd.: S. 25f.

43 Ebd.: S. 31.

44 Ebd.: S. 32.

45 Ebd.: S. 85.

46 Ebd.: S. 76.

47 Ebd.: S. 87f.

48 Ebd.: S. 96.

49 Ebd.: S. 112.

50 Ebd.: S. 113.

51 Ebd.: S. 122.

52 So z.B. in einem der Vorbilder des deutschen Frauenromans, in Rousseaus Nouvelle Heloise: Julie entsagt St. Preux, um ihn bis zu ihrem Tod lieben zu können. Vgl. die These von Gallas, Helga (1990): Ehe als Instrument des Masochismus oder ›Glückseligkeits-Triangel‹ als Aufrechterhaltung des Begehrens? Zur Trennung von Liebe und Sexualität im deutschen Frauenroman des 18.

Jahrhunderts, in: Untersuchungen zum Roman von Frauen um 1800, hg. von Helga Gallas und Magdalene Heuser, Tübingen, S. 66-79.

53 Tarnow, Fanny (1816): S. 210.

54 Ebd.: S. 255.

55 Ebd.: S. 292.

56 Ebd.: S. 212.

57 Ebd.: S. 212.

58 Ebd.: S. 283f.

59 Tarnow, Fanny (1830): Bd.1, S. XXXIIIf.

60 Zit. nach Bölte, Amely (1865): S. 282.

61 Zit. nach ebd.: S. 281.

62 Ebd.: S. 96.

63 Zit. nach ebd.: S. 64. Daß Tarnow hier nicht nur metaphorisch spricht, bezeugt ein Brief Hitzigs über das Romanmanuskript: »Thränenspuren in der Handschrift haben mir gezeigt, welche Theilnahme sie ihrem Schicksal schenkten.« Zit. nach Dorsch, Nikolaus (1994): Julius Eduard Hitzig. Literarisches Patriarchat und bürgerliche Karriere. Eine dokumentarische Biographie zwischen Literatur, Buchhandel und Gericht der Jahre 1780–1815, Frankfurt a. Main, Berlin, u.a., S. 253.

64 Ebd.: S. 92.

65 Karoline von Günderrode in ihrer Umwelt II. Karoline von Günderrodes Briefwechsel mit Friedrich Karl von Savigny und Gunda von Savigny, hg. von Max Preitz (1964), in: Jahrbuch des Freien Deutschen Hochstifts, S. 158-235, hier S. 171.

66 Tarnow, Fanny (1830): Bd.1, S. XXXV.

67 Ebd.: Bd.1, S. XXXV.

68 Zit. nach Bölte, Amely (1865): S. 254.

69 Estermann, Alfred (1978–1981): Die deutschen Literatur-Zeitschriften. 1815–1850, Nendeln, 10 Bde.

70 Es ist nicht überliefert, welche Gefühle Arndt für Tarnow hegte, immerhin hatte er aber noch 1830 ihre Werkausgabe subskribiert. Vgl. dazu die – allerdings sehr einseitige – Darstellung von Gülzow, Erich (1919/20): Beiträge zur Arndtforschung. 1. Ernst Moritz Arndt und Fanny Tarnow, in: Unser Pommerland. Illustrierte Monatsschrift für heimatliche Literatur, Kunst und Wissenschaft, für wirtschaftliches Leben und Volkswohlfahrtspflege, hg. von Arnold Koeppen, 5. Bd., S. 173-180.

71 Brief aus St. Petersburg an J. E. Hitzig. Zit. nach Bölte, Amely (1865): S. 165.

72 Zit. nach Dorsch, Nikolaus (1994): S. 279.

73 Ebd.: S. 253.

74 Zit. nach Thimme, Adolf (1927b): S. 233.

75 Thimme, Adolf (1927a): S. 259.

76 Ebd.: S. 259.

77 Vgl. Neuhaus-Koch, Ariane (1990): S. 111.

78 Zit. nach Thimme, Adolf (1927b): S. 232.

Gabriele Schneider

»Arbeiten und nicht müde werden.«[1]
Ein Leben durch und für die Arbeit

Fanny Lewald (1811–1889)

Die preußisch-jüdische Schriftstellerin Fanny Lewald zählte zu den bedeutendsten und bestbezahlten Prosa-Autorinnen ihrer Zeit. Sie fand nationale und internationale Beachtung und führte über fast vier Jahrzehnte hinweg einen politisch-literarischen Salon, der sich als ein sozio-kulturelles Zentrum Berlins etablierte. *Die biographischen Voraussetzungen* ließen diese Karriere nicht ahnen. Fanny Mathilde Auguste Marcus – die Familie nimmt Anfang der 30er Jahre den Namen Lewald an – wird am 24.3.1811 in Königsberg als ältestes von acht lebenden Kindern des jüdischen Kaufmanns David und seiner Frau Zipora Marcus geboren. Obwohl sie in einem assimilierten jüdischen Haushalt aufwächst, der den Anschluß an die christliche Gesellschaft sucht, bleibt ihr durch die Judenverfolgungen des Jahres 1819 die Erfahrung des Außenseitertums nicht erspart. Außenseiterin bleibt sie auch, was ihre Bildungschancen angeht: Zwar besucht sie von 1817–1824 eine Privatschule in Königsberg und entwickelt sich zur eifrigen und leistungsstarken Schülerin, doch ihre Bildung wird über den Elementarbereich nicht fortgesetzt, die preußischen Schulgesetze sehen dies für Mädchen nicht vor. Ihr Bildungseifer wird vom Vater unterstützt, er übernimmt für sie die Rolle des Leselehrers,[2] der ihre Lektüre nach dem Bildungs-, nicht nach dem Leselustprinzip bestimmt: Poesie, Balladen, Märchen, Dramen Schillers und Goethes; Romane sind verboten, gelten aufklärerischen Pädagogen als verwerflich. Fannys ausgeprägte Phantasie – ein erster Hinweis für eine früh vorhandene, aber unterdrückte schriftstellerische Begabung – wird, ebenso wie die Lektüre, streng diszipliniert; eine Kompensation für nicht mögliches

Fanny Lewald

(berufliches) Handeln durch Lektüre und Schreiben ist nicht intendiert, im Gegenteil: Während ihre jüngeren Brüder Moritz und Otto Schule und Universität besuchen, bleibt ihr nur der Rückzug in die Privatsphäre der bürgerlichen Familie; ihr Leben verläuft nach einem rigiden Zeitplan, der neben Handarbeit, Hausarbeit, Musikstunden und dem Wiederholen des Schulwissens keine Entfaltungsmöglichkeiten zuläßt. Weder die vorwiegend protestantische Gesellschaft Preußens, noch die jüdische Tradition ihres Elternhauses und ihrer unmittelbaren Umgebung lassen das eigenständige Leben einer Frau zu. Fannys Wunsch, sich als Erzieherin oder Gouvernante selbst den Lebensunterhalt zu verdienen, weist der Vater zurück mit dem Hinweis auf ausreichend vorhandene Tätigkeit innerhalb des Hauses: Fanny übernimmt als Älteste die Rolle der Miterziehenden ihren fünf jüngeren Schwestern gegenüber, denn die Mutter ist durch zahlreiche Schwangerschaften geschwächt und stirbt früh (1841). In ihrer *Lebensgeschichte* bezeichnet Fanny Lewald diese Zeit selbst als ihre »Leidensjahre« und fordert als Ausweg die »Emanzipation der Frau zu Arbeit und Erwerb«. Erste Liebesbeziehungen enden unglücklich. Mit 16 lernt sie, die Jüdin, den protestantischen Pfarramtskandidaten Leopold Bock kennen; zwei Jahre lang betrachtet sie sich stillschweigend als seine Verlobte, bis der Vater ohne Angaben von Gründen von ihr verlangt, die Affäre zu beenden. Die Aufarbeitung dieser konfliktreichen, durch Glaubens- und Charakterunterschiede der Partner stark belasteten Beziehung und ihres abrupten Endes erfolgt Jahre später in dem Roman *Jenny*. Eine zweite Liebe Fannys, die zu ihrem Vetter, dem Breslauer Liberalen und späteren Vertreter des Paulskirchenparlaments Heinrich Simon, ist ebenso tragisch, denn sie wird nicht erwidert. Eine Konvenienzehe, die der Vater ihr 1836 nahelegt, lehnt sie ab, eine Heirat ohne Liebe kommt für sie nicht in Frage, gleicht der Prostitution, wie Fanny 1843 in ihrem ersten Roman *Clementine* argumentiert. 1845 trifft Fanny Lewald auf einer Reise nach Rom endlich den Partner fürs Leben, den Oldenburger Gymnasiallehrer Adolf Stahr, verheiratet und Vater von fünf Kindern. In ihrem Roman *Eine Lebensfrage* (1845) hatte sie kurz zuvor für die Möglichkeit der Ehescheidung plädiert und dabei eine Situation geschildert, die den jahrelangen Kampf um Stahrs Scheidung antizipieren sollte. Neun Jahre lang lebt sie aufgrund ihrer nicht legalisierten Beziehung im Konflikt mit

der bürgerlichen Gesellschaft, doch der Einsatz lohnt sich. In
Stahr findet sie einen Partner, bei dem sie sich als Frau und als
Schriftstellerin verwirklichen kann und der sie und ihre intellektuelle Leistung anerkennt; dieses Glück hatte eine Sophie
Mereau in ihrer Beziehung zu Clemens Brentano nicht gekannt.
– Die glücklichsten Monate ihrer Jugend erlebt Fanny Lewald
1832/33 auf einer elfmonatigen Reise durch Deutschland zusammen mit ihrem Vater. In Berliner Museen wird ihr Interesse für Kunst geweckt, das Hambacher Fest weckt nationale
Bestrebungen, ein Aufenthalt bei liberalen Verwandten in Breslau die Begeisterung für avantgardistische Literatur, zeitgenössische Romane der Franzosen und des Jungen Deutschland.
Neben Skizzen zu Erzählungen »zwischen Gedanken an Kü-
che und Speisekammer«[3] und Märchen für kranke Geschwister[4] sind ihr vor allem Briefe an ihren Vetter Heinrich Simon
und seine Verwandten, sowie an den ebenfalls verwandten
August Lewald, Publizist und literarischer Entdecker Fannys,
stets willkommene Anlässe zum Schreiben, Möglichkeiten, produktiv und kreativ zu sein.[5] Der Brief als ihr originäres literarisches Medium dient Fanny Lewald zum Einüben in literarische Produktion.

In ihrem *Schreibmotiv* koppelt Fanny Lewald den Wunsch
nach Selbstbefreiung mit dem Wunsch nach allgemeiner Emanzipation. Wie viele schriftstellerische Karrieren beginnt auch
die Fanny Lewalds mit Beiträgen für Journale: 1840 veröffentlicht August Lewald in der von ihm herausgegebenen Zeitschrift »Europa« ohne ihr Wissen ihre Beschreibung der Hul-
digungsfeier für Friedrich Wilhelm IV. unter dem Titel *Briefe
aus Königsberg*. Die journalistische Honorierungspraxis – es
wurde in der Regel bar und sofort gezahlt – gibt der jungen
Autorin nach der Veröffentlichung ihrer ersten Erzählung *Modernes Märchen*[6] unmittelbar das Gefühl der Selbständigkeit:
»Mein Vater schickte mir, wahrscheinlich um mir ein Vergnügen zu machen, durch seinen Lehrling den Betrag meines ersten Honorars in harten Talerstücken herauf ...« Mit acht Talern hat sie nun die Gewißheit, »daß ich von diesem Tage an
beginnen werde, für Geld zu arbeiten, um mir mein Brot einmal selber zu erwerben.«[7] – Schon bald entwickelt Fanny ein
erzählerisches Konzept, das dem Schriftsteller im Gegensatz
zur autonomen Kunstperiode eine politisch-soziale Funktion
zuweist als Aufklärer und Pädagoge, der gestaltend auf seine

Zeit Einfluß nimmt und Partei bezieht. »Von meinem ersten kleinen Roman an ... habe ich es als meine höchste Aufgabe betrachtet, in meinen Arbeiten dichtend den Zwecken und Tendenzen zu dienen, welche mir Ideal und Religion sind.«[8] Sie steht damit in der Tradition Heines und des Jungen Deutschland, bezieht ihre Anregungen und Ideen für eine neue Zeit aus der liberalen Zeitschrift »Hallische Jahrbücher« der Linkshegelianer Arnold Ruge und Theodor Echtermeyer. Als einen typischen Aspekt einer weiblichen Ästhetik früher Romanautorinnen nennt Magdalena Heuser die didaktische Zielsetzung,[9] die auch bei Lewald unverkennbar ist. Sie hat die Absicht, zu verbessern, zu erziehen und zu einer Veränderung gesellschaftlicher Verhältnisse beizutragen. In ihrer pragmatisch-orientierten Literaturauffassung, die eine Wechselbeziehung zwischen Literatur und Leben postuliert, dominiert der »Roman des Lebens«, eine lebensnahe Prosa. Fast alle Romane und Erzählungen Lewalds sind solche »Geschichten, die das Leben schrieb«, der authentische Charakter wird häufig betont. Diese Nähe zur Empirie grenzt sie ab vom empfindsamen Schwärmer, ihre Arbeitsweise vom romantischen Genie. Der Aspekt des *delectare* kommt in ihrem Werk allerdings nicht zu kurz. Lewald schreibt auch zur Unterhaltung, für andere und für sich selbst:

Sehe ich auf meine eigene langjährige schriftstellerische Thätigkeit zurück, frage ich mich, wie es sich mit den Vorwürfen für meine verschiedenen Arbeiten verhalten habe, und wie ich überhaupt zu dem erfindenden Darstellen gekommen bin, so begegne ich zuerst der Lust am Fabuliren [...] ich schrieb gelegentlich die oder jene kleine Geschichte auf, um mir die Zeit zu vertreiben [...] Ich glaube, man vergißt es leicht, daß des erzählenden Dichters Beruf und Müssen zunächst eben jenes ›Fabuliren‹ ist ...[10]

Das Themenspektrum Fanny Lewalds ist breit gefächert und spiegelt ihre Vorstellungen nach gesellschaftlicher Veränderung auf der Grundlage der Menschenrechte und einer allgemeinen Emanzipation wider. Häufig benutzt sie die Form des bürgerlich-moralischen Liebes- und Familienromans als Folie, beschreibt die Welt der bürgerlichen Familie als Keimzelle des Staates. Gesellschaft muß von innen heraus reformiert werden, private und öffentliche Moral sind miteinander verwoben. Der Stellung der Frau kommt zentrale Bedeutung zu. Liebe, Ehe und Ehescheidung stellen einen Themenschwerpunkt Lewalds dar, die die Praxis der Konvenienzehe von ihrem ersten Roman »Clementine« an anprangert und stattdessen die freie Wahlgemeinschaft gleichberechtigter Partner fordert. Erziehung, vor allem der bürgerlichen Frau, die als Kulturträgerin und Erzieherin neuer Generationen eine wichtige Funktion im Staat übernimmt, ist ein weiteres Thema, dem Lewald sich zeitlebens widmet. Über Bildung und Erziehung der Frau sieht Lewald die Möglichkeit, die unwürdige Versorgungsehe funktionslos zu machen und die Ehe in ihr wahres Recht einzusetzen. Weibliche Berufstätigkeit dient in Lewalds Romanen der Demonstration des »Glücks der freien Selbstbestimmung«.[11] Selbständige Geschäftsfrauen, Frauen in kaufmännischen und handwerklichen Berufen, im Dienstleistungsgewerbe, Sprachlehrerinnen, Gouvernanten, Zeichenlehrerinnen, Handarbeitslehrerinnen, gelegentlich auch Künstlerinnen, die ihren Beruf meist temporär ausüben, verkörpern Lewalds Muster weiblicher Emanzipation, die auf wirtschaftlicher Selbständigkeit der Frau beruht und nicht so sehr die Selbstentfaltung einer George Sand im Auge hat. Die Gesellschaft, die Fanny Lewald anstrebt, kennt weder Glaubens- noch Klassenschranken. Die Emanzipation der Juden im Rahmen einer bürgerlichen Verbesserung der Gesellschaft ist daher ein weiteres, zentrales Anliegen Lewalds. Ihr geht es um staatsbürgerliche Rechte und freie Berufsausübung der Juden, um Assimilation und Integration auf der Basis von Bildung und kultureller Anpassung. Der Ständeausgleich zwischen Adel und Bürgertum ist ein häufig gewähltes Motiv, mit dem Lewald die Überwindung von Klassenschranken fordert. Inbegriff des freien Bürgers und einer modernen Industriegesellschaft ist für Lewald der Kaufmann, der sich nicht selten aus feudaler Abhängigkeit (Leibeigenschaft) emporarbeitet.[12] Idealerweise üben Kaufmann und Unternehmer Lewalds als Vertreter des dritten Standes soziale Verantwortung, sie treffen Maßnahmen, um den sich herausbildenden vierten Stand in das Bürgertum zu integrieren. Lewald stellt konkrete Modelle zur Lösung der sozialen Frage dar (Sozialversicherung),[13] prangert Maßnahmen der Ehebeschränkung für ländliche Unterschichten an[14] und nimmt sich der Dienstbotenproblematik[15] an, ein brennendes Problem, das im Zusammenhang steht mit der Auflösung der traditionellen Arbeitsgemeinschaft des ganzen Hauses. Immer wieder stellt Lewald die historische Entwicklung Deutschlands dar,[16] dabei

motiviert sie die Forderung nach einem deutschen National-
staat mit dem Rückblick auf die Besetzung Preußens und die
Napoleonischen Kriege;[17] die Höhepunkte der liberalen Bewegung – Burschenschaften, Hambacher Fest und 48er Revolution[18] – werden nachgezeichnet. Reiseberichte dienen ihr dazu,
sich kritisch mit Deutschland auseinanderzusetzen, demokra-
tische Rechte einzufordern und soziale Errungenschaften des
Auslands vorzustellen.[19] Ihrem Bildungsauftrag folgend, macht
Fanny Lewald auch Kunst und Kultur des In- und Auslandes
zum Gegenstand ihrer Arbeit; sie greift ein in den literarischen
Diskurs, insbesondere des Realismus, und trägt bei zur Rezeption und Verbreitung zeitgenössischer philosophisch-politischer
Strömungen (Junghegelianismus).[20]

So vielfältig wie die Themen Lewalds sind auch die von ihr
gewählten *Textformen*. Fast jedes Genre, mit Ausnahme der
Lyrik, scheint ihr geeignet. Zwischen den extremen Polen von
Tendenz und zeitloser Ästhetik, Wirklichkeit und Dichtung
bewegt sich ihr Werk innerhalb der Spannbreite von Klein-
kunst und Großroman. Ihren moralisch-volksaufklärerischen
Auftrag setzt Lewald um in Briefen und Feuilletons, Memoiren und Autobiographie, Reiseliteratur, Novellen, Gesell-
schaftsroman, historischem und Künstlerroman, in einer Satire und einem Theaterstück. In späterer Zeit tritt mit der Rahmenerzählung das Spiel mit der Form hinzu. – Die frühen
Romane, etwa *Clementine, Jenny, Eine Lebensfrage* sind jungdeutsche Reflexions- bzw. Tendenzromane mit einem hohen
Rede- und Dialoganteil und dramatischer Struktur. Bildlichkeit
und Metaphorik zeigen zunächst deutliche Anklänge an das
Junge Deutschland. Die Bildbereiche entstammen der Natur
und Meteorologie: der Kontrast von freier und gestalteter Natur (Treibhaus) entspricht politischer Freiheit bzw. Unterdrük-
kung, Morgenrot symbolisiert politisches Erwachen,[21] strömen-
des und reißendes Wasser Freiheit und Ungebundenheit,[22] Gewitter die Revolution. Der Lewald eigene Bildbereich, den sie
für die Darstellung eines gesellschaftlichen Umbruchprozesses
verwendet, ist die Metaphorik des Bauens.[23] Analog zur bildhaften Schreibweise zeigt sie eine Vorliebe für Genrebilder, ein
fester Bestandteil der Biedermeierpoetik, der auch Lewald ver-
haftet bleibt. Biedermeierliche Kleinteiligkeit und mangelnde
epische Integration, das Mischen von Genrebild, Bericht, Dialog, Briefeinlagen, Anekdoten und Erzählerkommentaren

kennzeichnen Lewalds frühen Erzählstil. Besonders gelungen sind ihre zwischen 1845 und 1850 entstandenen Reiseberichte *Italienisches Bilderbuch* (1847), *Erinnerungen aus dem Jahr 1848* (1850) und *England und Schottland* (1851). Das *Italienische Bilderbuch* folgt explizit dem Vorbild der jungdeutschen Reiseliteratur, indem es »möglichst wenig von Kirchen und Bildern und möglichst viel von Land und Menschen«[24] berichtet. Mit der unbefangenen, scheinbar spontanen Brief- und Tagebuchform, dem bunten, impressionistischen Erzählen in kleinen Erzählsegmenten begründet Lewald ihr eigentliches Metier. In ihren Erzählsammlungen *Bunte Bilder* (1862) und *Deutsche Lebensbilder* (1856) führt Fanny Lewald diese Erzählweise fort. Die Novelle als Studie dient ihr ab etwa 1850 der Einübung neuer Erzähltechniken. In ihren *Dünen- und Berggeschichten*[25] wendet sie erstmals die Rahmentechnik an, die ihr die Möglichkeit gibt, eine epische Integration herzustellen, den Eindruck von Einheit und Ganzheit zu vermitteln, die die frühen Tendenzromane und -novellen vermissen lassen. Fanny Lewald dient der Erzählrahmen auch zu poetologischen Reflexionen; in den »Dünengeschichten« äußert sich eine Figur über die Problematik der Ich-Erzählung:

Es ist eine wunderliche Empfindung, vor Andern sein inneres Wesen zu enthüllen, und es mag dies dem Dichter, wenn er am einsamen Arbeitstische sich selbst delectirt, leichter werden, als es dem Erzähler sein kann, der das Auge der Gegenübersitzenden und ihre Aufmerksamkeit auf sich gerichtet sieht. Dazu kommt, daß ich es gar nicht gewohnt bin, vor mir selbst zu sprechen, daß ich von jeher die Romane nicht gemocht habe, in denen die Heldinnen mit pomphaftem Selbstgefühl von ihren bescheidenen Tugenden, und mit lauter Emphase selbstredend in der ersten Person erzählen.[26]

Derartige, in die Romane von Frauen integrierte Äußerungen waren bis dahin noch selten[27] und markieren einen wichtigen Schritt in der Entwicklung der Ästhetik und des (Selbst-) Bewußtseins von Romanautorinnen. Zwar handhabt Lewald mit der Rahmenerzählung eine Technik, die sich bei vielen Autoren des bürgerlichen Realismus wiederfindet, doch eine »realistische« Erzählerin ist sie allenfalls im Hinblick auf ihre Stoffwahl, ihre Themen und Motive aus der bürgerlichen Sphäre. Sie bleibt die subjektive, allwissende Autorin, tritt nicht hinter die handelnden Figuren zurück, spricht sich für eine unmißverständliche Leserlenkung aus: »Man darf nie die höhere Hand vergessen, die das alles weise leitet. Auf diesem Glauben an die Macht und Allwissenheit des [...] Dichters beruht das Behagen des Menschen an der Epik ...«[28] Die Beschäftigung mit der Romandiskussion der Zeit führt dazu, daß Lewald ab ca. 1860 Tendenzromane im Sinne sozialer Anklage aufgibt. Die didaktisch-appellative Erzählweise findet sich nun vornehmlich in nicht-fiktiven Briefen, etwa den erfolgreichen Schriften zur Frauenfrage, den *Osterbriefen*, und *Für und Wider die Frauen*, sowie der Autobiographie *Meine Lebensgeschichte* (1861/62); letztere ist geschrieben in der Absicht, Selbstreflexionen bei den Leserinnen anzuregen und diese zur Nachahmung des eigenen Beispiels der Selbstbefreiung zu ermutigen. Bei Roman und Erzählung tritt, auch im Hinblick auf das Medium der Veröffentlichung (Familienblätter) stärker der Unterhaltungsaspekt in den Vordergrund.

Als ihr Hauptwerk betrachtet Lewald den achtbändigen Roman *Von Geschlecht zu Geschlecht*. Das mehrgleisige panoramische Erzählen eines Familienschicksals, bzw. einer Geschlechterfolge wirkt schwerfällig, die Verknüpfung der Handlungsstränge ist nicht immer geglückt. Eigentlich präferiert Lewald den »roman intime«, die straffe Konzentration auf einen Einzelhelden und seine psychologische Entwicklung, die ihr z.B. in *Das Mädchen von Hela*, der Darstellung eines Dienstmädchenschicksals als vorbestimmter Teufelskreis von Armut, Unwissenheit und Abhängigkeit, hervorragend gelingt. Der Roman *Die Erlöserin* (1873) stellt in seinem Bemühen um Zeitlosigkeit die Absage an das erzählerische Konzept der Tendenzphase und gleichzeitig die Abkehr von Heine als dichterischem Vorbild dar. Hier bemüht sich Lewald um einen zeitlos goethischen Ton, den sie bewußt wählt:

Ich halte ihn für den einzig geeigneten, namentlich für die Darstellung einer Zeit, die fast fünfzig Jahre hinter uns liegt [...] Ich halte mich [...] an mein Vorbild Göthe und ich glaube, daß der stylisierte Roman weniger einem raschen Veralten unterworfen ist, als der ganz realistisch und vielfarbig gehaltene.[29]

In dem Bemühen, eine nur temporäre Geltung ihrer Werke zu vermeiden, nimmt Fanny Lewald ihrer Schreibweise allerdings ihre spezifische Eigenart. Der Verzicht auf das Mischen von Formen, das Impressionistische und Unbekümmerte, das z.B.

in den Reiseberichten und Erzählzyklen zum Ausdruck kommt, trägt dazu bei, daß ihre späten Romane und Erzählungen eher in Vergessenheit geraten als ihre früheren – gerade mit diesen (*Jenny, Italienisches Bilderbuch*) hat sie in den letzten Jahren eine Renaissance erlebt.

Die frühe und die spätere Fanny Lewald unterscheiden sich nicht nur durch ihr unterschiedliches erzählerisches Konzept, sondern auch durch die *Veröffentlichungspraxis*. Ab Mitte der 50er Jahre nimmt sie als Autorin einen festen Platz auf dem deutschen Literaturmarkt ein und erreicht mit ihren Romanen einen breiten Leserkreis. Mit durchschnittlich 1.000 bis 1.250 Exemplaren entspricht die Auflagenhöhe ihrer Werke dem Durchschnitt des 19. Jahrhunderts, der bei 800 bis 1.500 Exemplaren liegt.[30] Da die Preise recht hoch sind, ca. 2–3 Taler Ladenpreis pro Band,[31] sind die Multiplikatoren in erster Linie mehr als 800 Leihbibliotheken, für die ein erheblicher Teil der Verkaufsauflage produziert wird. Der Kreis ihrer Leser und Leserinnen rekrutiert sich, neben den professionellen männlichen Lesern wie bürgerlichen Intellektuellen, Literaten und Rezensenten, vornehmlich aus einem mittelständischen weiblichen Publikum, das zum Kleinbürgertum und zu den Oberschichten geöffnet ist.[32] Weitere Multiplikatoren sind die bildungsbürgerlichen Familienblätter, zeitgeschichtlich, wissenschaftlich, literarisch-kulturell informierende und unterhaltende Zeitschriften, die wie z.B. die »Illustrierte Welt« im Jahresabonnement von 2 Talern bzw. 6 Mark zu beziehen sind, zum gleichen Preis also wie ein Band eines Lewald-Romans im Handel. Ab 1854 erscheinen Lewalds Romane, Erzählungen und Reiseberichte vor der Buchausgabe als Fortsetzungsgeschichten in den Unterhaltungszeitschriften und der überregionalen Tagespresse. Ihre Publikationsorgane sind u.a. die »Gartenlaube«, »Illustrierte Welt«, »Über Land und Meer«, »Westermanns Monatshefte« und die »Deutsche Rundschau«; über diese Zeitschriften mit hoher Auflage (die »Gartenlaube« verzeichnet 1875 382.000, die »Illustrierte Welt« 1867 100.000, »Über Land und Meer« im selben Jahr 55.000, »Westermanns Monatshefte« 1877 15.000 und die »Deutsche Rundschau« 1878 10.000 Abnehmer) erreicht sie Hunderttausende, weitere Zehntausende über die »Kölnische« und »National-Zeitung«, zu deren festen Mitarbeitern sie ebenso zählt wie Levin Schücking und F.W. Hackländer. Wie sie publizieren auch Wilhelm Raabe, Fried-

rich Spielhagen, Paul Heyse, Karl Gutzkow u.a. in der »Deutschen Romanzeitung«, die 1864 mit wöchentlich zwei Fortset-
zungsromanen erscheint.[33] – Lewald hat von jeher das Konzept der Volksbildung vertreten, ab den 50er Jahren dient es
ihr zur Rechtfertigung der Praxis des Fortsetzungsromans, den
sie zuvor abgelehnt hatte:

Es ist mit dem Bruchstücklesen immer ein mißlich Ding [...] Im Allgemeinen aber habe ich eigentlich für die große Menge Nichts dagegen, wenn ihr der Roman sehr allmählich geboten wird. Ich habe
die Erfahrung gemacht, daß sie nur auf diese Weise dazu zu bringen
ist, sich in eine Dichtung ordentlich hineinzudenken und hineinzu-
leben, und ich habe es oft bedauert, daß ich bis vor etwa 14, 15 Jahren es standhaft verweigert habe, meine Romane in Zeitungen erscheinen zu lassen. Die Verbreitung durch dieselben ist unverhält-
nismäßig größer, und die Wirkung auf die Gesamtheit durch die
Zeitungen am Bedeutendsten, und darauf kommt es doch an.[34]

Fanny Lewald publiziert bei namhaften Verlegern, zunächst
durch die Vermittlung August Lewalds bei Brockhaus; zwischen 1849 und 1856 ist der Braunschweiger Eduard Vieweg,
der auch Gottfried Kellers *Neue Gedichte,* den *Grünen Heinrich*
und den ersten Band der *Leute von Seldwyla* verlegt, Herausgeber ihrer Werke, danach für mehr als zwanzig Jahre Otto Janke.
In den siebziger Jahren wechselt sie kurzzeitig zu Wilhelm
Hertz, der auch Keller und Fontane verlegt. Wie diese gehört
Fanny Lewald zu den bestbezahlten Autoren ihrer Zeit. Für
jeden ihrer Romane fordert und erhält sie von »Westermanns
Monatsheften« in den 80er Jahren 3.000 Mark und mehr (Storm
und Spielhagen erhalten von der gleichen Zeitschrift ebenfalls
diesen Betrag, Keller für die »Züricher Novellen« 2.400 Mark
von der »Deutschen Rundschau«).[35] In den letzten Lebensjahren zahlt man ihr Schreibhonorare bis zu 30 Mark pro Manu-
skriptseite; allein für den Vorabdruck ihres letzten Romans *Die
Familie Darner* erhält sie die Summe von 18.000 Mark, der krö-
nende Abschluß einer steilen Schriftstellerkarriere, die 1841 mit
einem Honorar von acht Talern und wenigen Groschen für die
erste gedruckte Arbeit begann. Noch 1847 ist Lewalds finanzielle Lage keinesfalls rosig: zu drei Vierteln muß sie ihren Bedarf von 700–800 Talern jährlich erschreiben, nur 200 Taler stehen ihr aus Zinseinnahmen nach dem Verkauf des väterlichen
Geschäfts zur Verfügung: »Ich bin also doch auf den Erwerb
angewiesen [...], was einer Seits gut, anderer Seits schlimm ist!

[...] also Nichts als die innere Fundgrube, die hoffentlich noch eine Weile ausreicht.«[36] Sie wird ausreichen, doch zunächst ist sie froh, daß ihr die »Königsberger Zeitung« für ein Projekt von Feuilletons ca. 200 Taler jährlich bietet. Die Satire »Diogena«, die bereits während des Erscheinungsjahrs 1847 weitere Auflagen erfährt, verhilft ihr endgültig zum literarischen Durchbruch. Bereits 1854 neidet Gottfried Keller der mittlerweile renommierten Autorin Einkünfte von mehr als 1.000 Talern jährlich,[37] was zu diesem Zeitpunkt allerdings in keiner Relation steht zu den Einnahmen der Großverdienerin der Bühne, Charlotte Birch-Pfeiffer, die »mit ihren aus Romanen aus der dichterischen Arbeit anderer Leute zusammengestohlenen Stücken weit über 50–60000 Thaler an Tantiemen verdient.«[38] – »Mein gutes Fräulein, bei uns muß ein guter Roman von Ihnen drei andere schlechte von anderen Autoren übertragen«[39] versichert der Verleger Brockhaus der Autorin Lewald, die sich ihres Marktwertes durchaus bewußt ist und dieses Wissen geschickt bei Vertragshandlungen einsetzt, z.B. 1876 gegenüber Wilhelm Hertz, bei dem sie ihre »Neuen Novellen« herausgeben möchte:

Ich fürchte bester Herr Herz! wenn wir unsere Angelegenheit von beiden Seiten in der bisherigen Weise behandeln, kommen wir zu keinem Resultat [...] Er[40] machte aus 20 Bogen 2 Bände à 3 Thl Ladenpreis – Sie wollen Einen zu 2 Thl machen. Er sparte, was er immer in Anschlag brachte, den Satz für den Buchdruck – Sie sparen das halbe Papier – er zahlte mir zwei Honorare von denen er 1/3 auf die Romanzeitung u 2/3 auf die 1050 Ex. rechnete. Wie wollen Sie, daß ich das ermittle u Ihnen angeben soll, was Sie zahlen können? – u doch möchte ich, daß die Sache zu Stande käme, u kurz u rasch zu Stande käme. Ich meine also, daß ich sicher nicht zuviel verlange, wenn ich 1200 Mark für den Band bei 1050 Ex. begehre. [...] ich denke, das müßte Ihnen konveniren. Lassen Sie mich Ihre Ansicht darüber wissen, damit ich, wenn wir zu keiner Verständigung gelangen können, was ich sehr bedauern würde, die Sache anderweitig abmache.[41]

Sie zögert nicht, wie dieser Brief zeigt, einen Verleger gegen den anderen auszuspielen. Bereits als junge Schriftstellerin ist sie zu keinen Zugeständnissen bereit. Reimarus, der Herausgeber des »Berliner Kalenders«, muß im Zusammenhang mit der Novelle *Der dritte Stand* mit dem Eingreifen der Zensurbehörde rechnen und bittet um Abänderung eines Dialogs,

ein Anliegen, daß Fanny Lewald unmißverständlich zurück-
weist:

>Nun mein teures Fräulein, wenn wir also nun bald fertig sind, so
sehen wir Ihre schöne Arbeit durch, und finden wir etwas, was uns
bedenklich scheint, so merzen wir das aus, so merzen wir das leicht
aus und ändern es!< Er stand auf, gab mir die Hand und wollte gehen; ich erhob mich ebenfalls, und seine Hand festhaltend, sagte ich:
>Verzeihen Sie, mein Bester, aber eins muß ich Ihnen noch sagen! Da
ich die Novelle geschrieben habe und nicht wir beide, so werde auch
ich allein sie revidiren, und Sie werden dieselbe wörtlich so druk-
ken, wie ich sie geschrieben habe. Eine Zensur von Ihnen erkenne
ich umso weniger an, als bereits die Zensur der Behörden auf unserm Schaffen lastet. Dieser keinen Anstoß zu geben, bin ich Ihnen
schuldig und bin ich bemüht gewesen, im übrigen vertrete ich, was
ich schreibe, und im schlimmsten Falle büßen Sie ihr blindes Zu-
trauen zu Herrn Hofrat Tiek! Ich bin eben ein Kind meiner Zeit, das
hätten Sie wissen können.<[42]

In diesem Bewußtsein eigener Bedeutung und Identität liegt
ein wesentlicher Unterschied zu früheren Romanautorinnen,
und noch in einem weiteren Punkt: in einer auf Selbständigkeit gegründeten *Lebens- und Arbeitssituation*. Lewald bleibt
auch nach ihrer Eheschließung die alleinige Eigentümerin ihrer Werke und deren Erlöses. Ein Ehevertrag vom 25.5.1854
besagt:

... daß das gesamte Vermögen, welches Fräulein Lewald zur Zeit der
Eingehung der Ehe besitzen und später während derselben aus irgend einem Titel, namentlich auch durch Erbschaft, Geschenke oder
Glücksfälle erwerben wird, dergestalt vorbehalten im Sinne des Allgemeinen Landrechts für die Preußischen Staaten sein soll, daß ihr
allein ohne Einwilligung oder Zuziehung des künftigen Ehemannes
die Verwaltung, der Nießbrauch und die freie, unbeschränkte Verfügung unter Lebenden und von Todes wegen darüber zusteht. Herr
Professor Stahr begiebt sich aller Rechte auf dieses Vermögen seiner
künftigen Ehegattin.[43]

Als Fanny Lewald den Ehevertrag aufsetzt, ist ihre finanzielle
Lage solider als die ihres zukünftigen Mannes. Er scheidet nach
der Rückkehr von der Italienreise 1846 aus Krankheitsgründen aus dem gesicherten Staatsdienst aus. Auf ein »Wartegeld«
von ca. 500 Talern angewiesen, ist er gezwungen, »den Unterhalt für die Seinen zusammenzuartikeln«,[44] wie der Publizist
zunächst abfällig über seine Zeitungs- und Zeitschriftenartikel,

Feuilletons und Rezensionen urteilt. Seine beruflichen Aussichten sind zunächst düster, sämtliche Hoffnungen auf eine feste Anstellung, etwa als Bibliothekar oder Intendant in Oldenburg, als Herausgeber der »Europa«, Redakteur der »Rheinischen Zeitung« oder Leiter des Weimarer Schauspiels zerschlagen sich. Er wird sich als Kunstkritiker und Literarhistoriker mit einer erfolgreichen Lessing-Biographie einen Namen machen; doch durch die Scheidung von seiner ersten Frau Marie und Unterhaltsverpflichtungen für sie und die fünf Kinder (von denen einige zeitweise im Haushalt Fannys und Adolfs leben), sowie durch häufige Krankheit ist seine Finanzlage gespannt. Fannys Arbeiten stellen somit eine wichtige Einnahmequelle des Paares dar. Mit Stahr führt Fanny Lewald über zwanzig Jahre eine moderne, partnerschaftliche Ehe, allmonatlich steuert sie die Hälfte zur Miete der Wohnung und der Lebenshaltungskosten bei.[45] Nach seinem Tod 1876 erbt sie seinen gesamten gedruckten und ungedruckten literarischen Nachlaß einschließlich seiner und fremder Korrespondenz, über die wie über die Zinsen des Ertrages sie freie Verfügung erhält. Fannys wirtschaftliche Existenz ist damit über seinen Tod hinaus gesichert: zusätzlich zu ihren eigenen Einkünften steht ihr der lebenslange Nießbrauch der Hälfte des von Stahr hinterlassenen baren und Kapitalvermögens zu.[46] Über die Höhe des Vermögens, das Fanny Lewald mit ihren Romanen, Erzählungen und Reiseberichten erschreibt, und wie sie es anlegt, liegen im Gegensatz zu ihren Kollegen Marlitt, Schücking, Mörike, Raabe, Hackländer oder Freytag keine Angaben vor.[47] – Über fast ein Jahrzehnt hinweg zwischen 1846 und 1855 gestaltet sich die Lebens- und Arbeitssituation Lewalds schwierig. Das Tauziehen um die Scheidung Stahrs von seiner Frau Marie, die bald Einverständnis signalisiert, und dies bald wieder zurücknimmt, ist zermürbend. Lewald reagiert darauf mit psychosomatischen Beschwerden, ist oft krank. Die Zeit ist geprägt von häufigen Kuraufenthalten, Reisen, Wohnungswechseln und Aufenthalten in Hotels, bei Freunden und Verwandten. Erst 1852 im Anschluß an Stahrs Übersiedlung nach Berlin und endgültig erst nach der Eheschließung 1855 kommt Ruhe in ihr Leben. Nur mit eiserner Disziplin und straffer Zeitökonomie kann Fanny Lewald die erforderliche Arbeitsleistung erbringen. Selbst auf Reisen bleibt ihr nicht viel Zeit für touristischen Müßiggang, denn neben dem täglichen Notieren des Erlebten als Grundlage für neue Arbeiten müssen abgeschlossene, bereits im Satz befindliche Manuskripte überarbeitet, korrigiert und revidiert an den Verleger nach Deutschland gesendet werden. Ihr Beruf bietet Fanny Lewald die Möglichkeit der Selbstbefreiung, er stellt jedoch auch eine Belastung dar, denn er ist nicht ihr einziger, versteht sie sich doch als »Schriftstellerin und Hausfrau«.[48] Sie macht kein Hehl daraus, »daß ich in der Unterordnung unter einen verehrten Mann und in meinem häuslichen und mütterlichen Beruf mein größtes Glück finde«.[49] Einen Widerspruch zu ihrem Emanzipationsverständnis stellt dies nicht dar, denn sie hat ja ihren Partner frei wählen können. Nach zehn Jahren »wilder Ehe« mit Stahr, was gesellschaftliches Spießrutenlaufen und Konflikte mit ihren Geschwistern zur Folge hatte, ist Fanny Lewald überaus stolz auf die mühsam errungene bürgerliche Existenz einer »Frau Professor Lewald-Stahr«[50] und auf ihren Salon in der Mathäikirchstraße. Doch nicht nur am offiziellen Gesellschaftstag, dem Montag, stellt sich Besuch ein:

Heute war ein Tag, an dem die Klingel von 2 Uhr nicht stillgestanden hat. Glücklicher Weise hatte ich bis dahin gearbeitet. Baron Beaulieu mit seiner jungen Frau – Bertha Abegg – Babette Meyers Mutter – dann gingen wir aus, aßen Mittag – danach ein junger Handwerker, der Bücher von mir geschenkt haben wollte – Consul Berend mit seiner jungen Frau … Schließlich Lobedan und Lehne … Dann meiner Schwester Clara zum Geburtstag geschrieben, an Anna und Helene wegen ihres Weihnachts-Herkommens, das wir wünschen, u nun noch zwei Worte für Dich. Da kommt aber das Tyrannen-Lamm u sagt: warum schreibst Du nicht an meinem Buche? – So nennt er das ›Neues Leben, neues Lieben‹ u mit großem Recht, denn es ist recht eigentlich ›das Buch Adolf!‹[51]

Die Mehrfachbelastung von Haushalt, Beruf und gesellschaftlichen Verpflichtungen ist fordernd und setzt Grenzen:

Gestern Abend wollten Holzendorf u dann der junge Stadtverordnete Löwe mich durchaus dazu heranbekommen, mich bei den Vereinen für die Gewerbthätigkeit der Frauen u für eine Reorganisation der städtischen Waisenhäuser für Frauen zu bethätigen u meinen Namen mit herzugeben, ich habe es aber abgelehnt. Was ich weiß, habe ich drucken lassen – wollen sie mich speciel etwas fragen, so bin ich ja da – Adolf mag mich nicht entbehren, ich habe auch gar keinen Zug zum Umherlaufen in Vereinen, u es würde *mich* obenein anstrengen, ohne daß ich Etwas nützte. Es muß Jeder das Seine thun

– ich bleibe, wie Du mich titulirst ›Schriftstellerin u Hausfrau‹ – in den Verein können die alten Fräulein, die Wittwen u die kinderlosen Frauen gehen, die nicht Bücher schreiben, Brod verdienen u Dir obenein doch auch Briefe schreiben müssen. Ich bin Vereinsfrau für Adolf, seine Kinder, mein Dienstmädchen, unsere Freunde.[52]

Ach ja, die Briefe: neben aller Arbeitsbelastung ist Fanny Lewald eine unermüdliche Briefschreiberin:

Du bekommst diesmal einen kleinen Brief. Wenn man so ein Vierteljahr von Hause entfernt gewesen ist, hat man doch in den ersten Tagen tausend Dinge zu thun, die man kaum aufzählen könnte, u die doch unsere Zeit hinnehmen. So finde ich denn in meinem Briefbuche, daß ich unter Anderm, die Billette nicht gerechnet, mehr als ein Dutzend Briefe in diesen Tagen geschrieben habe, u auch das Hauswesen will doch wieder in sein Gleis gebracht sein.[53]

Fanny Lewald hat Hunderte von Briefen hinterlassen – Reisebriefe, Geschäftsbriefe, Privatbriefe – die ihre offizielle Lebensbeschreibung ergänzen. Sie dienen der Arbeitsgrundlage, der Kommunikation und in Zeiten der Trennung von Stahr dem »Lebensersatz«:

Briefeschreiben ist ein so trauriges Surrogat für sprechen; man muß gewohnt gewesen sein, sein bestes Stück und sein bestes Teil vom Leben auf dem Papier zu leben, um die Unzulänglichkeit dieses Notbehelfs ganz zu ermessen.[54]

Im privaten Leben hat Fanny Lewald Schwierigkeiten mit weiblicher und männlicher Rollenzuschreibung; sie überträgt die Geschlechterpolarisierung quasi bis in die eigene Person hinein, indem sie einerseits weibliche Verhaltensweisen, weibliche Schwächen wie Putzsucht und Eitelkeit ablehnt und sie andererseits, als treusorgende Ehefrau, übernimmt und dabei die männliche Autorität kritiklos anerkennt. Als »Schriftstellerin und Hausfrau« lebt sie im Zwiespalt, als »Schriftsteller« nicht, der Beruf ermöglicht ihr uneingeschränkte Teilhabe an der produktiven männlichen Welt der Arbeit. Sie betrachtet sich als »Schriftsteller«, ihren männlichen Kollegen durchaus ebenbürtig und konkurrenzfähig. Ihr Erfolg vermittelt ihr rückblickend die Gewißheit, »daß ich ein Dichter war und mich mit festem Bewußtsein stellen kann neben unsere Besten.«[55] In ihrem *dichterischen Selbstverständnis* findet man kaum eine Spur von weiblicher Bescheidenheit, von Betonung der Unfähigkeit ästhetischer Gestaltung oder von Sorglosigkeit im Umgang mit

künstlerischen Verfahrensweisen. Ihre Forderungen der Ästhetik und der Literaturkritik neben allem stofflichen Interesse
unterscheiden Fanny Léwald von vielen ihrer Vorgängerinnen,
die in ihren poetologischen Aussagen dazu keine Stellung beziehen. Lewald schreibt eben auch bewußt für männliche Leser, die die geforderte Lesekompetenz besitzen. Sie ist Expertin und als solche greift sie ein in die ab der Jahrhundertmitte
einsetzende journalistische Literaturkritik um den realistischen
Roman, mit dessen Vertretern wie Fontane, Spielhagen, Freytag
u.a. sie persönlichen Kontakt hat. Allerdings, sie ist keine professionelle Kritikerin, sie schreibt – mit einer Ausnahme,
der Besprechung von Bettina von Arnims *Ilius Pamphilius*[56] –
keine Rezensionen; dennoch hat sie als kompetente Leserin und
Literatin den Anspruch, mitzureden; ihre Urteile finden sich
meist eingestreut in Reiseberichte und Briefe und werden in
den Romanen und Erzählungen fiktiven Figuren in Mund ge-
legt. Wie der Theoretiker des bürgerlichen Realismus Julian
Schmidt lobt sie die Vorbildrolle der englischen Erzähler
Dickens und Thackeray:

In allen Lächerlichkeiten, in allen Wirrungen, in allem Schlechten
selbst, spricht sich bei Dickens irgend ein Zug aus, der uns den Glauben an die Menschennatur nicht verlieren läßt, der uns beklagen,
niemals verdammen macht. Dickens zeigt uns in tiefer Entwürdi-
gung, in bitterer Noth den Menschen immer noch dem Guten zugänglich; er läßt uns sehen, wie in jedes Lebensverhältniß bißweilen
ein Strahl der Freude hineinleuchtet. Er macht uns nicht gleichgültig gegen die Noth der Armen durch falschen Trost über ihre Lage,
sondern geneigt ihnen zu helfen, weil man sie mit so gar Wenigem
erfreuen kann. Mit einem Wort, es sind [...] fruchtbringende Werke
für die Menschenliebe und die Ausgleichung der Standesunterschie-
de.[57]

Seine Menschenliebe und seinen Humor, Charakteristika des
realistischen Romans, schätzt sie, seine Detailmalerei lehnt sie
als naive Mimesis ab; auch bei den Programmatikern des Realismus genießen Beschreibung und ausgemaltes Detail wenig
Ansehen, da sie dem dramatischen Kompositionsprinzip wi-
dersprechen. Umstritten ist auch der panoramische Roman des
Nebeneinander im Stile von Gutzkows *Ritter vom Geiste* – bei
Julian Schmidt ebenso wie bei Fanny Lewald:

Schon die Vorrede selbst beweist, daß Gutzkow keine Idee vom
Wesen des Romans und der Kunst hat, denn dieser Roman aus der

Vogelperspektive, dieser Roman der Quantität und Räumlichkeit ist eben solch ein Monstrum wie Horace Vernets' große Schlachtenbilder.[58]

Die Ritter vom Geiste lösen eine Kontroverse um den Vorzug von Vielheits- und Einheitsroman aus, die Fontane und Heyse noch Ende der 70er Jahre beschäftigen wird. Lewald teilt Fontanes Auffassung, der meint, das größere dramatische Interesse erzeugten Erzählungen mit einem Helden.

Die modernen Romane, namentlich Gutzkows Roman des Nebeneinander verhalten sich zum roman intime, wie die Sand ihn schreibt, wie die Hahn und ich ihn behandeln, gerade wie die ›Historie‹ zum ›Drama‹ [...] Sie beschäftigen sich mit Ereignissen, sie stellen Begebnisse dar, in denen sich verschiedene Charaktere bewegen – der roman intime zeichnet einen Charakter. Dort sind die Vorgänge, hier psychologische Entwicklungen die Hauptsache – dort ist dem Zufall Raum gegönnt – hier kann nur die psychologische Notwendigkeit bestimmen. Ein roman intime hat notwendig einen festen Plan, eine bestimmte Schranke und ein gewisses Maß – während der Roman der Ereignisse planlos sein kann und unabsehbar ist, wie die Möglichkeit der Ereignisse selbst.[59]

Schreiben ist für sie ein bewußter Prozeß, reflektiertes Gestalten, eng verbunden mit einem gesellschaftlichen Auftrag:

Der Dichter wird zum absichtlichen Vermittler zwischen dem besonderen Falle, dessen er sich bemächtigt hat, und der Allgemeinheit. Er bestimmt mit seinem Urtheil über den besonderen Fall das Urtheil der Leser für alle ähnlichen Fälle. Er will gut geheißen und getadelt haben, er will zur allgemeinen Geltung bringen, was er in der Dichtung tadelt oder gutheißt; und er am wenigsten kann begehren wollen, daß der Leser nicht an die Dichtung wie an ein Selbsterlebtes glaubt, daß er die Dichtung von dem Leben abtrenne, daß er den Dichter nicht wie einen zuverlässigen Freund betrachte, dessen Urteil er vertrauensvoll zu dem seinen macht. Auf dieser Forderung, welche der Dichter mit Nothwendigkeit und eben deshalb unwillkürlich stellen muß, beruht seine Verantwortlichkeit gegenüber seiner Nation.[60]

In seiner nationalen Verantwortlichkeit muß der Autor dem Leser geeignete Verhaltensmuster bieten und Selbstzensur üben:

Und ich glaube, wir begehen eine Sünde gegen das Vaterland wie gegen uns selbst, wenn wir – ich meine die Schriftsteller und Künstler – uns nicht selbst das Gesetz auferlegen, das Unschöne und Un-

sittliche von der Darstellung in der Oeffentlichkeit so fern als möglich zu halten.[61]

In der Ablehnung des »rohen Realismus« nach dem Vorbild
des französischen Romans stimmt Fanny Lewald erneut mit
Fontane überein. Wie er sucht sie nicht mimetische Abbildung
von Realität, den »bösen Blick«,[62] sondern die Andeutung, den
»verklärenden Schönheitsschleier«. »Es ist die Wahrheit, der
Realismus, um diesen Ausdruck zu gebrauchen, der uns fes-
selt und gewinnt, aber freilich der durch die Kunst verklärte
Realismus, ohne welche Verklärung die Kunst keine Kunst
mehr ist.«[63] Sie sucht das rechte Maß zwischen »roher daguer-
reotypirender Wirklichkeit und poetischer Verweichlichung«,[64]
um nicht die Phantasie der Leser und Leserinnen zu stark zu
bewegen. Das Beispiel von Flauberts *Madame Bovary* hat für sie
ebenso einen entsittlichenden Einfluß auf den Leser[65] wie empfindsame Romane und jegliche phantastische, wirklichkeits-
fremde Literatur. Die Kritik Lewalds gegen empfindsame, vor
allem französische Romane und ihre »Sophistik des Ehe-
bruchs«[66] – »In allen ihren französischen Romanen konnte man
es dargestellt finden, wie ein feuriger Jüngling neben der mü-
ßigen Frau eines älteren Mannes nicht leben könne, ohne seine
Ruhe darüber zu verlieren«[67] – ist identisch mit der zeitgenössischen Polemik gegen Goethes *Werther* und ähnliches. Man
betrachtet sie als »Gift«, dem man mit geeigneten Mitteln begegnen müsse, um für die »Gesundheit« der Leser in moralischer und gesellschaftlicher Hinsicht zu sorgen. Mit ihrer Literaturkritik übernimmt Fanny Lewald insbesondere ihren Leserinnen gegenüber die (männliche) Rolle des Leselehrers, der
zum richtigen Umgang mit Literatur aufruft. Sie hat ein gesellschaftlich determiniertes Bild des Schriftstellers und von sich
selbst; sie, die sich als »Handarbeitende« den »Arbeitenden aller
Stände« gleichsetzt,[68] versteht sich als Glied einer arbeitstei-
ligen Gesellschaft mit einem bestimmten Arbeitsauftrag. Schreiben ist für sie festgefügt in einen Lebensplan, der darin besteht,
mit ihren Möglichkeiten und Erkenntnissen auf ihre Mitmenschen und Zeitgenossen einzuwirken. Die schriftstellerische
Arbeit und ihre Wirkung verleihen ihr Kraft zum Leben, andererseits unterstellt sie sich damit den Zwecken und Bedürfnis-
sen der Allgemeinheit.

Vor diesem Hintergrund ist es zu verstehen, daß die zeitgenössische Kritik Lewalds Romane als »gesund, tüchtig und geschmackvoll« betrachtet, als »Reform der deutschen Belletristik«.[69] Die *Lewald-Rezeption* ist dadurch geprägt, daß sie das Profil der Autorin durch den Kontrast zu anderen zu schärfen sucht. Ihrem Ansehen sind Rollenzuweisungen durchaus zuträglich, sie erschweren jedoch eine vorurteilsfreie literarische Wertung. Eines der Stereotypen, das früh Eingang findet in die Kritik, ist der Vergleich zwischen ihr und George Sand. In einer Charakteristik aus dem Jahr 1850 setzt Hermann Hettner Fanny Lewald als »gesunde Natur« von der »geschraubten Unnatur« einer George Sand ab.[70] Als krankhaft und unnatürlich wird vor allem das in den frühen Romanen George Sands wie »Indiana«, »Lélia« und »Leone Leoni« propagierte Bild der Frau empfunden und das Liebesideal, das die rücksichtslose Verwirklichung weiblichen Glücksanspruchs postuliert, wie auch das exaltierte Auftreten der Französin. Auch Kritiker wie Julian Schmidt und Gustav Kühne betonen die Gegenposition Fanny Lewalds, indem sie auf ihre divergierende Haltung zur Frauenemanzipation und auf ihre unterschiedliche Erzählweise rekurrieren; der praktische Einsatz Lewalds für die ideelle und materielle Verbesserung der Lage der Frauen dagegen wird durchaus an George Sand gemessen: »Nicht mit Unrecht hat man sie daher die deutsche George Sand genannt.«[71] Fanny Lewald ist auf den Vergleich mit der prominenten Französin, der sie zudem auch äußerlich ähnlich sieht, zunächst stolz. Im Lauf ihres Lebens rückt sie jedoch von ihrer ersten Bewunderung ab; Äußerungen in ihren autobiographischen Schriften und ihrem Tagebuch sowie Anspielungen in ihren Romanen und Erzählungen reflektieren das ambivalente Verhältnis Lewalds zu George Sand. Uneingeschränkte Bewunderung genießt in späterer Zeit nur ihr soziales Wirken, in Wort und Tat. Ihre eigenen sozialen Romane sind teilweise direkt von Romanen der Französin beeinflußt.[72] Auch ohne den Vergleich mit George Sand erlangt Fanny Lewald rasch Popularität. Nötigte noch ihr zweiter Roman »Jenny« Heinrich Laube widerwillig das Zugeständnis ab, »er freue sich anzuerkennen, daß er der weiblichen Kraft zuwenig zugetraut«,[73] ist sie spätestens nach *Diogena* eine Berühmtheit. Nachdem sie 1845 die vom Vater zunächst geforderte Anonymität aufgibt, öffnen sich ihr literarische Kreise:

Ich konnte an mir selber die Erfahrung machen, welch einen Vorzug diejenigen besitzen, die einen bekannten und anerkannten Namen mit sich auf die Welt bringen. Ein Name ist wie ein Piedestal. Er hebt den Menschen aus der Masse empor, er kennzeichnet ihn.[74]

Sie verkehrt bei den jüdischen Salonièren Henriette Herz und Sarah Levy, bei der Gräfin Ahlefeld, Henriette Paalzow und Fanny Hensel, bei Henriette Solmar und Varnhagen, ihrem entfernten Verwandten. Mit Empfehlungsschreiben an Ottilie von Goethe und Adele Schopenhauer ausgerüstet, findet sie Ende 1845 in Rom Zugang zur deutschen Künstlerkolonie, nimmt Teil an den Geselligkeiten der Baronin Emma von Schwanenfeld und der »Rheingräfin« Sibylle Mertens-Schaaffhausen. Kaum nach Berlin zurückgekehrt, ist sie es, die man aufsucht. Gottfried Keller bemüht sich 1850 um den Kontakt zu ihr, um »durch sie in die Pforten des hiesigen sozialen und literarischen Himmels einzugehen.«[75] Im März 1849 berichtet der junge Theodor Fontane seinem Freund Bernhard von Lepel:

Am Sonnabend macht' ich die pflichtschuldigen Visiten; war auch bei der Lewald. Ich wurde nicht vorgelassen. ›Fräulein schriebe Briefe, die schnell zur Post müßten.‹ Im ersten Augenblick machte mich diese Offenheit stutzig; nachdem ich mich von meinem Schreck erholt hatte, fand ich es liebenswürdig. Man darf nun umso eher drauf rechnen willkommen zu sein, wenn man geladen oder vorgelassen wird. Ein kleiner Schriftsteller-Tick verbirgt sich hinter diesem Manöver, doch das schadet nichts.[76]

Seit 1847 gilt »die Stube der Lewald ... als das Forum der Literatur.«[77] Für den zunächst noch recht kleinen Kreis der versammelten Freunde und Bekannten damals ist dies eine etwas hochtrabende Bezeichnung, doch Fanny Lewald berichtet Emma Schwanenfeld voller Stolz:

Einen Abend habe ich in meinen beiden fabelhaft kleinen einfenstrigen Räumen, achtzehn Personen zum Thee gehabt. Kühne mit seiner Frau aus Leipzig, ... Hensel mit der Frau – den bekannten Publizisten Dr. Oppenheim aus Heidelberg – Stahr – Jakoby – Otto – Dr. Hartmann – Waldeck – zwei ostpreußische Landdeputirte – und die Meinen inkl. Gurlitt. Sehen Sie, das nannte ich nun einmal leben.[78]

Bald schon wird sich der Kreis erweitern. Auf ihren Reisen knüpft Fanny Lewald internationale Kontakte: sie trifft mit dem englischen Historiker Carlyle zusammen, mit Marie d'Agoult, der Lebensgefährtin Franz Liszts, mit Heine, der Schriftstellerin Hortense Cornu und ihrem Mann, einem Schüler des Malers Ingres, mit den Vertretern des Jungen Italien Mazzini und Garibaldi, und vielen anderen mehr. In den 50er und 60er Jahren entwickeln sich die Zusammenkünfte im Hause Lewald-Stahr zu einer festen Einrichtung von gesellschaftlicher Bedeutung mit stark politischer, liberal-demokratischer Prägung. Fanny Lewald, die selbst Gast zahlreicher Salons im In- und Ausland ist, zählt zu den Gästen ihres Hauses insgesamt mehr als einhundert Personen, darunter Schriftsteller und Künstler, Gelehrte und Politiker, Publizisten und Verleger: Gottfried Keller, Friedrich Spielhagen, George Eliot, Levin Schücking und Paul Heyse, Franz Liszt, Ferdinand Lassalle, Johann Jacoby, Heinrich Simon und andere Revolutionäre von 1848 ebenso wie Fürst Hermann von Pückler-Muskau und Carl-Alexander von Sachsen-Weimar. »Es ist wohl kaum eine politische oder literarische Größe durch Berlin gegangen in jener Zeit, die nicht im Stahrschen Hause ihren Besuch gemacht hätte.«[79] Bis in die 80er Jahre hinein bleibt ihre gesellschaftliche Bedeutung unvermindert hoch. Ihr Neffe Theodor Lewald, jüngster Sohn ihres Bruders Otto, später Initiator und Organisator der Olympischen Spiele von 1936, knüpft als junger Jurist in ihrem Salon wichtige erste Kontakte für seine Karriere im kaiserlichen Staatsdienst, für die allein schon der Ruf als »Fannys Neffe« eine Empfehlung darstellt. Nicht jedem ist das äußerst selbstbewußte Auftreten dieser Frau, die jedoch hinter nach außen getragener Stärke auch Scheu und Unsicherheit nur verbirgt, angenehm. Gottfried Keller schmäht sie und Adolf Stahr sieht sie als »zweigeschlechtiges Tintentier«:[80]

Überall [...] erregen sie Anstoß nicht nur durch die Ostentation, mit welcher sie ihr Verhältnis produzieren, sondern auch durch die Anmaßung mit welcher sie in literarischen Gesprächen zusammen gegen ganze Gesellschaften Front machen...[81]

Für andere dagegen ist sie die »hervorragendste Romanschriftstellerin« ihrer Zeit.[82] Die Lewald-Rezeption war stets geprägt von Widersprüchen und Vor-Urteilen. Vor allem im 20. Jahrhundert erfolgt sie unter stets wechselnden Aspekten und Vorzeichen. Im Jahr 1925, zu einer Zeit aufflammenden Nationalgefühls, würdigt Heinrich Spiero in seinem Vorwort *Die Familie Darner* als einen »geschichtlichen Heimatroman«. Fast zur selben Zeit gibt Marta Weber in ihrer Untersuchung

antisemitische Kommentare über die Jüdin Fanny Lewald ab,
kritisiert »ihre ganze Sophistik und jüdische Rhetorik« und
verurteilt im Blick auf Fanny Lewalds literarischen Zirkel
»dies jüdische Cliquenwesen«.[83] Nachdem bis um die Jahrhundertwende Lewald-Romane in den Beständen der Leihbibliotheken z.B. der Stadt Wien neben den Dramen Ibsens und
Gerhart Hauptmanns zu finden waren[84] und auch im Ausland
zahlreiche Übersetzungen vorlagen,[85] wird es Mitte der 30er
Jahre still um die Autorin. Diese Phase der Nichtbeachtung ist
zunächst bedingt von literaturextensiven Bedingungen, doch
nach Kriegsende, in den 50er und frühen 60er Jahren ist sie
Ausdruck eines unpolitischen, ästhetisch-formalen Literatur-
verständnisses, das »Tendenz« und Parteilichkeit als »un-
künstlerisch« verurteilt; die Autorin gerät ins Abseits der trivialen Frauenromane. Erst Ende der 60er Jahre erscheinen
Neuauflagen: *Jenny* (1967), und »Erinnerungen aus dem Jahre 1848« (1969). Nicht von ungefähr sind es gerade ihre Re-
volutionserinnerungen und ihr Plädoyer für die Toleranz gegenüber den unterprivilegierten Juden in Preußen, für die
man sich mit der Hinwendung zur sozialkritischen Literatur
nach 1968 interessiert. Seit den 70er Jahren schließlich beruft
man sich auf sie als eine Vorläuferin der bürgerlichen Frauenbewegung. – Heute ist Fanny Lewald wieder bekannt –
dank der Neudrucke einiger ihrer Werke von Ulrike Helmer
seit Ende der 80er Jahre, und dank der Arbeit von Wissenschaftlerinnen im In- und Ausland, die ihr endlich den gebührenden Platz in der Literaturgeschichte zuweisen.[86]

Anmerkungen

1 Altersmotto Fanny Lewalds. Vgl. Lewald, Fanny (1870): Die Frauen und
das allgemeine Wahlrecht, in: Westermanns Monatshefte, Bd. 28, S. 102,
S. 97-103.

2 Vgl. dazu Schön, Erich (1990): Weibliches Lesen. Romanleserinnen im
späten 18. Jahrhundert, in: Gallas, Helga/Heuser, Magdalene (Hgg.), Untersuchungen zum Roman von Frauen um 1800, Tübingen, S. 20-40.

3 Brief an den Verleger Vieweg vom 14.11.1849, Herzog-August-Biblio-
thek, Wolfenbüttel. Vgl. Verf. (1996a): Fanny Lewald, Rowohlt-Monographie,
Reinbek, S. 41.

4 Lewald, Fanny (1834): Das Märchen von Frau Balta, unveröffentlichtes Manuskript, Staatsbibliothek zu Berlin, Preußischer Kulturbesitz, Nachlaß Lewald-Stahr.

5 Hierin ähnelt sie ihrer älteren Kollegin Therese Huber, vgl. Leuschner, Brigitte (1990): Therese Huber als Briefschreiberin, in: Gallas, Helga/Heuser, Magdalene (1990): S. 207.

6 Lewald, Fanny <anonym> (1841): Modernes Märchen, in: Europa, Chronik der gebildeten Welt, hg. von August Lewald, Bd. 2, S. 193-201; später erschienen unter dem Titel ›Tante Renate‹, in: Lewald, Fanny (1862): Bunte Bilder, Gesammelte Erzählungen und Phantasiestücke, Berlin.

7 Lewald, Fanny (1861f.): Meine Lebensgeschichte, neu herausgegeben von Ulrike Helmer, Frankfurt/M. 1988f., Bd. III, S. 5.

8 Lewald, Fanny (1861f.): Bd. III, S. 27.

9 Vgl. Heuser, Magdalene (1990): »Ich wollte dieß und das von meinem Buche sagen, und gerieth in ein Vernünfteln.« Poetologische Reflexionen in den Romanvorreden, in: Gallas, Helga/Heuser, Magdalene (1990): S. 52-65.

10 Lewald, Fanny (1880): Reisebriefe aus Deutschland, Italien und Frankreich (1877/1878), Berlin, S. 20-24.

11 Lewald, Fanny (1857): Emilie, in: Hausblätter, S. 132.

12 Z.B. die Figur des Lorenz Darner in: Lewald, Fanny (1887): Die Familie Darner, Berlin.

13 Lewald, Fanny (1845a): Der Dritte Stand, Leipzig.

14 Lewald, Fanny (1856): Kein Haus, in: Deutsche Lebensbilder, Berlin.

15 Lewald, Fanny <anonym> (1843a): Andeutungen über die Lage der weiblichen Dienstboten, in: Archiv für vaterländische Interessen oder Preußische Provinzialblätter, hg. von O.W. L. Richter, Königsberg, Maiheft, S. 421-433; und Lewald, Fanny (1860): Das Mädchen von Hela, Berlin.

16 Lewald, Fanny (1853): Wandlungen, Braunschweig.

17 Lewald, Fanny (1849a): Prinz Louis Ferdinand, Breslau.

18 Lewald, Fanny (1850a): Auf rother Erde, Leipzig.

19 Lewald, Fanny (1847a): Italienisches Bilderbuch, Berlin, u. Dies. (1851): England und Schottland, Braunschweig.

20 Vgl. dazu Verf. (1996b): Die Emanzipation des Individuums. Fanny Lewald und der Junghegelianismus, in: Philosophie, Literatur und Politik vor den Revolutionen von 1848. Zur Herausbildung der demokratischen Bewegungen in Europa, hg. von Lars Lambrecht, Frankfurt/M., Berlin, S. 525-540.

21 Vgl. dazu Lewald, Fanny (1843b): Jenny, hg. von Ulrike Helmer, Frankfurt/M. 1993, S. 147.

22 Vgl. Lewald, Fanny (1843b) [wie Anm. 21]: S. 71.

23 Vgl. dazu bes. Lewald, Fanny (1845a): Der Dritte Stand.

24 Lewald, Fanny (1847a): Italienisches Bilderbuch. S. V.

25 Buchausgabe Braunschweig 1851.

26 Lewald, Fanny (1850b): Dünengeschichten, Journalfassung in Cottas Morgenblatt, S. 81f.

27 Vgl. Heuser, Magdalene (1990).

28 Lewald, Fanny (1900): Gefühltes u. Gedachtes (1838–1888), hg. von Heinrich Spiero, Leipzig, S. 146, 10. Dezember 1870.

29 Brief an Paul Heyse vom 23.8.1873, zit. nach Rudolf Göhler (1920): Der Briefwechsel von Paul Heyse und Fanny Lewald, in: Deutsche Rundschau, Bd. 183.

30 Vgl. Winckler, Lutz (1986): Autor, Markt, Publikum. Zur Geschichte der Literaturproduktion in Deutschland, Berlin 1986, S. 30.

31 Vgl. Verf. (1997): Aus der Werkstatt einer Berufsschriftstellerin. Unbekannte Briefe Fanny Lewalds an den Verleger Wilhelm Hertz aus den Jahren 1876 und 1877, in: Autorinnen des Vormärz. Jahrbuch des Forum Vormärz Forschung 1996, hg. von Helga Brandes, Bielefeld, S. 118.

32 Vgl. Winckler, Lutz (1986): S. 53; zur Soziologie der Romanleserschaft vgl. ebenfalls Schön, Erich (1990): S. 20-40.

33 Vgl. Winckler, Lutz (1986): S. 27 und 82.

34 Brief an Paul Heyse vom 15.12.1873, zit. nach Göhler, Rudolf (1920).

35 Vgl. Winckler, Lutz (1986): S. 87f.

36 Brief an Adolf Stahr vom 26.9.1847, vgl. Verf. (1996a): S. 65.

37 Vgl. Verf. (1997): S. 126.

38 Adolf an Carl Stahr vom 2.12.1853, zit. nach Geiger, Ludwig (1903): Aus Adolf Stahrs Nachlaß. Briefe von Adolf Stahr, Oldenburg.

39 Brief an den Verleger Vieweg, vgl. Verf. (1996a): S. 81.

40 Gemeint ist ihr bisheriger Verleger Janke.

41 Vgl. Verf. (1997): S. 118.

42 Lewald, Fanny (1861f.): Meine Lebensgeschichte, Bd III, S. 113f.

43 Vgl. Verf. (1993): Vom Zeitroman zum »stylisierten« Roman: Die Erzählerin Fanny Lewald. Frankfurt/M., Berlin, Bern, New York, Paris, Wien, S. 369. Der Ehevertrag befindet sich im Nachlaß der Autorin [wie Anm. 4].

44 Vgl. Göhler, Rudolf (1930): Aus dem Nachlaß von Fanny Lewald und Adolf Stahr. Adolf Stahr und Fanny Lewald an Hermann Hettner, in: Euphorion, 31. Jg. 1930, S. 218, S. 176-248.

45 Vgl. Verf. (1996a): S. 90, Brief an Wilhelm Gurlitt vom 9.12.1876.

46 Vgl. Verf. (1996a) u. Nachlaß Lewald-Stahr [wie Anm. 4], Testament Stahrs vom 13.11.1868.

47 Vgl. Winckler, Lutz (1986): S. 88.

48 Vgl. Verf. (1996c): Freundschaftsbriefe an einen Gefangenen. Unbekannte Briefe der Schriftstellerin Fanny Lewald an den liberalen jüdischen Politiker Johann Jacoby aus den Jahren 1865 und 1866, Frankfurt/M., Berlin, Bern, New York, Paris, Wien, S. 198, Brief vom 2. März 1866.

49 Vgl. Göhler, Rudolf (1932): Großherzog Carl-Alexander und Fanny Lewald-Stahr in ihren Briefen 1848–1889, Berlin, Bd. I, S. 153, Brief vom 4.2.1860. Mit »mütterlichem Beruf« meint sie die Sorge um die Stiefkinder.

50 So wird sie offiziell in Verlagsverträgen genannt. Vgl. Verf. (1997): S. 130.

51 Vgl. Verf. (1996c): S. 89f., Brief vom 30. Nov. 1865. Das »Buch Adolf« ist das »Römische Tagebuch«, das 1927 von Heinrich Spiero veröffentlicht wurde.

52 Vgl. ebd.: S. 198, Brief an Jacoby vom 2. März 1866. Hervorhebung im Original.

53 Vgl. ebd.: S. 49, Brief an Jacoby vom 17. Oktober 1865.

54 Vgl. Göhler, Rudolf (1920): S. 422, Brief an Paul Heyse vom 20.4.1873.

55 Vgl. Lewald, Fanny (1900): S. 240.

56 Lewald, Fanny (1849b): Der Cultus des Genius. Briefe an Bettine von Arnim von Fanny Lewald, in: Blätter für literarische Unterhaltung, 19. Juli ff.

57 Lewald, Fanny (1851): England und Schottland, Bd. II, S. 92.

58 Zit. n. Göhler, Rudolf (1930): S. 237.

59 Lewald, Fanny (1900): S. 23, 21. Dez. 1851.

60 Lewald, Fanny (1880): 2. Brief, 4.6.1877, »Von der Selbstbeschränkung in der Dichtung.«

61 Ebd.

62 Lewald an Carl-Alexander, zit. nach Göhler, Rudolf (1932): Bd. I, S. 73, 27.2.1851.

63 Lewald, Fanny (1880): S. 87, 8. Brief, 18.10.1877.

64 Lewald, Fanny (1859): Neun Briefe an meine Freunde, in: Hausblätter, Bd. 1., S. 318.

65 Lewald, Fanny (1900): S. 227, 29.12.1876.

66 Lewald; Fanny (1877): Ein Freund in der Noth, in: Neue Novellen, Berlin, S. 169.

67 Lewald, Fanny (1866): Die Dilettanten, in: Ueber Land und Meer, Bd. 15, S. 42.

68 Vgl. Verf. (1997): S. 213

69 Vgl. dazu eine Rezension zu Lewalds Lebensfrage in der Novellenzeitung, Leipzig 1846, Bd. 2, S. 96 u. eine Rezension zu den Deutschen Lebensbildern in den Grenzboten, Jg. 1856, Bd. 3, S. 435.

70 Hettner, Hermann (1850): Fanny Lewald. Ein Literaturbild, in: Blätter für literarische Unterhaltung, Nr. 308, 25. Dezember 1850 ff.

71 Salomon, Paul (1889): Fanny Lewald, in: Illustrierte Zeitung, 17.8.1889.

72 Dies ergibt ein Romanvergleich zwischen *Der Dritte Stand* und *Le Compagnon du Tour de France* sowie zwischen *Das Mädchen von Hela* und *Jeanne*. Vgl. Verf. (1993): S. 12-36.

73 Lewald, Fanny (1861f.): Bd. III, S. 168.

74 Ebd.: Bd. III, S. 94.

75 Brief an Freiligrath vom 30.4.1850, zit. nach Ermatinger, Emil (1916): Gottfried Kellers Leben, Briefe und Tagebücher, Stuttgart, Bremen, Bd. I.

76 Peters, Julius (1940): Theodor Fontane und Bernhard von Lepel. Ein Freundschaftsbriefwechsel, München, S. 68f.

77 Peters, Julius (1940): S. 69.

78 Vgl. Verf. (1996a): S. 93.

79 Weber, Marta (1921): Fanny Lewald. Ihr Leben und ihre Werke, Diss. Zürich, Leipzig, S. 41.

80 Brief an Lina Duncker vom 6. Martini 1856. Vgl. Ermatinger, Emil (1916).

81 Vgl. Ermatinger, Emil (1916): Brief an Hermann Hettner vom 3. August 1853.

82 Vgl. National-Zeitung, 10. August 1889.

83 Weber, Marta (1921): S. 35 u. S. 17.

84 Vgl. Winckler, Lutz (1986): S. 45.

85 Vgl. Verf. (1996a): S. 148.

86 Hervorzuheben sind in diesem Zusammenhang besonders die Arbeiten von Möhrmann, Renate (1977): Die andere Frau. Emanzipationsansätze deutscher Schriftstellerinnen im Vorfeld der 48er Revolution, Stuttgart; Venske, Regula (z.B. (1983): »Ich hätte ein Mann sein müssen oder eines großen Mannes Weib!« – Widersprüche im Emanzipationsverständnis der Fanny Lewald, in: Bremer, Ilse u.a. (Hg.), Frauen in der Geschichte IV. »Wissen heißt leben ...« Beiträge zur Bildungsgeschichte von Frauen im 18. u. 19. Jahrhundert. Düsseldorf, S. 368-396); Rheinberg, Brigitta van (1987/1990): Fanny Lewald. Geschichte einer Emanzipation. Eine historische Biographie unter besonderer Berücksichtigung des Emanzipationsgedankens. Diss. Tübingen, Buchveröffentlichung

Frankfurt/M., New York; Tebben, Karin (1997): Erfahrung und politische Intention. Zu Aspekten des jüdischen Selbstverständnisses in Fanny Lewalds Roman »Jenny«, in: Autorinnen des Vormärz, hg. von Helga Brandes, Bielefeld 1997, S. 93-112, sowie Lewis, Hanna B. (z.B. (1990) The Misfits: Jews, Women, Soldiers and Princes in Fanny Lewald's »Prinz Louis Ferdinand«, in: Edward R. Haymes (Hg.), Crossings – Kreuzungen. A Festschrift für Helmut Kreuzer, Columbia (USA), S. 104-114) und Ward, Margaret E. (1986): Ehe und Entsagung: Fanny Lewald's Early Novels and Goethe's Literary Paternity. In: Women in German Yearbook. Feminist Studies and German Culture (2), S. 57-77.

Cornelia Tönnesen

»Überhaupt hat sie eine kecke, ungezügelte Phantasie.«

Luise Mühlbach (1814–1873)

»Der Geist hat kein Geschlecht« – Dieser Gedanke war das Lebens- und Arbeitsmotto Luise Mühlbachs (1814–1873),[1] einer der erfolgreichsten und populärsten deutschen Schriftstellerinnen des 19. Jahrhunderts. In der Zeit des Vormärz schrieb sie in Anlehnung an die Jungdeutschen sozialkritische Romane und Novellen, in denen sie – im Vorgriff auf die naturalistische Darstellungsweise – gesellschaftliche Mißstände wie Kinderarbeit, Prostitution und soziale Verelendung aufzeigte. Kontinuierlich übte Luise Mühlbach Kritik an der politischen Restauration und literarisierte die zentralen Ideen des Frühfeminismus. Seit den 50er Jahren veröffentlichte sie eine große Anzahl historischer Novellen und Großromane, durch die sie zu einer der beliebtesten deutschen Autorinnen avancierte. Zwanzig ihrer historischen Romane wurden ins Englische übersetzt und millionenfach verkauft. Auch in den Vereinigten Staaten gehörte sie in den Jahren nach dem Bürgerkrieg zu den zehn meistgelesenen AutorInnen. Im Revolutionsjahr 1848 beklagt sie sich bei Gustav Kühne, dem sie Berliner Korrespondenzberichte für die Zeitschrift *Europa* schickt, in folgender Weise:

Ja, wenn die Männer den ganzen Tag in ihren Clubbs und Wahlversammlungen sitzen, dann müssen die Frauen, welche natürlich mit echtem Männerdünkel aus allen Clubbs ausgeschloßen sind, versuchen, wenigstens nothdürftig die Geschichte zu besorgen![2]

Luise Mühlbach, die ihre Briefe gewöhnlich mit ihrem bürgerlichen Namen »Clara Mundt« unterschreibt, hat zu diesem Zeitpunkt durch ihre literarische Aktivität ihre Rolle als schrei-

Luise Mühlbach

bende Gattin an der Seite des jungdeutschen Schriftstellers Theodor Mundt gesprengt. Ihre Popularität und ihre Erfolge beginnen die des »ernsteren Autors zu überflügeln«;[3] zunehmend bestimmt das Pseudonym »L. Mühlbach« ihre Identität. Im Laufe der 40er Jahre hat sie sich als bekannte und anerkannte Autorin sozialer Romane und Novellen mit emanzipatorischer Tendenz einen eigenen Namen gemacht. Bühnenfassungen einiger Romane werden erfolgreich in Berlin aufgeführt. Sie veröffentlicht journalistische Arbeiten, etabliert in Berlin einen geschätzten literarischen Salon und ist politisch engagiert. Obwohl die Zahl der professionellen Schriftstellerinnen im politisch aufgeschlosseneren Jahrzehnt der Revolution steigt, muß Luise Mühlbach wegen ihres politischen, emanzipatorischen und religiösen Engagements wie Fanny Lewald, Ida Hahn-Hahn, Louise Otto-Peters oder Louise Aston mit Ressentiments gegenüber der schreibenden Frau sowie mit Reglementierungen rechnen. Damit bewegt sie sich in ihrer Rolle als Schriftstellerin im Spannungsfeld der politisch fortschrittlicheren Vormärzzeit und der restaurativen Tendenzen der Biedermeierepoche, eine Spannung, die ihr Werk und ihr schriftstellerisches Selbstverständnis kontinuierlich beeinflußt. Obwohl sie noch in einer erfolgreichen und finanziell einträglichen Verbindung mit dem Verleger Otto Janke steht, schreibt sie am 21. Januar 1856 erstmalig an Georg von Cotta.[4] Der bis ins Jahr 1863 geführte Briefwechsel zeigt Mühlbachs literarischen Ehrgeiz, im Verlag Goethes und Schillers eines ihrer Werke zu publizieren. Mit ausgeschmückten Anekdoten bis hin zu sentimentalen Kindheitserinnerungen umwirbt sie Georg von Cotta, erzählt ihm von seinem Vater, dem sie, in Begleitung ihrer Eltern, »kaum vierzehn Jahre und nichts sehnlicher wünschend wie Corinna auf dem Capitol« gekrönt zu werden, im Kreise der Familien Hegel, Förster und Gans begegnete.[5] In hoffnungsvoller Erwartung schickt sie ihm ihren historischen Roman *Kaiser Joseph II. und Maria Theresia*.[6] Um von Cotta zu gefallen, kommt sie seiner allgemein bekannten Abneigung gegen schreibende Frauen entgegen und betont ihre Auffassung, daß eine Schriftstellerin stets das notwendige Gleichgewicht von weiblicher Rolle und schriftstellerischem Talent zu halten habe. Dabei schreckt sie nicht davor zurück, andere Autorinnen zu diskreditieren. Im Februar 1856 schreibt sie ihm:

Mit innigster Freude habe ich daraus ersehen, daß Sie meinen Joseph II. gelesen haben, und daß Sie mit dem Buch zufrieden sind. Ich bin stolz darauf, daß ich, wie Sie schreiben, im Stande gewesen, Ihre Abneigung gegen weibliche Schriftstellerei ein wenig zu überwinden. Ich begreife diese Abneigung bei geistig bedeutenden Männern vollkommen, denn im Allgemeinen wissen die Frauen nicht die Harmonie zwischen ihrem Talent und ihrer Weiblichkeit immer zu halten, und so werden sie Carricaturen in ihrer Erscheinung und ihren Werken.[7]

Sie versichert von Cotta, einer solchen »Carricatur« nicht zu entsprechen, und betont ihre Tugenden und ihr Pflichtbewußtsein als Mutter und Gattin. Sie schickt ihm ein Exemplar ihrer eben erschienenen *Königin Hortense*.[8] Im Widerspruch zu der angeblichen Zweitrangigkeit ihrer Schriftstellerinnenrolle kann sie bereits im darauffolgenden Brief vom März 1856 ihren Ehrgeiz und ihre hohe Motivation nicht mehr verbergen: »[...] denn die Arbeit ist meine höchste Freude, mein köstlichster Genuß. Ich arbeite und schreibe nicht, weil ich muß, sondern weil es eine Nothwendigkeit meines innersten Wesens ist. Ohne meine geistigen Arbeiten könnte ich nicht zufrieden sein [...].«[9] Sie schickt ihm ihren Großroman *Friedrich der Große und sein Hof*,[10] ein Werk, auf das sie besonders stolz ist; die erste Auflage ihres *Joseph II.* ist schon vergriffen, eine neue wird bereits gedruckt. Doch der erhoffte Erfolg bleibt aus; Georg von Cotta will weder ihre Werke in seinem Verlag veröffentlichen, noch fordert er sie auf, für die »Allgemeine Zeitung«, Augsburg, zu schreiben, was sie sich sehr gewünscht hat. Es kommt zunächst lediglich zu Anzeigen und Rezensionen ihrer Werke in der Zeitung des Verlags. Sie ist gekränkt, empfindet ihre Arbeiten als nicht angemessen gewürdigt. Als sie im Sommer 1856 an den Verleger schreibt, kann sie den devoten Ton nicht mehr durchhalten und attackiert die Ressentiments der Kritik gegenüber Schriftstellerinnen, womit sie zweifellos auch auf Cottas Voreingenommenheit abzielt. Angesichts der Erfolge, die sie zu verzeichnen hat und die ihr Selbstbewußtsein stärken – die zweite Auflage des ersten Teils des *Joseph* ist erschienen, ebenso die dritte Auflage der *Hortense* – empfindet sie die Ablehnung doppelt bitter. In leidenschaftlicher Selbstverteidigung beruft sie sich auf den Cartesianer François Poullain de la Barre, der 1673 verkündete, daß der Geist kein Geschlecht habe:[11]

Am meisten macht mich lachen, wenn die Herren Kritiker gegen mich sanfte Nachsicht üben wollen, weil ich eine Frau bin und sagen, sie wollen nicht schärfer mit mir ins Gericht gehen, aus ritterlicher Galanterie, weil L. Mühlbach eine Frau ist! Wenn ich an meinem Schreibtisch sitze bin ich keine Frau, sondern ein denkendes Wesen, ein Geist, und der Geist hat kein Geschlecht. An meinem Schreibtisch, beschäftigt mit meinen Arbeiten, meinen Studien und Planen, fühle ich meine Kraft, fühle ich, daß der Geist frei ist, von allen Banden und Fesseln, und daß das Geschlecht ihm keine Grenzen ziehen kann. Eine unaussprechliche Freudigkeit kommt über mich, so wie ich die Feder nehme, um an meinen Arbeiten zu schreiben, und jauchzend fühle ich mich dann berufen zum Schaffen und Streben, berufen auch zu ringen nach Zielen und Erfolgen, nach dem Ruhm und der Ehre, welche die Männer eigentlich nur für sich allein bestimmt glauben! – Verzeihen Sie mir, verehrter Herr Baron, diesen Ausbruch einer kleinen Empfindlichkeit gegen diese Kritiker, welche immer in L. Mühlbach nur die Frau Mundt sehen und nicht wissen, daß die Zwei ganz getrennt sind, und wenig voneinander wissen, und daß *der* Schriftsteller und die Frau ganz verschiedene Wesen sind![12]

1861 stirbt Theodor Mundt frühzeitig – in ihrer Situation als alleinstehende Frau und Alleinversorgerin ihrer und Mundts Familie gewinnt der wirtschaftliche Aspekt ihrer Arbeit an Bedeutung. Sie erkennt den Vorteil ihrer »Schriftstellerei aus Profession«, die sie finanziell unabhängig und selbstbewußt macht.[13] Das Bewußtsein ihrer Professionalität stärkt ihre Position in den Unterhandlungen mit ihren Verlegern. Wenn nötig, setzt sie sich zur Wehr und läßt sich auch von den Attacken in den Rezensionen nicht mehr beirren. An ihren Verleger Otto Janke, der ihren Romanen einen wirtschaftlichen Aufschwung seines Verlages in den 50er Jahren verdankt,[14] schreibt sie Ende des Jahres 1862: »Wenn ich Ihren Brief so durchlese, so könnte ich wahrhaftig irre an mir werden und denken ich sei gar nicht L. Mühlbach, die bedeutende Erfolge aufzuweisen hat, sondern irgendein junger Autor, von dem man noch nicht weiß, ob er Erfolge haben wird!«[15] Im Zeitraum zwischen 1865 bis 1872 publiziert sie historische Novellen, Reisebriefe und sechs historische Romane im Verlag Costenobles sowie drei weitere Romane im Verlag Otto Jankes. Abweichend von den historischen Romanen männlicher Autoren widmet sich Luise Mühlbach der Biographie und dem gesellschaftspolitischen Einfluß historisch bedeutender Frauenfiguren.[16] Damit zeigt sie ein kontinuierliches Interesse am gesellschaftlichen Status der Frau, wie sie es in ihren sozialen Romanen der 40er Jahre in besonderem Maße zum Ausdruck gebracht hat. Die bisher konstatierte Epochenzäsur nach 1848 erscheint insofern wie bei Mühlbachs Schriftstellerkolleginnen problematisch. Die Autorinnen zeigen sowohl konservative Tendenzen als auch ein Festhalten an den sozialkritischen Themen der Vormärzzeit, was weniger auf eine Zäsur, sondern vielmehr auf eine kontinuierliche Entwicklung des literarischen Werks schließen läßt.[17] In Anbetracht ihres schriftstellerischen Erfolges, ihrer persönlichen Reife und ihrer Vertrautheit mit Umgangsformen und Strategien der Berufs- und Geschäftswelt läßt sich Mühlbach über dieselben nicht mehr belehren. Nachdem sie sich im Sommer 1866 mit Costenoble wegen ihrer Honorarforderungen gestritten hat, beantwortet sie einen seiner Briefe:

Sie schrieben mir neulich: ›Sie als Frau, haben keine Einsicht von diesen Dingen.‹ Mein Herr, ich habe seit 5 Jahren, seit Mundt's Tod, und schon 2 Jahre vorher lernen müssen, als Mann zu denken und zu handeln und dächte ich nur als Frau wäre ich längst der Qual des Lebens erlegen![18]

Diesem gelegentlichen Lebenspessimismus zum Trotz arbeitet sie bis zu ihrem Tod 1873 mit ihrer unerschöpflichen Kreativität und Disziplin weiter. Ihr literarischer Ehrgeiz, nicht zu den nach 1848 beliebten, konventionellen Autorinnen »häuslicher Gemälde« wie Elise Polko, Ottilie Wildermuth oder Henriette Hanke zu gehören,[19] sondern als seriöse Schriftstellerin ernstgenommen zu werden, bleibt ungebrochen. Ende Februar 1864 – die siebte Auflage ihres *Friedrich der Große* ist soeben erschienen – schreibt sie an ihren Freund Hermann von Pückler-Muskau:

Ich spreche von L. Mühlbach als von einem Verfasser – nicht ohne Grund, – denn wie sehr ich mich fühle als Frau und als flammendes Frauenherz dazu im Leben, so möchte ich doch in der Literatur nicht gern zu der lovely literature und den empfindsamen Damen Autoren gerechnet werden, so möchte ich, daß man von L. Mühlbach sagte: ›Sie hat aus dem Geiste geschaffen, nicht aus dem Herzen‹.[20]

Aus großbürgerlichem Milieu stammend wird Clara Müller (d.i. Luise Mühlbach, d. V.) am 2. Januar 1814 in Neubrandenburg als Tochter des Oberbürgermeisters der Stadt geboren und genießt eine relativ unkonventionelle Erziehung und Bildung. Sie profitiert von den vielfältigen künstlerischen und geistigen Interessen ihrer Eltern, die diese – trotz der »chinesischen Mauer«, die das konservative Mecklenburg damals umgibt[21] – pflegen. Ihr Elternhaus ist, wie später auch ihr eigener literarischer Salon, für kultivierte Gesellschaftsabende bekannt. Die künftige Erfolgsautorin, die bereits als Kind und Jugendliche zu schreiben beginnt, entwickelt früh literarischen und gesellschaftlichen Ehrgeiz und den damit verbundenen Drang nach Berlin, dem geistigen Zentrum Preußens. Doch wie die um drei Jahre ältere Kollegin Fanny Lewald, die ebenfalls in einem kultivierten Elternhaus aufwächst, mit ihrem Anspruch auf selbständige geistige Produktivität aber auf Ablehnung stößt, die zunächst Manuskripte ihrem Vater zur Durchsicht vorlegen und ihre Schriften anonym veröffentlichen muß, überschreitet auch Clara Müller mit ihren eigenen literarischen Aktivitäten die Grenzen der väterlichen Toleranz:

Es gibt nichts Widerwärtigeres und Abscheulicheres, als so ein Frauenzimmer, welches die Gelehrte spielt und sich eine Schriftstellerin und Dichterin zu sein dünkt, während sie doch ihren größten Ruhm darin suchen sollte, eine tüchtige Hausfrau zu sein.[22]

Obwohl sie sich in diesem Punkt noch Jahrzehnte später, als erwachsene Frau und erfolgreiche Autorin, gegenüber Georg von Cotta verteidigt, widersetzt sich die jugendliche Clara Müller ihrem Vater. Unermüdlich forciert sie die Entwicklung ihrer Begabungen, verschafft sich Kenntnisse von und Einblikke in eine für die bürgerliche Mädchen- und Frauenbildung der Zeit unübliche Themenvielfalt und erweitert ihr Bewußtsein bereits früh durch Bildungsreisen, insbesondere nach Italien und in die Schweiz.[23] Sie begeistert sich für die Literatur der Jungdeutschen und nimmt – ihrem spontanen und selbstbewußten Naturell entsprechend – brieflichen Kontakt zu dem jungdeutschen Schriftsteller, Publizisten und späteren Historiker und Ästhetiker Theodor Mundt auf. Der 1808 in Potsdam geborene Sohn eines kleinen Beamten, der in den 30er Jahren verschiedene Zeitschriften im Umkreis des Jungen Deutschlands herausgibt, strebt bald eine wissenschaftliche Karriere an, die jedoch aus politischen Gründen immer wieder sabotiert wird. Als Clara Müller 1838, bereits unter ihrem Pseudonym Luise Mühlbach, ihren Debütroman *Erste und letzte Liebe* publiziert, legt sie Mundt diesen und andere Manuskripte zur

Bewertung vor. Seine fortschrittliche Lebensauffassung kommt den Neigungen der jungen Autorin entgegen. Im geistigen Kontext des Saint-Simonismus zeichnet sich insbesondere Mundt durch sein Interesse und Engagement für das in der Vormärzzeit aktuelle Thema der »Frauenemancipation« aus. Bereits 1834 formuliert er in seinen *Modernen Lebenswirren* fortschrittliche Ideen inbezug auf die weibliche Emanzipation, die über die damalige saint-simonistische Begeisterung hinausgehen. 1835 lösen sowohl Gutzkows Roman *Wally, Die Zweiflerin* als auch Mundts Schrift *Madonna* einen gesellschaftlichen Eklat aus. Mundt veranschaulicht hier anhand der Lebensgeschichte seiner freimütigen, modernen Heldin Maria das populäre Schlagwort von der »Wiedereinsetzung des Fleisches« und fordert die Überwindung des überfälligen Sittenkodexes, um die erwünschte Synthese von Materie und Geist zu erreichen. Nachdem der zeitgenössische Kritiker Wolfgang Menzel Gutzkows Roman, der ebenfalls die erotische Emanzipation der modernen Frau sowie aktuelle theologische Probleme thematisiert, als unsittlich und blasphemisch bezeichnet hat, wird das Bundestagsverbot von den Zensurbehörden Preußens und des Deutschen Bundes zum Anlaß genommen, den Autoren des Jungen Deutschlands die Verbreitung ihrer Schriften zu verbieten. Mundts *Madonna* gibt dabei den Hauptanlaß, ihn in den Kreis der mundtot zu machenden Schriftsteller einzubeziehen. Seine wissenschaftliche Karriere respektive seine Zulassung zur Dozentur wird Ende April 1835 im letzten Augenblick verhindert. Der Briefwechsel zwischen Clara Müller und dem umstrittenen Autor führt zu persönlichem Kontakt und 1839 zur Eheschließung. Luise Mühlbach-Mundt, wie sie fortan ihre Korrespondenzen unterschreibt, siedelt mit ihrem Mann nach Berlin über, wo sie mit Ausnahme der Jahre 1848/49 bis zu ihrem Tod leben. Die Ehe ist zu Beginn einer Belastungsprobe ausgesetzt. Die harten Zensurbeschränkungen und Diskriminierungen, unter denen Mundt wegen seiner Zugehörigkeit zum Jungen Deutschland leidet, gefährden die wirtschaftliche Existenz des Paares. Resigniert verreisen sie 1841 mit der Absicht, Berlin zu verlassen, geben diese Pläne jedoch nach einigen Monaten aus verschiedenen Gründen wieder auf. Erst 1842 werden, sowohl durch die Fürsprache Schellings als auch durch Mundts eigene bekundete Distanzierung zu den Schriften des Jungen Deutschland, durch sein viel kritisiertes »Entschuldigungsschreiben« an den König und sein ebenso kritisiertes Versprechen, dem bestehenden System künftig Loyalitiät zu erweisen, die Zensurbeschränkungen gegen ihn (auch gegen Gutzkow und Laube, die ebenfalls die geforderte Wohlverhaltenserklärung abgeben) aufgehoben, und er wird in den Universitätsdienst aufgenommen. Auch Luise Mühlbach hatte sich mit Briefen an den König und den damaligen Innenminister Rochow vehement für ihren Mann eingesetzt.[24] Die Behörden bleiben jedoch argwöhnisch. Der neue Privatdozent wird noch einige Zeit lang durch den Polizeipräsidenten Puttkamer überwacht, jedoch ohne Beanstandung. Die Revolutionszeit und das darauffolgende Jahr verbringt Mundt ganz, Luise Mühlbach nur teilweise in Breslau. 1848 wird das Ministerium erneut mißtrauisch; man hält es für ratsam, Mundt aus dem Mittelpunkt der revolutionären Strömungen zu entfernen und bietet ihm eine Professur in Breslau an. Ohne sonderliche Begeisterung nimmt Mundt das Angebot an. Luise Mühlbach, die den »politisch wichtigen Winter 1848 nicht in der Provinz« verbringen will, bleibt zunächst in Berlin.[25] Auch 1849 unterbricht sie ihren Breslau-Aufenthalt immer wieder, um mehrere Monate in der Hauptstadt sein zu können, was sowohl ihre Reportagen für Kühnes Zeitschrift *Europa*, die sich mit den aktuellen politischen Ereignissen auseinandersetzen, als auch ihre Privatkorrespondenz belegen. 1850 wird Mundt als Professor nach Berlin gerufen, erhält dann jedoch nur ein Amt als Bibliothekar und muß auf das Recht, Vorlesungen zu halten, verzichten. Die Ehe Mundt-Mühlbach gilt in Berliner Kreisen als ausgesprochen harmonisch und vorbildlich.[26] Insbesondere in Mühlbachs langjähriger Korrespondenz mit ihrer Freundin Ludmilla Assing spiegelt sich das sehr innige Verhältnis der Ehepartner wider. Auch fortwährendes gegenseitiges Interesse und Unterstützung ihrer geistigen Arbeiten geht daraus hervor. Im Gegensatz zu anderen Vormärzautorinnen wie Ida Hahn-Hahn oder Louise Aston, deren Emanzipationsthematik ihrer Schriften auch ein Resultat ihrer negativen Erfahrungen in einer Konvenienzehe ist, profitiert Luise Mühlbach von ihrer Ehe mit dem liberalen Theodor Mundt, der sie trotz der zwei Töchter in ihrem literarischen Ehrgeiz unterstützt und fördert. Diese in bürgerlichen Kreisen seltene Erscheinung einer geglückten sowohl ehelichen als auch geistigen Lebensgemeinschaft wird mit zuweilen neidvoller Bewunderung be-

trachtet, aber auch kritisiert. Insbesondere zu Beginn ihrer
schriftstellerischen Laufbahn bzw. kurz nach ihrer Eheschließung mit Mundt wird das »literarische Vereinsgeschäft«
Mundt-Mühlbach von der Kritik mit spöttischem Blick beob-
achtet. Mühlbachs Leistungen werden gelegentlich Mundt zugeschrieben:

Es scheint, als ob eine männliche Hand an dem Style nachgebessert
und sogar einige Reflexionen, die hier nur störend sind, eingescho-
ben habe. [...] So schreibt ein Weib, so schreibt Luise Mühlbach nicht.
Dieses Vereinsliteraturgeschäft, dessen Vorstand Mundt zu sein
scheint, sollte sich auf keine langweiligen philosophischen Einschal-
tungen, sondern nur auf stylistische Nachbesserungen einlassen;
denn es ist wahr, daß der Styl in diesem Buche viel gerundeter und
präciser ist als in den früheren Schriften der Verfasserin, wo sie noch
allein stand, fühlte und schrieb.[27]

Noch 1859 – Mühlbach ist als Schriftstellerin lange etabliert und
bekannter als Mundt – reduziert Friedrich Hebbel die geistige
Lebensgemeinschaft auf finanzielle Aspekte. In Anspielung auf
Mundt-Mühlbach spöttelt er: »Romane schreiben ist ein gutes
Geschäft, wenn man mit der Kritik verheiratet ist.«[28] Dennoch
erfreut sich der literarische Salon Mundt-Mühlbach einer un-
umstritten großen Beliebtheit: »Die ganze Gesellschaft bei ihnen war, wie sie eine geistig angeregte war, auch eine heitere.
Man machte Musik, man führte dramatische Szenen auf, und
vor allem amüsierte man sich.«[29] Es gibt zahlreiche Textpassa-
gen in Memoiren, Lebensbildern und Erinnerungen von Zeitgenossen, die bestätigen, daß Luise Mühlbach wegen ihrer
unermüdlichen geistigen Aktivitäten als anregend und unterhaltend empfunden wird. Der Vielseitigkeit ihrer Interessen und
ihrem »Bildungshunger« entsprechend, frequentieren Vertreter unterschiedlicher literarischer Strömungen ihren Salon, wo
»Verbindungen von der Romantik bis zu den späteren Vertretern des bürgerlichen Realismus« geknüpft werden.[30] Der früh-
zeitige Tod Theodor Mundts 1861 ist ein einschneidendes ne-
gatives Ereignis ihrer Biographie, von dem sie sich durch ihr
diszipliniertes Arbeiten und mit der ihr eigenen Vitalität langsam erholt, das sie aber nie überwindet. Luise Mühlbach lebt
als literarisch erfolgreiche und wirtschaftlich autarke Schriftstellerin und auch als alleinstehende Frau ungebrochen aktiv
und zieht sich nicht aus dem gesellschaftlichen Leben zurück,

sondern pflegt weiterhin zahlreiche Kontakte. Ihr Salon bleibt bis in die 70er Jahre eins der »glänzendsten geselligen Häuser [...]«.[31] Zu ihren Altersfreunden gehören in den 60er Jahren insbesondere Fürst Pückler-Muskau und General von Pfuel. 1867 erhält sie aus den Vereinigten Staaten das Angebot, dort eine Vortragsreihe aus ihren Werken zu halten. Aus persönlichen und finanziellen Gründen lehnt sie dieses Angebot jedoch ab, stattdessen akzeptiert sie 1870 eine Einladung des Vizekönigs von Ägypten, sein Land zu besuchen. Ihrem ca. sechsmonatigen Aufenthalt, einem ihrer Lebenshöhepunkte, folgen Reisebriefe und zwei Romane zur ägyptischen Geschichte.[32] Ihre letzte weitere Reise führt sie 1873 aus beruflichen Gründen nach Wien, wo sie anläßlich der Eröffnung der Weltausstellung als Berichterstatterin für den *New York Herald* tätig ist. Im Sommer desselben Jahres fährt sie zur Kur nach Ems und Marienbad, wo sie jedoch schwer erkrankt. Sie erliegt kurz darauf, am 26. September, einem Leberleiden. Laut Feodor Wehl starb sie »mitten in voller Arbeit, gleichsam mit der Feder in der Hand«.[33]

Mühlbachs Werke sind nicht frei von sowohl inhaltlichen als auch stilistischen Ambivalenzen und Diskontinuitäten. Bereits das umfangreiche Oeuvre und die beachtliche Zeitspanne ihres Schaffens zwischen 1838 und 1873 lassen einen Facettenreichtum geistesgeschichtlicher Einflüsse, formaler Strukturen, Stiltendenzen und Motive erwarten. So zeigen ihre ersten, 1838 erschienenen Romane *Erste und letzte Liebe* und *Die Pilger der Elbe* Rückgriffe auf voraufklärerische und vorrevolutionäre Glaubensmuster und Denkstrukturen, die mit zunehmend politisch-sozialer Tendenz in den Folgejahren zurücktreten. In ihrem Debutroman *Erste und letzte Liebe* verwendet die 24jährige Autorin zahlreiche barocke Stimmungsbilder. Die Heldin Emilie, die mit dem Willen zu erotischer Autonomie zunächst den saint-simonistischen Typus des »freyen Weibes« verkörpert, widersetzt sich der Autorität ihrer Eltern, die eine Konvenienzehe erzwingen wollen und läßt sich heimlich mit dem Mann ihrer Wahl trauen. Doch das Paar wird durch Intrigen, Mißverständnisse und Schicksalsschläge getrennt. Das predigthafte Gebot der Entsagung gewinnt erneut die Oberhand. Zahlreiche Todesmotive deuten das Scheitern der Beziehung an und vermitteln ein Bewußtsein von der Übermacht des Todes, wie es das pessimistische Lebensgefühl der deutschen Barockdichtung prägte. Auch die Klage über die Nichtigkeit des Seins und die Betonung der Buße und Unterwerfung unter einen göttlichen Willen sind Bestandteile eines fortgesetzten Vanitasgedankens. Emilie erreicht erst durch Entsagung eine Stufe der abgeklärten Weltsicht. Aus der auktorialen Erzählerperspektive wendet sich Mühlbach an die Lesenden, verweist auf das notwendige Gleichgewicht von Herz und Vernunft und auf einen anzustrebenden universalen höheren Sinn. Die Liebeserfüllung im Diesseits darf noch nicht Selbstzweck sein, sondern sie gilt es im Hinblick auf eine transzendente Idee zu veredeln:

> [...] wir waren bemüht, darzulegen, wie selbst die reinste, heiligste Liebe, die Liebe, die vom Himmel kommt, dennoch, wenn wir unser ganzes Seyn ihr rücksichtslos hingeben, uns irre leitet auf eine falsche Bahn, die nicht zum Himmel führt, und uns zu spät lehrt, daß es noch etwas höheres giebt als unser Herz [...].[34]

Im zweiten Teil der Romantetralogie *Frauenschicksal* von 1840 übernimmt Luise Mühlbach inhaltliche Aspekte und stilistische Ausdrucksmittel der Empfindsamkeitstradition. Der empfindsamen Tendenz entspricht die Gefühlsstruktur der Romanheldin Anna. Die Intensität ihrer subjektiven Empfindung vermittelt ihr Wahrheit; geistige Bildung erübrigt sich dadurch für die naturliebende, tief religiöse Persönlichkeit. Die Bereitschaft zu selbstauferlegtem Schmerz entspricht dem empfindsamen Selbstgenuß. Auch hier entsagt die Protagonistin ihrer Liebe und findet dadurch ihre Identität. Immer wieder konstruiert Mühlbach in ihrem Frühwerk verschiedene Dichotomien: Dem positiven Weiblichkeitsentwurf der empfindsamen, naturverbundenen Frau ist der problematische und nach Emanzipation strebende Frauentyp zur Seite gestellt. Der natürliche Mann des Handwerks wird mit gebildeten Adeligen oder reichen Bürgern der Salons konfrontiert. Die Komplexität des Stadtlebens ist dem einfachen Landleben entgegengesetzt. Der Kontrast von Natur und Gesellschaft wird in diesem Kontext besonders betont. Die Natur wird in Mühlbachs Werken zur Glücksmetapher; das Idealbild des »natürlichen Menschen« spiegelt die Vorstellung von einem in sich ruhenden und authentischen Charakter wider. Auf diese Thematik weist bereits der Romantitel *Der Zögling der Natur* von 1842 hin. Der Protagonist Antonio, der diesen Idealtypus verkörpert, verlebt seine Jugend in Abgeschiedenheit, so daß sich seine positiven Anlagen ungestört entfalten können. Erst die Konfrontation mit

»der Welt« – hier dem sizilianischen Hof als Kulminationspunkt
von Intrige, Heuchelei und falscher Frömmigkeit – löst eine
Lebenskrise aus, die der Held jedoch überwindet. Mühlbachs
Persönlichkeitsentwurf erinnert in vielen Punkten an Rousseaus
psychologischen Roman »Emile oder über die Erziehung« und
damit an dessen ursprüngliche These, daß der Mensch von
Natur aus gut und nur von Zivilisation und Gesellschaft kor-
rumpiert sei. Idyllische Segmente bilden eine weitere Konstante
in Mühlbachs literarischer Darstellung. Die Zitate des idyllisch-
bukolischen Repertoires werden jedoch in der Regel von der
politisch-gesellschaftlichen Realität überlagert und dadurch
konterkariert. Idyllische Passagen indizieren in ihren Romanen insofern häufig das Gegenteil ihres impliziten Glücks-
motivs, nämlich eine negative Peripetie in der Handlung. Das
Idyllische bleibt insofern illusionär und zeigt keine Gegenbild-
lichkeit im Sinne einer realisierbaren Alternative. Für die Personen einer konfliktbehafteten Liebesbeziehung wird der poetisierte idyllische Raum zu einem temporären Kompensations-
und Fluchtpunkt, bevor die ethische Norm eine Entscheidung
erzwingt. Der idyllische Augenblick erlaubt den Liebenden, ihre
meist unkonventionelle Liebeskonzeption in Einsamkeit und
Abgeschiedenheit von der Realität auszuleben. Die Beschreibung kurzfristiger Glückshöhepunkte entlarvt gleichzeitig die
Liebesidyllik als einen nicht haltbaren Zustand, wodurch die
fehlende gesellschaftliche Sanktion kritisiert wird. In dem dreibändigen Roman *Eva. Ein Roman in Berlin* (1844) wird durch
die Überhöhung des traditionellen Handwerks ein idyllischer
Raum in der Großstadt geschaffen, der die sittliche Verwahrlo-
sung der gesellschaftlich dominierenden Klassen veranschaulicht. Die für das Biedermeier typische Schlußidylle mit den
bevorzugten Motiven Ehe, Hochzeit und Freundschaft, ist hier
jedoch Ausgangspunkt der Erzählung, was die »Störung« der
Idylle bereits in Aussicht stellt. »Idyllische Armutsszenen«
dichotomisieren einfache Lebensverhältnisse gegenüber den
Auswüchsen der Zivilisation und kontrastieren Arbeit und
Müßiggang. Im *Roman in Berlin* (1846) leben die Personen der
sogenannten Familienhäuser am Rande des Existenzmini-
mums, werden jedoch von existenzbedrohendem Elend verschont. Die nahezu fröhliche Lebensphilosophie der Armut
weckt hier weniger Mitleid als vielmehr die Assoziation eines
»goldenen Zeitalters«, wonach die Menschen nur elementare

Bedürfnisse kennen und materieller Überfluß als sinnlos erscheint. Der poetisierte Lebensbereich der Armut, das verklärte ärmliche Zimmer, wird somit, in Analogie zur Landschaft,
zum idyllischen Raum der Tugendhaften. In *Justin* (1843) werden idyllische Motive in einen exotischen Raum verlegt. Themen wie das des »edlen Wilden«, des »Goldenen Zeitalters«
und des »Paradieses« dienen dem Ausdruck moderner Probleme bzw. übernehmen die Motivfunktion einer kritischen
Bewertung der eigenen Zeit. Der Kontrast der natürlichen Landschaft im Gegensatz zur Sphäre der europäischen Gesellschaft
wird durch die Darstellung außereuropäischer Regionen, von
exotischen, wilden oder extrem kargen Landschaften sowie ein-
facher Naturvölker verstärkt. In den 40er Jahren widmet sich
Mühlbach insbesondere in den Romanen *Eva. Ein Roman aus
Berlins Gegenwart* (1844) und *Ein Roman in Berlin* (1846) den
neuen Erscheinungsformen des gesellschaftlichen Lebens in der
Stadt. Bereits in dem um Internationalität bemühten Roman
Bunte Welt (1841) ist der Schauplatz die Großstadt London, in
der die Schicksalsverläufe von Figuren aus verschiedenen europäischen Ländern miteinander verknüpft werden. Als Stoff-
und Motivkomplex der »großen Stadt« integriert der vorran-
gig im großbürgerlichen und adeligen Milieu angesiedelte Roman die neue, spezifisch soziale Problematik der gesellschaftlichen Segregation und Verdrängung verelendeter Menschen-
gruppen in bestimmte Stadtviertel sowie deren sittlichen Verfall. Anhand der auktorialen Erzählhaltung lenkt die Autorin
die Leserperspektive auf die Innenwelt der Lady Ellinor, die
erstmalig mit den »Gestalten« des sozialen Elends und des sittlichen Verfalls konfrontiert wird. Das »Geheimnis« von »Tot-
tenhamcoard-road« wird durch die adelige Protagonistin »entdeckt«. In langen, rein deskriptiven Passagen werden Straßen
und elende Behausungen mit minuziöser Beobachtungstechnik
wiedergegeben und ohne ästhetische Rücksicht mit naturali-
stischer Optik dokumentiert. In dem Roman *Glück und Geld*
(1842) widmet sich Mühlbach dem Phänomen des zunehmenden Materialismus. Handlungsorte des zweibändigen Romans
sind Paris, London und New York. Anhand des Kontrastprin-
zips, der dominierenden Wahrnehmungsform in der Großstadt-
literatur des 19. Jahrhunderts, werden einerseits verschiedene
Handlungsstränge strukturiert, andererseits Armut und Reichtum gegenübergestellt. Mühlbach prangert insbesondere die

Mißstände des Frühkapitalismus an. In der Fabrik des millionenschweren Protagonisten Bonners herrscht die entsetzlichste Ausbeutung und härteste Kinderarbeit, in den Behausungen der Arbeiter die erbärmlichste Armut. Ziehkinder werden von verelendeten, alkoholabhängigen Figuren zu einer Existenz als Bettelkinder gezwungen. Die Lesenden werden Zeugen, wie in einer schäbigen Wohnung Edmund Beauvalle und seine Frau Camilla, beide verstoßen von ihren reichen, adeligen Familien, mit ihrem Kind allmählich dahinsiechen. Die für die Großstadt charakteristische Simultanität von Glanz und Elend wird in ihrer Absurdität gezeigt. Das Stilprinzip der Reihung vermittelt die Lebensdynamik der Straße und deutet auf die veränderte Erfahrungs- und Wahrnehmungsform der Stadt hin. Auch das Motiv der Einsamkeit des Einzelnen in der anonymen Menge fehlt nicht. 1844 literarisiert Mühlbach die Erfahrung des einsetzenden Urbanisierungsprozesses in der eigenen, unmittelbaren Umgebung und bietet mit *Eva. Ein Roman aus Berlins Gegenwart* ein gegenwartsbetontes Panorama der preußischen Hauptstadt. Der »Vorwurf Stadt« richtet sich in diesem Roman weniger auf die soziale Problematik der Deklassierten, sondern mehr auf die vieldiskutierten Tendenzen der »moralischen Auflösung«, die hier eine Ehe gefährden. In dem dreibändigen *Roman in Berlin* will Mühlbach »das Leben der unteren Classen und der sogenannten Proletarier« schildern.[35] Anhand verschiedener Erzählstränge werden den Lesenden jedoch auch Einblicke in den bürgerlichen Lebensraum und in den aristokratischen Salon ermöglicht. Die »innere Geräumigkeit« des Romans bietet die Erscheinungs- und Ereignisfülle, derer die Stadt bedarf, und gewährt eine multiple Perspektivität. Bericht, Beschreibung, Dialog und der Einschub von Erzählerreflexionen werden von der Autorin je nach Bedarf gemischt. So wird den Lesenden die seelische Situation der verlassenen, ungewollt schwangeren Gräfin Marsilla vermittelt, sie wandern mit den Kindern Lude und Amintha durch das nächtliche Berlin, erfahren von dem Mangel an Findelhäusern und werden Augenzeugen der menschenunwürdigen Zustände in der Charité. Detailrealistisch führt Mühlbach den trübseligen Alltag von Geisteskranken, erkrankten Prostituierten und Kriminellen vor Augen. Ebenso prangert sie die Zustände in Entbindungsheimen an, in denen »gefallene« Frauen ihre unehelichen Kinder zur Welt bringen, um sie dann zweifelhaften Ziehmüttern zu überlassen. Insofern antizipiert die Autorin die soziologische Sichtweise der Naturalisten, worin eine Parallele zu der urbanen Wahrnehmungsform der englischen und französischen Autoren liegt. In Mühlbachs Frühwerk erstreckt sich die Darstellung dichotomischer Verhältnisse auch auf ihren literarischen Entwurf kontrastiver Frauencharaktere. Im Laufe ihrer schriftstellerischen Entwicklung in den 40er Jahren wird ihre Figurendarstellung jedoch differenzierter und ambivalenter; die Charaktereigenschaften der empfindsamen, naiven und naturverbundenen Frau überschneiden sich zunehmend mit denen der gebildeten und nach Emanzipation strebenden Protagonistin. Die weibliche Erfahrung von Täuschung, Enttäuschung und Einsamkeit bleibt jedoch ein Leitmotiv. Mühlbachs Heldinnen sind Ausnahmepersönlichkeiten, die wegen ihrer Opposition zur traditionellen Frauenrolle in eine Lebenskrise geraten – die zentralen Ideen des zeitgenössischen Frühfeminismus kristallisieren sich heraus. Dies sind im wesentlichen die Forderung nach der rechtlichen Gleichstellung der Frau und das Postulat verbesserter Erziehungs- und Bildungsmöglichkeiten. Die Autorin entwickelt darüber hinaus eine realistischere Version der »femme libre«, als wie sie den Reformvorstellungen der Saint-Simonisten entsprang, und befürwortet – wie andere gemäßigtere Schriftstellerkolleginnen – die »Emanzipation des Herzens«, d.h. die freie Partnerwahl, die jedoch in die schützende Lebensform einer partnerschaftlichen Ehe münden soll. Auch die Forderung nach erleichterten Scheidungsmöglichkeiten gehört zu ihrer emanzipatorischen Programmatik. Konvenienzehe und andere Problembereiche der Ehe sind deshalb Standardmotive ihres Erzählwerks. Bereits in *Erste und letzte Liebe* (1838) scheitert der Wunsch nach freier Partnerwahl aufgrund der Dominanz der gesellschaftlichen Konvention. Die Heldin Emilie stirbt einen frühen Tod. In *Glück und Geld* (1842) beherrscht allein die »wachsende Macht des Geldes« die Ehestrategien der Personen; die Ehe reduziert sich hier auf den Vollzug eines Kaufvertrags. In diesem Konfliktfeld zeichnen sich die Schwestern Lenore und Camilla aus und zeigen in unterschiedlicher Ausprägung Merkmale der »anderen Frau«. Camilla verkörpert die ätherische, empfindsame Frau, die sich jedoch für aktuelle soziale Probleme interessiert und sich als eine Anhängerin der Milieutheorie zeigt. Camillas Mutter, die Baronin von Saumont, vertritt die gesellschaftliche Doppelmo-

ral, nach der Bürgertöchter sich nicht verlieben, sondern ver-
heiraten sollen. Camillas Entschluß zu einer Liebesheirat führt
zum Bruch mit ihrer Familie und nach einer Phase der sozialen und materiellen Verelendung zu ihrem frühen Tod. Im Gegensatz dazu stürzt sich die Schwester Lenore bewußt in eine
Konvenienzehe. Die soziale Utopie, die sie mit dem Geld ihres
Gatten verwirklichen wollte, erweist sich jedoch als Illusion.
Sie vereinsamt in einer emotionslosen, formalen Beziehung. In
Anbetracht der Heterogenität emanzipatorischer Ansätze der
Vormärzzeit erscheint es um so bemerkenswerter, daß Mühlbach in ihren Werken bereits die standesspezifischen Probleme von Frauenbiographien analysiert und kontrastiert. Damit
überwindet sie im Gegensatz zu der Schriftstellerin Ida Hahn-
Hahn, deren sogenannte »Gräfinnenemanzipation« kritisiert
wurde, einen elitären Standpunkt und setzt sich bereits 1840 in
ihrer Romantetralogie *Frauenschicksal* mit der sozialen Situation der Unterschichtsfrau, der Bürgerin, der Künstlerin und der
adeligen Frau auseinander. Im ersten Erzählabschnitt *Das Mädchen* schildert sie den typischen Werdegang einer Frau aus klein-
bäuerlichen Verhältnissen, die später am Hofe eines Landgra-
fen von demselben verführt und verlassen wird. Die Heldin
Christine wird schwanger und muß sich und ihr Kind allein
durchbringen, was nicht gelingt. Ihre Tochter stirbt als junges
Mädchen an Unterernährung, sie selbst endet geistig verwirrt
und alkoholabhängig als »Nr. 30« im Krankensaal eines Spinn-
hauses. Wohlhabend und erfolgreich ist dagegen Emilie Min-
den, Protagonistin des zweiten Teils der Romansammlung.
Doch diese Heldin, die als Künstlerin in mehrfacher Hinsicht
die emanzipierte »andere Frau« verkörpert, leidet an Einsamkeit und gesellschaftlicher Ausgrenzung. Emilie wird als »exo-
tisches Wesen« begehrt, aber als Gattin für unwürdig gehalten. Ihr Partner Ernst von Haltern verläßt sie, um eine standes-
gemäße Ehe einzugehen. Der frühe Tod der Protagonistin wird
angedeutet. Obwohl die Heldin Anna in der Erzähleinheit *Die
Gattin* ein Frauenideal des Großbürgertums verkörpert, anhand
dessen die Liebes- und Eheproblematik dieser Gesellschaftsschicht analysiert wird, klammert Mühlbach hier jedoch die
spezifische Berufsproblematik der bürgerlichen Frau aus. Erst
in *Eva. Ein Roman aus Berlins Gegenwart* (1844) thematisiert sie
dezidiert die Perspektivelosigkeit der wirtschaftlich und gesellschaftlich abhängigen Ehefrau, wie sie sich durch die ver-

änderte Sozialstruktur der sich konstituierenden bürgerlichen
Gesellschaft entsteht. Mühlbach kritisiert hier vehement die
Beschränkung weiblicher Entfaltungsmöglichkeiten und den
Ausschluß der Frau aus dem öffentlichen Leben. Die zunächst
vielversprechende Rolle einer wohlhabenden Handwerkers-
gattin erweist sich als restringierte Stellung und funktionslose
Existenz. Im letzten Abschnitt der Romansammlung wird das
Portrait einer Frau der hohen Aristokratie, das sich an der historischen Figur Katharina II. von Rußland orientiert, gezeichnet. Hier beschreibt die Autorin das privilegierte Leben der
adeligen Frau als eine von höfischer Etikette und politischen
Sachzwängen fremdbestimmte weibliche Existenz und kritisiert den Sittenkodex des Adels. In dem Roman *Gisela* (1845)
wird die Spannung zwischen dem weiblichen Individuum und
der Gesellschaft gesteigert; auch diese Heldin endet in Einsamkeit und Freitod. Frauen und Männer agieren feindlich in der
korrupten, politisch reaktionären Gesellschaft der fiktiven Re-
sidenz Zerbel. Das Geschlechterverhältnis ist von Geringschät-
zung, Ausbeutung und Untreue bestimmt. Mühlbach beschreibt
Gisela als eine idealistische, geniale Frau, aber zugleich auch
als einsame Misanthropin und greift damit auf die Figurendarstellung ihres berühmten Romans *Aphra Behn* (1849) vor.
Gisela verkörpert eine weibliche Timon-Gestalt, die aus der
Perspektive ihres enttäuschten Idealismus die Unfreiheit der
Frau anklagt. Die adelige Protagonistin wird in der Abgeschie-
denheit eines Pfarrhofes auf unkonventionelle Weise erzogen.
Sie lernt die griechischen und lateinischen Klassiker in der
Ursprache lesen, sowie Astrologie, Physik und Mathematik (Bd.
I, S.73). Ihr fortschrittlicher Erzieher sieht in Gisela »ein Exem-
pel des freien Weibes«, eine Vertreterin der Aufklärung:

Eine Missionarin sollt Du sein des freien Willens, und lehren sollt
Du die Welt sich in den Staub zu beugen vor einer Tugend, die so
keusch ist, selbst des Flitterstaates und des äußeren Scheins nicht zu
bedürfen! Gehe, mein Kind, und zeige der Welt, daß das Weib keine
Sclavin ist, sondern eine Freigeborene![36]

Auch diese Heldin mit dem Leitsatz »thue recht und scheue
niemand« macht enttäuschende Erfahrungen mit Intrige, Heuchelei und falscher Frömmigkeit. Doch trotz ihrer daraus resultierenden ablehnenden Haltung gegenüber der Gesellschaft
behält sie die notwendige Bezogenheit ihr gegenüber – ein

Spannungsverhältnis, auf dem das literarische Interesse am Motiv des Misanthropen im wesentlichen beruht. Mühlbachs Roman *Aphra Behn* (1849) gilt heute in bezug auf die Emanzipationsthematik als der bedeutendste Roman ihres sozialkritischen Frühwerks, da hier ihre emanzipatorischen Ideen ausgereifter erscheinen und konsequenter vertreten werden. Die Autorin verwendet die faszinierende Lebensgeschichte der gleichnamigen, ersten professionellen Schriftstellerin Englands (1640–1689) als Grundgerüst, modifiziert jedoch die Behn-Biographie chronologisch und inhaltlich. Wie in keinem anderen Roman bricht die Protagonistin mit der Gesellschaft, deren Doppelmoral sie mit ungewöhnlicher Schärfe attackiert und als Instrument weiblicher Reglementierung identifiziert. Mühlbachs fiktive Heldin gehört damit nicht wie ihr historisches Vorbild ins 17. Jahrhundert, sondern spiegelt die Diskussion des Frühfeminismus der Vormärzzeit wider. Darüber hinaus gelingt Mühlbach hier eine differenziertere Charakterdarstellung als in ihren früheren Romanen. Aphra Behn ist zwar eine Sympathieträgerin, jedoch keine idealisierte Emanzipierte, sondern eine zu kritisierende Frau mit Schwächen und Inkonsequenzen, die selbst an der beklagten Inkongruenz von Sein und Schein teilhat, ja diese sogar verkörpert. Ihre ambivalente Charakterstruktur wird dialektisch beschrieben; sie hat das »Herz einer Lais und den Kopf eines Platon«. Sie denkt »stark und kräftig, [...] aber ihr Herz glühte von einem verzehrenden, Alles [...] versengenden Feuer« (Bd. III, S. 10). Die Persönlichkeitsspaltung erlebt die Heldin als unüberwindbaren Konflikt; in einer von ihr verachteten Gesellschaft führt sie als Hofdame eine einsame und fremdbestimmte Existenz. Auch die kontrastive Darstellung religiösen Verhaltens – die wahrhaft Frommen gegen die Heuchler christlicher Frömmigkeit – sowie die kategorische Ablehnung kirchlicher Autoritäten und ihrer Institutionen ist maßgeblich in Mühlbachs Darstellung und nimmt im Laufe der 40er Jahre an Schärfe zu. Im Kontext des religiösen Dissenses stehen die Romane *Des Lebens Heiland* (1840), *Gisela* (1845), *Ein Roman in Berlin* (1846) und Mühlbachs erster historischer Roman *Hofgeschichten* (1847). Auch der in der russischen Geschichte angesiedelte Roman *Die Tochter einer Kaiserin*, der Ende 1847 erscheint, danach in Preußen verboten wird und erst 1848 in stark zensierter Fassung erneut zugelassen wird, thematisiert religiöse Konflikte. Mühlbach

formuliert hier den zeittypischen Protest gegen den Pietismus,
den Jesuitenorden und den Ultramontanismus. Insgesamt tritt
in ihrem Werk eine bekenntnislose Religiosität hervor, die sich
im wesentlichen in einer zeittypischen Form des spinozistischen
Pantheismus ausdrückt, der die Offenbarung und Immanenz
Gottes im Universum, in der Natur und in der Menschheit vor-
aussetzt. Damit teilt sie mit Fanny Lewald und Louise Otto
eine der populären zeitgenössischen Glaubensauffassungen.
Erstmalig vertritt Mühlbach die aufgeklärte Idee der religiösen Toleranz in dem Roman *Des Lebens Heiland* (1840); hier
werden verschiedene Protestkomplexe mit der Thematik des
jüdischen Emanzipationsprozesses verbunden. Der Hand-
lungsort wird nach Krakau verlegt, um die Problematik der
jüdisch-christlichen Spaltung verschärft darstellen zu können.
Das Thema der unterdrückten Frau wird hier zusammenhängend mit der Diskriminierung der Juden geschildert, die die
Emanzipations-, Identitäts- und Glaubensfindung der Heldin
zusätzlich erschwert. Die Autorin literarisiert die zeitgenössischen jüdischen Liberalisierungstendenzen und übernimmt die
vom arrivierten jüdischen Bürgertum und von christlicher Seite vorgetragene Kritik an dem religiösen Partikularismus und
an der Orthodoxie der Juden aus emanzipationspolitischen
Gründen. Die Wahrheit suchende, »andere Frau« wird von der
polnischen Jüdin Rebekka verkörpert, die in vielfacher Hinsicht enttäuscht wird: nicht nur durch ihre Diskriminierung als
Jüdin und durch die allgemeine religiöse Intoleranz, sondern
auch durch treuebrüchige Männer. In *Gisela* (1845) wird die
Welt- und Lebensauffassung der Heldin zur Religion, sogar zu
einer messianischen Verkündigung erhoben. Naturverbunden-
heit gilt im Gegensatz zu mechanisierten Gebetsritualen als
Gottesdienst und ist Charakteristikum einer existentiellen Unschuld. Auch die Selbstachtung und das individuelle Glücks-
streben ist Ausdruck einer fortschrittlichen Frömmigkeit, da
der Mensch als Abbild Gottes begriffen wird. Als tatkräftig
Empfindende verkörpert Gisela das Prinzip der Aktivität und
praktiziert im Sinne der zeitgenössischen religiösen Opposi-
tionsbewegungen eine Religiosität der karitativen Tat. In *Hofgeschichten* (1847) verläßt die Autorin die historische Ebene, um
sich auf ihre Gegenwart zu beziehen. Sie veranschaulicht und
kritisiert hier die Verflechtung kirchlicher und staatlicher Interessen in Frankreich zur Zeit Ludwig XIV. und verweist auf

die diesbezügliche Parallelität zur aktuellen Situation in den
deutschen Staaten. Wie andere zeitgenössische Vertreter- und
Vertreterinnen der engagierten sozialkritischen Literatur formuliert Luise Mühlbach noch kein theoretisch fundiertes, fest
umrissenes politisches Programm. Im Politisierungsprozeß der
bürgerlichen Literatur der 30er und 40er Jahre befürwortet sie
vornehmlich die sozialen und liberalen Strömungen in jung-
deutscher Nachfolge und steht dem Konservatismus/Traditio-
nalismus ablehnend gegenüber. Im Gegensatz zu den Konservativen erhofft sie die Veränderbarkeit von Staat, Gesellschaft,
Recht und Kultur. Sie prangert Institutionen und Autoritäten
an, die die überlieferte, gottgewollte Ordnung, den »Bund von
Thron und Altar« verbürgen: Monarchie, Kirche und patriar-
chalisch-ständische Ordnung. Kontinuierlich wendet sie sich
gegen die Entwicklungshemmung durch die politische Reaktion respektive gegen die gesellschaftliche Abschließung pri-
vilegierter Gruppen wie die des Adels, gegen kritikloses
Obrigkeitsdenken sowie religiöse Orthodoxie, geistige und
kulturelle Sterilität. Als Vertreterin des Bildungsbürgertums
gehört sie damit ins Spektrum der liberal-demokratischen Bewegung. Bereits in *Der Zögling der Natur* weist sie sich als Für-
sprecherin der Natur- und Menschenrechtslehre der westeu-
ropäischen Aufklärung aus. In Anlehnung an Rousseau rezipiert sie nicht nur dessen Kulturpessimismus, sondern auch
den Gleichheitsgrundsatz und die Betonung der Volkssouveränität. Dem politischen Interesse Mühlbachs stehen jedoch
die Erfahrungen der tagespolitischen Realität gegenüber, die
phasenweise zu einer ambivalenten oder resignativen Haltung
führen. Häufig äußert sie sich erbittert über die Diskrepanz
zwischen ideologischem Anspruch und dem Verhalten libera-
ler Literaten und kritisiert zum Beispiel in *Eva. Ein Roman aus
Berlins Gegenwart* (1844) die zeitgenössischen Tendenzdichter.
In den historischen Romanen *Hofgeschichten* (1847) sowie in der
ersten Fassung von *Prinzessin Tartaroff* (1847) thematisiert sie
ebenfalls aktuelle politische Konflikte. Die Ereignisse der Märzrevolution werden in dem historischen Großroman *Aphra Behn*
(1849), der gleichzeitig den Wechsel zu der von Mühlbach später bevorzugten Gattung einleitet, reflektiert. Die Autorin schildert hier die von Korruption bestimmten politischen Verhältnisse Englands um 1660 und beschreibt das Spannungsverhältnis von Monarchismus und Volkssouveränität. Sie attackiert

die absolutistische Staatsform und damit verknüpft die Figur
Karl II. mit außerordentlicher Schärfe – eine Parallele zu der
aktuellen politischen Situation der scheiternden Revolution
sowie zu der Person Friedrich Wilhelm IV. drängt sich unwillkürlich auf. Insbesondere die heftige Kritik an Karl II. wegen
zahlreicher gebrochener Versprechungen spiegelt die Enttäuschung über Friedrich Wilhelm IV. wider, auf dessen »klares
Wort eines geborenen Königs« in den Frühjahrsmonaten von
1848 vergeblich gehofft wurde:

> Und wann hätte ein König Wort gehalten mit seinen Gelübden, wenn
> diese das Wohl seines Volkes betrafen, und nicht sein eigenes könig-
> liches Behagen? Die Verheißungen, welche die Könige ihren Völ-
> kern gemacht, sind alle eitel Lug gewesen. Was sie mit Worten Euch
> gegeben, was sie Euch Schwarz auf Weiß verhießen, das waren
> Schwüre in den Wind gezeichnet.[37]

Erneut schildert die Autorin in der Historie das Machtbündnis
von Adel und Klerus, die Abhängigkeit Karls von der katholischen Kirche, sein lasterhaftes Leben, das mit Ablaß und Abso-
lution belohnt wird, sowie seine Zurücknahme des Verspre-
chens der freien Religionsausübung. In Analogie zu der verschärften Zensur und den Repressionen gegen Oppositionelle
in Preußen seit 1843 verfolgt der englische König im Auftrag
der katholischen Kirche Parlamentsmitglieder, Republikaner,
Presbyterianer und Anhänger Cromwells, obwohl er Amne-
stie versprochen hatte. Auch der für das 19. Jahrhundert wichtige nationale Gedanke wird im Roman durch den Verkauf
Dünkirchens an Ludwig XIV. von Frankreich thematisiert, der
die Menschen willkürlich unter die Macht einer fremden Regierung stellt. Mit *Aphra Behn* gelingt der Autorin eine moderne Variante des zeittypischen historischen Romans, die aufgrund ihrer sozialkritischen Tendenz dem Ideal einer engagierten Literatur, wie es zuerst von den Jungdeutschen entwickelt
wurde, verbunden bleibt.[38] Schriftstellerinnen wie Fanny Lewald, Luise Mühlbach, Ida Hahn-Hahn oder Louise Aston
schafften die Aufnahme in den traditionellen Literaturkanon
nicht. Ihre Namen waren nahezu unbekannt, als sie in den 70er
Jahren unseres Jahrhunderts wiederentdeckt wurden. Um so
mehr überrascht es, daß in den Zeitungen und Zeitschriften
der 40er Jahre des 19. Jahrhunderts, insbesondere in den *Blät-*
tern für literarische Unterhaltung, im *Freihafen*, in der *Europa* oder

im *Telegraphen für Deutschland*, die insgesamt zahlreichen Rezensionen über Neuerscheinungen der besagten Autorinnen von einem regen Interesse der zeitgenössischen Literaturkritik zeugen. Die Publikationen von Frauen, die zunehmend »aus Profession« schreiben, sich zu drängenden politischen und sozialen Themen der Zeit äußern, werden zwar sehr kritisch beleuchtet, doch die Tatsache, daß Literaturkritiker sich ernsthaft mit ihnen auseinandersetzen, spiegelt ihren Stellenwert in der Debatte und ihren damaligen Bekanntheitsgrad wider. In bezug auf Luise Mühlbach fällt auf, daß die Romane ihres Frühwerks in der politisch aufgeschlosseneren Zeit der 40er Jahre von den Rezensenten insgesamt detaillierter, wohlwollender und günstiger beurteilt werden als nach 1850. Das liegt zum einen daran, daß sich nach der gescheiterten 48er Revolution die konservativere Haltung auch gegenüber den Vormärzautorinnen durchsetzt und die Rezeption ihrer Werke einseitiger wird bzw. zunehmend nach geschlechtsspezifischen Kriterien erfolgt.[39] Zum anderen bewirkt die Annäherung an die Programmatik des bürgerlichen Realismus die Priorität anderer literarischer Bewertungskriterien, wie zunehmend ablehnende Kritiken der Mühlbachschen Werke nach 1850, z. B. in den *Grenzboten*, in Literaturgeschichten und Enzyklopädien zeigen. »Der Verfasserin stehen die blauen Strümpfe gar nicht übel an«, bemerkt 1841 ein Kritiker der *Europa* und meint damit die junge Autorin Luise Mühlbach, die bereits 1838 durch ihre Romane *Erste und letzte Liebe* und *Die Pilger der Elbe* sowie durch *Frauenschicksal* von 1840 die Aufmerksamkeit der deutschen Literaturkritik erregt hat.[40] Das stereotype Etikett des »Blaustrumpfes«, »unverwischbares Kainsmal der Lächerlichkeit und Widernatürlichkeit«,[41] kennzeichnet die literarische Wahrnehmung des neuen Talentes und ist ein Indiz ihres sich abzeichnenden Rufes einer »Emancipierten«. Wie Fanny Lewald, Louise Aston, Ida Hahn-Hahn oder Louise Otto-Peters aus der Reihe der fortschrittlichen, von den Jungdeutschen beeinflußten Autorinnen des Vormärz wird Mühlbach deshalb als »deutsche George Sand« bezeichnet.[42] Zu Beginn der zweiten Jahrhunderthälfte gilt die »Emancipation der Geschlechter« jedoch nicht mehr als erstrebenswertes Ziel eines gesellschaftlichen Wertewandels. In diesem Kontext wird die krasse Darstellung moderner gesellschaftlicher Probleme der 40er Jahre, insbesondere in der Literatur von Frauen, häufig als abstoßend und

skandalös empfunden: »Die schleierlose Enthüllung von Situationen, welche zum mindesten als unweiblich bezeichnet werden muß, stellt Luise Mühlbach in die Reihe der emancipierten
Schriftstellerinnen.«[43] Sogar fortschrittliche Jungdeutsche wie
Gutzkow reagieren mit diesem zeittypischen Abscheu,[44] wenn
die vom biedermeierlichen Goldschnitt gänzlich abweichen-
den Darstellungen in der Literatur von Frauen auftauchen. In
diesem Sinne wird in der Literaturkritik mit dem Namen Luise Mühlbach insbesondere Unsittlichkeit sowie Unweiblichkeit
assoziiert. Auch der bekannte liberale Historiker und Literartur-
kritiker Robert Prutz, der in den 30er und 40er Jahren das Programm einer gesellschaftsbezogenenen Literaturgeschichtsschreibung mitentwickelt hat,[45] schließt sich dieser Auffassung
an und stigmatisiert 1859 Mühlbachs gesellschaftskritisches
Frühwerk als unweiblich:

Nackter als irgendeine Schriftstellerin, sei es Deutschlands, sei es
des Auslands, deckte Luise Mühlbach die Wunden der Gesellschaft
auf und enthüllte das Elend und die Schande, die so häufig unter
dem stillen Schleier des Hauses verborgen liegen. Der Muth, welchen Luise Mühlbach dabei an den Tag legte war groß, sogar zu groß
für eine Frau; etwas weniger Muth und dafür mehr weibliche Scham
und Zurückhaltung wäre besser gewesen. Überhaupt hat Luise
Mühlbach eine kecke, ungezügelte Phantasie; in wildem Übermuth
übersteigt sie jede Schranke; sie schwelgt in dem Anblicke dessen,
wovor das natürliche Weib das Auge erschrocken niederschlägt, und
findet ein grausames Behagen darin, alle möglichen Gräuel und
Unthaten zusammen zu häufen.[46]

In der nachrevolutionären Literaturdebatte ist die desillusio-
nierende Darstellung gesellschaftlicher Probleme für den einflußreichen Kritiker Rudolf Gottschall, der schon vor 1848 eine
bedeutende Rolle spielte und durch die literarische Diskussion des Vormärz geprägt wurde, wie auch für Robert Prutz oder
Julian Schmidt nicht mehr annehmbar.[47] Gottschall, den die frühen Romane Mühlbachs an die »neufranzösische Schule« erinnern, bezeichnet im letzten Band seiner *Deutschen Nationalliteratur des 19. Jahrhunderts* Mühlbachs Stil als »effekthascherisch«,
»sozialistisch-prickelnd«, ihre Darstellung empfindet er »durch
die Rohheit ihrer Phantasie« als verletzend und gewaltsam.[48]
In Anlehnung an Gottschall reduziert auch Brümmer seine
Beurteilung des Mühlbachschen Frühwerks auf den Vorwurf
der Unweiblichkeit und identifiziert ihre Romane als Nachah-

mungen der »krankhaften Manier« der jungdeutschen Literatur.[49] Ab 1850 konzentriert sich die Autorin zunehmend auf die
Gattung des historischen Romans. Nach den Angaben des Li-
teraturhistorikers Heinrich Kurz fällt sie mit »Heißhunger« über
historische Stoffe und Personen her;[50] in 25 Jahren arbeitet sie
die europäische, insbesondere die deutsche Geschichte, vom
30jährigen Krieg angefangen, auf.[51] Der Vorwurf der Unsittlichkeit und Unweiblichkeit wird durch die Kritik an der Quantität ihres Schaffens ergänzt bzw. abgelöst. So bezeichnet sie
der zeitgenössische Schriftsteller Adolf Stahr pejorativ als »unermüdliche Romanstrickerin«.[52] Die rasche Abfolge und der
Erfolg ihrer historischen Romane werden, wie zum Beispiel von
Prutz, als Indizien eines kommerzialisierten Bewußtseins kritisiert, das im nachhinein auch das emanzipatorische Engagement unglaubwürdig erscheinen läßt: »Seit Luise Mühlbach es
aufgegeben, die deutsche George Sand zu werden, hat sie ein
Fabrikgeschäft historischer Romane etabliert, daß sichern Buch-
händlernachrichten zufolge sich eines großes Absatzes erfreut.«[53] Da mit der Annäherung an den bürgerlichen Realismus die Kategorie der Unterhaltungsliteratur eine Abwertung
erfährt, wird das Erfolgskriterium einer großen Leserschaft
zunehmend als Anpassung an den Massengeschmack herab-
qualifiziert. Angesichts der »erschreckenden Fruchtbarkeit«
werden der Schriftstellerin zwar mehrfach »unbestreitbares
Talent«, »fruchtbare Phantasie, glückliche Erfindungs- und
Kombinationsgabe«[54] bescheinigt, doch die Fähigkeit der se-
riösen historischen Darstellung und der stilistischen Überar-
beitung wird ihr abgesprochen: »Daß bei der verzweifelten
Hast, mit der die Mühlbach in einem Jahre die Leihbibliotheken
oft mit zwölf Romanbänden versorgte, an eine künstlerische
Durcharbeitung des Stoffes nicht zu denken ist, liegt auf der
Hand.«[55] Die wissenschaftlichen Publikationen zu Beginn des
20. Jahrhunderts knüpfen in bezug auf Mühlbachs Werk zum
Teil an die überholten bzw. stigmatisierenden Ergebnisse des
19. Jahrhunderts an und basieren meist auf nicht mehr als zwei
bis drei Romanwerken des riesigen Œuvres.[56] Wegen der Viel-
zahl der Negativbeispiele, auf die Renate Möhrmann bereits
hingewiesen hat,[57] sollen hier nur einige Publikationen von
Forscherinnen angeführt werden. So porträtiert Anna Blos zehn
Frauen, die um 1848 mit ihren literarischen Werken Politik und
Gesellschaft beeinflußten – Luise Mühlbach wird nicht er-

wähnt.[58] Charlotte Keim, deren Untersuchung auf kurze Betrachtungen der beiden frühen Romane »Erste und Letzte Liebe« sowie »Frauenschicksal« basiert, kommt zu der fragwür-
digen Feststellung, daß Luise Mühlbach aufgrund einer ober-
flächlichen Beeinflussung durch die Sandschen Ideen nur eine
»Mode« mitgemacht habe.[59] Sowohl Keims Untersuchungs-
ergebnisse als auch ihre Kenntnisse über Biographie und Werk
der Autorin erweisen sich, wie bei ihren Ausführungen über
die Schriftstellerinnen Aston und Lewald, als lückenhaft.[60] Hildegard Gulde beschränkt sich in ihren »Studien zum jungdeutschen Frauenroman«[61] auf die Kritik an den Ambivalenzen der politischen und emanzipatorischen Ideen in Mühlbachs
Werk. Jahrzehnte später kommt Renate Möhrmann zu einer
kritischen Würdigung ihrer schriftstellerischen Leistung und
liefert eine erste ausführlichere Untersuchung des umfangreichen Frühwerks.[62] Während Leonie Marx in ihre Studie über
den deutschen Frauenroman des 19. Jahrhunderts zwar Mundts
Madonna, nicht aber Mühlbachs Frühwerk einbezieht[63] und
Germaine Goetzinger in ihrer Arbeit über Emanzipation und
Politik in Publizistik und Roman des Vormärz lediglich Mühlbachs bekanntesten Roman *Aphra Behn* berücksichtigt,[64] erhebt
Möhrmann sie in den Rang der Vormärzautorinnen, indem sie
Mühlbachs innovative politische und emanzipatorische Ideen
benennt. Dabei wird die Notwendigkeit einer soziologischen
Perspektive betont, ohne die man bei der Interpretation der
Romane nicht auskomme, um sie nicht, in Anspielung auf Hildegard Guldes Sichtweise, als »rührselige Geschichten« miß-
zuverstehen.[65] Die Arbeiten von Kurth-Voigt und McClain konzentrieren sich im wesentlichen auf das historische Romanwerk
Luise Mühlbachs bzw. auf dessen Rezeption in den Vereinigten Staaten und weisen ihren dortigen Erfolg nach.[66] In einer
ausführlichen Einleitung zu Mühlbachs Briefwechsel mit ihrem Verleger Hermann Costenoble werden Mühlbachs Leistungen auf dem Gebiet des historischen Romans im Kontext des
zeitgenössischen Diskurses dokumentiert und gewürdigt.[67]

Anmerkungen

1 Der Beitrag bezieht sich im wesentlichen auf Teile der Disseration von: Tönnesen, Cornelia (1997): Die Vormärz-Autorin Luise Mühlbach. Vom sozialkritischen Frühwerk zum historischen Roman. Mit einem Anhang unbekannter Briefe an Gustav Kühne, Neuss, zugl.: Düsseldorf, Univ., Diss.

2 Brief Luise Mühlbachs an Gustav Kühne, Berlin, den 6.5.1848, Manuskript aus dem Besitz der Biblioteka Jagiellonska Krakau, im folgenden, wie andere Briefmanuskripte der Bibliothek, als »Ms.Kr.« abgekürzt.

3 Vgl. Ebersberger,Thea (1902): Erinnerungsblätter aus dem Leben Luise Mühlbach's, Leipzig, S. IX.

4 15 Briefmanuskripte aus dem Besitz des Schiller Nationalmuseums in Marbach liegen als Kopie vor, im folgenden abgekürzt als »Ms.Mb.«.

5 Vgl. Brief Mühlbachs an Georg von Cotta, Berlin, den 21.1.1856 (Ms.Mb.).

6 Erschienen als erste »Abtheilung« der Romansammlung »Kaiser Joseph II. und sein Hof«, 3. Abt., Janke, Berlin 1856–57 (8. Aufl. 1864; 9. Aufl. 1877).

7 Brief Mühlbachs an Georg von Cotta, Berlin, den 27.2.1856 (Ms.Mb.).

8 Mühlbach, Luise (1856): Königin Hortense. Ein napoleonisches Lebensbild, 2 Bde., Janke, Berlin (5. Aufl. 1861).

9 Brief Mühlbachs an Georg von Cotta, Berlin, den 31.3.1856 (Ms.Mb.).

10 Mühlbach, Luise (1853): Friedrich der Große und sein Hof, 3 Bde., Janke, Berlin (7. Aufl. 1862; 8. Aufl. 1867–69; 9. Aufl. neu bearbeitet 1882).

11 François Poullain de la Barre (1673): De l'égalité des deux sexes: Discours physique et moral, Paris, vgl. Schiebinger, Londa (1993): Schöne Geister. Frauen in den Anfängen der modernen Wissenschaften, Stuttgart, S. 13.

12 Brief Mühlbachs an Georg von Cotta, Berlin, den 15./17.1856 (Ms.Mb.).

13 »Und doch bin ich noch vor so vielen anderen Frauen bevorzugt, und muß das dankbar anerkennen vom Schicksal. Ich habe meine Stellung in der Welt die ich behalte, weil ich sie mir selber erworben, ich bin nicht genöthigt zu darben oder von den Wohlthaten anderer zu leben, sondern kann mir reichlich erwerben, was nöthig ist, um einen anständigen Haushalt zu führen, und meinen Töchtern eine gute Erziehung zu geben«. Brief Mühlbachs an Georg von Cotta, Berlin, den 16.6.1862 (Ms.Mb.).

14 Vgl. McClain, William/Kurth-Voigt, Lieselotte E. (1981): Clara Mundts Briefe an Hermann Costenoble. Zu L. Mühlbachs historischen Romanen, in: Archiv für Geschichte des Buchwesens (22), S. 979 u. 1239.

15 Brief Mühlbachs an Otto Janke, Berlin, den 9.12.1862 (Ms.Kr.).

16 Vgl. McClain, William/Kurth-Voigt, Lieselotte E. (1981): S. 931.

17 Zum Gattungswechsel bei Luise Mühlbach nach 1848 s. Tönnesen, Cornelia (1997): S. 190-223.

18 In: McClain, William/Kurth-Voigt, Lieselotte E. (1981): S. 1051f.

19 Vgl. Möhrmann, Renate (1992): Von der Stricknadel zur Feder. Zum Berufsbild deutscher Schriftstellerinnen im 19. Jahrhundert, Vortrag Thomas Morus Akademie Köln-Benzberg, unveröffentlichtes Manuskript, S. 10.

20 Brief Mühlbachs an Hermann von Pückler-Muskau, Berlin, den 26.2.1864 (Ms.Kr.).

21 Ebersberger, Thea (1902): S. 60.

22 Ebd.: S. 138; ihr Vater bezieht sich hier auf die Schriftstellerin Amalie Schoppe. Ganz ähnlich äußert sich Lewalds Vater.

23 Vgl. Morgenstern, Lina (1891): Die Frauen des 19. Jahrhunderts. Biographische und culturhistorische Zeit- und Charactergemälde, Bd. 3, Berlin, S. 148.

24 Vgl. Houben, Heinrich, Hubert (1928): Verbotene Literatur. Von der klassischen Zeit bis zur Gegenwart. Ein kritisch-historisches Lexikon über verbotene Bücher, Zeitschriften und Theaterstücke, Schriftsteller und Verleger, Bremen, Bd.II, S. 489-494.

25 Brief Mühlbachs an Ludmilla Assing, Berlin, den 30.08.1848 (Ms.Kr.).

26 Vgl. McClain, William/Kurth-Voigt, Lieselotte E. (1981): S. 919.

27 In: Blätter für literarische Unterhaltung, 1840, S. 1096; Rezension über Mühlbachs Novellensammlung *Zugvögel* (1840).

28 Vgl. Hebbel, Friedrich (1979): Sämtliche Werke, Bd.19, Tagebücher, Bern, S. 138.

29 Lewald, Fanny (1989): Meine Lebensgeschichte, 3 Bde., Berlin 1871–74, Bd.3: Befreiung und Wanderleben, Neuausgabe von Ulrike Helmer, Frankfurt a.M., S. 243.

30 Vgl. Wilhelmy, Petra (1989): Der Berliner Salon im 19. Jahrhundert, Berlin, S. 161-164, vgl. auch: Ebersberger, Thea (1902): S. VII-XVII.

31 Vgl. Pietsch, Ludwig (1894): Wie ich Schriftsteller geworden bin. Erinnerungen aus den sechziger Jahren, Bd.2, Berlin, S. 400-403.

32 Mühlbach, Luise (1871): Reisebriefe aus Ägypten, Jena; M., L. (1871): Mohammed Ali und sein Haus, Jena; M., L. (1872): Mohammed Ali's Nachfolger, Jena.

33 Wehl, Feodor (1889): Zeiten und Menschen. Tagebuchaufzeichnungen aus den Jahren 1863–1844, Altona, S. 207.

34 Mühlbach, Luise (1838): Erste und letzte Liebe, Altona, S. 88.

35 Brief Mühlbachs an Otto Zahnke, Buchhändler u. Redakteur, Berlin, den 8.12.1844, Ms. Theaterwissenschaftliche Sammlung Universität Köln.

36 Mühlbach, Luise (1845): Gisela, Altona, Bd.I, S. 69.

37 Mühlbach, Luise (1849): Aphra Behn, Bd.III, S. 88.

38 Vgl. Windfuhr, Manfred (1983): Das Junge Deutschland als literarische Opposition. Gruppenmerkmale und Neuansätze, in: Heine-Jahrbuch (22), Hamburg, S. 51.

39 Vgl. Frederiksen, Elke (1981): Deutsche Autorinnen im 19. Jahrhundert. Neue kritische Ansätze, in: Colloquia Germanica, Bd. 14, S. 101.

40 Vgl. Europa. Chronik der gebildeten Welt, 1841, Bd. 2, S. 232, Rezension über Mühlbachs Roman »Des Lebens Heiland« von 1840.

41 Vgl. Mamroth, Fedor (1871): Die Frau auf dem Gebiete des modernen deutschen Romans, Breslau, S. 12.

42 Vgl. Kurz, Heinrich (1872): Geschichte der neuesten deutschen Literatur, Leipzig, S. 683.

43 Brockhaus, Realenzyklopädie, 1853, Bd. 10, S. 740.

44 Vgl. Gutzkow, Karl (1974): Werke, Bd. IX, Rückblicke auf mein Leben, Hildesheim, New York, S. 88.

45 Vgl. Hüppauf, Bernd (1973): Robert Prutz. Schriften zur Literatur und Politik, Tübingen, S. 2.

46 Prutz, Robert (1870): Die deutsche Literatur der Gegenwart 1848 bis 1858, Leipzig (1859), S. 255.

47 Vgl. Hohendahl, Peter Uwe (1985): Literarische Kultur im Zeitalter des Liberalismus 1830–1870, München, S. 132-147.

48 Gottschall, Rudolf (1875): Die deutsche Nationalliteratur des 19. Jahrhunderts, Breslau, Bd. 4, S. 176.

49 Brümmer, Franz, in: Allgemeine Deutsche Biographie (1885), Berlin, Bd. 22, S. 458.

50 Vgl. Kurz, Heinrich (1872): S. 665.

51 Vgl. Eggert, Hartmut (1971): Studien zur Wirkungsgeschichte des deutschen historischen Romans 1850–75, Frankfurt a.M., S. 70.

52 Vgl. Geiger, Ludwig (Hg.) (1903): Aus Adolf Stahrs Nachlaß, Oldenburg, S. 341.

53 Vgl. Prutz, Robert (1870): S. 256.

54 Vgl. Kurz, Heinrich (1872): S. 665.

55 Brümmer, Franz (1885): S. 459.

56 Z.B. Charlotte Keim, die sich in ihrer ablehnenden Kritik des Mühlbachschen Frühwerks an Brümmer orientiert. Vgl. Keim, Charlotte (1924): Der Einfluß George Sands auf den deutschen Roman, Heidelberg, S. 257.

57 Vgl. Möhrmann, Renate (1977): Die andere Frau. Emanzipationsansätze deutscher Schriftstellerinnen im Vorfeld der '48er Revolution, Stuttgart, S. 2-6, 8f.

58 Vgl. Blos, Anna (1928): Frauen der deutschen Revolution 1848. Zehn Lebensbilder und ein Vorwort, Dresden.

59 Keim, Charlotte (1924): S. 256f.

60 Keim geht z.B. fälschlicherweise von der Kinderlosigkeit Luise Mühlbachs aus (vgl. Keim, Charlotte (1924): S. 167).

61 Keim, Charlotte (1924): S. 63.

62 Vgl. Möhrmann, Renate (1977): S. 60-84 und dies. (Hg.) (1978): Frauenemanzipation im deutschen Vormärz. Texte und Dokumente, Stuttgart.

63 Marx, Leonie (1983): Der deutsche Frauenroman im 19. Jahrhundert, in: Koopmann, Helmut: Handbuch des deutschen Romans, Düsseldorf, S. 434-459.

64 Goetzinger, Germaine (1988): »Allein das Bewußtsein dieses Befreienkönnens ist schon erhebend.« Emanzipation und Politik in Publizistik und Roman des Vormärz, in: Brinkler-Gabler, Gisela (Hg.): Deutsche Literatur von Frauen, München, Bd.I, S. 86-104.

65 Vgl. Möhrmann, Renate (1977): S. 63.

66 Vgl. McClain, William/Kurth-Voigt, Lieselotte E. (1981a): S. 917f. u. Kurth-Voigt, Lieselotte E./McClain, William (1981): Louise Mühlbach's Historical Novels: The American Reception, in: Internationales Archiv für Sozialgeschichte der deutschen Literatur 6, S. 52f.

67 Vgl. ebd.: S. 917-952.

Cornelia Hobohm

Geliebt. Gehaßt. Erfolgreich.

Eugenie Marlitt (1825–1887)

Zu den umstrittensten Autorinnen des 19. Jahrhunderts gehört jene Thüringerin, die als »die Marlitt« Eingang in die Literaturgeschichte gefunden hat. Warum die Marlitt umstritten war und warum das Urteil über sie behutsam revidiert werden sollte, ist hier zu klären. Keinesfalls soll an dieser Stelle die endlose Diskussion um den Terminus »Trivialliteratur« aufgenommen und weitergeführt werden, da gerade dieser Begriff eine Klassifizierung und ein Rasterdenken herausfordert. Einen Roman aus dem lediglich 13 Prosatexte umfassenden Werk der Autorin herauszugreifen, um ihn zu zerpflücken und zu beweisen, daß die Schriftstellerin anspruchslos für eine ebenso anspruchslose Leserschar schrieb – das ist zu einfach. Doch gerade diese »Methode« begründete partiell das vernichtende Urteil, das die Autorin besonders seit Mitte dieses Jahrhunderts trifft. Möglicherweise trug dazu die Unkenntnis darüber bei, daß nur die im Verlag E. Keil, Leipzig, und E. Keils Nachfolger erschienenen Erstauflagen wirklich ungekürzt sind; die Erstabdrucke in der *Gartenlaube* wurden leicht bearbeitet, damit sie den Forderungen eines Fortsetzungsromans optimal entsprachen; heutige Taschenbuchausgaben jedoch sind bis zu 30% gekürzt und »zeitgemäß« bearbeitet.[1]

Es soll also im folgenden versucht werden, das Phänomen E. Marlitt in komplexen Zusammenhängen darzustellen; und werden viele Façetten ausgeleuchtet, erhält man das Bild einer bemerkenswerten und starken Persönlichkeit des vergangenen Jahrhunderts. Eugenie Marlitt war eine der wenigen Autorinnen, die von ihrer Schreib-Arbeit hervorragend leben konnten. Ihre Biographie fügt sich wie ein Puzzle-Spiel zusammen. Viele Unterlagen sind erst in den vergangenen fünf bis sechs Jahren in Archiven gefunden oder wiedergefunden und dem Le-

Eugenie Marlitt

benslauf angefügt worden, beispielsweise das Testament, die Gedichte,[2] die Briefe[3] und verschiedene Mitteilungen, die das bestehende Marlitt-Bild korrigieren und ergänzen. Vollständig ist das Bild allerdings noch immer nicht.

Friederike Henriette Christiane Eugenie John, die sich sehr viel später E. Marlitt nennen wird, wird am 5. Dezember 1825 in Arnstadt geboren. Arnstadt gehört zu dieser Zeit dem kleinen Fürstentum Schwarzburg-Sondershausen an und ist Teil jenes bunten thüringischen Flickenteppichs aus vielen kleinen Fürsten- und Herzogtümern. Sie ist das zweite von fünf Kindern der Familie. Der Vater, J. F. Ernst John, versucht nach dem Bankrott als Kaufmann und Inhaber einer Leihbibliothek mit mäßigem Erfolg, seine Familie als Porträtmaler zu ernähren.

Eugenie John fällt in der Schule durch unbändige Fabulierlust und vor allem durch eine besonders schöne Stimme auf. Vom Kantor gefördert, erhält sie nach eingehender Prüfung durch den Hofkapellmeister die Chance einer hochwertigen Musikausbildung unter der Mäzenatenschaft der Fürstin Mathilde von Schwarzburg-Sondershausen. Eugenie beginnt ihre Gesangsausbildung am Hof zu Sondershausen 1841. 1844/45 setzt sie ihre Ausbildung in Wien fort. Sie wohnt dort bei der Familie v. Huber; der Vater des Hauses ist kaiserlicher Beamter, die Mutter eine der Prinzenerzieherinnen des späteren Kaisers, eine der Töchter des Hauses wird ihre vertraute Freundin. Später wird sie diese Zeit in Wien als die »goldene«, die schönste in ihrem Leben bezeichnen. Danach folgen über zwei Jahrzehnte Unsicherheit, Krankheit, Erfolglosigkeit und erdrückende Abhängigkeit. Denn schon ein Jahr später, 1846, wird die 21jährige aus dem behüteten Ausbildungsdasein in die harte Realität des Broterwerbs entlassen. Fürst Günther Friedrich Carl von Schwarzburg-Sondershausen ernennt sie zur »Fürstlich-Schwarzburg-Sondershausenschen Cammersängerin«. Sie hat die Agathe im »Freischütz«, die »Regimentstochter« und die Donna Anna im »Don Juan« im Repertoire[4] und gibt ihr Debüt in Leipzig als Gabriele in Kreutzers »Das Nachtlager von Granada«. Bereits hier deutet sich an, was wenig später zu Krankheit und vorzeitigem Karriereende führen wird: ihre unbezähmbare Auftrittsangst. Wahrscheinlich ist dieses unbesiegbare Lampenfieber auch die psychosomatische Ursache für ihr Gehörleiden. Tiefe Resignation klingt aus den Briefen, die sie ihrer Wiener Freundin in dieser Zeit schreibt:

[...] obgleich ich an das Fehlschlagen meiner schönsten Hoffnungen
gewöhnt sein sollte, kann ich den Schmerz über den neuen heimtük-
kischen Schlag des Schicksals nicht bemeistern. Ich bin auf's Neue
in eine traurige Lage geworfen. Der Direktor handelt erbärmlich an
mir, [...] da er die Hofschauspieler haben kann, die ihm immer volle
Häuser machen, ist er ganz rücksichtslos gegen die anderen Gäste
[...] ich muß froh sein, wenn ich noch einmal auftreten kann. (Und
das geschieht nur, weil ich gefallen habe.) Wenn der Direktor aus
Frankfurt mir kein Reisegeld schickt, dann bin ich verloren.[5]

Die junge Frau steht vor dem Ruin und beginnt, begleitet von
ihrer Mutter, durch halb Deutschland und Österreich zu reisen, um neue Engagements zu erhalten. Sie singt in Krakau, in
Lemberg, in der deutschen Provinz. Aber Angst und Verzweiflung – und damit auch ihr Leiden – nehmen immer mehr zu.
Schließlich begräbt sie die Hoffnung auf eine Karriere als
Opernsängerin und mit ihr auch die Vorstellung, ihrer Familie
eine finanzielle Stütze sein zu können. Diese Schuldgefühle
gegenüber ihrer Familie plagen sie zusätzlich. Zu Beginn der
50er Jahre verschlimmert sich das Gehörleiden derart, daß sie
ihre Laufbahn als Sängerin aufgeben muß. Mittellos kehrt sie
nach Thüringen zurück und wird abermals von der Fürstin
Mathilde aufgefangen. Diese, inzwischen geschieden und mit
bescheidenem Budget, stellt Eugenie als Gesellschafterin, Vorleserin und Krankenpflegerin ein und bevorzugt die geistreiche Bürgerliche gegenüber adligen Hofdamen – Konflikte und
Auseinandersetzungen sind nicht zu vermeiden.[6]
    Eugenie macht in dieser Zeit entscheidende Erfahrungen,
die sie später in ihren Romanen und Erzählungen verarbeiten
wird.
    Die Frauen bereisen Süd- und Südwestdeutschland und
wohnen viele Jahre in München. Krankheiten, teilweise sogar
geistige Umnachtung lassen die Fürstin zunehmend unleidli-
cher und die Tätigkeit als Pflegerin schwerer werden. In dieser
Zeit entstehen Gedichte, die freilich niemals für eine Veröffentlichung vorgesehen sind. Die Gelegenheitslyrik der John scheint
an Mörike, an Uhland, wohl auch an Rückert orientiert zu sein
und entspricht nicht nur der modischen Tendenz gebildeter
Damen, Gedichte und Balladen zu verfassen (auch die Fürstin
schreibt und veröffentlicht unter dem Pseudonym M. Dorn-
heim). Für Eugenie John verbindet sich mit dem Schreiben mehr
– sie reflektiert ihre gescheiterten Hoffnungen und ihre zer-

platzten Träume. Trost findet sie in der Natur und im christlichen (protestantischen) Glauben. In der Orientierung für ihr weiteres Leben ist sie auf sich selbst angewiesen. Aber auch diese Erfahrung der Selbstbestimmung wird prägend für sie und zu einem charakteristischen Merkmal der weiblichen Hauptfiguren in ihren Romanen.

Ihre ersten Prosaversuche zeigt sie einem Einflußreichen und Gefeierten der Münchener Literaturszene: Friedrich Bodenstedt. Der Autor des überaus erfolgreichen *Mirza Schaffy* und Übersetzer Lermontovs behandelt sie mit wohlwollender Herablassung und löst sein Versprechen, die Manuskripte an Verlage weiterzugeben, nicht ein. Die John ist wieder um eine Enttäuschung, aber auch um eine Lebenserfahrung reicher. Fortan verläßt sie sich auf sich selbst.

Nach zehn Jahren in den Diensten der Fürstin trennen sich die Wege Mathildes und Eugenies auf deren eigenen Wunsch hin. Die beinahe tragisch zu nennende Verstrickung von Pflicht und Neigung gegenüber der Fürstin ist nun gelöst. Desillusioniert, mittellos und unverehelicht kehrt sie 1863 in ihre Vaterstadt zurück. Ohne Ernährer, ohne Beschützer wird die beinahe Vierzigjährige in die Familie des Bruders Alfred, eines Oberlehrers in Arnstadt, integriert. Das aktive äußere Leben der Frau ist fast abgeschlossen: rheumatische Leiden und andere Beschwerden zwingen sie zunehmend zu Bewegungseinschränkungen, sie werden später zur Bewegungsunfähigkeit steigern. Eugenie, vom Wunsch beseelt, der Familie nicht materiell zur Last zu fallen, ist fest entschlossen, als Schriftstellerin tätig zu werden und damit auch ihren Lebensunterhalt zu verdienen.

In bisherigen Publikationen wurde häufig darauf hingewiesen, daß die Marlitt viel zu schüchtern, ja, lebensuntüchtig gewesen sei, um den Schritt in die freie Schriftstellerei zu wagen, daß ihr der Bruder letztlich die Entscheidung abnahm und sogar die Manuskripte an die Redaktion der *Gartenlaube* persönlich abschickte. Erklärbar wird diese Fehleinschätzung der Marlitt, die suggeriert, daß sie eher »nebenbei«, ahnungslos und ohne innere Einstellung in diesen Beruf gedrängt wurde, durch die Veröffentlichung eines Briefes an M. Neckers aus dem Jahre 1899, also zwölf Jahre nach dem Tode der Schriftstellerin.[7] In ihm schilderte Marlitts Schwägerin Ida, was ihr und ihrer Familie dienlich war, ließ weg, was ihr unpassend erschien und bastelte mit Necker gemeinsam am Mythos der verzagten

und von Selbstzweifeln geplagten Schriftstellerin.[8] Eugenie
Marlitt selbst beurteilt ihre Karriere ganz anders. 1866 schreibt
sie an Leopoldine:

> Das wäre die trübe Seite meines Lebens. Nun sollst Du auch die
> lichtere sehen, [...]. Im September vorigen Jahres bin ich unter dem
> Pseudonym ›E. Marlitt‹ in die literarische Welt hinausgetreten. Ich
> war schon mit dem Vorsatz, schriftstellerisch zu wirken, aus mei-
> nem Verhältnis zur Fürstin geschieden. Meine Muße in der Heimath
> fleißig benutzend, hatte ich bald mehrere Arbeiten vollendet und
> sandte eine derselben kühner Weise ohne Weiteres an die Redaktion
> der Gartenlaube, eine der renommiertesten norddeutschen Zeitschrif-
> ten. Schon nach vier Tagen erhielt ich ein höchst schmeichelhaftes
> Schreiben, welches mir eröffnete, [...] Mitarbeiter des Blattes zu wer-
> den.[9]

In der Planung ihrer Karriere geht die angehende Schriftstellerin selbst nach heutigen Maßstäben recht systematisch vor.
Zunächst wählt sie ein Pseudonym, um überhaupt in der männlichen Domäne der Schriftstellerei Beachtung zu finden. Das
Initial E. läßt keinerlei Rückschlüsse auf das Geschlecht zu. Der
Phantasiename Marlitt ist wahrscheinlich aus den Anfängen
von ›M-eine *Ar*-nstädter *Litt*-eratur‹ zusammengesetzt. Nur ein
Manuskript wählt sie aus, obgleich sie mehrere in der Schubla-
de hat, weil sie die anderen nicht verschleudert wissen will,
falls ihre Arbeit völlig ignoriert wird. Und sie sendet das Manuskript nicht irgendeinem Verlag, sondern wählt mit Bedacht
die, nach ihren eigenen Worten, »renommierteste norddeutsche
Zeitschrift«.[10]

Ernst Keil erhält 1865 das Manuskript der Erzählung *Die zwölf
Apostel*, geht – natürlich – von einem männlichen Autor aus
und wähnt es zunächst als eines der vielen Imitate der damals
populären Dorfgeschichten des Württembergers Berthold Auer-
bach. Keil erkennt das enorme Potential dieser Erzählung für
sein Blatt: sie ist spannend und unterhaltend, sie ist geeignet,
als Fortsetzungsgeschichte Woche für Woche zu erscheinen, sie
fügt sich in sein bürgerlich-liberales Gesamtkonzept ein und
sie bietet genügend sorgsam aufbereitete Sozialkritik für einen
großen Leserkreis. Bereits ein Jahr später erscheint der erste
Marlittsche Roman: *Die Goldelse*. Auch die Erzählung *Blaubart*
wird 1866 veröffentlicht. Die beispiellose Erfolgsgeschichte der
Thüringerin ist nicht mehr aufzuhalten. Eugenie Marlitts Vorstellungen, als freie Schriftstellerin sich, ihren Vater sowie die

Familie ihres Bruders ernähren zu können, erfüllen sich in hohem Maße. – Aber freie Schriftstellerin? Freilich ist sie nicht mehr von einem Mäzen abhängig, jetzt aber ist sie Mitarbeiterin der *Gartenlaube*. Diese honoriert ihre Autorin großzügig, aber sie hat bestimmte Auflagen zu erfüllen und untersteht den Gesetzen der Serienproduktion. Romane werden veröffentlicht, an deren Ende die Autorin noch arbeitet. Wird sie krank, was zunehmend geschieht, geraten Verlag und Autorin unter Druck. Das Lesepublikum aber verlangt nach immer mehr Marlitt-Romanen. Und in einer seltenen Symbiose erfüllen Zeitschrift und Autorin dieses Verlangen. Inhaltliche Vorgaben, gar Zensur von seiten Keils gibt es kaum; lediglich nach Erscheinen der *Zweiten Frau* (1874) fordert der Verleger eine Kurskorrektur. Zu viel Gesellschafts- und vor allem Kirchenkritik in diesem Werk mag der Grund gewesen sein; an anderer Stelle wird darauf noch einzugehen sein. Im Jahre 1867 erscheint *Das Geheimnis der alten Mamsell*, der bis heute bekannteste und meistgelesene Roman der Marlitt.

Unmittelbar nach dem Abdruck im Wochenblatt werden die Werke als Buch veröffentlicht. Sofort werden sie ins Englische und Französische übersetzt. Etwas später liegen Übersetzungen in vielen anderen europäischen Sprachen vor.[11] 1879 erscheint bereits die elfte amerikanische Auflage von *The old mamsells secret* und wird von einem Rezensenten eines Blattes in Columbus/Ohio als ein herausragendes Werk der Gegenwart betrachtet: »It is one of the most intense, concentrated, compact novels of the day...«[12]

Vom Honorar des 1869 erschienenen Romans *Die Reichsgräfin Gisela* läßt sich die Marlitt eine prächtige Villa am Stadtrand Arnstadts errichten, die sie 1871 mit der Familie ihres Bruders Alfred bezieht. In diesem historisch so bedeutsamen Jahr für Deutschland und Europa erscheint ein neuer Roman der Marlitt, *Das Haideprinzeßchen*. Es ist ihr schwächster und er reflektiert am wenigsten gesellschaftliche Zu- und Umstände; möglicherweise tragen Verlegerdruck und Zeitmangel zur unzureichenden Durcharbeitung bei. Zudem ist *Das Haideprinzeßchen* der einzige Roman, der nicht in Thüringen, sondern in der Lüneburger Heide spielt, einer Landschaft, die die Autorin nie gesehen hat. Landschaftsbeschreibungen, die viel farb- und kraftloser ausfallen als in anderen Werken, lassen dies auch erkennen. Allerdings weist der Roman auch eine Besonderheit

auf: Er ist das einzige Marlittsche Werk in der ICH-Form. Und
es gibt eine sehr interessante Nebenfigur, die Rätin v. Sassen,
die jüdische Großmutter der Hauptfigur Leonore. Sie gestaltet
die Autorin, die sich nicht einem weitverbreiteten latenten
Antisemitismus anschließt, ähnlich den anderen starken und
freigeistigen Frauengestalten, die unbeugsam versuchen, ihren Weg zu gehen.

Es folgt 1873 die »Gründerkrise«, eine längere wirtschaftliche Depressionsphase. Pius IX. verkündet die Unfehlbarkeit
des Papstes in einer Zeit, die zunehmend von Spannungen
zwischen der pro-katholischen Zentrumspartei und den pro-
preußischen und protestantischen Liberalen gekennzeichnet ist.
Bismarck bestreitet nun den »Kulturkampf« – mit weitreichen-
den Folgen auch für die Kirche. Die Antwort der liberalen Bürgerin und Protestantin Marlitt darauf ist 1874 der Roman *Die
zweite Frau*. Das Werk ist so brisant, daß es in einigen katholischen Gegenden gar nicht, oder, wie in Frankreich, verballhornt
erscheint. Auch der 1876 veröffentlichte Roman *Im Hause des
Commerzienrathes* reflektiert die Ereignisse und Auswirkungen
der Gründerkrise.

Der Gesundheitszustand der Schriftstellerin verschlimmert
sich zusehens. Die Zeiten, in denen sie an den Rollstuhl gebunden ist, werden immer länger, schreiben kann sie oft nur
unter großen physischen Schmerzen. 1875 berichtet sie ihrer
Freundin Leopoldine nach Wien:

Ich sitze nun wieder bis über beide Ohren an einer neuen Roman-
arbeit; deshalb mußt Du Deiner alten Freundin auch ihr andauern-
des Verstummtsein verzeihen. Du weißt ja, daß ich bei meiner Kränklichkeit ›die Feste feiern muß, wie sie fallen‹; augenblicklich bin ich
arbeitsmuthig und schaffens-rege, da heißt es, den Moment benutzen; es kommen auch wieder Zeiten, wo ich 3–4 Monate keine Feder
anrühre.[13]

1878 stirbt Ernst Keil, ein großer Verlust für die Marlitt. Hono-
rar- und Tantiemen-Verträge bleiben zwar unverändert bestehen, doch ist der Zenit der Symbiose des liberalen unterhaltenden Wochenblattes und der liberalen unterhaltenden Autorin
beinahe überschritten. In den folgenden Jahren erhält die Zeitung ein anderes Profil.

Bereits bekannte Marlittsche Themen und Motive werden
in den folgenden Romanen variiert: *Im Schillingshof* (1879) und

Amtmanns Magd (1881) sowie *Die Frau mit den Karfunkelsteinen* (1884). Auch dieser wird wieder äußerst erfolgreich.

In ihren letzten Lebensjahren scheint die publikumsscheue Autorin äußerst zurückgezogen gelebt zu haben. Der Kult um ihre Person ist ihr befremdlich, wohl fühlt sie sich im Kreis ihrer Familie und weniger Freunde. Am öffentlichen Leben nimmt sie aufgrund ihrer Krankheit kaum mehr teil; allerdings kümmert sie sich um das Wohl ihrer Vaterstadt und wohl auch um nicht wenige ihrer Bürger, Kreditbewilligungen an Bittsteller und Spenden, beispielsweise für die Restaurierung und Erhaltung der Arnstädter Liebfrauenkirche, belegen das.[14]

1886 beginnt die Marlitt die Arbeit an ihrem letzten Roman *Das Eulenhaus*. Vollenden wird sie ihn nicht mehr. Am 22. Juni 1887 stirbt die gefeierte Autorin und wird zwei Tage später unter großer Anteilnahme der Bevölkerung auf dem Alten Arnstädter Friedhof beigesetzt. Erst 1888 erscheint posthum ihr letzter, von W. Heimburg (Pseudonym für Bertha Behrens) vollendeter Roman. Auch eine ihrer Novellen – *Schulmeisters Marie* – wird erst nach ihrem Tod veröffentlicht.

Die Kritik an den Werken der Marlitt bewegt sich seit dem letzten Jahrhundert vor allem zwischen zwei Extremen: dem völligen Verriß und der euphorischen Zustimmung. Die Ursachen sollen im folgenden geklärt werden. Unter Einbeziehung des Gesamtwerkes wird die Analyse eines Werkes im Mittelpunkt stehen: *Das Geheimnis der alten Mamsell*. Dieser Roman wird sofort nach seinem Erscheinen als Fortsetzungsroman und als Buch ein Erfolg, der durch das Wochenblatt systematisch forciert wird. Gleich zu Beginn des neuen Jahres 1868 erscheint eine große Abbildung der Autorin, die sie dem Rezipienten auch visuell vorstellbar werden läßt. Über Nachauflagen, positive Rezensionen und Übersetzungen sowie die ausländische Resonanz wird fortwährend berichtet. Marlitt-Bände werden zudem wärmstens als Weihnachtsgeschenke empfohlen, mit anderen Worten: Die Vermarktung der Marlitt erfolgt schon sehr modern und professionell. Der Autorin beschert diese Kommerzialisierung finanzielle Unabhängigkeit und eine selbständige Existenz. In 17 Ausgaben der *Gartenlaube* des Jahres 1867 – von Nummer 21 bis 38 – erscheint der berühmteste Roman der E. Marlitt.

Dem Roman liegt ein authentischer Vorfall aus der Stadtgeschichte Arnstadts zugrunde: Im Jahre 1829 verunglückte Emilie

v. Linsky, Frau eines polnischen Taschenspielers, bei einer Auf-
führung auf dem Arnstädter Rathaussaal tödlich.[15] Auch in
anderer Hinsicht bildet Arnstadt den lokalen Hintergrund. Das
Haus der Familie Hellwig entspricht im geschilderten Detail
dem realen Kaufmanns- und Gasthaus »Zum Güldenen Greifen« am Markt. Und auch das Manuskript einer Bachschen Oper
spielt im Roman eine wesentliche Rolle.[16] Es ist hier im Besitz
der alten Mamsell und wird nach ihrem Tod von Brigitte vernichtet.

Die Anlehnungen an die lokalen Gegebenheiten Thüringens
sind häufig nur dem Ortskundigen überhaupt erschließbar.
Genau dieses Vorgehen entspricht wiederum den Forderungen und Ansprüchen der *Gartenlaube*, weil eine betonte Heimat-
bezogenheit die sozial und zahlenmäßig möglichst breit gestaf-
felte Lesergemeinde nicht erreicht. Andererseits erleichtert die
Andeutung einer realen Lokalität dem Leser die Identifikation[17] und erhöht die Authentizität.[18] Die der Autorin bekannten
Land- und Ortschaften bilden immer den Hintergrund, vor dem
sich Handlung und Konflikt ausbreiten. Der zeitgenössische
Rezipient erhält also den Eindruck, daß sich Ähnliches überall
und genau so ereignen könnte und daß das, was er liest, wahr
sein könnte.

Den Stoff für ihre Werke schöpft die Marlitt aber auch aus
dem reichen Märchen- und Sagenschatz ihrer Heimat. Sie verbindet diese Sagen mit der ihr eigenen kindlichen Freude am
Auf- und Entdecken scheinbar mystischer, geheimnisvoller
Zusammenhänge, die sich jedoch stets rational aufklären.

Die Romane der Marlitt sind keine Liebesromane. Diese
These mag überraschen und zum Widerspruch reizen – aber
die Liebe kommt nur am Ende der Werke in Form eines Happy-
Ends und Sich-Findens des Paares und gelegentlich in einer
Art Epilog vor, der den Leser über die glückliche Familie und
die Kinder des fiktiven Paares informiert. Auch *Das Geheimnis
der alten Mamsell* ist in diesem Sinne kein Liebesroman. Es ist
die Schilderung des schweren Weges einer jungen Frau zur
Selbständigkeit und zur Bewahrung ihrer Würde. Statt der Liebe thematisieren Marlitts Romane im wesentlichen drei Schwer-
punkte: Sie definieren den Begriff der Bürgerlichkeit, sie stellen ihre Auffassungen zu Religion und Religiosität dar und sie
zeigen ihr Bild der Frau in der Gesellschaft des vergangenen
Jahrhunderts.

Eugenie Marlitt stammt aus einem bürgerlichen Elternhaus. Von diesem geprägt, tritt sie im jugendlichen Alter in zwei neue Welten ein: die der Bühne, der Kunst und der Künstler und die des Hofes. Als Bürgerliche ist sie abhängig von adligen Mäzenen und Gönnern, allerdings lernt sie hier aber auch Zuneigung kennen. Daß ihre Romane »zum großen Teil [...] im Zeichen schonungsloser Adelskritik«[19] gestanden haben, ist so nicht richtig. Zwar kritisiert sie bestimmte Züge der Aristokratie, schafft aber andererseits lebendige positive Figuren, die auch dem Adel angehören. Gelitten hat die Marlitt ohne Zweifel schon früh unter Hochmut und Standesdünkel auf seiten des Adels. An (die Adlige) Leopoldine v. Nischer-Falkenhof ist 1861 ein Brief aus München gerichtet, in dem sie über Intrigen von Mathildes Hofdamen gegen sie berichtet:

Vor einiger Zeit hat die Fürstin ihren zwei Hofdamen auf unbestimmte Zeit Urlaub gegeben und mich als alleinigen Umgang bei sich behalten. Das hat böses Blut am stolzen Hofe zu Sondershausen gemacht, weil der *Bürgerlichen* diese Auszeichnung nicht gebührt; und nun rühren sich allerlei Gerüchte über mich, von denen das empörendste ist, daß ich während meines Wiener Aufenthaltes zahllose Liebesverhältnisse gehabt und dort ein so unanständiges Leben geführt habe, daß mein Verlobter in der Heimath, von dessen namenloser Existenz ich, nebenbei gesagt, erst durch diesen Fall Kenntnis erhalten, mich deswegen verstoßen habe.[20]

Diese Erfahrungen prägen sie – und wir finden sie in der Gestaltung der Romanfiguren und der Konflikte wieder. Aus der aristokratischen Welt kehrt Eugenie 1863 in die bürgerliche zurück, um niemals wieder einen Hof zu betreten. Nicht zuletzt durch den finanziellen Erfolg ihrer Werke ist es ihr möglich, ihre Existenz zu etablieren. Es ist eine Haßliebe, die sie mit dem Hof verbindet, und diese Haßliebe findet ihren Ausdruck im Werk. Aber »Schonungslose Kritik«? – Nein. Mit Stolz versteht sie sich selbst als Bürgerliche. Eine Episode mag ihre Haltung verdeutlichen. Als der beinahe 83jährige Fürst Pückler-Muskau nach der Lektüre des *Geheimnisses* entzückt von diesem Roman ist, wünscht er, die Autorin persönlich kennenzulernen. »Gestatten Sie mir eine Bitte«, so beginnt Pückler ohne Umschweife seinen Brief an die »schöne Unbekannte und liebenswürdige Schriftstellerin«, »Ihre Geschichte ›Das Geheimnis der alten Mamsell‹ hat mich gerührt und entzückt, als wenig andere, die ich gelesen, und im Begriff, eine lange Reise anzutreten, von der ich schwerlich wieder zurückkommen werde, [...] hege ich den lebhaften Wunsch, noch vorher Ihre persönliche Bekanntschaft gemacht zu haben«.[21] Je mehr die Marlitt den alten Charmeur freundlich, aber bestimmt abweist, desto größer scheint dessen Verehrung für sie zu werden. Er verspricht ihr sogar Schloß und Park Branitz, wenn sie nur käme und – bliebe. Doch Marlitts Angst, sich lächerlich zu machen und eine neue, vielleicht letzte Caprice des berühmten Lebemannes zu werden, ist groß. Und so antwortet sie ihm in einer auf beiden Seiten humorvollen und zuweilen selbstironischen Korrespondenz:

Was nun Ihre Anfrage bezüglich einer persönlichen Zusammenkunft betrifft, so sage ich Ihnen als letzte Antwort noch einmal kurz und bündig folgendes: Ich bin schwerhörig, einsilbig im Gespräch und körperlich so leidend, daß ich an das Zimmer gefesselt bin. Schreckt Sie auch diese Erklärung [...] nicht zurück, so hören Sie weiter. Ich lebe in ganz einfachen bürgerlichen Verhältnissen; das enge, kleine Haus[22] genügt meinen Ansprüchen vollkommen, aber einen hocharistokratischen Gast in sich aufzunehmen, dazu ist es nicht angetan [...]. Ich habe mich viele Jahre lang auf dem Parkett aristokratischer Salons bewegt [...] und fast ausschließlich mit Personen verkehrt, die gar keinen Begriff von jener bürgerlichen Einfachheit hatten, und deshalb den Anspruch an mich erhoben, dieselbe einfach zu vergessen.[23]

Aus gründlicher Kenntnis beider Welten verwirft die Autorin als Bürgerlich-Liberale vor allem das aristokratische Standesdenken und den Hochmut. Und sie geht noch einen Schritt weiter, indem sie erkennt und darstellt, daß jener Standesdünkel, jener Hochmut und jene Eitelkeit keineswegs Merkmale oder gar »Privilegien« des Adels sind, sondern sich längst beim prosperierenden Bürgertum der Gründerzeit bemerkbar machen. Deshalb ist es keine schonungslose Adelskritik, die die Autorin äußert, sondern vor allem schonungslose Kritik an menschlichem, an sozialem Fehlverhalten. Das Verhalten und die Denkweise einiger ihrer Negativ-Figuren bürgerlichen Standes haben die gleichen (negativen) Eigenschaften und Charakterzüge wie die Negativ-Figuren des Adels. Diese Kritik am Hochmut sowohl im Adel als auch im Bürgertum wird von einer großen Lesergemeinde ebenso empfunden und aufgenommen, zumal die literarischen Mittel zur Umsetzung dieser Thematik so einfach sind, daß sie verstanden werden können.

Das Geheimnis der alten Mamsell ist angesiedelt in der bürgerlichen Welt, in der die agierenden Figuren, Bürgerliche, Adelige, Künstler, Bedienstete sozialen Gruppen zugeordnet werden können. Die Zugehörigkeit zu einer sozialen Gruppe allein legitimiert noch keine Figur, positiver oder negativer Wertträger zu sein. Erst aus den kontrastierenden Lebensauffassungen und dem Verhalten des einzelnen entstehen negativ oder positiv zu bewertende Charaktere. Jasko d'Orlowsky hat in den Augen der selbstgerechten bürgerlichen (Roman-) Gesellschaft einen verfemten Beruf: Er ist Schausteller und Taschenspieler. So sieht ein Teil der Bürgerschaft der Provinzstadt im Tod seiner Frau nur eine gerechte Strafe für den Spieler. Das »Komödiantenbalg«[24] Felicitas steht in Ansehen und Ruf der repräsentativen Oberschicht in deren Hierarchie noch unter dem Dienstpersonal. Es führt ein Pariadasein: recht- und mittellos. Das Ringen um die Anerkennung durch die Bürgerlichen und der Kampf um die Bewahrung menschlicher Würde, sowie die damit verbundene Frage nach der Feindesliebe im christlichen Sinne, wird zentrales Thema des Romans. Die sich entwickelnde Liebe des Johannes zu Felicitas ist nur ein Element des Romans, das zum einen Mittel dieser Auseinandersetzung ist, zum anderen eine hedonistische Funktion hat. Die Liebe des Johannes zum Spielerkind wird zum Symbol des Sieges der Vernunft und des Gefühls und führt letztlich zum Sieg des guten Menschen Felicitas, die sich aber dennoch eine kritische Einstellung zur Feindesliebe bewahrt und auf einer »haarsträubende[n] Grenze zwischen Milde und Charakterlosigkeit« besteht.[25] Die strikte Ablehnung des »fahrenden Volkes« verbindet wiederum einen Teil des Wohlstandsbürgertums mit Teilen der Aristokratie, im Roman durch den Ausschluß der Meta aus der Familie derer v. Hirschsprung signalisiert.[26]

Die Auseinandersetzungen und Widersprüche setzten sich innerhalb der bürgerlichen Welt fort. Nicht alle Erscheinungsformen bürgerlicher Existenz werden von der Autorin akzeptiert. Besondere Kritik erfahren jene Formen der Äußerlichkeiten, die dem aristokratischen Vorbild nachgeahmt werden und Wohlstand, Fleiß und Sättigung demonstrieren sollen. Wie geschieht aber die Umsetzung dieser Kritik im Roman der Marlitt? Kritik an verfestigten inhaltsleeren Repräsentationszwängen zeigt sich im Roman zum Beispiel in der Darstellung der Räumlichkeiten, in der Ausstattung der Wohnbereiche. Dem nach außen hin repräsentierten Fleiß und Wohlstand steht die Autorin äußerst skeptisch gegenüber. Seelenlos und kalt wirkt die Einrichtung des Hellwigschen Hauses: »Inmitten des Hellwigschen Wohnzimmers stand ein gedeckter Tisch. Es waren massive, silberne Bestecke, die neben den Tellern lagen; und das weiße Damasttischtuch hatte Atlasglanz und zeigte ein prachtvolles Muster.«[27] Der Glanz, das Schwere und Massive zeigen selbstgefällig den Wohlstand. Prunk ersetzt Kunst: »Seidendamastene Ueberzüge auf den strotzenden Daunenkissen der Kanapees und den hochgestapelten Stühlen.«[28] Silber und wertvolles Porzellan sind für Brigitte Hellwig Schätze und Kultgegenstände zugleich. Selbst im Tode wird nicht Ehrfurcht und Würde gezeigt, sondern Reichtum und Macht:

Man hatte die Hülle des ehemaligen Kauf- und Handelsherren noch einmal mit allem Glanz des Reichthums umgeben. Massiv silberne Handhaben schimmerten am Todtenschrein, und das Haupt des Heimgegangenen ruhte auf einem weißen Atlaskissen.[29]

Werte werden in der Romanwelt für die Oberschicht immer als finanzielle, als materielle Werte ausgedrückt, niemals als moralische oder geistige; nicht zuletzt entzündet sich der Nachlaßstreit am Silberbesteck der alten Mamsell. Diese Denkweise kann die Autorin nicht akzeptieren – und auch nicht das große Lesepublikum, das seine Zeit und deren Erscheinungsbild wiedererkennt. Vielleicht ist hier einer der Gründe zu ermitteln, warum die Romane der Marlitt auch heute noch vielfache Auflagen erfahren und ein relativ großes Lesepublikum haben. Die Romane der Marlitt bieten zwar keine Therapie für den Leser von heute, aber sie leisten mehr als bloße Unterhaltungslektüre unter dem ausschließlichen Hedonismusaspekt.[30] Marlitt ist keine weltfremde Idealistin, und auch ihre positiven Figuren streben nach Geld und Wohlstand. Für diese bedeutet jedoch das Vermögen lediglich eine gesicherte Existenz, es sichert Bildung und Ausbildung der Kinder und gibt niemals Anlaß zur äußeren Repräsentation.

Die Folgen des bürgerlichen Prosperierens – sowohl die positiven als auch die negativen – sind in allen Marlittschen Romanen außer im *Eulenhaus* sichtbar. In einer eindrucksvollen, auch stilistisch gelungenen Szene in *Die Frau mit den Karfunkelsteinen* läßt die Autorin die Hauptfigur Grete Lamprecht entsetzt das glanzvolle und prunksüchtige Treiben eines Balles im

elterlichen Kaufmannshaus durch eine Fensterscheibe beobachten. Diese Distanz, gleichsam aus der Schaufensterperspektive
heraus, symbolisiert ihre innere Distanz zu diesem leeren, ver-
äußerlichten Treiben. Die positiv gezeichneten Figuren stehen
jedem Prunk fremd gegenüber. Solidität, Anstand, Klarheit,
Ehrlichkeit und bürgerliches Traditionsbewußtsein prägen sie.
Das zeigt sich wiederum in der Ausstattung der Räumlichkeiten: Nach dem Einzug von Johannes Hellwig jun. verschwinden zum Beispiel »einige unkünstlerische, mit großer Farb-
verschwendung illuminierte Schlachtenbilder von den Wänden«,[31] Nippes, Deckchen und Polster müssen ebenso weichen.
Auch die Wohnung der alten Mamsell unterscheidet sich in
jeder Form von der der Brigitte und entführt den Leser in eine
völlig andere Daseins- und Denkwelt. So vermittelt die blu-
mengeschmückte, efeuumrankte, mit Klavier, Noten, Büchern und alten Andenken ausgestattete Wohnung Bildung und
menschliche Wärme. Die kontrastive Gestaltung der Figuren
(in der Fachliteratur zumeist pejorativ als Schwarz-Weiß-Ge-
staltung bezeichnet) setzt sich demnach fort in der kontrastiven
Gestaltung ihrer Räumlichkeiten. Bei solcher Betrachtung wird
– vereinfacht – das alte Hütte-Palast-Motiv sichtbar. Das schlichte Landhaus, die Hütte im Wald oder das evangelisch-lutheri-
sche Pfarrhaus, die die Schauplätze der Romane bilden, werden in ihrer idyllischen Verklärung zu Symbolen menschlicher
Güte, des Anstands und der Harmonie. Häufig vermittelt sich
der Eindruck der Weltferne und Weltfremdheit, wenn das utopische Ideal eines harmonischen Zusammenlebens entworfen
wird.

Der Roman um das *Geheimnis der alten Mamsell* ist auch ein
Roman über die Befreiung aus Zwängen innerhalb der bürgerlichen Welt. Für die Hauptfigur Felicitas kann diese Befreiung
zunächst nur innerhalb einer Nische geschehen; einer Nische,
in der sie Bildung und Ausbildung erhält – Werte, die letztlich
zur Selbständigkeit und Kritikfähigkeit führen. Den zweiten
Schritt ihrer positiven Verbürgerlichung geht Felicitas bereits
in der Öffentlichkeit, indem sie eine Liebesehe und nicht eine
Konvenienzehe eingeht.

Selten wird in der Wertung der Marlitt darauf hingewiesen,
daß ihre Werke zu teils heftigen Kontroversen über Religions-
oder besser: Kirchenkritik führten. Auffällig und möglicherweise einzigartig für die Literatur dieser Zeit sind die Ausein-

andersetzungen der Autorin mit Erscheinungen von religiö-
sem Fanatismus und Bigotterie. Diese Kritik ist unabhängig
von der jeweiligen Konfession oder Religion. E. Marlitt ist lu-
therische Christin, die wohl zeitweilig von pantheistischen Ide-
en und Gedanken beeinflußt worden ist. Sie tritt für einen zur
Tat werdenden Glauben ein. Christliche Idealität bewährt sich
für sie nicht am Lippenbekenntnis, sondern immer an der konkreten Handlung eines Menschen.

Glaube

Die Sonnenstrahlen zittern
In jedem Tröpfchen Tau,
Als wär' mit gold'nen Flittern
Besät die grüne Au.

So steigt der Glaube nieder
Ins kindliche Gemüt
und strahlet doppelt wieder,
wenn er zur Tat erblüht.[32]

Naiv und kindlich klingen die Worte des um 1854 entstandenen Gedichts. Und doch drücken sie bereits aus, was in späteren Prosawerken zum Teil kritisiert und zum Teil begeistert
aufgenommen wurde. Sicher unbewußt wird die Marlitt mit
ihren Meinungsäußerungen bezüglich religiöser Thematik zum
Sprachrohr »ihrer« Zeitschrift, der *Gartenlaube*. Im Jahresband
1867 (dem Erscheinungsjahr des *Geheimnisses*) fällt die Anzahl
jener Artikel auf, die sich direkt oder indirekt mit Fragen der
Religionsausübung, des praktizierten Christentums und der
konfessionellen Auseinandersetzungen beschäftigen. Und: In
diesen Beiträgen ändert die Zeitschrift ihr Profil. Sie nutzt nicht
mehr überwiegend die Mittel der Unterhaltung, um Leser zu
gewinnen und zu interessieren. Sie sucht nicht nach abwägen-
den, beschwichtigenden stilistischen Elementen, sondern sie
wird konkret, bezieht eindeutig Position und wird, gelegentlich sogar zynisch und aggressiv. Die Zeitschrift verläßt in diesen Artikeln ihren selbstgewählten Anspruch, unabhängig und
»fern [...] von allem Meinungsstreit in Religions- und anderen
Sachen«[33] zu sein, und bezieht häufig die Position eines aufgeklärten Protestantismus, der tolerant gegenüber anderen Kon-
fessionen und Nichtchristen ist, sofern diese nicht im Dogma
erstarrt, ultramontan, jesuitisch geprägt, bigott oder missiona-
rische pietistische Eiferer sind.

Einer der entschiedensten Kritiker der religiösen Einmischung der *Gartenlaube* und – untrennbar damit verbunden – der Marlittschen Romane ist der Pastor O. Weber. Dieser gibt 1868 eine Schrift über die Verderblichkeit der Religion der *Gartenlaube* heraus, die 1877 bereits in siebter Auflage erscheint.[34] »Nun braucht man wahrlich keine Marlitt'schen Romane mehr mit ihren christlichen Charakterfratzen zu studiren, um boshafte Feindschaft der ›Gartenlaube‹ gegen das Christentum aufzudecken«,[35] eifert der wackere Mann und setzt, das ist wiederum interessant und unterstützt die These von der symbiotischen Beziehung von Wochenblatt und Autorin, ohne weiteres die Artikel der Zeitschrift und die Romane der Marlitt gleich. Beiträge im 68er Jahrgang, zum Beispiel »Rom am Rhein«, der gegen das »Überhandnehmen des Wallfahrts- und Reliquienunfugs«[36] und vor allem gegen den zunehmenden Ultramontanismus der rheinischen Gebiete gerichtet ist, oder jener Beitrag über I. Hahn-Hahn, der einen zeitgenössischen (!) katholischen Theologen mit den Worten zitiert: »Der Protestantismus und seine Verbreiter sind in religiöser Hinsicht das, was in natürlicher Hinsicht die Pest ist«,[37] oder jener Artikel über den »Frieden des Sabbathlichtes«,[38] in dem das bürgerlich-aufklärerische Ideal, daß Toleranz nur aus Wissen entstehen kann, transparent ist – sie alle können provozieren und aus der Provokation heraus eine Gegenreaktion hervorrufen. Die Argumentation O. Webers geht von Marlitts Romanerstling *Goldelse* aus, der in der Tat Bigotterie und plakativen Buchstabenglauben auf das schärfste kritisiert, indem negative Figuren wie die Baronin v. Lessen oder der evangelische Theologe, Kandidat Möhring, karikiert werden.[39]

Die Gestaltung religiöser Problematik im *Geheimnis der alten Mamsell* folgt bewährtem Muster. Die Kritik entzündet sich wiederum am missionarischen und dogmatischen Eifer einer institutionalisierten evangelischen Kirche. Die positiv besetzten Figuren geben den Marlittschen Auffassungen vom positiven Gehalt christlichen Glaubens Ausdruck; die Negativ-Figuren erweisen sich als unglaubhaft und fragwürdig. Der inhaltsleere Schematismus der Glaubensausübung äußert sich beispielsweise in einer Szene so: Nach einem bösen Angriff des jüngsten Hellwigschen Sohnes auf Felicitas spricht dieser ein langes Tischgebet:

Unter obwaltenden Umständen war dieses Gebet die abscheulich-
ste Profanation einer schönen, christlichen Sitte [...]. Es wurde gebe-
tet nach wie vor, und die Stimmen, die Gottes ewige Liebe und Barm-
herzigkeit priesen, [...] sie klangen genau so unbewegt und eintönig
wie vorher auch. [40]

Das Gebet ist in seiner Formelhaftigkeit erstarrt und inhalts-
leer geworden. Das gleiche gilt für den sonntäglichen Kirch-
gang eines Teils der Gemeindeglieder. Ihnen dient er nur noch
zur Repräsentation äußerlichen Wohlstands: »Sammet und
Seide und auch minder kostbare, aber doch sonntägliche Stoffe
wurden in die Kirche getragen, nicht allein zur Ehre Gottes,
sondern auch um der Augen der lieben Nächsten willen.«[41]
Nur Stoffe, Hüllen werden ins Gotteshaus getragen, Mensch-
lichkeit, gar Mit-Menschlichkeit ist nicht mehr vorhanden. Diese kleinen Passagen gehören zu den Kabinettstückchen in Marlitts Romanen. Um so bedauerlicher ist die Tatsache, daß sie
häufig in sogenannten »zeitgemäß« bearbeiteten Auflagen fehlen.
   Ein anderer Kritikpunkt der Autorin richtet sich gegen den
missionarischen Eifer einiger Christen. Interpreten der Marlitt
wie z.B. G. Mosse haben ihren Pietismus betont.[42] Dem ist nur
sehr vorsichtig zuzustimmen und auch nur dann, wenn man
die ursprüngliche pietistische Lehre als Grundlage nimmt. Mit
dem missionarischen Pietismus des ausgehenden 19. Jahrhunderts ist die Marlitt keineswegs verbunden, im Gegenteil, sie
greift ihn an, wo immer es angebracht ist. Die Marlitt ist traditionell evangelisch-lutherisch erzogen worden. Eine Beeinflussung durch den preußischen Pfarrer A. Schneemann, der in der
Aufenthaltszeit der John am Sondershäuser Hof Hofprediger
und als ein Vertreter der Erweckungsbewegung im Sinne der
Aufklärung und des frühen Pietismus bekannt war, ist möglich, aber nicht beweisbar. In einem Brief an den Fürsten Pückler-Muskau vertritt die Autorin ihre religiösen Auffassungen
folgendermaßen:

An dem *Einzigen* dagegen halte ich unerschütterlich, und zwar mittels der Vernunft. Die gesamte Schöpfung in ihrem unverrückbaren
Kreislauf, in ihren unerbittlichen Konsequenzen ist ein einziger Gedanke; ich kann ihn folgerichtig nur auf *eine* Abstammung zurück-
leiten, wenn ich auch weit entfernt bin, mir einen *Kopf* dabei zu denken, dem er entsprungen. Die biblische Darstellung Gottes, und sei
sie in der erhabensten Weise gedacht, bleibt für mich stets wirkungs-

los – sie gibt Umrisse und begrenzt und nimmt dem Gebild die Grundbedingung: die Wahrheit.[43]

Diese Gedanken vor allem sind es, denen sie in ihrem Roman *Die zweite Frau* Ausdruck gibt. Es ist vielleicht ihr bestes, gewiß aber ihr umstrittenstes Werk.[44] In einer französischen Ausgabe dieser Jahre wird aus dem negativ gezeichneten Jesuitenpater ein ebenso negativ dargestellter protestantischer Pfarrer und aus der positiv gezeichneten protestantischen Hauptfigur Liane Mainau eine positiv dargestellte katholische Frau. Diese drastischen Umarbeitungen können Beleg sein für die Brisanz eines an sich typischen Marlitt-Werkes. Die Hauptfigur Liane gehört neben Felicitas und Käthe aus dem *Commerzienrath* zu den lebendigsten, die die Autorin geschaffen hat. Sie unterscheidet sich äußerlich von anderen Marlittschen Heldinnen dadurch, daß sie weder strahlend schön ist, noch »Augensterne«, noch wallendes blondes oder schwarzes, sondern rotes Haar hat. Dieses äußere Attribut der Widerspenstigkeit setzt sich in ihrem Charakter fort. Unumwunden vertritt die Protestantin, die gegen ihren Willen katholisch getraut wurde, inmitten einer militant-katholischen Umgebung ihre Glaubensgrundsätze. Dem jesuitischen Bösewicht des Romans entgegnet sie:

Die meisten ihrer Mitlebenden betrachten noch immer die Natur als etwas Selbstverständliches, über das sie nicht nachzudenken brauchen, weil sie es ja sehen, hören und begreifen können –, daß aber eben jenes Sehen, Hören und Begreifen das Wunder ist, fällt ihnen nicht ein. Und nun dichtet man dem weisen Schöpfer willkürliche Eingriffe in seine ewigen Gesetze an, oft einer nur winzigen menschlichen Absicht willen, ja, man läßt untergeordnete Geister dies vollendete Gewebe zerstörend durchbrechen, lediglich, um irgendein Hirtenmädchen oder sonst eine einsame Seele von Gottes Dasein zu überzeugen, und nennt das ›Wunder‹! Wie kläglich erscheinen sie neben Gottes wirklichem Schaffen und Wollen [...].[45]

Doch zurück zum *Geheimnis der alten Mamsell* und der Kritik am missionarischen Eifer einiger Zeitgenossen der Autorin. Ein Beispiel aus dem Roman soll zeigen, wie sarkastisch Marlitt werden kann, geht es um die Bloßstellung dieser Personen: Adele Hellwig, die dadurch charakterisiert wird, daß sie unterdrückte Wut und Aggressionen im Zerreißen von Taschentüchern kompensiert, sieht im Sammeln und Verwalten von Missionsgeldern ihre heiligste Pflicht. Ihre eigentliche, nämlich die Mutterpflicht gegenüber ihrer skrofulösen Tochter, vernachlässigt sie grob. Adele erscheint als das Gegenteil einer Christin und mittels einer antonymischen Reihung wird das dem Leser auch deutlich gemacht: »Satanische Bosheit lag in diesem Engelsgesicht«, Hände, die im Gebet »weich und graciös verschlungen sind«, umklammern nun Felicitas »wie einen Schraubstock«, die »silberne Stimme« voll »christlicher Milde« schrillt »und kreischt durch den Corridor«.[46] Der äußere Kulminationspunkt des Romans bildet zugleich auch einen Höhepunkt der Auseinandersetzung mit religiösen Fragen. Das Vermächtnis der alten Mamsell, das am Tage der Testamentseröffnung von ihrer Schülerin Felicitas ausgesprochen wird, kann zugleich als das Bekenntnis der Autorin angesehen werden. Fee bekennt sich nach dem Tode Cordulas zu ihrer Freundschaft, und sie verteidigt die im Haus Hellwig Verfemte leidenschaftlich:

Ja, sie war ein freier Geist! Sie forschte ohne Angst um ihr Seelenheil oder einen zerbrechlichen Glauben an Gottes Werk; denn sie wußte, daß da jeder Weg auf Ihn zurückführte. Der Conflict zwischen der Bibel und den Naturwissenschaften beirrte sie niemals ... Ihre Überzeugung wurzelte nicht im Buchstaben, sondern in Gottes Schöpfung selbst, in ihrem eigenen Dasein und in der himmlischen Gabe zu denken, in dem selbständigen Werten und Schaffen des unsterblichen Menschengeistes ... Sie ging nicht wie tausend Andere in die Kirche, um Gott im eleganten Hut anzubeten, aber wenn die Glokken läuteten, da stand auch sie in der Stille demüthig vor dem Höchsten, und ich zweifle, daß ihm das Gebet Derer lieber ist, die stündlich seinen Namen anrufen und mit denselben Lippen den Namen des Nächsten ans Kreuz schlagen.[47]

Hier wird verständlich, daß jene Elemente der Marlittschen Romane, die oft belächelt und abgewertet wurden, sich logisch in ihr gedankliches Konzept vom idealen bürgerlichen Menschen einordnen: selbstbewußt, ehrlich, gebildet, tolerant, fleißig, rechtschaffen, den Nächsten liebend, familien- und traditionsbewußt. Spektakuläre Rettungen von Menschen aus Feuersnot oder vor dem Ertrinken, die aufopfernde Pflege Kranker, die liebevoll-strenge Erziehung von Kindern durch die weiblichen Hauptfiguren sind stilistisch gesehen redundante Mittel zur Steigerung der Spannung. Für die Marlitt – und sicher auch die meisten der zeitgenössischen Leserinnen – sind es, wenn auch fiktional überhöhte Möglichkeiten christlicher,

d.h. menschlicher Bewährung. Die Leserinnen erfahren, daß
wer sich so bewährt und opfert, auch seinen Lohn innerhalb
dieser bürgerlichen Gesellschaft erhält. Der Lohn für die weibliche Hauptfigur ist in den meisten Fällen die Ehe. Hier wird
die Frage nach der Haltung Eugenie Marlitts zur Frauenfrage
evident.

Eugenie Marlitts Karriere steht ganz sicher exemplarisch für
eine Generation schreibender Frauen, die ihren Beruf vor allem als Mittel zum Broterwerb verstanden: unverehelicht, in
der ersten Existenz aus Krankheitsgründen gescheitert, in der
tiefsten Provinz lebend, entscheidet sie sich für den Beruf der
Schriftstellerin, nicht, weil sie sich berufen fühlt, sondern, im
Gegensatz zu vielen anderen Berufskolleginnen ihrer Zeit, ausdrücklich aufgrund der damit verbundenen Aussicht auf materiellen Gewinn. Der Erfolg gibt ihrer Entscheidung recht.

Auch Marlitts Romane sind als Plädoyer für bessere Bildungschancen der Frauen zu lesen, die die Voraussetzung für
eine freie Berufswahl und materielle Unabhängigkeit bilden.
Nicht nur inhaltlich, sondern auch formal ist die Kongruenz
zu Marlitts *Geheimnis* deutlich: Das Ringen der Felicitas um
menschliche Würde und ihr Kampf gegen den geistigen Tod,
dem sie im Haus Hellwig preisgegeben zu sein scheint, ist nicht
nur mit Anstand allein zu gewinnen. Sie braucht Wissen und
Bildung, um sich ihrer moralischen Überlegenheit bewußt zu
werden, eine Voraussetzung, die im Roman deutlich heraus-
gestellt wird:

Johannes zur Mutter: Erziehe das Mädchen häuslich, zu dem, was
einst ihre Bestimmung sein wird – zur Dienstbarkeit [...]. Mir ist diese moderne weibliche Erziehung ein Greuel. [...] *Erzähler:* Außer der
Bibel und einem Gebetbuch wurde ihr jede Lectüre streng verweigert. In der Mansarde dagegen erschlossen sich ihr die Wunder des
menschlichen Geistes.[48]

Die Mansarde der alten Mamsell symbolisiert die Welt des
Geistes, der Bildung. Hier kann der Mensch befähigt werden,
auch in erniedrigenden Situationen einen Ausweg zu finden,
Würde und Identität zu bewahren. Die Abgeschlossenheit der
Mansarde stellt aber auch eine Ausgrenzung der Wissenschaft
und der Geisteswelt aus der tatsächlichen bürgerlichen Realität dar. Allein durch die Freundschaft zur alten Mamsell wird
es Felicitas möglich, ihren Bildungsanspruch zu erkennen und

zu verwirklichen: Sie lernt moderne Sprachen, Geistes- und Naturwissenschaften sowie Musiktheorie. Der Besitz von Bildung wird für sie zum Schlüssel zu einer ihr an sich verschlossenen Welt.

Es sei noch einmal betont: eine völlige Gleichberechtigung der Frau lehnte die Marlitt ab. Im Roman *Im Hause des Commerzienrathes* kommt es zu folgendem Disput zwischen der sich sehr emanzipiert gebenden, negativ gezeichneten Flora und dem »guten« Arzt Dr. Bruck. Flora betätigt sich erfolglos als Essayistin und Publizistin. Jedoch ist für sie die Tätigkeit kein Broterwerb (den hat sie nicht nötig; Geld ist da, man fragt nicht, woher es kommt), sondern Zeitvertreib. Flora ist schön und dokumentiert ihre Gleichberechtigung in Äußerlichkeiten wie dem Zigarrenrauchen. Karriere und Familienleben schließen sich für sie aus.

Bruck: »Ich stehe der Frauenfrage durchaus nicht fern und wünsche, wie alle Billigdenkenden, daß die Frau die Mitstrebende, die verständnisvolle Gehilfin des Mannes auch auf geistigem Gebiet werde.«

Flora: »Gehilfin? Wie gnädig! Wir wollen aber keine Gnade, mein Freund; wir wollen *Gleich* strebende, *Gleich* berechtigte nach jeder Richtung hin sein!« [49]

Marlitts Einstellung ist eindeutig: Eine Frau sollte zu Bildung, Ausbildung und damit Arbeit befähigt werden. Arbeit ist Broterwerb, und zu diesem sollte die Frau in der Lage sein – wenn kein Partner da ist, der diese Aufgabe übernimmt. Biographische Erfahrung trägt dieser Position Rechnung; ihre Erfahrungen waren zumeist bitter, sie hat daraus gelernt, ist mißtrauisch, kritisch, bisweilen hart geworden. Auch ihre eigene Schreibtätigkeit sieht sie immer als Beruf und stellt das auch so dar: »Dieser neue, mich sehr in Anspruch nehmende Beruf trägt auch die Schuld, daß ich Dir so ungebührlich lange nicht geschrieben habe«,[50] entschuldigt sie sich bei ihrer Freundin – nachdem sie ihr ausführlich und ohne jede Scheu über ihre finanziellen Rahmenbedingungen bei der *Gartenlaube* berichtet hat.

So sind die Trägerinnen positiver Werte, im Kontext des 19. Jahrhunderts gesehen, durchaus emanzipiert. Alle weiblichen Hauptfiguren sind selbständig denkende und relativ frei entscheidende Wesen. Neben dem Anspruch auf Selbstverwirkli-

chung vor der Ehe erheben sie aber vor allem den Glücksan-
spruch in der Ehe. Dabei sind die Fees und Käthes der Marlittschen Romanwelten weder der Typ Frau, der sich wider-
spruchslos unterordnet, noch sind sie der Typ, der sich dem
Manne völlig ebenbürtig fühlt. Marlitts Heldinnen sind fleißig, geschickt, belastbar in der körperlichen Arbeit, intelligent
und musisch begabt. Diese Gaben und ihre robuste körperli-
che Verfassung befähigen sie zur Selbständigkeit. Nicht die Gier
nach Ruhm und Ehre treibt sie dazu, Klavier bis zur Perfektion
zu spielen, zu botanisieren, den archäologischen Wissenschaften nachzugehen oder gar als Unternehmerin erfolgreich zu
sein, sondern die Einstellung, daß das Leben nicht in Untätig-
keit und zu Lasten anderer gelebt werden darf. Darüber hinaus sind einige der Frauen aus ökonomischen Gründen gezwungen, einer Beschäftigung nachzugehen. Fabrikarbeit
schließt die Marlitt für ihre Heldinnen aus, nicht immer jedoch
aus ihrer Romanwelt, wie Passagen im *Commerzienrath* oder in
der *Reichsgräfin Gisela* belegen, auch, wenn sie nur Episoden-
Charakter tragen.[51]

Die weiblichen Hauptfiguren entsprechen somit einem Marlittschen Ideal, dem sie sich selbst nur bedingt annähern konnte. Wohl war auch sie gebildet, musisch begabt, immer berufs-
tätig, doch war sie keineswegs so robust wie ihre Romanfiguren.
Ihre Hauptfiguren sind Musiklehrerin, Gouvernante, Krankenpflegerin, Gesellschafterin oder Unternehmerin, doch sekun-
där sind sie alle auch Erzieherinnen. Aufklärerisches Gedan-
kengut wirkt sicher hier weiter: vorbildliche Menschen sollen
durch eben diese Vorbildlichkeit Mitmenschen erziehen.

Der Selbständigkeit und inneren Unabhängigkeit der Heldinnen steht die Bedingungslosigkeit, mit der sie sich ihrem
zu erwartenden ehelichen Glück hingeben, scheinbar wider-
sprüchlich gegenüber. Der Leser der Gegenwart zumindest
empfindet diese Lösung der Konflikte stets als Bruch. Frauen,
die im Verlaufe der Handlung Grenzen und Normen überschritten haben und sich nur bedingt anpassungsfähig zeigten, beugen sich nun ganz freiwillig, euphorisch jauchzend und alles
um sich herum vergessend neuen Normativen. Aber: Die Anerkennung der Ehe als Idealzustand schließt das Verständnis
der Ehe als Sinnbild weiblicher Bestimmung in dieser Zeit ein.

So bilden die Marlittschen Heldinnen ihre Identität heraus
in einem Konsens aus tradiertem und modernem bürgerlichem

Frauenbild. Erotik ist, hier bildet die Marlitt keine Ausnahme
in der deutschen Literatur der zweiten Hälfte des 19. Jahrhunderts, tabuisiert. Nur vage, zum Teil euphemistische Andeutungen zeigen die Frau auch körperlich als begehrenswert.[52]

An dieser Stelle wird sichtbar, wie ungeheuerlich das Gelingen einer erfolgreichen Geschäftsführung der Käthe Mangold
(*Commerzienrath*) eigentlich ist. Die Auffassung, daß der Marlitt
»keine emanzipatorischen Grundgedanken« unterstellt werden
dürfen,[63] muß also korrigiert werden.

Ganz wesentlich tragen besondere Erzählverfahren zum
Erfolg der Romane bei. Marlitts Erzählweise erlaubt Keil, eine
Schnittechnik an ihre Werke anzusetzen, die eine Ausrichtung
als Fortsetzungsroman möglich macht. Erzählungen und Romane, die die alternierende Abfolge von Spannung und Ent-
spannung mit gleichzeitiger Zuspitzung des Grundkonfliktes
nicht haben, werden verworfen.[54] Als Autorin der *Gartenlaube*
ist es der Marlitt möglich, ein großes, sozial differenziertes, aber
relativ unpolitisches Publikum zu erreichen. Dem Ziel der *Gartenlaube* entspricht es, durch eine Verbindung von Interessan-
tem und Unterhaltendem eine Breitenwirksamkeit zu erreichen.
Der liberale bürgerliche Leser, der nach der Niederlage der 48er
Demokratisierungsversuche beginnt, sich mit seinen Wertvor-
stellungen von Fleiß, Wohlstand und Behaglichkeit in eine Nische zurückzuziehen, wird in diesem Bestreben von der Zeitschrift bestärkt.

So ist die ungeheure Popularität der Marlitt aus den Be-
dürfnisstrukturen des sich neu zu definierenden Bürgertums
nach 1848 zu erklären. Und heute? Von einem stets größer werdenden Teil der Literaturwissenschaft wird die Marlitt heute
keineswegs einseitig als Verfasserin sentimentaler, realitäts-
ferner Romane gewertet. Allerdings ist man bis vor kurzer Zeit
wenig zimperlich gewesen in der Kritik ihrer Werke, ihrer Person und leider auch ihrer Leser. Als »eine schleimige Tunke
übelster Romantik«[55] werden ihre Werke, sie selbst als »saccha-
rinsüße Kitschtante«[56] bezeichnet, die Leser für naiv und
dümmlich gehalten. Besonders seit den 30er Jahren bis Anfang
der 90er Jahre unseres Jahrhunderts überwiegt vor allem im
deutschsprachigen Raum negative Kritik. Dieser Negativ-Kri-
tik zum Trotz erfuhren und erfahren die Romane der Marlitt
unverändert hohe Nachauflagen. Einerseits sind gerade hohe
Auflagenzahlen und ein sozial breit gestaffeltes Publikum da-

für verantwortlich, den elitären Charakter von Literatur vermissen zu lassen. Andererseits wird die Marlitt – vor allem in
der thüringischen Presse bis 1945, aber auch von Verlagen – in
ihrem literarischen Rang überhöht. Beispielsweise wurden Romane in thematische Reihen wie »Meistererzählungen der Weltliteratur« (1920 in der Mitteldeutschen Verlagsanstalt Berlin)
aufgenommen, gelangen Werke als Erbauungslektüre an die
Fronten des 1.Weltkrieges [57] und vor allem Arnstädter Journa-
listen feiern die Marlitt als Bürgerin von »weltliterarischem
Ruf«, die Arnstadts »Ruhm und Ehre« verbreite.[58]

   Kontrovers diskutiert wurden Marlitts Werke bereits zu ihren Lebzeiten. Auch Schriftstellerkollegen haben sich zur Autorin geäußert. Das bekannteste Zitat aus zeitgenössischem
Autorenmund hat gewissermaßen Alibi-Funktion: Es findet
immer dann Anwendung, wenn ihr Werk legitimiert werden
soll. Es stammt von Gottfried Keller, der die Marlitt als eine
»Person« bezeichnet, in der »ein tüchtiges Freiheitsgefühl«
steckt und deren »Schwung« und »Fluß der Erzählung [...] und
Gewalt der Darstellung« zu bewundern sei. Die Entstehung
dieses häufig zitierten Spruches ist allerdings bemerkenswert,
denn er ist niemals schriftlich festgehalten worden, sondern
stammt aus dem Kreis des Zürcher »Professorentisches« um
Keller, Kinkel, Scherr u.a. In vollständiger Überlieferung befindet sich der Ausspruch im Necker-Aufsatz der *Gartenlaube*
des Jahres 1899. – Eindeutig belegbar sind dagegen die Urteile des Zeitgenossen Theodor Fontane über die Marlitt. In einem Brief an seine Frau Emilie äußert Fontane Unverständ-
nis und Bedauern darüber, daß seine beinahe volkstümlich gewordenen Werke bekannter sind als er, der Schöpfer derselben:

Die wenigsten wissen, daß ich diese Sachen geschrieben habe. [...]
Die Sachen von der Marlitt. [...] Personen, die ich gar nicht als Schriftsteller gelten lasse, erleben nicht nur zahlreiche Auflagen, sondern
werden womöglich ins Vorder- und Hinterindische übersetzt; um
mich kümmert sich keine Katze.[59]

Viele andere Autoren äußern sich bis zur Gegenwart zur Marlitt,
mancher positiv – so z.B. Helmut Heißenbüttel –, indem er die
Rolle der Tradition für die Moderne betont.[60] Von Herrad
Schenk erscheint 1986, also rechtzeitig zum bevorstehenden 100.
Todestag der Marlitt, *Die Rache der alten Mamsell*, ein bemer-

kenswerter, teilweise verwirrender, sich scheinbar am Geheimnismotiv der Marlitt orientierender Roman.

So tendenziös und unterschiedlich wie die Zeitungskritik,
die Leserresonanz oder das Urteil der Kollegen über die Marlitt
ist, so unterschiedlich und tendenziös zeigt sich auch die Literaturwissenschaft. In den letzten Jahren sind aber einige Publikationen erschienen, die die Marlitt in einem neuen, ungewohnten Zusammenhang zeigen. Ich teile die Auffassung jener, die meinen, daß die Marlitt uneingeschränkt im Zusammenhang mit der bürgerlichen Literatur in der Mitte des 19.
Jahrhunderts zu sehen sei, also in einer Reihe mit Storm, Keller, Raabe, Meyer, Spielhagen, Ebner-Eschenbach, Ludwig,
Freytag – und Fontane. Besonders interessant ist in diesem Zusammenhang die Publikation von H. Arens,[61] der die Romane
der Marlitt im literarhistorischen Kontext des 19. Jahrhunderts
betrachtet. Intertextuelle Vergleiche zu Fontane, Storm und
Brontë führen bei ihm zu dem Ergebnis, die Marlittschen Romane als eine Ausprägung des bürgerlichen Romans anzuerkennen. Zu den Besonderheiten der Marlittschen Erzähltechnik
gehört, so Arens, die spezifische dramatisch-epische Struktur,
die zum Teil den Erfolg der *Fortsetzungs*romane erklären kann.
Zu einem ähnlichen Ergebnis gelangt auch M. Zitterer.[62] Sie
vergleicht ebenfalls die Werke der Marlitt mit jenen Fontanes
und denen F. Lewalds unter dem Aspekt der Frauenfrage und
versucht zu beweisen, daß die Marlitt ihrer Meinung nach »zu
Unrecht von einer elitären Literaturwissenschaft in die Vergessenheit geschickt und überhaupt nicht ernst genommen worden ist«.[63] Eine ähnliche Wertung wie Arens und Zitterer vertritt auch B. Waldinger-Tillement.[64]

Sicher ist es gerade der Marlittsche Schreibstil, den die Kritik oft belächelt, über den sie noch häufiger die Nase gerümpft
hat. Besonders auffällig und für den Leser der Gegenwart ungewöhnlich ist dabei die Häufung von Adjektiven vor allem
im attributiven Gebrauch. Adjektivische und substantivische
Komposita (»thränenvoller Blick aus dunkelgrauen Augen-
sternen«[65]) rühren, gemessen an heutigen Lesegewohnheiten,
ebensowenig. Sehr oft finden sich einfache Vergleiche (»wie das
Tosen einer Brandung«, »wie das Roß der Steppe« u.s.f.[66]); un-
angemessen erscheinen auch die Personifizierungen und An-
thropomorphisierungen. Diese Vermenschlichung der Natur
geschieht wiederum oft mittels der Adjektivierung (»Schüch-

tern flohen die Rehe vor der seidenrauschenden Erscheinung«[67]). Diminutiva, besonders in jenen Passagen verwendet, die Kinder kennzeichnen sollen, wirken heute nicht rührend, sondern lächerlich. Heiterkeit statt Ernsthaftigkeit erzeugen katachrestische Stilfiguren (»unglückliche Nägelköpfe«[68]). Die gleiche Wirkung erzielen die unbeabsichtigten Paradoxa (»keine Bewegung war am leicht wallenden Gewand zu spüren«[69]). Abgesehen davon, daß Marlitts Sprachstil vor hundert Jahren anders wirkte als heute, verstand es die Autorin, spannend und fesselnd zu erzählen. Besonders das Geheimnismotiv, Topoi des Kriminalromans und die Mittel des Fortsetzungsromans tragen dazu bei, die Spannung bis zum Ende der Erzählung zu halten.

Bei der vorurteilsfreien, aufmerksamen Lektüre eines ungekürzten Marlitt-Romans wird die Kongruenz zu einer Reihe von Autoren des gleichen Zeitraumes sowohl auf inhaltlicher als auch auf formaler Ebene deutlich.[70]

»Provinzialität« und »Mediokrität« sind häufig verwendete Attribute zur Kennzeichnung der literarischen Situation im Deutschland der zweiten Hälfte des 19. Jahrhunderts. Die Bedeutung des lateinischen Wortes »mediocritas« erschließt sich jedoch nicht nur als »Mittelmäßigkeit«, sondern erscheint auch als »mediocris« – als gelassen, gemäßigt, oder auch als »aurea mediocritas«, als »goldener Mittelweg«. Einen gemäßigten Weg sind viele der enttäuschten deutschen Autoren nach 1848/49 und auch wieder nach 1871 gegangen. Die Marlitt gehörte dazu. Zwischen Auflehnung und Anpassung, zwischen Kritik und Affinität siedelte sie ihre Werke an. Das garantierte ihr den Erfolg und das Bewußtsein, eine der wenigen Frauen zu sein, denen es gelang, von ihrer Arbeit sehr gut leben zu können.

Anmerkungen

1 Vgl. Brauer (Hobohm), Cornelia (1993): Eugenie Marlitt – Bürgerliche, Christin, Liberale, Autorin, Erfurt.

2 Vgl. Marlitt, Eugenie (1994): Maienblütenhauch. Die Gedichte, hg. von Cornelia Brauer (Hobohm), Rudolstadt.

3 Vgl. Marlitt, Eugenie (1997). »Ich kann nicht lachen, wenn ich weinen möchte«. Die bisher unveröffentlichten Briefe der Marlitt, hg. von Cornelia Hobohm, Wandersleben.

4 Ernennungsurkunde vom 15. September 1846. Staatsarchiv Rudolstadt.

5 Marlitt, Eugenie (1997): Brief an Leopoldine v. Nischer-Falkenhof, S. 20f.

6 Ebd.: Brief an Leopoldine v. Nischer-Falkenhof, S. 26.

7 Necker, Moritz (1899): E. Marlitt. Mit bisher ungedruckten Briefen und Mitteilungen, in: Die Gartenlaube, Leipzig, Nr. 9-12.

8 Briefe der Ida John an Moritz Necker aus dem Jahr 1897, Handschriftenabteilung der Stadt- und Landesbibliothek Wien.

9 Marlitt, Eugenie (1997): S. 49.

10 In der Tat entwickelte sich *Die Gartenlaube* zu Beginn der 60er Jahre zum bekanntesten und auflagenstärksten Wochenblatt. Ernst Keil, ebenfalls Thüringer und ursprünglich beeinflußt vom Jungen Deutschland, begann Ende der dreißiger Jahre des 19. Jahrhunderts, seine liberalen Gedanken mit seiner journalistischen Tätigkeit zu verbinden. Das brachte ihm Ärger mit der Obrigkeit und 1851 das Aus für seine Zeitschrift *Der Leuchtthurm*. In der neunmonatigen Haft, die er zu verbüßen hatte, reifte die Idee, ein liberales, unterhaltendes Wochenblatt herauszugeben, das jedoch nicht vordergründig politisch sein sollte, um den Zensoren die Arbeit zu erschweren. Außerdem sollte es so viele Leser wie möglich ansprechen. So startete 1853 die erste Ausgabe der *Gartenlaube* mit einer Auflage von 5000 Stück. Ganz wesentlich zum Erfolg der Gartenlaube trugen nun die Marlitt-Romane bei. 1866, als die ersten zwei Marlitt-Werke bereits gedruckt waren, konnte Keil bereits 142.000 Abonnenten verbuchen (Leser waren es natürlich ungleich mehr!). Um 1880, wenige Jahre nach Keils Tod, hatte das Blatt rund 370.000 Abonnenten. Nach dem Tod des Gründers 1878 und unter dessen Nachfolger verlor die Wochenzeitschrift in den späten 80er Jahren ihr liberales Profil und wurde eines der kaiserlich-konformen Blätter dieser Zeit.

11 Vgl. In the Schillingscourt. From the German of E. Marlitt by Mrs. A. L. Wister, Philadelphia, U.S.A., 1879. Ferner: Marlitt, Evgenija: Vtoraja zena. Roman, perevod ot Beljaeva, St. Petersburg 1910. Die Untersuchung sowohl einer amerikanischen als auch einer russischen Ausgabe ergab, daß autorisierte Übersetzer bemüht waren, mittels einer Analogübersetzung die spezifische Stimmung der Marlitt-Romane wiederzugeben. Abweichungen vom Originaltext sind, zumindest in diesen Ausgaben, selten.

12 Rezension des Columbus Ohio-Journals, in: In the Schillingscourt. Philadelphia,USA,1879, S. 382.

13 Marlitt, Eugenie (1997): S. 72.

14 Acte des Fürstlich-Schwarzburgischen Amtsgerichts Nr. 573 des Staatsarchivs Rudolstadt. Und: Mitteilungen an einen Arnstädter Stadtrat, in: Marlitt, Eugenie (1997): S. 153-155.

15 Arnstädter Nachrichten- und Intelligenzblatt, November 1829, Anzeigeteil der Sterbefälle. Später sind auch Auszüge der Gerichtsakten nachzulesen. Der spektakuläre Vorfall muß die Bewohner der Kleinstadt sehr erregt haben; das Grab der v. Linsky ist heute noch zu besichtigen, viele Legenden ranken sich darum.

16 Die »Bieroper«. J. S. Bach soll diese während seiner Tätigkeit als Organist in Arnstadt komponiert haben.

17 Einige Schauplätze sind konkret bestimmbar, wie etwa das »Haus zum Palmbaum« (ebenfalls am Arnstädter Markt, heute Museum für Stadtgeschichte). Das stattliche ehemalige Kaufmannshaus ist jenes der fiktiven Familie Lamprecht im Roman *Die Frau mit den Karfunkelsteinen*. Die Landschaftsbeschrei-

bungen in *Goldelse* und der *Reichsgräfin Gisela* weisen sehr genau auf die unmittelbare Umgebung Arnstadts in Richtung Thüringer Wald hin. Die in der Erzählung *Die zwölf Apostel* beschriebenen unterirdischen geheimnisvollen Gänge gibt es tatsächlich unter der Liebfrauenkirche. Die Beschreibungen in der *Zweiten Frau* weisen auf das in unmittelbarer Nähe gelegene barocke Lustschloß des Grafen Gotter in Molsdorf hin und auch die Lokalisierung des *Eulenhauses* kann recht eindeutig für Paulinzella mit seinem berühmten romanischen Kloster (seit 1564 Ruine) entschieden werden: nicht nur die Wortspielerei von »Walpurgiszella«, das im schönen »Paulinental« liegt, sondern auch die Schilderungen der Landschaft belegen diese These.

18 Die Erhöhung des Authentizitätsgrades bei Bewahrung der Fiktionalität erreicht die Autorin auch mittels der Initialbildung. Das Geschehen im *Geheimnis* entwickelt sich in der Stadt X. (=Arnstadt), Familie Ferber aus *Goldelse* verläßt die Hauptstadt B. (=Berlin), Käthe, die Hauptfigur aus dem *Hause des Kommerzienrates* gelangt nach M. (wahrscheinlich ebenfalls Arnstadt), eine der männlichen Figuren des gleichen Romans wendet sich von M. nach L.....g (= Leipzig). Derlei Bildungen haben – mit der gleichen Funktion – Tradition in der deutschen Literatur; zu denken ist beispielsweise an Gellerts »Schwedische Gräfin von G.« oder Kleists »Marquise von O.«.

19 Radeck, Heide (1967): Zur Geschichte von Roman und Erzählung in der »Gartenlaube« (1853–1914), Erlangen, Nürnberg, S. 45.

20 Marlitt, Eugenie (1997): S. 26. Hervorhebung im Original.

21 Ebd.: S. 105.

22 Die Familie John bewohnte zu dieser Zeit in Arnstadt ein kleines Gartenhäuschen hinter dem »Haus zum Pelikan« und zog in dem Korrespondenzjahr 1868 zu einer Schwester der Schwägerin Ida in die Plauesche Straße; wurde noch enger zusammengerückt.

23 Marlitt, Eugenie (1997): S. 134.

24 Marlitt, Eugenie (1867): Das Geheimnis der alten Mamsell, in: Die Gartenlaube, 1867, Nr. 22, S. 338. Im folgenden zit. als Publikation in der »Gartenlaube«: *Die zwölf Apostel* 1865; *Goldelse* 1866; *Blaubart* 1866; *Reichsgräfin Gisela* 1869; *Das Haideprinzeßchen* 1871; *Die zweite Frau* 1874; *Im Hause des Commerzienrathes* 1876; *Im Schillingshof* 1879; *Amtmanns Magd* 1881; *Die Frau mit den Karfunkelsteinen* 1885; *Das Eulenhaus* 1888; *Schulmeisters Marie* 1888.

25 Die Gartenlaube, 1867, Nr. 25, S. 387.

26 Thematische und stoffliche Parallelen zu anderen zeitgenössischen Werken sind sichtbar, beispielsweise zu Th. Storms Novelle »Pole Poppenspäler« (1874). Auch hier opfert der Bürger Paul Paulsen Ruf und Ansehen für die Liebe zur Tochter des Puppenspielers.

27 Die Gartenlaube, Nr. 21, S. 323.

28 Die Gartenlaube, Nr. 22, S. 338.

29 Die Gartenlaube, Nr. 22, S. 340.

30 Die strengen Normen des äußerlichen bürgerlichen Wohlstands zeigt ein Blick in W. Spemanns »Schatzkästlein des guten Rats« von 1888, welches für die Aussteuer unter anderem zwei Dutzend Frühstücksservietten, Damasttischwäsche in großen Mengen, ein Dutzend Bettücher allein aus Herrnhuter Leinen u.v.a.m. fordert. Spemann, Wilhelm (1888): Schatzkästlein des guten Rats, ausgewählt und neu hg. von A. Bouvier und J. Borchert, Berlin 1987, S. 134f.

31 Die Gartenlaube, 1867, Nr. 26, S. 401.

32 Marlitt, Eugenie (1997): S. 27.

33 Die Gartenlaube, 1853, Nr. 1.

34 Weber, O. (1877): Die Religion der »Gartenlaube«. Ein Wort an die Christen unter ihren Lesern, Breesen b. Neubrandenburg.

35 Ebd.: S. 4.

36 Die Gartenlaube, 1867, Nr. 2, S. 23f.

37 Die Gartenlaube, Nr. 9, S. 136.

38 Die Gartenlaube, Nr. 20, S. 313ff.

39 Vgl. Weber, O. (1877).

40 Die Gartenlaube, Nr. 22, S. 337.

41 Ebd.

42 Mosse, George (1974): Was die Deutschen wirklich lasen. Marlitt, May, Ganghofer, in: Popularität und Trivialität. Fourth Wisconsin Workshop, hg. von J. Hermand, Frankfurt a.M., S. 108.

43 Marlitt, Eugenie (1997): S. 127f.

44 Zu Beginn der 90er Jahre erhielt ich einen Anruf eines österreichischen Verlages, der daran dachte, Marlitt-Werke neu aufzulegen. Bei der Aufzählung der zu publizierenden Titel fehlte »Die zweite Frau«. Auf die Rückfrage, warum dieser Roman nicht erscheinen soll, erhielt ich die Antwort, daß sein religionskritischer Inhalt dem Vertrieb erhebliche Schwierigkeiten bereiten könnte. Für unser ausgehendes Jahrhundert erstaunt diese Ansicht – wie viel mehr Empörung muß es im vergangenen Jahrhundert darüber gegeben haben!

45 Die Gartenlaube, 1874, Nr. 9, S. 142.

46 Die Gartenlaube, 1867, Nr. 35, S. 547.

47 Die Gartenlaube, 1867, Nr. 33, S. 515.

48 Die Gartenlaube, 1867, Nr. 23, S. 356.

49 Die Gartenlaube, 1876, Nr. 8, S. 126.

50 Marlitt, Eugenie (1997): S. 50.

51 Wobei im letztgenannten Werk in neueren Ausgaben die Schilderungen zum Leben und zur Arbeit der Thüringer Porzellanfrauen wiederum fehlen.

52 Doch auch das Anliegen vieler Frauenrechtsvereine ist nicht die völlige Gleichberechtigung der Geschlechter, sondern die Durchsetzung von Reformen für die Verbesserung der Arbeits-, Lebens- und Bildungsbedingungen. In einer Ausgabe der von R. v. Gottschall herausgegebenen *Blätter für litterarische Unterhaltung* erschienen Vorträge zur Frauenfrage, die von Mitgliedern Berliner Frauenvereine gehalten wurden. Äußerst kontroverse Ansichten hinsichtlich der geforderten Hochschulbildung für Frauen werden sichtbar, so daß allein das Beharren auf höherer und umfassender, d.h. auch naturwissenschaftlicher Bildung, illusorisch und vermessen scheint. Die Forderungen der engagierten Frauenrechtlerinnen M. Stoephasius und J. M. Gayette-Georgenes reduzieren sich vor allem darauf, Frauen in ›ihren Gebieten‹ zu stärken sowie ihnen eine verbesserte Ausbildung zukommen zu lassen. Vgl. Gottschall, Rudolf v. (1872) (Hg.): Blätter für litterarische Unterhaltung, Leipzig, Nr. 51, S. 801 ff. Und: Nr. 52, S. 823ff.

53 Rayer-Stromberg, Margret (1981): Die soziologische Funktion der Konsumliteratur. Exemplarisch dargestellt am Konsumroman, Diss., Ruhr-Universität Bochum, S. 51.

54 Die Ablehnung eines Gesuchs von Theodor Storm aus dem Jahre 1862 wird somit erklärbar. In Geldschwierigkeiten befindlich, hat Storm eine No-

velle in der »Gartenlauben«-Redaktion eingereicht. Sehnlichst wartet er auf eine Antwort. Große Enttäuschung spricht deshalb aus einem Brief an seine Frau Constanze, als er den Grund für die Ablehnung des Manuskripts erfährt: »Keils ablehnender Brief ist ebenso liebenswürdig als unbegreiflich. Er meint, die Erzählung ertrage durchaus nicht das Zerschneiden und ausschnittsweise Lesen und rät, wie denn nun geschieht, in Buchform sofort erscheinen zu lassen.« Storm, Theodor (1915): Briefe an seine Frau, hg. v. Gertrud Storm, Braunschweig, Brief an Frau Constanze Storm vom 18. Juli 1862 aus Heiligenstadt, S. 146.

55 Schneider,Wilhelm (1953): Erkennen und Bekämpfen von Kitsch und Schund in der Jugendliteratur, in: Blätter für Lehrerfortbildung, Ansbach, Heft 4, S. 184.

56 Thüringer Volk, 20. September 1947.

57 »Heimatbücher für unsere Feldgrauen«, 1917, Union Verlag Stuttgart, Berlin, Leipzig.

58 Die Geschichte des Marlitt-Denkmals in Arnstadt ist beinahe exemplarisch für die Polarisierung der Kritik: 1913 errichtet ihre Vaterstadt voller Stolz ein Denkmal. 1951 wird eben jenes Denkmal von stalinistischen Kultursäuberern zerstört, da diese »dekadente Bürgerliche« in den Augen der selbsternannten Kulturfunktionäre schädlich und zersetzend wirkt. Aus den DDR-Bibliotheken und Buchhandlungen bleibt sie bis zur Wende verschwunden. Allenfalls in Spezialwerken zur Literaturgeschichte taucht ihr Name im Zusammenhang mit Begriffen wie »Massenware« oder »Trivialliteratur« auf; erst gegen Ende der 80er Jahre finden Wissenschaftler wie H. Plaul oder H. H. Klatt auch im Osten zu einer differenzierten Wertung. Und nach der Wende? Da errichtet Arnstadt erneut ein Denkmal für ihre Schriftstellerin und gewählte Volksvertreter ringen sich würdigende Worte ab – auch, weil sie wissen, daß Touristen nach Arnstadt pilgern, die auf den Spuren der Autorin sind.

59 Fontane, Theodor (1959): Von Dreißig bis Achtzig. Sein Leben in seinen Briefen, hg. von H.-H. Reuter, Brief an Emilie Fontane, vom 15. Juni 1879, Leipzig, S. 257f.

60 Heißenbüttel, Helmut (1981): Nicht Marlitt oder – sondern: Marlitt und Anna Blume. In Stuttgarter Zeitung, Sonntagsbeilage, 5. Dezember 1981, S. 12.

61 Arens, Hans (1994): E. Marlitt. Eine kritische Würdigung, Trier.

62 Zitterer, Marina (1997): Der Frauenroman bei Fontane, Lewald und Marlitt. Eine Analyse des feministischen Ganzheitsprinzips im humanistischen Sinn, Diss., Klagenfurt.

63 Dies.: E. Marlitt – zu Recht oder zu Unrecht von der etablierten Literaturwissenschaft in die Vergessenheit geschickt. Versuch einer neuen Wertung, in: Jahrbuch der IG Marlitt, 1. Jhg., S. 24.

64 Waldinger-Tillement, Brigitte (1994): E. Marlitt. Son reflet dans la presse allemande, 1865–1990, Habl., Nancy.

65 Die Gartenlaube, 1867, Nr. 21, S. 322.

66 Die Gartenlaube, Nr. 21, S. 322, Nr. 22, S. 339, Nr. 24, S. 370.

67 Die Gartenlaube, 1876, Nr. 5, S. 79.

68 Die Gartenlaube, 1867, Nr. 25, S. 387.

69 Die Gartenlaube, Nr. 21, S. 322.

70 Wie bei Storm oder bei Raabe wird auch bei der Marlitt die Suche nach Innerlichkeit und Harmonie im privaten Raum immer wieder thematisiert. Die Verstrickung in eine Schuld und in ein Schicksal ist eines der zentralen

Themen der Marlitt. Ein Vergleich des *Geheimnisses* zum Beispiel mit Raabes *Abu Telfan* (ebenfalls im Jahre 1867 entstanden) zeigt überraschende Ähnlichkeiten nicht nur in der Ausprägung des Schuld-Sühne-Themas, sondern auch in der formalen Ausprägung, wie zum Beispiel der Figurenkonstellation. In beiden Romanen büßt eine Unschuldige die Schuld anderer, und in beiden Werken wird damit auch die Frage nach der Kollektivschuld aufgeworfen.

Karin Tebben

»Gott im Himmel! Welche Aufgabe!«
Vom Glück der Berufung
und der Mühsal des Berufs

Gabriele Reuter (1859–1941)

Glücklich darf sich schätzen, wer über eine Schriftstellerin schreiben soll, für deren vortreffliche Grundausstattung der Herrgott höchstpersönlich gesorgt hat: Aus allen Teilen des Landes hat er schon lange vor ihrer Geburt »tüchtige, originelle, kluge und wunderliche Leute zusammengebracht, [...] nur zu dem einen Zwecke, einem kleinen Mädchen ans Licht der Welt zu verhelfen, es zu seiner Erdenfahrt mannigfaltig auszustatten«.[1] Am 7. Februar 1859 sind es offenbar der Gaben genug; in einem kleinen weißen Haus in Alexandrien wird dem Kaufmann Carl Reuter und seiner Frau Hannchen eine Tochter geboren. Eingedenk der göttlichen Teilhabe besinnen sich die Eltern auf ein geflügeltes Wort, auch für die kleine Tochter soll ›nomen est omen‹ gelten: »Das sehnsüchtig erwartete Kindchen sollte den schönsten Namen führen, nach dem Engel, der die ewige Heilsbotschaft zur Erde niedertrug«;[2] Gabriele Elise Karoline Alexandrine hat das Licht der Welt erblickt! Kaum geboren, läßt der kleine Engel offenbar schon keinen Zweifel daran, daß er das, was er später einmal zu sagen hat, vornehmlich in schriftlicher Form dem verehrten Publikum präsentieren wird, denn als an Gabrieles Wiege »in falbelwogendem Musselinkleide« eine Mulattin tritt, spricht diese die bedeutungsschwangeren Worte: »Was hat das Kind für eine ernsthafte Nase – sie sieht aus, als würde sie einmal Bücher schreiben.«[3]

Entnommen ist diese Szene unverhüllt narzißtischer Selbstinszenierung, wie kann es anders sein, Gabriele Reuters Autobiographie, die sie 1921 vorlegt. Die ist, sonst wäre sie nicht Gegenstand dieses Beitrages, ein überaus eloquentes Beweismittel für die Hartnäckigkeit einer Frau, ihre Berufung zur Schriftstellerin gegen alle Widrigkeiten des Lebens unerschrocken in die Tat umzusetzen. Innerhalb der vielen ichbezogenen Versuche, das Werden der eigenen Persönlichkeit einer dankbaren Nachwelt zu erhalten, steht auch Reuters Selbstenthüllung unter dem Zeichen der ostentativ verkündeten eigenen Besonderheit. Bereits dreißig Jahre zuvor hat sie in einer autobiographischen Skizze ihr »liebes Ich« vor einer Leserschaft ausgebreitet und schriftstellernde Vorfahren für sich reklamiert: »Wirklich, ich kann nichts dafür«, beteuert sie da und: »Es ist bei uns erblich.«[4] Diskrepanzen zwischen leidenschaftlich behaupteter Wahrheitstreue und kühn ins Wort gesetzter Erfindung lassen sich dabei kaum vermeiden. Warum auch, ist doch jeder nachfreudianische Leser von demonstrativ privaten Herzensergießungen vor allzu naiver Lektüre gewarnt:

Dieses historisch-sozial individualisierte Ich organisiert schreibend seine Erfahrungen zu Literatur, indem es sie erzählerisch ausbreitet, reflektorisch deutet, sie im Zusammenhang mit durchgreifenden biographischen patterns zu einer Synthese ordnet, sie auswählt, pointiert, stilisiert, für sie alle eine sprachliche Instrumentalisierung sucht und so durch Schreiben und Schweigen, durch Bekenntnis und Lüge ein Lebensbild produziert, das für andere zugänglich ist.[5]

Wie immer aber man die postnatale Szene, die die Autorin schildert, psychologisch bewerten will, sie ist wesentlich mehr als ein verniedlichender Auftakt zu einem unspezifischen weiblichen Lebensweg. Deutlich wird, daß diese zur Familienlegende gereifte Anekdote bei dem heranwachsenden Kind eine erhebliche psychische Energie gebunden haben muß, die das Gefühl einer »unentrinnbaren Berufung«[6] solange wachhält, bis das Lebensziel im Alter von sechsunddreißig Jahren endlich erreicht ist. Erst 1895 ist die Prophezeiung wahr geworden, hat der einst so hoffnungsvolle Säugling sich zu einer berühmten Schriftstellerin entwickelt. Denn erst mit der Veröffentlichung ihres Romans *Aus guter Familie* und dem sensationellen Erfolg dieses Buches ist der Schritt in die Selbständigkeit getan, ist aus der Berufung ein Beruf geworden. Göttliche Gaben und orientalische Weissagung haben indessen nicht den langen Leidensweg *Vom Kinde zum Menschen* verhin-

Gabriele Reuter
München 1896

Gabriele Reuter

dern können. Gabriele wird bis an ihr Lebensende Bücher schreiben, und auch die Nase bleibt zukunftsweisend (s. Photographie), die Heilsbotschaft fällt freilich anders aus als allgemein erwartet, ja, was sie in epischer Breite verkündet, wird von der konservativen bürgerlichen Verwandtschaft als »Teufelswerk«[7] empfunden.

Neben einigen Zeitschriftenartikeln, in denen die Autorin über Arbeitssituation und Selbstverständnis plaudert, ist ihre Autobiographie das eigentliche Forum, das sie nutzt, um ihr verzweifeltes Ringen um ihre Dichterexistenz darzustellen. Wie in jeder privaten Selbstäußerung werden in ihr nicht nur die Schätze des individuell Erlebten und Erfahrenen vor einer interessierten Leserschaft ausgebreitet, sondern – beabsichtigt, oder nicht – auch kulturkritische Analysen der Zeit erstellt. Auffallend ist, daß in dieser Autobiographie die Geschlechtszugehörigkeit den soziologischen Bezugsrahmen für das Schreiben bildet. Üblicherweise, so hat Neumann gelehrt,[8] manifestiert sich in der Autobiographie die Identität des Autors am Ende des Schreibprozesses, wenn das Individuum bereit ist, eine feste Berufsrolle zu übernehmen. Selbsterprobungsrituale, die sich gegen gesellschaftliche Zwänge wenden, begleiten den Selbstfindungsprozeß. Anders in der selbstreflexiven Niederschrift dieser Schriftstellerin: Reuters Weg *Vom Kinde zum Menschen* zeigt sich als permante Auseinandersetzung mit dem gesellschaftlich erwarteten und internalisierten Weiblichkeitsbild. An deren Ende steht schließlich die Überwindung des kulturell fixierten Rollenbildes. Im Gegensatz zu männlichen Autobiographen also, deren Grundproblematik in der Beziehung von Ich und Welt zu finden ist, ohne daß dabei der Geschlechtscharakter in Frage gestellt wird, ist in Reuters *Geschichte meiner Jugend*, die immerhin fast die Hälfte der Lebenszeit markiert, die Frage der Geschlechtsidentität in den Mittelpunkt gerückt. Dabei folgt die Literarisierung des autobiographischen Materials einer subjektiven Erlebnisperspektive, die das Besondere einer spezifisch weiblichen Schriftstellerinnenkarriere deutlich hervorheben will.

Zweifellos ist die Kindheit der Gabriele Reuter ungewöhnlich und wird nicht nur von ihr selbst, sondern später auch von den Rezensenten ihrer Werke als exotischer Hintergrund, wenn nicht gar als Movens ihrer Karriere hingestellt. Geschildert wird sie von der greisen Autorin als Enklave des Lebens.

Immer wieder zeigt die Erzählerin, daß es möglich ist, das
Erwachsenenbewußtsein zu vernachlässigen und kindliche
Lebenswelten aus der Erinnerung neu entstehen zu lassen.
Gerade im Hinblick auf die psychischen Mechanismen, die eine
Karriere als Schriftstellerin prädisponieren, ist dieser Teil der
Erinnerungen höchst interessant: Der Beruf des Vaters läßt die
Familie, vier Brüder und eine früh sterbende Schwester folgen
in kurzer Zeit der Erstgeborenen, ein Wanderleben zwischen
Dessau und Alexandrien führen. In beiden Teilen der Welt ist
des Vaters »Prinzeßchen«, so kann man bereits in einer früheren, um 1900 erschienenen autobiographischen Skizze erfahren, Mittelpunkt des Interesses, »unter den Dessauer Schulmäd-
chen [...] geheimnisvolle Wunderblüte, drüben unter den brau-
nen Paschatöchtern die schneeweiße, kühle, nordische Maid«.[9]
Häufige Spielnachmittage mit »echten« Prinzenkindern in Dessau forcieren das Gefühl der eigenen Besonderheit. Eine unkonventionelle Erziehungsweise der Eltern läßt der Tochter eine
für Mädchen sonst unübliche Bewegungsfreiheit zukommen
und sorgt für eine weitestgehend repressionsfreie Kindheit.
Bunte Schilderungen des Alltagslebens sorgen für Erlebnis-
kolorit, wenn kindliche Subjektivität und erzählerisches Erwachsenenbewußtsein zusammenfallen. In Dessau darf die
kleine Gabriele eine »vornehme Privatschule«[10] besuchen, in
der sie durch ihre Erzählkunst auffällt, mit der sie ihre Mit-
schülerinnen glänzend zu unterhalten pflegt. Entsprechend der
autobiographischen Intention ihres Schreibens bemerkt die
betagte Erzählerin charmant: »Das war mein erster dichterischer Erfolg.«[11] Auch weniger bewunderungswürdige Gaben
dienen exclusiv der persönlichen Definition als Frau der Feder: Als die kleine Gabriele ein Theater besucht, kommt es ans
Licht: Das Mädchen ist kurzsichtig, »sehr kurzsichtig«[12] sogar,
aber eben dieser Makel, so will es scheinen, entfaltet eine Begabung zur Phantasie, die neben der Erzählkunst für die Karriere der Schriftstellerin unerläßlich ist.

Wieder geht es im Lebensbericht nach Alexandrien. Rückblickend bewertet Gabriele Reuter den Aufenthalt im Orient
eindeutig als notwendiges Gegengewicht zu ihrer mentalen
Bereitschaft, dem Ziel der bürgerlichen Mädchenerziehung zu
entsprechen; ja, diese biographische Besonderheit des ständigen Wechsels zwischen Orient und deutscher Kleinstadt wird
derjenigen, die immer schon mehr »Erkenntniskind« als »Lerne-

kind«[13] war, wie die Autorin unmißverständlich feststellt, zu einer wesentlichen Voraussetzung für ihre spätere Karriere als Schriftstellerin, weil sie die Grundlage bildet, »mein eigenes Dasein ganz von außen her, gewissermaßen von einem anderen Weltteil aus zu betrachten«.[14]

Infolge eines medizinisch unzureichend versorgten Bruches des Schlüsselbeins ist die kleine Gabriele gezwungen, für längere Zeit in Kairo Station zu machen. Hier erfährt jedoch nicht nur das Schlüsselbein Korrektur, als die angehende Dichterin Luise Mühlbach kennenlernt:

> Doch ihr Anblick enttäuschte mich grenzenlos. Eine kleine, dickliche Dame in einem schwarzseidenen Kleide! Das sollte eine Dichterin sein? Ich wußte doch ganz genau wie eine Dichterin auszusehen habe: hoch und schlank, das edle bleiche Gesicht von blauschwarzen Lockentrauben umwallt, die großen träumenden Augen mit dem Blick tief geheimer Trauer. [...] Da mir einmal prophezeit war, ich werde einmal Bücher schreiben, betrachtete ich mich zuweilen im Spiegel, ob die Spuren meines zukünftigen Berufes sich wenigstens äußerlich zeigen wollten. Der schwermütige Blick war ja schon da, aber die Augen blieben grau, das Haar blond, es war alles in allem ein zartes, kränkliches Kindergesicht, das mir entgegenschaute – nichts von hehrer Geistesschönheit.[15]

Heimlich verschlungene Liebesdramen von Goethe und Schiller zeigen indessen ihre Wirkung auf das Seelenleben des heranwachsenden Mädchens,[16] aus »friedlich spielender Unbewußtheit« reißen sie es hinaus »in die Welt großer Leidenschaften und gewaltiger Schicksale«. Bedauerlicherweise kann der Vater für die Gefühlsaufwallungen seiner Tochter kein Verständnis aufbringen und so beschließt er die Rückkehr nach Deutschland, wo die »überspannte kleine Trine«[17] in der Gesellschaft von gleichaltrigen Mädchen genesen soll. Kurze Zeit nach der Rückkehr erliegt Carl Reuter einem Herzleiden – die Kindheit der inzwischen dreizehnjährigen Gabriele ist damit abrupt beendet. In Geschäftsdingen völlig unerfahren, reist ihre Mutter nach Alexandrien, um die Firma ihres Mannes zu liquidieren, und muß, entsetzt über die sich daraus ergebende vollkommene Mittellosigkeit der Familie, den Konkurs verzeichnen. In langen Briefen teilt sich die überforderte Frau ihrer Tochter mit, die in ihrem vornehmen Töchterpensionat auf ihr Schicksal wartet und weder psychisch noch intellektuell die Mitteilungen verkraftet. Gabriele wird verschlossen – und kritisch:

Und ich fing an zu grübeln, Fragen zu stellen und Auflösungen zu
suchen, die Charaktere und Eigenarten meiner bisherigen Umgebung, die ich immer blind als etwas Gegebenes, das ein für allemal
der Kritik entrückt ist, hingenommen hatte, zu beurteilen, miteinander und mit Fremden zu vergleichen, sie gleichsam neu in eine sich
neu eröffnende Welt zu stellen.[18]

Infolge dieses erweiterten Bewußtseinshorizontes kann das
Kind die Konsequenzen des finanziellen Desasters einschätzen: Mit Verbitterung nimmt Gabriele zur Kenntnis, daß sich
die Wirklichkeit gegen die eigenen Vorstellungen vom Leben
durchgesetzt und über Nacht aus dem Prinzeßchen ein Aschen-
brödel gemacht hat. Nicht zufällig leitet das Grübeln diesen
Prozeß der veränderten Wahrnehmung ein und verweist darauf, daß ihre Beredsamkeit, über die sie von jeher verfügte, nun
in der Innenwelt verortet wird.

Ohne finanziellen Hintergrund, so wird ihr bald klar gemacht, ist sie zudem in ihrer Gesellschaftsschicht auch als
Heiratsobjekt nicht mehr von Interesse, kaum ist der Bankrott
der Familie bekannt, werden ihre Vettern gewarnt, ihr »nichts
in den Kopf zu setzen«. Als Folgeerscheinung wird im Lebens-
rückblick eine altersuntypische Reflexionsfähigkeit hervorgehoben, die das Denkvermögen als ursprüngliche Erfahrung des
Selbst betont. Wesentlich wird für die Selbsteinschätzung, daß
die Autorin jenen »selbstreflexive(n) Blick«,[19] zum persönlich-
keitskonstituierenden Moment erhebt, der ausdrücklich als
Gegengewicht zum eigenen Objektstatus in der Gesellschaft
installiert werden kann. In der »genetischen Transparenz«[20] des
Lebensrückblicks kann hier der Zeitpunkt markiert werden,
an dem ein zweidimensionales Funktionieren als Überlebens-
konzeption seinen Anfang nimmt: auf der einen Seite ein auto-
matisches, stummes Handeln in einer als frustrierend empfundenen gesellschaftlichen Ordnung und auf der anderen Seite
ein überaus bewegliches Denken in der inneren Wirklichkeit
des Selbst, zu dessen Konstitution ausdrücklich die Phantasie
gezählt wird.

Neben der voyeuristischen Befriedigung, die jede spannend
erzählte Autobiographie zweifellos bietet, versetzen darüber
hinaus Reuters Bemerkungen zur lebensgeschichtlichen Rele-
vanz der Phantasie kreativitätspsychologisch interessierte LeserInnen in einen Freudentaumel.

Schon 1908 hat Freud seine Gedanken zum Dichter und dem

Phantasieren präsentiert, und es ist gar nicht unwahrschein-
lich, daß Gabriele Reuter, zumal von Freud als feinsinnige Beobachterin öffentlich gelobt, nun ihrerseits 1921 die Genese ihres künstlerischen Schaffens vor der Folie seines kreativitäts-
psychologischen Konzeptes wiedergibt. Übereinstimmungen
sind dabei nicht zu übersehen. Gleich zu Beginn seiner Ausführungen vergleicht Freud die dichterische Produktivität mit
der Kreativität des Kindes, das mittels seiner Phantasie »die
Dinge seiner Welt in eine neue, ihm gefällige Ordnung (set-
ze)«.[21] Gleiches lesen wir bei Gabriele Reuter, wenn sie schreibt,
ihre Seele sei von Kindheit an »erfüllt (gewesen) von Bildern«.[22]
Mängel bekümmerten sie offenbar nicht: »Wären die Träume
nicht gewesen! Doch nun erlebte ich ja fortwährend bei aller
noch so trivialen Arbeit die reizendsten Abenteuer.«[23] Auch die
korrigierende Funktion ist klar benannt: »[...] besaß ich doch in
meiner Phantasie alles, was mir fehlte, in höchster Vollendung.«[24] Aus dem kindlichen Spiel, das ausgestattet ist mit großen Affektbeiträgen und das in deutlicher Abgrenzung zur
Wirklichkeit inszeniert wird, entwickeln sich bei der Erwach-
senen die in ihren Strukturen ganz ähnlichen Tagträume. Na-
turgemäß sind diese aber entwicklungsbedingten Veränderungen unterworfen und so betritt bei Reuter für einige Zeit ein
schöner Fürstensohn die Privatbühne. Freud argumentiert –
natürlich – triebpsychologisch, d.h. angetrieben werden die
Phantasien seiner Meinung nach von einem inneren Motor, der
wiederum zwei Befehlen gehorcht, entweder dem nach Erhöhung der Persönlichkeit oder einem erotischen. Reuters Psyche ist fürwahr haushälterisch, der schöne Fürstensohn ist zur
Erfüllung beider Komponenten bestens geeignet. Problematisch
erweist sich, daß die Phantasien der jungen Frau übermächtig
werden und ein pathologisches Eigenleben beginnen. Doch
auch damit folgt Reuter Freud im Text[25] und geht in ihrem eigenen nahtlos zu seiner Argumentation über, wenn sie nun den
Zusammenhang von Phantasie und Dichtung herstellt:

Ja – Exaltationen gewiß, auch vielleicht krankhaft und gefährlich.
Doch regte sich in ihnen nicht zugleich der künstlerisch bildende
Trieb? Wurden die Ereignisse der Phantasie nicht am Ende so farbig
und plastisch, daß ich sie zuweilen empfand, als habe ich sie innerlich in Wahrheit erlebt?[26]

Konfrontiert mit Mittelosigkeit und Ablehnung, begegnet Gabriele Reuter dem drohenden Selbstwertverlust mit einer weiteren Phantasie, die finanziellen Gewinn und glänzenden Ruhm
gleichermaßen verspricht. Die als Anreiz gedachte mütterliche
Bemerkung, sie verfüge über einen guten Stil, der sich eventu-
ell nutzen ließe, zum Zwecke des Broterwerbs kleine Geschichten für die Jugend zu schreiben, gerät unversehens zu einer
Größenphantasie, die den Erfolg vorwegnimmt, bevor auch nur
eine einzige Zeile geschrieben ist:

> Ich hob die Arme hoch in die Luft und rang nach Atem, denn mir
> war, als müsse ich ersticken – ersticken vor Glück und vor innerem
> Jubel. Nein – wahrhaftig – ich würde keine kleinen Geschichten für
> die Jugend schreiben – ganz andere Dinge würde ich schreiben. [...]
> Von dem Abend an wußte ich, daß ich eine Schriftstellerin werden
> mußte.[27]

Wesentlich bescheidener zeigen sich die schriftstellerischen
Motive in der 1892 erschienenen Skizze, in der einzig der
»schnöde Gewinn« hoffen läßt, der provinziellen Öde Neu-
haldenslebens irgendwann zu entkommen. Doch ob nun Ruhm
oder handfeste finanzielle Interessen das junge Mädchen in
ihrem schriftstellerischen Eifer vorantreiben, auch in ihrem Fall
hat der Herrrgott vor den Erfolg erhebliche Mühen gesetzt.
Inzwischen 14jährig verläßt Gabriele die Schule und muß zunächst feststellen, daß der schöpferische Genius vorübergehend
andere aufgesucht hat. Großmütig entsagt sie daraufhin ihren
»stolzen Träumen« und besinnt sich auf die Rolle, die ihr zugewiesen ist: Fortan will sie nichts sein als »eine gute, hilfrei-
che Tochter«.[28] Dazu hat sie freilich auch reichlich Gelegenheit,
denn während ihre Mutter an zwei, drei Tagen in der Woche
besinnungslos im Migräneschmerz dahindämmert, obliegt ihr
die Sorge für vier kleine Brüder und den Haushalt. Hier beginnt Gabriele Reuter, den wohl unspektakulärsten Teil ihres
Lebenslaufes zu erzählen. Umso spannender für den sie be-
gleitenden Leser wird die Diskrepanz von erzählter Welt und
Erzählebene, weil die Autorin nun die psychosozialen Voraussetzungen für ihre Karriere entwickelt. Dazu gehört zunächst
der Hinweis auf eine geradezu pathologische Introvertiertheit
der Heranwachsenden.[29] Zudem zeigen sich zu diesem Zeitpunkt die Nachteile ihrer unkonventionellen Erziehung: Von
jungen Mädchen gesellschaftlich geforderte Fähigkeiten wie

Jagen, Tanzen und Billardspielen beherrscht die junge Frau
nicht. Hochaufgeschossen und überschlank entspricht sie nicht
einmal dem gängigen Schönheitsideal, und so scheint für die
erst Fünfzehnjährige die Existenz einer alten Jungfer vorprogrammiert:

Was leistete denn ich? Die demütigende Arbeit einer Magd. Stiefel
putzen, Jungenhosen flicken, Strümpfe stopfen, kochen, waschen,
plätten, Wasser aus dem quellenden artesischen Brunnen herbei-
schleppen. Dabei konnte man keine schönen Hände behalten, die
meinen waren vom Frost geschwollen, blaurot angelaufen. Auch
meine Kleidung hatte nichts Poetisches.[30]

Für Schriftstellerinnenphantasien ist da wahrlich kein Platz –
bis in der Zeitung ein Preis für die beste christlich-soziale Volks-
erzählung ausgelobt wird und der Gedanke an die eigentliche
Berufung schlagartig wieder da ist. Klopfenden Herzens gibt
Gabriele Reuter ihre erste Erzählung ab und wird enttäuscht.
Die Erinnerung an das eigentliche Lebensziel ist jedoch geweckt
und so beginnt sie trotz unwirtlicher Arbeitsbedingungen mutig, an einer Novelle zu schreiben. Die Kollision mit ihren eigentlichen Pflichten läßt nicht auf sich warten: »Gerade war
ich an einer sehr zarten und sinnigen Stelle, die Verlobung war
in Aussicht, als mein jüngster Bruder Lola hereingetobt kam
und mir zurief, ob ich daran denke, daß der Hase zum Sonntag noch abgezogen und ausgeweidet werden müsse.« Während die angehende Schriftstellerin nun ihre hausfrauliche Arbeit verrichtet, wird sie »von der Angst gefoltert, alle schönen
poetischen Worte inzwischen zu vergessen«: »[...] und so rann-
te ich denn an den Schreibtisch zurück und schrieb mit hasen-
bluttriefenden Händen meine erste Liebeserklärung.«[31] Uner-
heblich ist, ob Reuter hier ihre Erinnerung zur Wahrheit um-
schreibt, überzeugend ist dargestellt, daß ihr Alltag dem Kar-
riereziel »Schriftstellerin« weitestgehend entgegensteht.
    Bald darauf ergibt sich die Gelegenheit, für das Feuilleton
der Magdeburgischen Zeitung zu arbeiten und selbst die ha-
senbluttriefende Novelle wird in der Eberfelder Zeitung veröffentlicht. Gabriele Reuter schreibt zu dieser Zeit, wie sie
selbstkritisch bemerkt, »im Stil einer gereiften älteren Dame«,[32] einen literarischen Anspruch verbindet sie mit ihren
humorvollen kleinen Geschichten aus Ägypten nicht. Im Gegenteil, hier herrscht Kalkül: »Schrieb man für den Druck, so

mußte man doch die Worte möglichst so setzen, wie andere Leute auch.«[33] Immerhin erntet sie Anerkennung sowohl von ihrer Tante Henne, die das schriftstellerische Talent der Nichte nach Kräften unterstützt, als auch in der Öffentlichkeit. Humorvoll beschreibt sie in Ihrer Autobiographie, wie sie eines Tages einen Droschkenkutscher beobachten kann, der, in sich versunken und scheinbar höchst entzückt, ihre in einer Zeitungsbeilage abgedruckte Erzählung liest, eine Begebenheit, die nicht ohne Wirkung auf das Selbstverständnis bleibt: »und ich fühlte plötzlich etwas von der Schönheit eines Berufes, der geschaffen ist, die Menschen zu erheitern oder zu bewegen.« Bei dieser Gelegenheit erfährt der Leser auch gleich wilde Gerüchte, die zu dieser Zeit unter Schriftstellern kursierten:

Die Heimburg versetzte mit ihren ersten Romanen [...] die ganze Weiblichkeit der Provinz in gerührte Erregung – Bäche von Tränen flossen über die Schicksale ihrer Heldinnen und man flüsterte sich zu: sie habe siebentausend – sage und schreibe siebentausend Mark Honorar erhalten. Vielleicht waren es siebenhundert – immerhin, die Summe war schwindelhaft. Auch ging die Sage, der Verleger habe ihr zum Dank für das glänzende Geschäft, das er mit ihren Büchern gemacht habe, ein Medaillon, mit Brillianten besetzt, verehrt. Ich will mich für dieses Gerücht nicht verbürgen – es ist ja eigentlich nicht üblich bei deutschen Verlegern, sich in dieser Weise erkenntlich zu zeigen, aber die Geschichte imponierte mir gewaltig und ich begann, mich mit dem Plane eines Romans zu beschäftigen – einen Leser hatte ich doch schon beglückt – wenn es auch vorläufig nur ein Droschkenkutscher war![34]

Als sich ihre Mutter in Neuhaldensleben mit dem Hauswirt überwirft, beschließt sie, wegen der besseren Verdienstmöglichkeiten der Tochter nach Weimar zu ziehen. Dort setzt sie Gabriele Reuter ihre platonische Liebe zu einem Mann fort, den sie bei einem früheren Besuch kennengelernt hat. Gerade aber das Konzept der romantischen Liebe, die vor allem in der Unerreichbarkeit des Geliebten ihre Daseinsberechtigung entfaltet,[35] führt zu einer »krankhafte[n] Regression in eine irreale Welt«.[36] Als eine tatsächliche Begegnung die Illusion durchbricht und »unter dem ängstlich beobachtenden Blick der Mutter, dem etwas pädagogischen Ausdruck des Onkels und dem leichten Spotte,«[37] den die Tante sich anmerken läßt, das Objekt ihrer Liebe für immer Reißaus nimmt, sind es der Kränkungen genug. Gabriele Reuter erleidet einen lebensbedrohenden Nervensammenbruch.

Kaum genesen, wird ihr klar, daß mit dem Verlust der Illusionsfähigkeit ein neuer Lebensabschnitt begonnen hat. Für die Genese der Schriftstellerin ist das Erlebnis insofern von entscheidener Bedeutung, weil nach getaner »Totengräberarbeit«[38] diese Erfahrung nur um den Preis einer mitleidslosen Ratio in das Selbst integriert werden kann. Damit sind einem veränderten Selbstverständnis die Tore geöffnet, nun »nüchterner, mehr vom Verstande geleitet«.[39] Konsequent beginnt die junge Frau die Arbeit an einem ägyptischen Roman und versucht »ohne jedes System [...] die erbarmungswürdige[n] Lücken [ihrer] Bildung«[40] zu schließen. Hilfe bekommt die angehende Schriftstellerin in dieser Phase ihres Schaffens von zwei alten Tanten, jede so verschieden von der anderen wie ihre Verdienste an der Karriere der Nichte. Während die bereits erwähnte Tante Henne unerbittlich die stilistischen Schwächen durcharbeitet, schreibt die »liebe, gute Tante Gustchen [...] mit ihrer feinen festen Altdamenschrift Kapitel für Kapitel des ganzen Buches ab«.[41]

Es geht voran. Zum ersten Mal steht die junge Autorin vor der Frage eines geeigneten Verlages. Ihr erster Roman, später unter dem Titel *Geld und Glück* veröffentlicht, wird sich allerdings in eklatanter Weise von den kommemden Werken Gabriele Reuters unterscheiden: Er kündet von ihrer Liebe zum Herrn. Vorab soll er in einer Zeitung veröffentlicht werden, um mit dem Gewinn die Druckkosten zu finanzieren, ein durchaus üblicher Weg, die Veröffentlichung selbst zu erwirtschaften. Allein – den Text will niemand drucken, Verzweiflung kommt auf.

Unwillige Zeitungsverleger sind jedoch nicht die einzigen Hindernisse, die von der frischgebackenen Schriftstellerin aus dem Weg zu räumen sind. Mit der konkret werdenden Umsetzung ihres Berufwunsches erscheinen unheilwitternde Verwandte auf dem Plan und sorgen für einen schriftstellernden Pfarrer als Zensor. Der rät, nachdem er das Werk eingehend inspiziert hat, dringend zur Aufgabe des Berufswunsches – gerade weil er ein ungewöhnliches Talent in dem Buch entdeckt und nun die Lockrufe des Satans an Gabrieles Ohr befürchtet. Die junge Frau bleibt standhaft. Deutlich will Reuter an dieser Stelle der autobiographischen Bekenntnisse eine Ver-

änderung des Selbstverständnisses markieren. Entscheidend
wird in ihrer Beziehung zur Arbeit, daß in ihr nicht mehr nur
eine Größenphantasie umgesetzt wird, sondern daß die junge
Frau ihr Schreiben als Ausdruck der ganzen, nun gereiften Persönlichkeit begreift. Allerdings klingt in den folgenden Zeilen
des Lebensrückblicks auch eine für Reuter typische Gleichset-
zung der Schriftstellerei mit Mutterschaft an,[42] so erzählt sie,
daß der Roman zunächst immer wieder »zu seiner enttäuschten Mama zurück(kehrt)«,[43] bis er von der Täglichen Rundschau
für die Unterhaltungsbeilage angenommen und schließlich vom
Verlag Friedrich in Leipzig gedruckt wird.

Im Rahmen einer kritischen Würdigung ihres bis 1904 vorliegenden Werkes wird Victor Klemperer auch auf dieses Erstlingswerk der Autorin eingehen. Trotz aller Trivialität dieses
»Schablonenromans« vermag er darin »ein paar überraschende Einzelheiten« außerhalb der »üblichen Grenzen tugendhafter Unterhaltungsliteratur«[44] zu erkennen; »Was Gabriele Reuter von der Mutterliebe berichtet, ist durchaus nicht von der
sonst in derartigen Schriften üblichen Zartheit und Süße.«[45] Und
weiter: »Sie weiß zu beobachten und lebendig darzustellen,
kulturhistorisch wertvoll zu schildern.«[46] Psychologisches Einfühlungsvermögen in Verbindung mit einer zumeist gehar-
nischten kulturkritischen Analyse wird in den folgenden Jahren Reuters künstlerisches Markenzeichen.

Im wesentlichen bestimmt von den Sorgen des Alltags, verläuft das Leben Gabriele Reuters in ruhigen Bahnen, und doch
ist auch für sie kein persönlicher Fortschritt ohne »das Wechsel-
verhältnis von praktischem Erfahrungsprozeß, Erkenntnis und
Rückwirkung in die Lebenspraxis«[47] denkbar. Hilfreich erweist
sich in diesem Stadium des künstlerischen Werdeganges, daß
die junge Schriftstellerin zur richtigen Zeit mit den richtigen
Menschen zusammentrifft. Denn inzwischen mutiger geworden, sucht Gabriele Reuter Anschluß an literarische Kreise und
fährt aus eigenem Antrieb zu einem Schriftstellerkongreß nach
Eisenach. Hier lernt sie den Kritiker Karl Frenzel und den Redakteur von »Westermanns Monatshefte[n]«, Adolf Glaser, kennen und schätzen. Die anregenden Gespräche bleiben nicht
ohne Wirkung auf das Selbstwertgefühl, wohl zum ersten Mal
seit dem Tode des Vaters begreift sie sich als eigener Mensch.[48]

Überdies gibt Frenzel der jungen Schriftstellerin einen wichtigen Impuls zur Weiterentwicklung, dringend rät er zur Dar-

stellung der Wirklichkeit und zwar einer Wirklichkeit, die ihr
aus eigener Anschauung bekannt sei.[49] Zwei kleine Erzählungen, die Gabriele Reuter daraufhin verfaßt, kennzeichnen den
Durchbruch in ihrem Stil.[50] Zufrieden ist die junge Autorin indessen nicht, im Gegenteil, neidvoll blickt sie in dieser Zeit auf
eine Berufskollegin, Helene Böhlau, in deren Romanen sie das
zu finden glaubt, was sie in ihren eigenen vermißt: »das Dichterische und die eigne Melodie«.[51] Dabei stellt weniger die Erzähltechnik ein Problem dar, als vielmehr das internalisierte
Ressentiment gegen eine »untypische« weibliche Schreibweise. 1892 bekennt sie: »Als man mir sagte: ›Glück und Geld‹
zeige einen unverkennbaren Zug von Realismus, war ich entsetzt, wie eine wohlerzogene Dame, der man ins Gesicht behaupten würde, sie habe in einem Tingel-Tangel gesungen«.[52]
In der tiefenpsychologischen Bestandsaufnahme des Lebens-
abschnitts um 1890 zeigt sich ein »unbewußtes Schuldgefühl«,[53]
das entsteht, weil der Beruf der Schriftstellerin nicht mit der
Normierung von Weiblichkeit zu vereinbaren ist. So sind Ver-
sagensängste doppelt vorprogrammiert, weil Reuter als unverheiratete Frau nicht dem geforderten Soll entspricht und obendrein mit dem Griff zur Feder gerade ihre »unweibliche« Seite
betont. Psychosoziale Krisensituationen, wie sie gemeinhin
durch die fehlende Übereinstimmung der gesellschaftlichen
Anforderungen mit der individuellen Bereitschaft entstehen,
sind somit in der Autobiographie Reuters nicht gebunden an
Lebenszyklen, die das Individuum vor neue Anforderungen
an die Anpassungsleistungen stellt, sondern werden immer
wieder ausgelöst durch eben dieses eine Krisenthema. In dieser Zeit beginnt Reuter sich nach außen mit ihrer Geschlech-
terrolle zu arrangieren, während der eigentliche Entwicklungs-
prozeß verborgen vor der Außenwelt stattfindet. Sloterdijk
spricht in diesem Zusammenhang von Sozialisationspatholo-
gien, was, klänge das Wort nicht so unfreundlich, auch zutreffend wäre. Deutlich wird jedenfalls in der Lebensgeschichte
Reuters, daß im Hinblick auf weibliche Individuen im neunzehnten Jahrhundert das Erreichen einer festen Identität nicht
an die »Übernahme einer sozialen Rolle« im Sinne einer Berufsrolle[54] gebunden sein kann, da diese ja allen zeitgenössischen
Definitionen zufolge lediglich in der Erfüllung der weiblichen
Geschlechtsrolle begründet ist.[55]
Nicht nur die Konfrontation mit den gesellschaftlichen For-

derungen erschwert die Identifikation mit dem Beruf der Schriftstellerin, sondern es sind in erster Linie die internalisierten Rollenklischees, die sich als ungemein resistent behaupten. Als problematisch entpuppen sich zudem die Bedürfnisse jenes Literaturmarktes, der ein weibliches Lesepublikum bedient, und so sieht sich die junge Autorin aufgefordert, »etwas Leichtes, Heiteres, Liebenswürdiges«[56] abzuliefern, wenn der Druck ihrer Arbeit gewiß sein soll. Exakt hier schafft die junge Autorin sich nun ein Terrain, auf dem sie ihr Selbst gegen die Anforderungen der Gesellschaft behaupten und verteidigen kann. In ihrer autobiographischen Skizze schildert sie die lebensgeschichtliche Bedeutung eines eigenen literarischen Wirkungsfeldes:

Ich gab es definitiv auf, zu ›dichten‹, in dem Sinne, den ich als junges Mädchen diesem schönen Worte unterlegte. Dafür erfaßte mich eine unendliche Liebe für das Leben, wie es ist, eine ruhelose Leidenschaft, nur einen kleinen Ausschnitt davon plastisch bis zu seinen äußersten tragischen Konsequenzen darzustellen. Und ich wußte, daß würde mir nur mit einem Stück Leben gelingen, das ich mit allen seinen melancholischen Verborgenheiten kannte.[57]

Dennoch trennt sie den Selbsterfahrungstext, der sich in der bloßen Reproduktion des weiblichen Schicksals erschöpft, von jener literarischen Schöpfung, die den fiktionalen Raum zur Erweiterung des Bewußtseinshorizontes von Leserin und Leser nutzt:

In der Zukunft wurde es mir immer klarer, daß nur die Menschen und Verhältnisse, die man genau kennt und innerlich selbst durchlebt hat, in der dichterischen Wiedergabe von warmem Lebensblut durchpulst sein werden. Zugleich aber bilden sie nur den Ton, der unter den Händen und beseelt vom Geiste des Bildners eine völlig neue Form annimmt. Darum kann von einem sogenannten Photographieren, wie der Laie es gerne ausdrückt, niemals die Rede sein.[58]

Reibungspunkte bleiben nicht aus. Unter diesen Bedingungen verwundert es nicht, daß es selbst der greisen Autorin noch leichter fallen will, angesichts des reichen Kindersegens einer Verwandten die mütterliche Komponente in ihrem Dasein zu favorisieren:[59] »Für eins nur dieser entzückenden Babys hätte ich alle Romane der Welt hingegeben und meine gegenwärtigen und zukünftigen Werke nun ganz gewiß.«[60] Bewußt sind Reuter durchaus ihre geringen Chancen auf dem Heiratsmarkt,

zumal die hohen Ansprüche, die sie an den Mann ihrer Träume stellt, den Kreis der potentiellen Bewerber selbst aus heuti-
ger Sicht drastisch eingeschränkt haben dürften. Gleichwohl
weiß sie um die kulturelle Norm, die einer Frau nur als Gattin
und Mutter eine Existenzberechtigung zuspricht. Eine Alternative bietet sich nur im Schriftstellerberuf, dem bereits Klemperer eine kompensatorische Funktion zuschreibt, wenn er feststellt:»Mit den wachsenden Leiden der Unterdrückten wächst
auch ihr Unwille, ihr innerlicher Widerstand, ihr revolutionä-
res Geschick.«[61] Fortan wird ein Thema ihre Werke beherrschen:
Die Ausseinandersetzung des weiblichen Individuums mit
gesellschaftlich diktierten und internalisierten Rollenzuweisungen. Als herausragende Leistung ihres Schaffens wird Klemperer die gelungene Verschmelzung»des Typischen, des allgemein menschlich Bedeutenden mit dem Individuellen«[62] hierbei betonen. Getragen, ja ohne sie vermutlich nicht veröffentlicht, werden die literarischen Produktionen von der naturali-
stischen Strömung, die dem Aussagegehalt der Romane und
Erzählungen Reuters entgegenkommen und ihre Etablierung
auf dem Literaturmarkt begünstigen.[63]

Bedeutende Eindrücke gewinnt Gabriele Reuter auf einem
Kongreß, auf dem sie Henrik Ibsen und John Henry Mackay
kennenlernt, beide werden wichtige Wegbereiter.[64] Entschieden
rät Mackay der jungen Frau, einen Ortswechsel vorzunehmen
und sich endlich von der Mutter zu trennen, um den Anforderungen des Berufes genügen zu können. Tatsächlich folgt Gabriele Reuter diesem freundschaftlichen Rat, wenn auch halb-
herzig: Zwar kehrt sie Weimar den Rücken, um in München
»ein Boheme- und Wanderleben«[65] zu führen, die alte, pflege-
bedürftige Mutter nimmt sie allerdings mit.

Als relevantes persönlichkeitsbildendes Moment erweist sich
zu diesem Zeitpunkt das Lesen philosophischer und naturwissenschaftlicher Lektüre, Haeckel, Darwin, Schopenhauer, dem,
so läßt sich hinsichtlich des Selbstfindungsprozesses vieler
Frauen des neunzehnten Jahrhunderts sagen, eine Begleitfunk-
tion psychosozialer Lebenszyklen zufällt. Während dem männlichen Individuum zahlreiche Möglichkeiten bereitstehen, sich
in der Außenwelt zu erproben, zeigt Reuters Autobiographie,
daß die Entwicklung eines autonomen weiblichen Selbst deutlich mit dem Leseprozeß am heimischen Herd korrespondiert.[66]
Neue Lektüren, die sie sorgsam vor der Mutter verbergen muß,

die Goncourts, Zola, Flaubert, Maupassant, lassen die Saat endlich aufgehen, und plötzlich weiß Gabriele Reuter, warum sie
auf der Welt ist. Sie möchte von der »Tragik in dem Los des
Weibes« künden, das in der Ausschließlichkeit ihrer »naturgewollten« Bestimmung zur Ehefrau und Mutter begründet
ist:

[Z]u künden, was Mädchen und Frauen schweigend litten. [...] Diese Menschentragik verkörperte sich mir am reinsten und stärksten
in dem Mädchen aus bürgerlichen Kreisen – in der Tochter aus guter Familie. Hier war ich zu Haus – hier kannte ich alle Gründe und
Untergründe des Milieus und der Herzen. Hier konnte ich eigne
Sehnsucht, eigne Bitterkeit strömen lassen – und wußte doch: ich
gab nicht den Einzelfall, ich gab das Typische, an dem zahllose Mit-
schwestern sich erkennen – sich am Ende gar erlösen würden. Gott
im Himmel – welche Aufgabe![67]

Obwohl Gabriele Reuter nicht ihr eigenes Schicksal schildern
will, das sie als das »Werden einer Künstlerin« empfindet, bleibt
der Roman nicht nur in seiner Katharsisfunktion, sondern auch
im eigentlichen Schreibprozeß autobiographisch: »Nicht nur
in der Anschauung der Menschen, ich mußte auch im Stil gegen ihre Macht kämpfen, gegen das Schönfärberische, Süße,
im hergebrachten Sinne Romaneske der Sprache.«[68]

Nahezu fünf Jahre wird es dauern, bis der Roman *Aus guter
Familie*, der dieses Konzept umsetzt, erscheinen kann, Jahre, in
denen sich Gabriele Reuter als Pflegerin der kranken Mutter
aufreibt und »um des Broterwerbs willen bunte orientalische
Zeitungsgeschichten, Skizzen, Rezensionen und anderes
[schreibt]«, alles auf »einer Ecke vom Stuhl, immer im Begriff
aufzuspringen, wenn das silberne Glöckchen der Mutter [sie]
ruft«.[69] Wieder reißen sie neue Freunde, Grete und Hans Olden,
aus Dumpfheit und Hoffnungslosigkeit und erinnern sie an ihre
eigentliche Bestimmung. Begeistert nimmt sie nun die Schriften Nietzsches auf, mit dessen Schwester sie lange Jahre befreundet bleiben wird.

Mit der *Leidensgeschichte eines Mädchens* entsteht in diesen
Jahren »[e]in Klage- und Kampfruf, ein meisterliches Stück
Kulturgeschichte, und wie absichtslos nebenher, die ergreifend-
ste Dichtung«.[70] Darüber hinaus zeigt der Roman die soziokulturelle Atmosphäre, in der Reuter beginnt, sich als Schriftstellerin zu behaupten. Denn beispielhaft steht Agathe Heid-
lings Schicksal für »all the Marys and the Marthas«, wie die

New York Times fünfundvierzig Jahre später schreibt, deren Problematik Gabriele Reuter literarisch verarbeiten wird und die meistens an der »dreifachen Bestimmung des Weibes« zerbrechen. Und so läßt Reuter den Roman nicht zufällig beginnen mit dem Tage von Agathes Konfirmation. Tatsächlich kommt diesem Tag im Leben des bürgerlichen Mädchens Initiationscharakter zu, weil mit ihm die Heiratsfähigkeit behauptet wird. In süffisanter Weise demonstriert Reuter schon zum Auftakt ihres Romans den zeitgenössichen von männlichen Interessen geleiteten Diskurs des Weiblichen, wenn sie ihn buchstäblich wörtlich, also in den Tischreden der Männer, Regierungsrat Heidling – Agathes Vater – und Pastor Kandler, wiedergibt. In programmatischer Eintracht verpacken Kirche und Staat in blumigen Phrasen die »Unterwerfungsideologie«.[71] Deren fester Bestandteil sind die Forderungen der Kirche. Wann immer aber im Text Handlungsspielraum und Denkmaximen der Frau von Männern – hier zunächst von Pastor Kandler – formuliert und festgelegt sind, werden diese Richtlinien weiblicher Existenz mit der Gedanken- und Empfindungswelt der Protagonistin konfrontiert. Die ist, so erfährt die Leserin auf diese Weise, erfüllt von der Feierlichkeit ihres Ehrentages und dazu von himmlischer Naivität, sie nämlich kann sich auch trotz heftigsten Nachdenkens nicht vorstellen, »wie sie genießen sollte, als genösse sie nicht«.[72] In ihrer Ratlosigkeit ist sie sich des Verständnisses der solidarischen Leserin gewiß, die nun im weiteren Romanverlauf in einer Mischung von Entsetzen und Heiterkeit der Absurdität eines »Drills zur Weiblichkeit«[73] folgt.

Als der Papa an der Reihe ist, fordert auch er heldenhafte Selbstbeschränkung. »Denn das Weib, die Mutter künftiger Geschlechter, die Gründerin der Familie, ist ein wichtiges Glied der Gesellschaft«, verkündet der Regierungsrat, allerdings mit der für Agathe kleinen Einschränkung, »wenn sie sich ihrer Stellung als unscheinbarer, verborgener Wurzel recht bewußt bleibt!«[74] Beide Würdenträger sind sich darin einig, daß die von ihnen ausgesetzten Hauptgewinne im Himmel wie auf Erden nur um den Preis der Keuschheit zu erlangen sind: »Zügle deine Phantasie, daß sie dir nicht unzüchtige Bilder vorspiegele.«[75] Damit aber gerade gibt es ein Problem, hat doch die (Gedanken-) Leserin bereits erfahren, daß just die Phantasie bei Agathe ein eigenwilliges Regiment führt. Sehr schön zeigt der

Roman, wenn er die Innenperspektive des Mädchens spiegelt,
wie Agathe bereits hier von ihrem Über-Ich dominiert wird und
den bürgerlichen Verhaltenscode internalisiert hat. Da die sit-
tenstrenge Norm aber die eigene, d.h. vom Mann unabhängige Sexualität tabuisiert, wird sich das Mädchen fortan in einem Spannungszustand von Es und Über-Ich[76] befinden, der
sie von ihrem eigenen Körper entfremdet. Erinnert werden muß
an dieser Stelle daran, daß der Roman 1895 veröffentlicht wird,
also bevor die ersten Ergebnisse der Psychoanalyse Freuds
vorliegen. Begeistert wird sich später gerade er ob derartig fein-
sinniger Beobachtungsgabe der Autorin äußern. Wie der Me-
chanismus funktioniert, der dafür Sorge trägt, daß Agathe die
Normen der Gesellschaftsschicht internalisiert, zeigt nun Reuter, indem sie konsequent die Gedankenwelt Agathes in erlebter Rede spiegelt, während das Geschehen außenperspektivisch
durch eine Erzählerin geschildert und kommentiert wird:

Der jetzige Zustand war ein Noviziat, das der Einweihung in die
heiligen Geheimnisse des Lebens voranging. Die einfachsten häuslichen Pflichten führten Agathe ein in den gottgewollten und zugleich so süßen, entzückenden Beruf einer deutschen Hausfrau.
Durfte sie am Sonntag ein Tischtuch aus dem schönen Wäsche-
schrank der Mutter holen [...], that sie es mit froher Andacht, wie
man eine symbolische Handlung verrichtet.[77]

Als Meisterin der szenischen Darstellung erweist sich Reuter
in der Schilderung des ersten Balls als einem herausragenden
Ereignis im Rahmen der Ehevorbereitungen. Er bedeutet, so
hat eine weitere Konfirmationsgabe, der »Leitfaden fürs Leben: Des Weibes Wirken als Jungfrau, Gattin und Mutter« versprochen, einen der schönsten Tage im Dasein des jungen Mädchens. Erhebliche Zweifel im Hinblick auf die Verwirklichung
der mit dem ersten Ball verbundenen Träume beschleicht jedoch die Leserin, wenn sie weiterliest und sich mit bösem Sar-
kasmus konfrontiert sieht:

Aber nicht nur die aus dem Tempel der Poesie herabtönende Orakel-
stimme – auch die Präsidentin Dürnheim und die anderen Bekannten von Mama – spitze, hagere Rätinnen und schwere, verfettete
Rätinnen, liebenswürdige, geistreiche Rätinnen, und einfache Rätinnen, Rätinnen vom Gericht und von der Regierung und unverheiratete, die sich nur zu Familienrätinnen hatten aufschwingen
können – sie alle klopften der kleinen Heidling die Wange oder nick-
ten ihr zu: der erste Ball –! So ein glückliches Kind! Ach ja, der erste

Ball – daß man auch einmal so schlank und froh und morgenfrisch seinem ersten Ball entgegensah.[78]

Tatsächlich wird der Ball ein Desaster, eine Möglichkeit, auf die der Leitfaden fürs Leben offenbar nicht eingegangen ist. Auf spiegelglattem Parkett verwandelt sich das Debütantinnenfest schnell in ein Kriegsgetümmel, das die Erzählerin in beißendem Spott zum besten gibt. Zu lachen hat indessen nur die Leserin, denn die Protagonistin bleibt infolge eines Fehlers der Mutter stehen, was einer unglaublich beschämenden Niederlage auf dem Heiratsmarkt gleichkommt. Als sie schließlich doch zum Tanz geholt wird, ist es mit ihrer feierlichen Stimmung vorbei, zumal das internalisierte Reinheitsgebot nun seine Wirkung tut. Erotische Spielereien, auf dem Ball ein Hauptmotor, auch heiratsunwillige junge Männer in den Hafen der Ehe zu treiben, sind die Sache der jungen Heidling nicht – sie nimmt das Liebesideal, vom fortschrittlichen Bürgertum als Zuckerguß der Konventionsehe gedacht, durchaus ernst, eine Möglichkeit, an die wiederum offenbar niemand im Bürgertum ernsthaft gedacht hat. In Ermangelung eines leibhaftigen Mannes, auf den es anzuwenden wäre, muß nun der verblichene Lord Byron herhalten:

Während Fräulein Heidling Bälle, Kränzchen, Landpartien und Sommerfrischen besuchte – während sie Schlittschuh lief, Kottilionorden verteilte, sich reizende Frühjahrshüte aussuchte, Stahlbrunnen trank und Stickereien anfertigte, wurde sie zugleich an der Brust des toten Dichterlords auf rasend sich bäumendem Renner über Schottlands öde Heiden entführt [...].[79]

Gerade wegen dieses geheimen Liebeslebens, das Erfüllung verspricht, ohne sie je zu gewähren, sind Agathes Gedanken weiterhin auf eine Liebesheirat ausgerichtet. Wie überaus realitätsfern gleichermaßen Agathes Schwärmerei und das ganze ideologische Konstrukt der Liebesheirat sind, zeigt Reuter an Agathes »letztem Versuch«. In erlebter Rede läßt Reuter die Folgen, die die ausschließliche Orientierung an der dreifachen Bestimmung des Weibes, zu der es für die bürgerliche Frau keine akzeptable Alternative gibt, durch die junge Heidling miterleben. Panisch vor Angst, endgültig in den Kreis der alten Jungfern abzurutschen und mit fast dreißig Jahren zu Hause wie ein unmündiges Kind behandelt, entschließt sich Agathe, »das gemeinste [zu tun], dessen ein Mädchen sich in ihren

Augen schuldig machen konnte [...] Sie wollte den heiraten,
den sie nicht liebte.«[80] Um diese Mechanismen im Text zu entfalten, setzt sich die Erzählerin über alle Grenzen hinweg:

> Und wonach sie verlangte – was sie brauchte – was ihr einzig die
> Welt bedeutete, das sollte sie auf dem Schoße halten dürfen in seiner
> hilflosen, weichen, entzückenden Kleinheit – ein Kind! Ein Kind!
> – Mein Gott – wenn man ihr gesagt hätte, sie müsse sich von
> Raikendorf schlagen – mißhandeln lassen, mit diesen Hoffnungen
> beschäftigt, sie würde lächelnd und zerstreut geantwortet habe: ›Ja
> – gerne!‹[81]

Als Raikendorf endlich ehewillig zu werden beginnt, ist die
Leserin bereits an Reuters eigenwilligen Humor gewöhnt:
»Fröhlich spiegelte sich die Sonne auf der Glatze des Landra-
tes«, heißt es da, übersetzt, »das kann nichts werden«. Buchstäblich Retter in der Not, wird er in geradezu göttliche Sphä-
ren[82] gehoben:

> Nie – nie wollte sie Raikendorf vergessen, daß er ihr den Abend –
> die freundlichen Hoffnungen gegeben. Ihr ganzes Leben sollte ein
> Dienen dafür sein. Nicht genug konnte sie sich darin thun, ihn als
> ihren Herrn zu erhöhen und sich zu erniedrigen. War es möglich,
> das es Augenblicke gegeben, in denen sie ihn verachtet – über ihn
> gehöhnt hatte? Ihn? Dem sie heute die Füße hätte küssen wollen, sie
> mit ihren Thränen baden und mit ihrem duftenden Haaren trock-
> nen?[83]

Während in der Gedankenwelt der Frau die vollkommene
Adaption des rollenkonformen Identitätsmusters gespiegelt
wird, geht es auf der Handlungsebene des Textes bei den Männern um Bares. Hinter geschlossener Tür verhandeln Ehekan-
didat und Vater um das Kopfgeld der Braut, mit dem Ergebnis, daß sich nicht nur die Sonne verzieht: Ohne sich zu einer
Erklärung bereitzufinden, tritt der potentielle Kunde vom Über-
nahmevertrag zurück, da der Vater gestehen muß, die Mitgift
der Tochter den Spielschulden des Sohnes geopfert zu haben.[84]
Tragisch ist dieser Ausgang indessen nur für die Tochter, denn
für Raikendorf ist die Auswahl an anderen alten Mädchen groß,
und die Eltern haben auf diese Weise sowohl die Ehre des Sohnes gerettet als auch in Agathe eine billige Arbeitskraft gewon-
nen, die das Dienstmädchen ersetzen kann.[85]
Mit dem nun endgültigen Verzicht auf die Ehe ist für die
bürgerliche Frau der Verzicht auf ein Sexualleben für immer

entschieden. Sublimierungsversuche scheitern am Veto des Vaters, der sich gegen eine unangemessene Frömmigkeit seiner Tochter ebenso ausspricht wie gegen jegliche Versuche, sich weiterzubilden. Gerade die intellektuelle Bildung, so zeigt sich, ist für die Frau des neunzehnten Jahrhunderts nicht nur unerwünscht, sondern gefährdet in höchstem Maße die patriarchalische Ordnung. So wird der Bücherschrank vor Agathe sofort verschlossen, als Heidling erfährt, daß seine Tochter Haeckels »Natürliche Schöpfungsgeschichte« gelesen hat und nun weitere Lektüre begehrt.

Im Gespräch mit Martin, das dem Ausbruch des Wahnsinns unmittelbar vorausgeht, leuchtet noch einmal eine alternative Lebensperspektive auf, als dieser sie ermutigt, die eigenen Erfahrungen als Tochter aus guter Familie niederzuschreiben, eine Idee, die zu denken Agathe imstande ist, ohne sie im mindesten in die Tat umsetzen zu können. Der seelische und geistige Tod der Protagonistin ist besiegelt,[86] als sich Martin einer Kellnerin zuwendet. Sein offenkundig sexuelles Interesse löst bei Agathe eine Reaktion aus, die ihren Wunschgedanken »Werk« als metaphorische Ersatzleistung ausweist, die die psychische Intensität des eigentlichen Wunsches (Kind) abgelöst hat. Als aber das eigentliche substantielle Begehren durch Martin verweigert wird, kommt es zum Ausbruch des Wahns. In ihm setzt sich, wie Weber in einer hervorragenden Studie zeigt, die Genese der Hysterie fort, die bereits in der Figur der Mutter prädisponiert ist. Hysterie wird somit zur Sprache einer Frau, »die in der männlich symbolischen Ordnung ihre Rede immer verhüllen muß«[87] – und die, wie die Autorin selbst, nicht im Schreiben einen Ausweg findet.

Es ist klar, daß das Buch Zündstoff birgt. Deshalb wird es im Kreis befreundeter Kollegen gelesen, bevor es einem Verleger überantwortet werden soll. In ihren Kommentaren bekommt Gabriele Reuter einen Vorgeschmack davon, was es heißt, als Schriftstellerin die Grenzen des Schicklichen überschritten zu haben. Zu ihrem blanken Entsetzen werden nicht Inhalte diskutiert, sondern in Stammtischmanier »Zweideutigkeiten und Obszönitäten« belacht. Lange trägt sich Gabriele Reuter mit dem Gedanken, das Manuskript dem Ofen anzuvertrauen – und besinnt sich, eingedenk ihres gesellschaftlichen Auftrages, eines Besseren. Als der Roman schließlich bei Fischer erscheint, entfacht er einen Skandal – aber auch heftige Diskussionen über die bürgerliche Töchtererziehung. Gabriele Reuter ist am Ziel.

Bis 1931 erlebt *Aus guter Familie* 28 Auflagen und ist damit erfolgreicher als der im selben Jahr erschienene Roman Fontanes, *Effi Briest.* Während aber Fontanes Werk im literarischen Kanon tradiert wird und als Musterbeispiel hoher deutscher Erzählkunst gilt, gerät Reuters Bestseller nach dem Zweiten Weltkrieg in Vergessenheit und wird erst in den frühen achtziger Jahren von einzelnen Wissenschaftlern bzw. Wissenschaftlerinnen wiederentdeckt.[88]

Reuter schließt ihre Autobiographie mit der Darstellung ihres Durchbruchs zur gefeierten Schriftstellerin und diejenige, die sich glücklich schätzen durfte, ihren Lebensweg bis dahin zu portraitieren, ist (fast) am Ende. Denn so gewissenhaft die Autorin das Lebensmaterial für die Geschichte ihrer Jugend zusammengetragen hat, so spärlich läßt sie nach ihrem Erfolgsroman die Informationen fließen. Faranak Alimadad-Mensch[89] aber ist es gelungen, in aufwendigen Recherchen zaghafte Hinweise auf den weiteren Lebensweg der Schriftstellerin zusammenzutragen. Danach läßt sich mit einiger Sicherheit sagen, daß Gabriele Reuter zwischen 1895 und 1899 uneheliche Mutter eines Mädchens, Lili, wird. Möglicherweise ist das die Ursache für ihren Wohnsitzwechsel nach Berlin 1899. In einigen literarischen Skizzen wird überdies seit dieser Zeit die Kollision der Mutterpflichten mit den Aufgaben der Schriftstellerin aufgenommen. So verrät z.B. *Der stille Morgen* die erheblichen Schwierigkeiten einer Frau, die sich in der Doppelrolle als Mutter und Autorin zurechtfinden muß. Hochinteressant ist diese Erzählung vor allem auch deshalb, weil sie Einblicke in den Schaffensprozeß gewährt. Als Ausgangspunkt eines neuen Werkes beschreibt Reuter hier die Inkubationsphase:

Sie hatte etwas erschaut im Geiste – ganz flüchtig, schwankend unsicher in den Umrissen – eine Gestalt – die sprach – auch ein Schicksal hatte [...]. [S]either folgte ihr eine Sehnsucht nach den schemenhaften Zügen des unbekannten Wesens, das da werden wollte.[90]

Doch nicht nur das Kind hindert die Schriftstellerin, sich ganz den Gedanken hinzugeben, sondern auch der Zeitdruck, unter dem die Veröffentlichung des neuen Werkes aufgrund ihrer finanziellen Situation steht. Als die Schriftstellerin endlich ihrer Verpflichtungen ledig ist, stellen sich Schreibblockaden ein:

Sie legte die weißen Papierblätter zurecht. Aber eine Unmöglichkeit war es, jetzt die Feder in die Hand zu nehmen. Eine dumpfe Angst hinderte sie daran. Aus dem geöffneten Tintenfaß drohten unbestimmte, aber sicher schmerzende Gefahren. [...] Da war wieder diese Unruhe, Wirrnis und Hoffnungslosigkeit.[91]

Als nach vielen Unterbrechungen sich endlich die zündende Idee einstellt und sich desparate Gedanken zu einem geordneten Ganzen verbinden, vergißt die Autorin ihr Kind und erteilt ihm, in die eigene Gedankenwelt verloren, eine Erlaubnis, die es in höchste Gefahr bringt. Die Erzählung hat ein »gutes Ende«. Gleichwohl bleiben schriftstellerischer Genius und Mutterliebe in einem stets gegenwärtigen unauflösbaren Konflikt miteinander verbunden.

Auf die veränderte Situation zurückzuführen ist ebenfalls, daß neben sozialkritischen Werken seit der Geburt Lilis eine Fülle von Geschichten und Märchen für Kinder entstehen, vor allem *Das böse Prinzeßchen* (1905) erobert sich schnell die Bühnen des In- und Auslandes.

1904 und 1905 verfaßt Gabriele Reuter sensible Monographien über zwei Berufskolleginnen. In einer eigenwilligen, subjektiven Sichtweise portraitiert sie zunächst Marie von Ebner-Eschenbach. Dabei klammert die Autorin sowohl wissenschaftliche Analysen der Werke als auch psychoanalytische Rückschlüsse auf die biographische Vorlage aus (ein Verfahren, das sie, wie sie sagt, selbst zu ihrem äußersten Mißfallen erdulden mußte) und wählt statt dessen eine Methode, die aus dem ethischen und moralischen Aussagegehalt der Werke charakterliche Stärken der Ebner ableitet:

Gleicherweise wächst uns aus dem Lebenswerke eines Künstlers, wenn es, in den Hauptsachen vollendet, reich gegliedert, und doch von einem leitenden Geiste durchdrungen, geordnet und beseelt, von uns genossen und erforscht wird, allmählich ein Bild des Schaffenden empor. Dieses Bild braucht kein objektiv, in allen Zügen wahres Portrait zu sein. Es kann es gar nicht sein, denn wir werden stets vom eignen Wesen einen Teil dazu tun.[92]

Die beschwichtigenden Tendenzen des poetischen Realismus werden auf diese Weise nicht als Ausdruck einer Epoche, sondern als Ergebnis der sittlich-ästhetischen Geisteshaltung Marie von Ebner-Eschenbachs gewertet – und bedauert.

Auch Reuters zweite Biographie ist gekennzeichnet von ihrem Einfühlungsvermögen in die Person und das Werk einer Dichterin: Annette von Droste-Hülshoff. Besondere Aufmerksamkeit schenkt sie hier dem Verhältnis von Genie und Geschlecht. Droste-Hülshoffs Abhängigkeitsverhältnis zur Mutter und ihre unglücklichen Lieben werden im Hinblick auf ihre Poetik, mit deutlicher Vorliebe für das *Ledwina*-Fragment, unverhohlen subjektiv interpretiert. Interessant ist, daß Reuter eine Form der Biographie wählt, die dafür geradezu prädestiniert ist: Sie kleidet ihre Schilderung in einen Brief an eine fiktive Freundin, der sie Leben und Wirken einer Dichterin nahebringen will, »auf die nichts von allen bisher wissenschaftlich und ästhetisch festgestellten Gesetzen für das Werden des Genius [...] paßt«.[93]

Nach Erscheinen ihres Romanes *Aus guter Familie* bleibt Gabriele Reuter für Jahrzehnte auf Erfolgskurs, wenn es ihren weiteren Romanen auch so ergeht, wie all jenen, die in der Folge eines sensationellen Bestsellers entstehen: sie werden an ihm gemessen. Kein geringerer als Thomas Mann kämpft 1904 um eine angemessene Rezeption der folgenden Werke Reuters, vor allem um die Würdigung ihres 1903 erschienen Romans *Liselotte von Reckling* als eigenständiges Kunstwerk. Thematisch nimmt er Elemente der *Ellen von der Weiden* (1900)[94] wieder auf und verfestigt den Vorwurf an die Autorin, sie habe keine einzige gute Ehe in ihren Romanen zustande gebracht.[95]

Zweifellos ist dieser Vorwurf berechtigt. Auch Ellens Ehe funktioniert nur so lange mustergültig, wie sie bereit ist, dem traditionellen Rollenbild zu entsprechen; als sie jedoch beginnt, ihre eigenen Anschauungen und Gefühle zu pflegen und zu verteidigen, ist es mit dem Stolz des Mannes auf seine Frau vorbei. Nicht nur der demonstrativ ausgeübte Machtanspruch des Gatten (»...jetzt bin ich dein Herr! Merk Dir's.«[96]) erweist sich bei der Umsetzung der Selbstbehauptung als problematisch, sondern erneut vor allem das internalisierte »weibliche« Verhaltenssoll, das scheinbar unausweichlich ein Schuldbewußtsein gegenüber Ehemann und Gesellschaft produziert. Ellen begreift erst sehr spät, daß die von ihr erträumte geistig – seelische Übereinstimmung von Mann und Frau innerhalb der festverankerten Strukturen ihrer Kultur nicht durchzusetzen ist. Mit bitterer Konsequenz für die Frauen: »[...] resignieren heißt der Schluß für uns alle«.[97]

Gabriele Reuter bleibt mit *Ellen von der Weiden* nicht nur in der Themenwahl ihrer Romane sich selbst treu, sondern auch auch darin, daß sie sich erneut in das Kreuzfeuer der Kritik manövriert. Zwar ist Ellens Ausnahmeerscheinung, die sie im übrigen selbst ängstigt, für das zeitgenössische Lesepublikum noch akzeptabel, ist sie doch eben »ein rappeliges Frauenzimmer«, ihre ketzerischen Thesen zur erotischen Insuffizienz beider Ehepartner bringen jedoch Protagonistin und Autorin gleichermaßen den Vorwurf der moralischen Unzurechnungsfähigkeit ein.[98]

Allein – man tut dem Schaffen Gabriele Reuters unrecht, wenn man die revolutionären Themen ihrer Romane würdigt, ohne die ästhetische Struktur und Komposition ihrer Werke zu betonen. Vor allem besticht das Lesepublikum immer wieder ihre Ironie, die, »ist man gerade bei Laune, unwiderstehlich die Lachlust reizt«.[99] Sie wird immer dann eingesetzt, wenn es gilt, eine aus männlicher Sicht formulierte Codierung des Weiblichen zu konterkarieren, ein Vorgehen, bei dem der Leserin die aktive Rolle der Demaskierung zugespielt wird. Vorausgesetzt wird hierbei die Möglichkeit zu einem »Solidierungspakt«,[100] d.h. einer intimen Kenntnis gesellschaftlicher Mechanismen von Autorin und Leserin mit folgendem Ziel: »[J]e höher die Vertrautheit zwischen Sprecher und Hörer hinsichtlich der im Ironiepakt involvierten Präsupposition, desto niedriger kann die Signalschwelle gehalten werden.«[101]

Trotz einer prinzipiellen Gleichberechtigung gesteht Gabriele Reuter auf literarischem wie essayistischem Gebiet dem Mann in den folgenden Jahren ein größeres sexuelles Triebleben zu, dem die Frau in »Güte« und mit »mütterlicher Nachsicht«[102] begegnen solle. Daß jedoch auf dieser Grundlage keine von gegenseitiger Achtung und Zuneigung getragene Lebensgemeinschaft entstehen kann, zeigt der 1908 veröffentlichte Roman *Das Tränenhaus*. Zu dessen inhaltlicher Konzeption haben wiederum mit Sicherheit eigene Erfahrungen beigetragen. Die Protagonistin, Cornelie Reimann, ihres Zeichens Schriftstellerin, bezieht im »Heim einer alten schwäbischen Weh-Mutter«[103] Quartier, um dort, wie alle anderen anwesenden Frauen auch, heimlich ihr uneheliches Kind zur Welt zu bringen. In einer sonderbar anmutenden Mischung aus Sentimentalität, die den Roman im Erzählduktus in die Nähe der Trivialliteratur rückt, und massiver Gesellschaftskritik schildert Reuter das allmähliche Hineinwachsen der elitären Schriftstellerin in den Kreis der anderen, durchweg aus unteren Schichten stammenden Schwangeren. Es stellt sich heraus, daß alle dort anwesenden Frauen trotz ganz unterschiedlicher Herkunft ein gleiches Schicksal eint, sie alle sind Opfer körperlicher und psychischer von Männern ausgeübter Gewalt. Wünschenswerte Eigenschaften des Mannes, »Zartheiten der Empfindungen und des Handelns« beispielsweise, hält Cornelie Reimann nur »unter dem Drucke des bürgerlichen Pflichtenzwanges«[104] für denkbar. Wesentlich differenzierter entwickelt Reuter in diesem Roman ihre Vorstellung einer deformierten und einer ursprünglichen (d.h. biologischen) Natur der Frau. Muttersein wird im »Tränenhaus« zum Inbegriff der Frau. Aber Mutterliebe, so muß auch Cornelie Reimann lernen, ist in hohem Maße abhängig von den Bedingungen, unter denen das Kind ausgetragen wird und unter denen es aufwachsen wird. Reuter vertritt dabei eine recht eigenwillige These: Ursprünglich war Mutterliebe instinktives Verhalten der Frau. Im Laufe tausend Jahre langer Inferiorität hat die Frau jedoch »Urinstinkte« entwickeln müssen, die sie vor ihrer eigenen Mutterliebe schützen, wenn es die Situation erfordert. Im Gegensatz zur bürgerlichen Frauenbewegung ist für Gabriele Reuter der schützende Rahmen der Ehe inzwischen verzichtbar, eine Haltung, die ihr von Helene Lange den Vorwurf eines unreifen Radikalismus einträgt.[105]

Am Beispiel der zur Reflexion fähigen Cornelie Reimann entwickelt Gabriele Reuter ihre Vorstellung von einer »inneren Kultur« der Frau, die sie aus der ihr zum Verhängnis gewordenen »inneren Natur« befreien soll. Erstellt wird dieses neue Selbstverständnis auf der Basis einer feministischen Lesart Nietzsches, mit dessen Hilfe die Idee eines souveränen weiblichen Individuums entwickelt wird. Die Konzeption einer freien Persönlichkeit wird im Tränenhaus erst möglich, als Nietzsches Verneinung der Gott-Vater-Religion konsequent auf einen genuin männlichen Machtanspruch übertragen wird. Erst dann wird die Leerstelle im intellektuellen Selbstverständnis der nach Liebe suchenden Frau ausgefüllt sein, als der Weg der Befreiung, den Reuters Hauptfigur einschlägt, auch die endgültige Abkehr vom Vater ihres Kindes miteinbezieht:

Gerade der hohe Begriff von menschlicher Freiheit und Selbstverantwortung, den sie in sich entwickelt hatte und auf den sie stolz war, weil sie fühlte, daß er sie über die Mehrzahl der Frauen stellte, machte es ihr nun unmöglich, ihr ganzes Wesen in der Herrschbegier der Liebe zu konzentrieren.[106]

Zwischen 1907 und 1914 tritt Gabriele Reuter als Essayistin an die Öffentlichkeit, auch hier widmet sie sich thematisch der »Urgegensätzlichkeit von Mann und Frau«. Gerade der »nach Vertiefung und Vervollkommenheit ihres Ichs ringenden Frau«[107] rät sie, auf die Ehe zu verzichten. Doch bereits 1910 ist in dem Essay *Die Erziehung des Mannes durch die Frau* von ihrem Zukunftsentwurf der Liebe als »der Menschheit letzter, schönster Aufschwung«[108] nicht mehr viel übrig geblieben. Hierin wird schonungslos »eine Krankheit in den Seelen und Sinnen unserer Männerwelt«[109] attestiert und hoffnungsvoll auf eine neue Generation von Müttern geblickt, die den Söhnen Respekt beibringen soll.

Zwischen den Kriegen nutzt die Schriftstellerin ihre Kontakte zur »Neuen Freien Presse Wien« hauptsächlich, um ihre konservativ-gemäßigte Einstellung zur »Lage der Nation« kundzutun.[110] Befremdlich klingt in den Zeitungsartikeln ihre Verzweiflung über den verlorenen Krieg, vor allem aber ihre unreflektierte Darstellung Deutschlands als »Opfer« »feindlicher Einkreisung«,[111] die sie im ersten Entsetzen über die Bedingungen der Ententemächte eine Fortsetzung des Krieges wünschen lassen. Allerdings mildert sich ihre Haltung in der Folgezeit, und Gabriele Reuter findet sich in der Rolle derjenigen zurecht, die unermüdlich an ihr Volk appelliert, den Mut und die Würde nicht zu verlieren.

Trotz ihrer deutschnationalen Haltung nach dem ersten Weltkrieg steht die Autorin dem Nationalsozialismus bis zu ihrem Tode im Jahre 1941 deutlich ablehnend gegenüber. Die Gründe kann man in ihrer 1921 erschienen Autobiographie nachlesen. Hier schildert sie, wie sie schon früh angewidert »vom geifernden Haß« des Hofpredigers Stöcker gegen die Juden eine seiner Lesungen verläßt. Persönliche Freundschaften mit Juden und Jüdinnen, aber auch die feste Überzeugung, daß nur gegenseitige Toleranz zu einem gewinnbringenden Zusammenleben führen kann, veranlassen Reuter dazu, vehement gegen die »Hakenkreuzbündler«[112] aufzutreten. Aus dieser Haltung zieht Reuter nach 1933 die persönliche Konsequenz, sich aus dem öffentlichen Leben zurückzuziehen und sich jeder Meinungsäußerung zu enthalten. Anläßlich ihres achtzigsten Geburtstages erscheint in der New York Times eine Würdigung ihres Schaffens, in der auf diese Form der inneren Emigration ausdrücklich Bezug genommen wird.[113] Diese Lobeshymne setzt eine Tradition der amerikanischen Presse fort, die stets ihr frauenpolitisches Engagement hervorgehoben hat. Wesentlich gemäßigter verhält sich die deutsche Presse, wenngleich auch hier nicht mit Lob gespart wird. Äußerst ergiebig zur Beurteilung des öffentlichen Ansehens schreibender Frauen um die Jahrhundertwende und später sind Reuters *Geschichten aus meinen Vortragsfahrten*, die sie 1920 veröffentlicht. Neben dem hohen Unterhaltungswert dieser Sammlung skurriler und witziger Geschichten, ist interessant, daß sie darin mit dem ihr eigenen Humor offenherzig bekennt, daß hierbei auch der Zweck die Mittel heiligt: Nicht zu Vergnügungszwecken ist sie »Geschäftsreisende in Literatur«, sondern um für die »Ware« den »Bedarf« anzukurbeln. Genauso freimütig bekennt sie allerdings auch, daß sie »das leise bewundernde Raunen«,[114] das bei ihrem Eintreten durch den Saal geht, als außerordentlich wohltuend empfindet, weil sie es nicht nur ihrem literarischen Ruf, sondern ihrer Erscheinung zurechnen darf; eine Bemerkung, die deutlich macht, daß hier nicht nur die Eitelkeit Pate gestanden hat, sondern auch ihr Bemühen, trotz ihres Berufes als vollwertige Frau akzeptiert zu werden. Wie berechtigt dieses Ansinnen offenbar ist, schildert Reuter in folgender Szene:

Die Mutter eines unsrer ersten Industriellen, eines gewaltigen Geldmannes, erklärte mir offenherzig, daß sie sich nur mit innerem Widerstreben entschlossen habe, mich in ihr Haus aufzunehmem, da kein gutes Hotel in dem Städtchen vorhanden sei, und sich nun aufs Höchste überrascht finde, in der ersten Schriftstellerin, die ihren Weg kreuzte, eine völlig vernünftige Person zu finden.[115]

Trotz ihrer frauenpolitisch brisanten Themen verschreibt sich Gabriele Reuter nicht der Frauenbewegung. Ihren Verzicht begründet sie mit der Unvereinbarkeit von kräftezehrendem »Tageskampf« und schriftstellerischer Tätigkeit, die in der Verbindung letztere zur »Propaganda – Magd«[116] erniedrige. Trotz dieser Zurückhaltung bleibt sie als Schriftstellerin den meisten männlichen Rezensenten jedoch suspekt. Da der Erfolg ihr aber recht gibt, ihre Bücher reißenden Absatz finden und ihre Lesungen bis auf den letzten Platz besetzt sind, ist journalistisches Geschick gefragt. Und so beschreibt ein loyaler Rezensent Gabriele Reuter auf diese Weise: Sie ist berühmt, schön und männerfeindlich, was schade, aber nicht zu ändern ist, ist sie doch eine »ernste, tapfere Vorkämpferin für die Verselbständigung des Weibes«.[117] Vorsichtig empfiehlt ein anderer ihre Werke »Kennerkreisen«, die z.B. die Bedeutung von *Liselotte von Reckling* als »geistiges Kulturwerk«[118] angemessen einschätzen können. Wieder andere üben sich in selektiver Wahrnehmung, die das »Männerfeindliche« übersieht und stattdessen entweder Reuters »liebevolle[s] Sichhineinversenken in das Alltägliche«[119] betont oder, die Inhalte ihrer Werke ausklammernd, sich gleich ihrem Aussehen und ihrer Vorlesekunst zuwendet. In diesen Artikeln wird alles suggeriert, nur eines nicht, daß es sich um eine selbständige, hart arbeitende Frau handelt:

Ja, so hatte man sich sie vorgestellt. So und nicht anders. So mußte sie aussehen. Schlank und fein und zart. Das blasse faltenlose Antlitz von silberweißem Haar eingerahmt, sprechende Augen mit herzenswarmem und doch überlegen prüfendem Blick und wunderschöne, schmale Hände, deren zarte Finger ein dünnes Büchlein umklammern. [...] Fräulein Reuter ist eine Meisterin der Vorlesekunst; in der Kunst der Kunstlosigkeit hat sie es zur höchsten Vollendung gebracht.[120]

So subtil manche Kritiker die Botschaft Gabriele Reuters zu überhören pflegen, so begeistert, ja verklärend, äußern sich viele Journalistinnen, erheben sie zur »Hoheit einer Verkünderin und erfahrenen Menschendurchschauerin«,[121] sehen in geradezu religiöser Verzückung »[e]in Licht, eine Helle, eine Reinheit«[122] von ihr ausgehen und verklären die Schriftstellerin schließlich – womit wir uns wieder an den Anfang dieses Portraits begeben – als »Priesterin eines neuen Evangeliums«.[123]

Anmerkungen

1 Reuter, Gabriele (1921): Vom Kinde zum Menschen. Die Geschichte meiner Jugend, Berlin, S. 17.

2 Reuter, Gabriele (1921): S. 27.

3 Ebd.: S. 28.

4 Reuter, Gabriele (1892): Mein liebes Ich, in: Die Gesellschaft 8/1., Leipzig, S. 283-285, hier S. 283.

5 Sloterdijk, Peter (1978): Literatur und Lebenserfahrung. Autobiographien der Zwanziger Jahre, München, Wien, S. 6.

6 Reuter, Gabriele (1921): S. 28.

7 Ebd.: S. 474.

8 Neumann, Bernd (1970): Identität und Rollenzwang. Zur Theorie der Autobiographie, Frankfurt am Main.

9 Reuter, Gabriele (1900/1901): Im Spiegel. Autobiographische Skizze, in: Das litterarische Echo. Halbmonatszeitschrift für Literaturfreunde. 3. H. 1-24, Berlin, S. 592-596, hier S. 539.

10 Reuter, Gabriele (1921): S. 57.

11 Ebd.: S. 59.

12 Ebd.: S. 60.

13 Ebd.: S. 94.

14 Reuter, Gabriele (1900/1901): S. 593.

15 Reuter, Gabriele (1921): S. 127.

16 Der schlechte Ruf des Romanlesens begründet sich nach Schneider in der »Verführung [der Mädchen und Frauen], die sich auf der Szene ihres literarisch verwüsteten Seelenlebens ereignet«. Schneider, Manfred (1992): Liebe und Betrug. Die Sprachen des Verlangens, München, S. 305.

17 Reuter, Gabriele (1921): S. 152.

18 Ebd.: S. 187, 188.

19 Sloterdijk, Peter (1978): S. 112.

20 Ebd.: S. 112.

21 Freud, Sigmund (1908): S. 171.

22 Reuter, Gabriele (1921): S. 294.

23 Ebd.: S. 279.

24 Ebd.: S. 60.

25 Freud, Sigmund (1908): S. 175.

26 Reuter, Gabriele (1921): S. 237.

27 Ebd.: S. 192, 193.

28 Ebd.: S. 199.

29 Ebd.: S. 205.

30 Ebd.: S. 279.

31 Ebd.: S. 244.

32 Reuter, Gabriele (1900/1901): S. 593.

33 Ebd.: S. 593.

34 Reuter, Gabriele (1921): S. 246, 247.

35 Vgl. Tacussel, Patrick (1988): Liebe und ihre soziale Kontrolle, in: Das Schicksal der Liebe, hg. von Dietmar Kamper und Christoph Wulf, Weinheim, Berlin, S. 37-51, hier S. 72: »In der von der Leidenschaft bestimmten Liebe verläßt das Individuum die gewöhnliche Menschheit und steigt zu einer Übermenschlichkeit auf, die durch die Verneinung sozialen Zwangs ausgezeichnet ist.«

36 Alimadad-Mensch, Faranak (1984): S. 45.

37 Reuter, Gabriele (1921): S. 317.

38 Ebd.: S. 319.

39 Ebd.: S. 322.

40 Ebd.: S. 325.

41 Ebd.: S. 332, 334.

42 Grundsätzlich Kliewer, Annette (1993): Geistesfrucht und Leibesfrucht. Mütterlichkeit und »weibliches Schreiben« im Kontext der ersten bürgerlichen Frauenbewegung, Pfaffenweiler.

43 Reuter, Gabriele (1921): S. 337.

44 Klemperer, Victor (1904): Gabriele Reuter, in: Westermanns Monatshefte, München, S. 866-874, hier S. 867.

45 Ebd.: S. 865.

46 Ebd.: S. 867.

47 Sloterdijk, Peter (1978): S. 113.

48 Reuter, Gabriele (1921): S. 391.

49 In der autobiographischen Skizze von 1900/1901 erwähnt Reuter diese Hilfestellung nicht, sondern gibt einen plötzlichen Einfall als Begründung für das neue Konzept an.Vgl. Reuter, Gabriele (1900/1901): S. 595.

50 Vgl. zur Entstehungsgeschichte der »Episode Hopkins« (1889 erschienen) Alimadad-Mensch, Faranak (1984): S. 72f.

51 Reuter, Gabriele (1921): S. 338.

52 Reuter, Gabriele (1892): S. 284, 285.

53 Freud, Sigmund (1923): Das Ich und das Es, in: Ders.: Studienausgabe, Bd. III: Psychologie des Unbewußten, Frankfurt am Main, S. 273-330, hier S. 295.

54 Neumann, Bernd (1970): Identität und Rollenzwang. Zur Theorie der Autobiographie, Frankfurt a.M., S. 23.

55 Vgl. Simmel, Georg (1985): Weibliche Kultur (1902), in: Ders., Schriften zur Philosophie und Soziologie der Geschlechter, hg. und eingeleitet von Heinz-Jürgen Dahme und Klaus Christian Köhnke, Frankfurt a.M., S. 161.

56 Reuter, Gabriele (1921): S. 338.

57 Reuter, Gabriele (1900/1901): S. 595.

58 Reuter, Gabriele (1921): S. 393.

59 Göttel wertet diese Problematik so: »Den Weg in die ungewisse Freiheit eines emanzipierten weiblichen Ichs wagte Gabriele Reuter als Tochter des 19. Jahrhunderts noch nicht ohne die Stütze der Tradition zu beschreiten; die Krone des inzwischen ergrauten ›Königstöchterlein‹ hielt sie vorsorglich im Gepäck verborgen.« Göttel, Sabine (1992): Die »verborgene Krone«. Zur autobiographischen Ich-Konstruktion bei Gabriele Reuter, in: Feministische Studien 1/92, S. 39-53, hier S. 51.

60 Reuter, Gabriele (1921): S. 365.

61 Klemperer, Victor (1904): S. 869.

62 Ebd.: S. 869.

63 Noch vor dem Roman ›Aus guter Familie‹ erscheint der Roman ›Gunhild Kersten‹. Er findet allerdings keine Erwähnung in der Autobiographie. Göttel sieht den Grund der Unterschlagung in der Konstruktion einer »Wunschidentität« in der Autobiographie, der die inhaltliche Konzeption des Romans zuwider laufe. Vgl. Göttel, Sabine (1992): S. 50.

64 Reuter, Gabriele (1921): S. 418.

65 Ebd.: S. 420.

66 Gleichzeitig wächst mit der so erworbenen Reflexionsfähigkeit die Erkenntnis des Bildungs- und Erziehungsauftrages von Kunst. Fremde Denkprozesse werden in die eigenen integriert, korrigieren und erweitern diese in nicht unerheblichem Maße. Da den Frauen die Beteiligung an Wissenschaft und Politik untersagt, bzw. diese stark eingeschränkt ist, übernimmt die Literatur hier Mittlerfunktion. Eine spezifische Aufgabe kommt hierbei Lebensberichten und Briefwechseln anderer Frauen zu, die eine Leseerfahrung ganz eigener Art vermitteln. Das eigene, bis dahin isoliert von allgemeingültigen Zusammenhängen empfundene Leid wird als generelles Geschlechterschicksal

und in seiner Abhängigkeit von bestimmten gesellschaftlichen Strukturen erkannt. Vgl. Tebben, Karin (1997): Literarische Intimität. Erzählstruktur und Subjektkonstitution in autobiographischen Romanen von Frauen, Tübingen.

67 Reuter, Gabriele (1921): S. 432.

68 Ebd.: S. 433.

69 Ebd.: S. 443, 444.

70 Klemperer, Victor (1904): S. 871.

71 Marx, Leonie (1983): Der deutsche Frauenroman im 19. Jahrhundert, in: Ernst Koopmann: Handbuch des deutschen Romans, Düsseldorf, S. 434-459, hier S. 455.

72 Reuter, Gabriele (1904): Aus guter Familie. Leidensgeschichte eines Mädchens, Berlin 1885.

73 Weber, Lilo (1996): Fliegen und Zittern. Hysterie in Texten von Theodor Fontane, Hedwig Dohm, Gabriele Reuter und Minna Kautsky, Bielefeld, S. 214.

74 Reuter, Gabriele (1904): S. 21.

75 Ebd.: S. 20.

76 Mentzoz, Stavros (1996): Neurotische Konfliktverarbeitung. Einführung in die psychoanalytische Neurosenlehre unter Berücksichtigung neuer Perspektiven, Frankfurt am Main, 57f.

77 Reuter, Gabriele (1904): S. 68.

78 Ebd.: S. 79.

79 Ebd.: S. 102.

80 Ebd.: S. 255.

81 Ebd.: S. 262.

82 Boshaft ist diese Textstelle vor allem in ihrem direkten Bezug auf die Bibel. Im Evangelium nach Lukas 7, Vs. 37, 38 heißt es: »Und siehe, eine Frau war in der Stadt, die war eine Sünderin. Da sie vernahm, daß er zu Tische saß in des Pharisäers Hause, brachte sie ein Glas mit Salbe und trat hinten zu seinen Füßen und weinte, und fing an, seine Füße zu netzen mit Tränen und mit den Haaren ihres Hauptes zu trocknen, und küßte seine Füße und salbte sie mit Salbe.«

83 Reuter, Gabriele (1904): S. 261, 262.

84 Grundsätzlich Rosenbaum, Heidi (1982): S. 360ff.

85 Vgl. zur Korrespondenz von sozialer Wirklichkeit und Text Hausen, Karin (1988): S. 101.

86 Reuter bezeichnet in ihrer Autobiographie das Schreiben als eine Möglichkeit, »dem seelischen und geistigen Tod [zu] entgehen«. Reuter, Gabriele (1921): S. 421.

87 Weber, Lilo (1996): S. 36, 37.

88 Sowohl unter dem Kriterium der Gesellschaftskritik als auch unter dem der »Dichtung« werden beide Romane vom zeitgenössischen Publikum gelesen und gleichermaßen mit Lob und Tadel bedacht, wie von Heydebrand und Winko in einer überaus gewinnbringenden Studie ermitteln. Trotzdem herrschte und herrscht offenbar ein »double standard of form«, der verantwortlich zu machen ist für das Vergessen des einen und der Tradierung des anderen Romans. Festmachen läßt er sich an der Geschlechterdifferenz der Urheber und der damit verbundenen unterschiedlichen Rezeption. Während z.B. ein Hauptkriterium der positiven Bewertung die literarische Innovation eines Werkes ist, wird Reuters Roman unter dem zeitgebundenen Aspekt gelesen, ein in Frauentexten abwertendes Kriterium, das in männlichen Texten als Strategie

der Universalisierung uminterpretiert wird. Verschwiegen wird bei zeitgenössischen Rezensenten vor allem der literarische Normbruch, also das schonungslose Aufdecken sexueller Nöte einer Frau und der Mißbrauch durch den Mann. Die Folge: *Aus guter Familie* wird als Tendenzliteratur gelesen, *Effi Briest* – bis heute – unter dem Gesichtspunkt der formalen Meisterschaft. Vgl. Heydebrand, Renate von / Winko, Simone (1994): Geschlechterdifferenz und literarischer Kanon. Historische Beobachtungen und systematische Überlegungen, in: Internationales Archiv für Sozialgeschichte der deutschen Literatur, hg. von Georg Jäger, Dieter Langewiesche und Alberto Martino, 19. Bd., 2. Heft, S. 96-172, hier S. 111.

89 Alimadad-Mensch, Faranak (1984).

90 Reuter, Gabriele (1909): Der stille Morgen, in: Dies.: Sanfte Herzen. Ein Buch für junge Mädchen, Berlin, S. 213- 236, hier S. 217.

91 Reuter, Gabriele (1909): S. 226, 227.

92 Reuter, Gabriele (1904): Ebner-Eschenbach, Berlin, Leipzig, S. 10, 11.

93 Reuter, Gabriele (1905): Annette von Droste-Hülshoff, Berlin, S. 3.

94 Der Roman wird wieder (65 Tsd. verkaufte Exemplare) überaus erfolgreich, im übrigen auch *Frauenseelen* (48 Tsd.) und *Der Amerikaner* (40 Tsd.).

95 Klemperer, Victor (1904): S. 873.

96 Reuter, Gabriele (1901): Ellen von der Weiden. Ein Tagebuch, 2. Auflage, Berlin, S. 194.

97 Reuter, Gabriele (1901): S. 229.

98 Vgl. Alimadad-Mensch, Faranak (1984): S. 155.

99 Mann, Thomas (1904): Gabriele Reuter, in: Ders.: Gesammelte Werke in dreizehn Bänden, Bd. XIII, S. 388-398, hier S. 396.

100 Begriff nach Wolf Dieter Stempel.

101 Warning, Rainer (1982): Der ironische Schein: Flaubert und die »Ordnung der Diskurse«, in: Erzählforschung. Ein Symposion, hg. von Eberhard Lämmert, Stuttgart, S. 293.

102 Reuter, Gabriele (1907): Das Problem der Ehe, o.O., S. 48.

103 Reuter, Gabriele (1908): Selbstanzeige: Das Tränenhaus, in: Westermanns Monatshefte, Bd. 105, H. 627, S. 477.

104 Reuter, Gabriele (1908): S. 141.

105 Lange, Helene (1903/1904): Die Frauenbewegung und das »Recht auf Mutterschaft«, in: Die Frau. Monatszeitschrift für das gesammte Frauenleben unserer Zeit, hg. von Helene Lange und Gertrud Bäumer, 11, S. 194, 195, S. 194.

106 Reuter, Gabriele (1908): S. 138.

107 Reuter, Gabriele (1907): S. 23.

108 Ebd.: S. 32.

109 Reuter, Gabriele (1910): Die Erziehung des Mannes durch die Frau, in: Die neue Generation 1, Berlin, S. 19-27, hier S. 21.

110 Ich folge hier im wesentlichen der Arbeit von Alimadad-Mensch, die sich mit den politischen Äußerungen Reuters in der »Neuen Freien Presse Wien« zwischen 1918 und 1926 auseinandergesetzt hat. Vgl. Alimadad-Mensch, Faranak (1984): S. 190-193.

111 Vgl. Alimadad-Mensch, Faranak (1984): S. 193.

112 Reuter, Gabriele (1921): S. 260, 261.

113 »Gabriele Reuter at Eighty«, in: New York Times, 5. 2. 1939, S. 8.

114 Reuter, Gabriele (1920): Geschichten aus meinen Vortragsfahrten, in: Velhagen und Klasings Monatshefte, Bielefeld, S. 81-85, hier S. 81.

115 Reuter, Gabriele (1920): S. 82.

116 Reuter, Gabriele (1921): S. 462.

117 »Gabriele Reuter«, in: Neues Tageblatt, 30.1.1909, Stuttgart.

118 »Gabriele Reuter«, in: Neues Tageblatt, 28.1.1909, Stuttgart.

119 »Frau Gabriele Reuter als Rezitatorin ihrer eigenen Werke«, in: Hamburger Fremdenblatt, 3.2.1906, Hamburg.

120 »Gabriele Reuter – Vorlesung«, in: Neue Freie Presse Wien, 7.4.1902.

121 Henninger, Marieluise (o.D.): Thüringer Allgemeine Zeitung, Das Schatzkästlein, S. 14.

122 Emma Reichen (1901): Wie sehen unsere Schriftstellerinnnen aus?, in: Der Weltspiegel. Illustrierte Halbwochen-Chronik des Berliner Tageblatts, Nr. 20, 10.3.1901, Berlin.

123 »Gabriele Reuter im Verein für Mutterschutz«, in: Neues Tageblatt, 1.2.1909, Stuttgart.

Bernd Balzer

»Zu dichten
war mir selbstverständlich ...«

Ricarda Huch (1864–1947)

Ricarda Oktavia Huch wird am 18. Juli 1864 als drittes Kind
des Kaufmanns Georg Heinrich Richard Huch und seiner Frau
Emilie, geb. Hähn in Braunschweig geboren. Ihr Bruder Rudolf (1862–1943) ist ebenfalls schriftstellerisch hervorgetreten,
ebenso wie ihre beiden Vettern, Friedrich (1873–1913) und Fe-
lix Huch (1880–1952). Ricardas Mutter kränkelt nach Ricardas
Geburt (sie verstirbt 1883), weshalb die Großmutter, Emilie
Hähn, im Mittelpunkt der Familie steht, da Ricardas Vaters sich
häufig in Brasilien aufhält, wo der Schwerpunkt seiner Geschäf-
te liegt.

Ist Ricardas Mutter, deren »heiteren Geist« sie geerbt zu haben meint, musikalisch interessiert, so lebt der Vater im Zwiespalt zwischen seinen literarischen und historischen Vorlieben
und den ökonomischen Zwängen seines Berufs, dem er letztlich nicht gewachsen ist: Bei seinem Tod (1887) im 57. Lebensjahr ist der Niedergang seiner Handelsfirma weit fortgeschrit-
ten: »Der Glanz unseres Hauses begann zu erlöschen, wenn
auch der Zuschnitt im wesentlichen sich gleich blieb und nichts
von Enge und Kleinlichkeit eindrang.«[1]

Ricarda wächst behütet, geradezu abgeschirmt auf – das Bild
des Gartens hinter dem Haus ihrer Eltern, von Hecken und
Bäumen abgeschlossen und an das Ufer der Oker grenzend,
bestimmt nicht von ungefähr den Beginn ihrer autobiographischen Schriften.[2] In diesem »von der Welt abgeschlossenen
Traum der Kindheit«[3] findet die Außenwelt zunächst nur Zu-
tritt in Gestalt der Gouvernante, dann jedoch durch Anna Klie
(1858–1913), die spätere Jugendbuch-Schriftstellerin, der Ricarda lebenslang verbunden bleibt. Es ist Anna Klie, die das

Ricarda Huch

literarische Interesse Ricardas weckt und dessen Richtung mit
der gemeinsamen Lektüre der Werke Kellers mitbestimmt. Aus
einem Lesekreis, der sich fortan im Hause Huch trifft, um Texte, auch Dramen, mit verteilten Rollen zu lesen, ist mit der Rezension »*Donna Diana*« von *Moreto*[4] der (nach einigen Kinder-
gedichten[5]) erste schriftstellerische Versuch der 16jährigen Ricarda erhalten.[6] Eine schwärmerische Liebe zu einem der an
diesem Kreis Beteiligten bleibt unerwidert. Das Bemühen ihres Vetters, sie zu trösten, hat ein Liebesverhältnis zu Folge,
das ihr Leben entscheidend verändert und bis ins hohe Alter
bestimmt. Denn Richard Huch (1850–1914) ist seit 1879 mit
Ricardas Schwester Lilly verheiratet, mit der er bereits zwei
Kinder hat, denen ein drittes folgen soll.

Das Erlebnis dieser Liebe, ihre überraschende Plötzlichkeit
und Gewalt, bedeuten nicht nur einen wesentlichen Einschnitt
in das Leben Ricarda Huchs, es wird auch zu einem entscheidenden Motiv für ihr und in ihrem Werk. Das wird in ihren
Aufzeichnungen, aus einem Abstand von fast 60 Jahren geschrieben, immer noch deutlich:

Mein Schwager legte den Arm um mich und sah mich an. Von diesem Augenblick an liebte ich ihn. [...] Ich stand in Flammen, die Welt
war verändert. [...] Es gab nichts mehr als diese Leidenschaft. Ihr
Recht war ihre Gewalt [...] Machte sie andere unglücklich, so waren
wir selbst noch unglücklicher. [...] Es gab keinen Kampf in meinem
Innern; denn jedes Gefühl wurde von diesem einzigen unterworfen.[7]

Geheimgehalten zunächst, dann doch von der Familie und
schließlich auch von der Nachbarschaft bemerkt, halten Ricarda
und Richard diese Beziehung aufrecht, bis die Situation nach
dem Tod der Mutter unhaltbar zu werden droht, zumal Lilly
sich wegen ihrer Kinder weigert, sich scheiden zu lassen. Eine
Freundin aus den Tagen der Privatschule gibt Ricarda den
Anstoß, Braunschweig zu verlassen, um zu studieren, obwohl
ihr eigentlich »der Gedanke ans Studieren fern«[8] liegt. Der Kie-
ler Soziologe Ferdinand Tönnies rät ihr zum Studium in der
Schweiz, die, früher als Deutschland (in Zürich seit 1867), Frau-
en zum Studium zuläßt. Am 1. Dezember 1886 verläßt sie
Braunschweig in Begleitung ihres Bruders, da eine unbegleitete
Reise selbst für eine 22jährige als unschicklich gilt. In Zürich
will sie studieren, muß zuvor jedoch die Matura (Abitur) nachholen, was ihr trotz des Fehlens jeglicher Kenntnisse in Latein,

Mathematik und großer Lücken in den anderen Pflichtfächern nach nur einem Jahr intensiver Vorbereitungen gelingt. Sie besteht in allen Fächern mit Bestnote und immatrikuliert sich am 21. April 1888 an der Universität, um Geschichte zu studieren.

An der philosophischen Fakultät der Universität Zürich studieren ein Jahr nach Ricardas Immatrikulation 17 Frauen, darunter auch Rosa Luxemburg. Mit ihr hat sie jedoch keinen Kontakt, wohl aber mit einem Mecklenburger Studenten der Nationalökonomie und Sozialdemokraten:

Das bedeutete für die damalige Bourgeoisie ungefähr dasselbe wie Verbrecher zu sein. Ich wußte nicht viel von sozialistischen Theorien, aber ich war für die Richtung eingenommen, die das Los der Arbeiter, also der ärmsten und rechtlosen Klasse, verbessern wollte. Überhaupt hatte ich eine unwillkürliche Neigung zum Revolutionären.[9]

Sie hört Vorlesungen über Sozialismus und lernt weitere Sozialdemokraten und auch einige der zahlreichen russischen Emigranten kennen. »Die Spur, die die Berührung mit den jungen Sozialdemokraten« bei ihr hinterläßt, gerät »poetisch und historisch«;[10] sie schreibt eine Komödie, die »zur Zeit der Dreißig Tyrannen in Athen« spielt. Das Stück ist verlorengegangen. Ferdinand Tönnies mißbilligt ihr Geschichtsstudium. »Die sociale Frage [...] ganz besonders die Frauenfrage« sieht er als den ihr angemessenen Gegenstand.[11] Sie jedoch studiert das gewählte Fach mit Intensität und Zielstrebigkeit – und mit einer durchaus selbständigen Vorstellung der Geschichte:

Bei dem mir angeborenen Hang für die Historie hatte ich ziemlich viel Geschichtswerke gelesen; aber ich liebte die Geschichte als den farbigen Strom des Geschehens, aus dem große Persönlichkeiten auftauchten, die ich kämpfen und siegen oder unterliegen sah, als den Stoff, in den meine Phantasie hineingriff, um ihn dramatisch zu gestalten.[12]

Das naive Moment dieses Geschichtsbegriffs überwindet sie rasch, der Blick auf den »farbigen Strom« der Geschichte bleibt ihr zeitlebens, was präzise Wissenschaftlichkeit keineswegs behindert, sondern produktiv ergänzt. Davon zeugt bereits ihre 1891 fertiggestellte Dissertation *Die Neutralität der Eidgenossenschaft besonders der Orte Zürich und Bern während des spanischen Erbfolgekrieges*, die sorgfältige quellenkritische Materialausbreitung mit farbiger Gestaltung verbindet und die zugleich auch für sie selbst den Stoff abgibt für die Komödie *Der Bundes-schwur* (1890) und die Erzählung *Die Hugenottin* (1893).

Noch vor der Promotion legt sie die Diplomprüfung für das höhere Lehramt ab, »um möglichst gut für den Daseinskampf gerüstet zu sein«.[13] An ihrem 27. Geburtstag, am 18. Juli 1891, besteht sie nach einem nur dreijährigen Studium die mündliche Doktorprüfung.

Auch ihr literarisches Debüt fällt in diese Zeit: 1888 veröffentlicht die Berner Zeitschrift »Der Bund« zunächst einige Gedichte, dann die Erzählung *Die Goldinsel* unter der anagrammatischen Verfasserangabe »R.I. Carda«, die ihr vor allem die Freundschaft und Förderung des Redakteurs Josef Viktor Widmann einträgt, der auch ihre erste selbständige Publikation, eine unter dem Pseudonym »Richard Hugo« 1891 erscheinende Gedichtsammlung, durch ausführliche Rezensionen zu fördern weiß.

Ihr Schweizer Examen wird in Deutschland nicht anerkannt; deshalb nimmt sie das Angebot einer Halbtagsstellung als Bibliothekarin bei der Zürcher Stadtbibliothek an und zusätzlich die einer Deutschlehrerin zunächst an einer Privatschule, dann (ab 1895) an der städtischen höheren Mädchenschule. Die Mühen um eine gesicherte Existenz behindern ihr Schreiben, sie beklagt die »dichtungslose, die schreckliche Zeit«.[14] Immerhin entstehen die Schauspiele *Evoe!* (1892) und *Dornröschen* (1893) und die Novelle *Haduwig im Kreuzgang* (1892) in diesen Jahren. Vor allem schreibt sie an ihrem ersten Roman, *Erinnerungen von Ludolf Ursleu dem Jüngeren* (1893).

Trotz der weiterbestehenden Bindung an Richard Huch verliebt sie sich in den sechs Jahre jüngeren Schweizer Edouard Marmier aus Estavayer, verlobt sich wenig später mit dem Autor Emanuel Zaeslin und vermag doch nicht die Bindung an Richard aufzuheben. Im Roman verwendet und überhöht sie diese Motive, ohne damit doch ihre Probleme lösen zu können.

In dieser Situation nimmt sie die Einladung der Gründerinnen einer Privatschule aus Bremen an und hält dort zunächst Vorträge über das England Cromwells und die Romantische Schule. Die Nähe Bremens zu Braunschweig bringt das Verhältnis zu Richard in eine neue Krise. Anfang 1897 willigt Lilly überraschend in die Scheidung ein, und Richard und Ricarda planen Ehe und gemeinsame Zukunft in Paris. Im Februar, auf der gemeinsamen Reise dahin, erklärt ihr Richard, daß er sich

von seinen Kindern nicht trennen könne und fährt wieder zu
seiner Familie.

Ricarda Huch kehrt verzweifelt nach Bremen zurück – »ich
hatte mein Gewissen einem Trugbild geopfert«,[15] stürzt sich
in ihre Arbeit und eine neue Verlobung, was sie jedoch nicht
daran hindert, Bremen und den ungeliebten Lehrerberuf im
Mai 1897 zu verlassen, um sich »[...] der Tätigkeit ganz hinzugeben, zu der ich mich berufen fühlte. Wohl war es ein
Sprung ins Ungewisse, da die regelmäßigen Einkünfte weg-
fielen, wenn ich die Lehrtätigkeit aufgab; aber ich wollte es
wagen«.[16]

Sie geht nach Zürich, um an ihrem Romantik-Buch zu arbeiten (der erste Band erscheint 1899), begleitet noch im September ihre Freundin Marie Baum nach Wien und findet dort eine
Wohnung.

Als Mitbewohner ihrer Wiener Pension lernt sie den italienischen Zahnarzt Dr. Ermanno Ceconi kennen. Er kümmert sich
um ihre kranken Zähne und sehr bald verlieben sie sich ineinander trotz unterschiedlicher Herkunft, kaum vorhandener
gemeinsamer Interessen und beide bedrängender finanzieller
Probleme. Im Juli 1898 wird die Ehe in Wien geschlossen, und
das Paar zieht nach Triest, wo Ceconi eine Assistenzarztstelle
erhalten hat. Dort wird im September 1899 die Tochter Marietta geboren.

Ricarda verträgt das Klima schlecht, Geldsorgen drücken
weiter, und sie betreibt die Rückkehr nach Deutschland. Im Juli
1900 geht die Familie nach München, lebt zunächst in beeng-
ten Verhältnissen und verstärkter Geldnot, da Ceconi erst die
deutsche Approbation nachholen muß. Die Anregungen des
Schwabinger Künstlerkreises, der wachsende Ruhm der Dichterin und die zweite Wohnung, ein Gartenhaus in Grünwald,
in dem sie sich trotz schlichtester Einrichtung »wie in einer
glücklichen Insel im Weltall schwebend«[17] empfindet, bieten
doch die Bedingung für ihre produktivste Phase: Es erscheinen der 2. Band ihrer Romantik-Studien (*Ausbreitung und Verfall der Romantik*, 1902), die Romane *Aus der Triumphgasse* (1902),
Vita Somnium Breve (1903, später unter dem Titel *Michael Unger*),
Von den Königen und der Krone (1903), die Erzählungen *Seifen-
blasen* (1905), dazu ein Buch über Gottfried Keller (1904), eine
dramatische Skizze (*Tod und Muse*, 1901).

Ende 1905 löst sich die Ehe mit Ceconi auf: Anlaß ist eine

Affäre Ceconis mit Käte Huch, Richards Tochter. Eine Begegnung Ricardas mit Richard aus diesem Anlaß läßt ihre Liebe
zu ihm wieder aufflammen und macht eine Rückkehr zu Ceconi
unmöglich.

Nach der Scheidung im März 1906 zieht sie nach Braunschweig, wo im Juli 1907 die Trauung mit Richard Huch stattfindet:»Ich war, als wir heirateten, 43 Jahre alt, Richard 57; das
machte zusammen 100.«[18] Die Ehe gerät zur erwartbaren Kata-
strophe, wobei die Abneigung Richards der Tochter Ricardas
gegenüber den äußeren Anlaß bietet. Nach drei Jahren trennt
man sich, der unerfreuliche Scheidungsprozeß zieht sich ein
Jahr hin. Dennoch entsteht in diesem Jahr der Roman *Das Leben des Grafen Federigo Confalonieri*.

Sie kehrt nach München zurück und bleibt dort bis 1916.
Die Stadt verleiht ihr die Ehrenbürgerwürde, benennt eine Straße nach ihr.

Ein gutes Einvernehmen stellt sich auch mit Ceconi wieder
her, und eine Liebes-, dann Freundschaftsbeziehung verbindet sie seit 1914 mit Heinrich Wölfflin.

Während des Krieges übersiedelt sie mit der Tochter nach
Bern, kehrt 1918 nach München zurück, wo sie bis 1927 wohnt
– unterbrochen von längeren Aufenthalten in Padua bei Ceconi.

Nach dessen Tod und der Eheschließung ihrer Tochter mit
dem Juristen Franz Böhm geht sie für fünf Jahre nach Berlin,
wird – »als erste Frau« – in die Preußische Akademie berufen.
Der Goethepreis der Stadt Frankfurt am Main folgt als weitere
Ehrung 1932. Von da an bestimmt der Berufsweg des Schwie-
gersohns die Wohnorte: Heidelberg, Freiburg und ab 1936 Jena.
Inzwischen hat Ricarda die Mitgliedschaft in der Akademie
aufgekündigt, da sie sich nicht in der Lage sieht, die Loyali-
tätserklärung gegenüber dem nationalsozialistischen Staat zu
unterzeichnen. 1938 wird gegen sie und Franz Böhm ein Er-
mittlungsverfahren eingeleitet, weil sie in einem Gespräch in
ihrem Hause die Juden in Schutz genommen hat und denun-
ziert worden ist.

Das Kriegsende trennt die Familie. Mit ihrer Tochter bleibt
sie in Jena, wird von der sowjetischen Besatzungsmacht und
der neuen Thüringer Landesregierung umworben: Sie wird
Alterspräsidentin der Beratenden Landesversammlung Thüringens, Ehrenvorsitzende des Thüringer Kulturbundes; den
Vorsitz im demokratischen Frauenbund lehnt sie ab.

Der zunehmende politische Druck in »diesem Sklavenlande«[19] läßt sie schließlich doch nach einer Möglichkeit zur Ausreise suchen. Als Ehrenpräsidentin des Ersten Deutschen Schriftstellerkongresses im Oktober 1947 nutzt sie ihren Aufenthalt in Berlin, um am 25. Oktober in einem verschlossenen Militärzug über Hannover nach Frankfurt zu reisen. Von den Strapazen dieser Reise erholt sie sich nicht mehr und stirbt am 17. November 1947 in Schönberg im Taunus im Gästehaus der Stadt Frankfurt.

»Zu dichten war mir selbstverständlich; ich hatte es getan, seit ich denken konnte, und daß es einmal mein Lebensberuf sein würde, stand für mich fest«,[20] schrieb sie im Rückblick und konkretisierte wenig später: »Seit meinem fünften Lebensjahre hatte ich Gedichte gemacht, später Novellen geschrieben; es war mir immer bewußt, daß dies meine Aufgabe, meine Leidenschaft war, der ich irgendwann einmal genügen würde.«[21]

Beide Äußerungen stammen aus den späten 30er Jahren. Das pathetische und seit dem Sturm und Drang in Deutschland durchaus traditionelle Verständnis des Dichtertums als Berufung gilt aber bereits für die junge Ricarda Huch, die im Zusammenhang mit ihrem Drama *Evoe!* schrieb: »[...] zu welchem Zwecke dichtet man denn? Doch nicht, um irgend einem anderen Menschen Vergnügen zu machen, sondern einer eigenen Nötigung folgend und eigenen Idealen nachgehend«.[22] Und noch in einem ihrer letzten Texte, dem Entwurf zur Abschlußrede auf dem Schriftstellerkongreß im Oktober 1947, stellt sie den »akademischen« Debatten über die Aufgabe des Schriftstellers die gleiche Auffassung entgegen:

[...] wenn einmal ein bedeutender Dichter oder Schriftsteller kommt [...], so wird er sich um die Fragen, was ein Dichter soll und muß und darf und nicht darf, gar nicht kümmern. Er wird nur seinen Genius fragen und sich selbst Gesetze geben, und es wird gut und richtig sein.[23]

Natürlich klingt da Goethes Formel mit vom »Gesetz, wonach du angetreten. So mußt du sein, dir kannst du nicht entfliehen«.[24] Goethe versuchte, dieses »Gesetz« mit dem Begriff des »Daimonions« zu umschreiben und Ricarda Huch ist ihm – ohne ausdrückliche Berufung auf Goethe – darin sowohl in ihren dichtungstheoretischen Überlegungen als auch in ihren literarischen Texten gefolgt. Das »Daimonion«, verstanden als rational nicht zu begründende und zu erfassende Naturgewalt, das sich an die »moralische Weltordnung« nicht hält und das dennoch Maßstab echter Humanität sein soll, erscheint in ihrer Sprache als »Geist«, Idee, oder »Kraft« und entzieht sich auch in dieser Begrifflichkeit der Analyse, der nur die geistesgeschichtliche Herleitung aus der idealistischen Philosophie bleibt.[25] In ihren Romanen manifestiert sich diese Kraft in bestimmten Persönlichkeiten, sie wird gefaßt in mythischen Bildern – Feuer, Wasser, der Krone[26] –, oder sie erscheint gar als Paradoxon, das Ricarda Huch auch gegen den Einwand der Logik verteidigt:

Die Wahrheit ist immer paradox und das Leben auch: beides ist richtig, das Schicksal ist sowohl im Menschen wie über ihm. Man soll sich dem Schicksal unterwerfen, und soll es auch bekämpfen. Es liegt im Ganzen und im Einzelnen, wie sich Gott im Einzelnen sowie im Ganzen offenbart.[27]

Schreibmotivation und Dichtungsverständnis Ricarda Huchs entspringen der Erfahrung des durchaus nicht als Stigma erlebten Außenseitertums seit ihrer Kindheit und der als geradezu kosmisch erlebten »Gewalt« ihres ersten Liebeserlebnisses. Ihr Werk ist aber gerade dadurch gekennzeichnet, daß eigenes Erleben, aber auch jedes andere Element der Wirklichkeit oder der Geschichte, auf eine andere grundsätzlichere Ebene gehoben werden. Das dokumentiert bereits ihr Romanerstling, *Erinnerungen von Ludolf Ursleu dem Jüngeren*. Gegen den zu der Zeit »modischen Naturalismus«[28] grenzt sie sich in dieser Phase entschieden ab:

Das Unwahre liegt meiner Meinung nach bei Halbe, Zola und allen solchen Leuten nicht in dem was sie schildern, sondern darin, daß sie nichts als das schildern. Es ist, wie wenn einer die Natur sähe mit Augen, die nur für eine Farbe da sind.[29]

Dagegen formuliert sie für sich selbst drei Jahre früher: »Ich finde, jedes Kunstwerk hat einen gewissen unnennbaren Schmelz, ein Gepräge, ein Etwas, was es eben zum Kunstwerk macht.«[30] Von Beginn ihres Schreibens ist sie sich klar, daß ihre »Visionen« künftiger Dichtungen, »von dem in Deutschland herrschenden Geschmack«[31] ganz abweichen. Und dieses Urteil bewahrheitet sich in gleicher Weise gegenüber den Strömungen, die den Naturalismus in Deutschland abzulösen beginnen: Dem Jugendstil und der Décadence der Jahrhundertwende. Zwar besucht sie 1896 Worpswede und ist von der Jugendstil-Malerei Heinrich Vogelers begeistert, der zwischen 1902 und 1904 auch mehrere Ausgaben ihrer Bücher illustriert,[32] und sie veröffentlicht 1898 einen Aufsatz in der Zeitschrift »Ver Sacrum«,[33] die wenig später in »Jugend« umbenannt wird und dem »Jugendstil« den Namen gibt – die Faszination des fin de siécle für Morbidität, Tod und Verfall teilt sie jedoch keineswegs. Der Niedergang der Familie Ursleu weist eher voraus auf den »Verfall einer Familie«, wie ihn Thomas Mann einige Jahre später in seinem Roman »Die Buddenbrooks« gestaltet. Sämtlichen »-Ismen« der vielgestaltigen literarischen Szenerie der Jahrhundertwende gegenüber wahrt Ricarda Huch ihre Selbständigkeit.

In ihrem eigenen Roman sind die Figuren leicht zu identifizieren: Ludolf – Ricardas Bruder Rudolf; Lucile – ihre Schwester Lilly; man erkennt Großeltern und Eltern, vor allem aber in Ezard ihren Schwager Richard und in Galeide sie selbst. Der Roman ist aber keine Autobiographie: »Jenseits aller gerechtfertigt erscheinenden literaturpsychologischen Dekonstruktionsvorhaben liest sich gerade dieses Werk Ricarda Huchs als außerordentlich spannendes Artefakt.«[34]

»Wahrheit ist, daß jener Ezard lebt, Dichtung ist, daß seine Frau gestorben wäre, sie lebt und ist meine Schwester«, schreibt Ricarda Huch im Mai 1893 an Widmann und fährt fort: »Das ist nun schlimm genug, aber doch fühle ich mich in gewisser Weise glücklich dabei.«[35] Hier ist die Anspielung auf Goethe und sein Verhältnis von »Dichtung und Wahrheit« überdeutlich, und auch Widmann hat es so gesehen: »Es wäre mir ganz himmelangst um Sie, dächte ich nicht, daß das eben der glückliche Vorteil der Dichter ist, einen Werther, eine Galeide so los zu werden und daran genesen zu können.«[36]

Distanz ist dazu vor allem nötig, und sie gewinnt diese durch das Stilmittel der Fiktion eines Altersrückblicks des zwischen Stoff und Autor gestellten Erzählers und durch das Bestreben, persönliches Erleben zu transzendieren, zu verwandeln in eine menschliche Grundproblematik, zur Frage nach der Menschheit und Geschichte bestimmenden Macht. Als »Blitz« ist diese schon in den ersten Zeilen des Romans bildlich erfaßt, als »Schicksal« im Verlauf der Handlung beschrieben – Goethes »Daimonion« wird auch hier kenntlich: »Was sie tut, muß sie tun, wie ein Wasserfall stürzen und ein Feuer brennen muß.«[37]

Das Schicksal, der »Blitz«, die Liebe erfassen Ezard und Galeide mit urplötzlicher Gewalt. Diese Liebe ist zerstörerisch, vernichtet die moralische, wirtschaftliche, schließlich sogar die physische Existenz der Familie. Sie wird jedoch von beiden, wie auch von den überlebenden Angehörigen als höheres Recht, als »etwas Heiliges und Ewiges« verstanden, das ihnen die Kraft gibt, sämtliche Folgen zu ertragen. Zugleich aber wird sie infrage gestellt durch eine ebenso selbstkritische Haltung: In dem Augenblick, als durch den Tod Luciles der Weg frei zu sein scheint für Ezard und Galeide, verliebt sie sich gegen ihren Willen – geradezu gegen ihr Sträuben – in Gaspard Leroy:

[...] was war denn nun diese Leidenschaft und dieses Schicksal? Es zeigt sich ja jetzt, daß es nichts als Zufall war! Wenn Gaspard nun schon damals gekommen wäre? Was war denn der Zweck in diesem gewaltigen Aufwand, den das Schicksal mit uns machte? Nun ist alles, alles, alles umsonst.[38]

Galeide begeht Selbstmord, mit dem sie nicht etwa wenigstens in einem Augenblick Handlungsfreiheit gegenüber dem Schicksal gewinnt oder die verletzte Moral versöhnt, sondern der nur die Reihe der vom Schicksal diktierten Zufälle verlängert. Der Widerspruch im Schicksalsbegriff zwischen »Zufall« und höherem Recht bleibt unaufgelöst; notwendigerweise – denn Unerklärlichkeit ist konstitutiv für den Begriff des »Daimonions« – und glücklicherweise – denn aus dem ständigen weiteren Bemühen um die Erfassung oder wenigstens Gestaltung der hinter der menschlichen und historischen Entwicklung stehenden Kräfte ist ihr monumentales Gesamtwerk entstanden.

Nach dem *Ursleu*-Roman sind Familiengeschichte und eigenes Leben noch einmal Stoff für *Vita Somnium Breve* (*Michael Unger*), und das »Du« ihrer Liebeslyrik ist davor und danach zumeist Richard, zwischen 1899 und 1905 auch Ermanno Ceconi. Aber selbst bei den Gedichten, die sie Richard brieflich mitteilt, dementiert sie das klassisch-romantische Klischee von der unmittelbar in Sprache sich verwandelnden Empfindung: Die Formel »Gedicht gemacht« leitet stereotyp die Mitteilung ein[39] und betont im »Gemachten« den Charakter als Artefakt. Und das von Beginn an genutzte Mittel der Ironie und des Humors unterstützen das Verfahren, Abstand herzustellen.

Die Freundin aus den Züricher Studientagen, Hedwig Waser, ist Modell für die Heldin der Novelle *Haduwig im Kreuzgang*, Ermanno Ceconi für die Titelfigur von *Der Fall Deruga*. *Aus der Triumphgasse* (1902) beruht auf den Erzählungen ihrer Triester Haushälterin, die Garibaldi-Romane (1906–1907) und der *Confalonieri* (1910) sind ohne die Italien-Erfahrungen Ricardas nicht zu denken. Aber solche Voraussetzungen sind nicht der jeweils entscheidende Aspekt dieser Werke. Der ist vielmehr gerade in der Verwandlung der biographischen oder historischen Stoffe zu suchen.

Dafür ist der dritte Roman, *Vita somnium breve* (1903), ein besonders prägnantes Beispiel: Wieder ist die problematische Liebesbeziehung zu Richard Huch Grundlage eines Romans; die eigenen Lebensstationen bestimmen das geographische Kolorit, und der Zeitgeist scheint die Stimmung zu prägen: Der Ausbruch des Helden Michael Unger aus der Enge bürgerlicher Verhältnisse unter dem ekstatischen Motto »o Leben, o Schönheit«, das Unger (neo)romantisch im Rauschen der Bäume zu hören meint, und das leitmotivisch den Roman durchzieht, scheint, wie auch der resignative Schluß, dem Lebensgefühl der Wiener Moderne um Hofmannsthal oder Leopold Andrian zu entsprechen. Tatsächlich jedoch wird Zeitgeist hier nur beschworen, um mit ihm abzurechnen: In der Figur des »Freiherrn vom Geist« – eine durch und durch ironische Namensgebung[40] – amalgamiert sie nahezu sämtliche modischen Zeitströmungen vom Nietzscheanismus über neoromantische Schwärmerei bis zur kunstbeschwörenden Lebensverachtung, um sie in eben dieser Figur ad absurdum zu führen. Die »Bestie Gesellschaft« führt der Freiherr vom Geist ständig im Munde: Dem l'art pour l'art-Gedanken stellt Ricarda Huch gerade die Verbindung von Kunst und Leben als Programm entgegen. Dem entspricht ihr scheinbares alter ego im Roman, die Malerin Rose Sathorn, keineswegs. Sie konzentriert sich auf die Schönheit; das Leben bietet ihr bestenfalls ein Schauspiel, das sie abmalen kann. Michael Unger, der von der Liebe zu ihr ebenso »blitzartig« und schicksalhaft erfaßt wird, wie Ezard von jener zu Galeide, trennt sich am Schluß von ihr und kehrt in die bürgerliche Existenz zurück. Das ist Resignation als Ausdruck einer fehlenden Alternative. Rose endet jedoch ebenfalls in bürgerlicher Gewöhnlichkeit als Mutter und Ehefrau an der Seite des Freiherrn vom Geist: Die scheinbaren Antipoden aus der Sicht des Ästhetizismus – »freier Geist« und Ästhetentum auf der einen, philisterhafte Bürgerlichkeit auf der anderen – erweisen sich in diesem ironisch zugespitzten Schlußarrangement als identisch, bestenfalls als Spielarten der gleichen Begrenztheit.

In den »Lebensskizzen«[41] *Aus der Triumphgasse* hat Ricarda Huch ein Jahr vorher »erlebte Wirklichkeit« ihrer Triestiner Haushälterin als »Kern« aufgefaßt, um »ein künstlerisches Gebilde« daraus zu entwickeln. Die »schmerzliche Düsternis«[42] dieser Skizzen läßt des Mißverständnis ästhetischer Verklärung von vornherein nicht zu – die Distanz zur Lebenswelt der Leser ermöglicht allerdings die vordringliche Wahrnehmung des pittoresk Fremden; ein Eindruck, der sich *Von den Königen und der Krone* (1904) ebenfalls einstellt, wofür in diesem Fall das mythische Sujet und der an den Fabelstil erinnernde Erzählgestus verantwortlich sind. Aber: »Im Symbol der verborgen gehüteten Krone verdichten sich alle Hoffnungen eines heute mißachteten Volkes auf Befreiung, auf wahre Gerechtigkeit und ein erfülltes menschliches Leben.«[43]

Die mythische Camouflage erlaubt die ungehindert kritische Abrechnung mit zahlreichen Ideologien und Gesellschaftskonstrukten, die Ricarda Huch ad absurdum führt, indem sie sie an einer Utopie mißt, die hier in die legendenhafte Urzeit eines Königtums weist, in der ein von den Göttern ausgezeichneter König gerecht aber unbeschränkt patriarchalisch über sein Volk herrscht und sein Wohl garantiert. In der Romangegenwart ist solche Harmonie verlorengegangen, und die Versuche des Protagonisten Lasko, sie auf andere, scheinbar zeitgemäßere Weise zu erreichen, scheitern: Eine bürgerliche Revolution läßt die Krone verlorengehen. Das moderne Konzept des technischen Fortschritts verkörpert die Figur Lastaris, der Fabriken gründet, durch Förderung des Tourismus den Lebenstandard der Bevölkerung zu heben sucht, sogar die Absicht hat – und da wird das satirische Moment fast prophetisch – die Höhle, in der die Krone aufbewahrt war, zu illuminieren und selbst als Fremdenführer die Sehenswürdigkeiten zu erklären. Auch er scheitert, zerbricht an der »Kraft«, für die die Krone nur Zeichen ist.

Ein letztes Mal gestaltet Ricarda Huch hier das »Daimonion« im mythisch-symbolischen Bild, das noch in der Schlußwendung des Romans sich als zeichenhaftes Versprechen für eine

Zukunft zeigt, indem der Wein aus der am Grab Laskos zerschmetterten Flasche »glatt und schwarz, wie der reife Samen eines paradiesischen Lebensbaumes, auf die langsam aufsaugende Erde«[44] tropft.

Solch Versprechen verlangt nach Konkretion – die in der Gegenwart des niedergehenden Wilhelminismus (einer Karikatur des »Königtums«, wie Ricarda Huch es versteht) nicht zu gestalten ist. Ihre »Wendung zur Geschichte«[45] – allzu häufig nur biographistisch auf den endgültigen Bruch mit Richard Huch zurückgeführt[46] – ist aus dieser Einsicht zur einen Hälfte zu begreifen, zur anderen aus ihrem Geschichtsverständnis.

Garibaldi wird zum Protagonisten in den zwei vollendeten Romanen einer ursprünglich geplanten Trilogie.[47] Die Reaktion der Leser, die »nicht recht wußten, ob sie es mit Geschichte oder Erdichtung zu tun«[48] hatten, bestätigt die Bedeutung des spezifischen Geschichtsbegriffs, der in den weiteren Werken noch deutlicher in den Mittelpunkt tritt mit dem Höhepunkt von *Der große Krieg in Deutschland* (1912–1914).

Der Kampf Italiens um seine nationale Identität und Unabhängigkeit gegen das Joch absolutistischer Unterdrückung ist ein gutes Exempel für den Versuch, den Widerspruch zwischen Humanitätsideal und sozialer Wirklichkeit zu konkretisieren, vielleicht sogar ein Modell für seine Überwindung. Garibaldi, der innerhalb der europäischen Revolutionsbewegung von 1848 an der Spitze des italienischen Kampfes stand und ihn nach erstem Scheitern zehn Jahre später für Victor Emanuel doch noch wenigstens zu einem Teilerfolg führte, erscheint als der geeignete Protagonist, um die bei aller Resignation doch hoffnungsvolle Zukunftsperspektive des *Königs*-Romans einlösen zu können. Huch gestaltet die Figur auch als den – im Sinne ihrer früheren Romane – »königlichen« Menschen, der in der Lage sein soll, mit der Gewinnung des eigenen Selbstbewußtseins auch seine Zeit auf die Höhe ihrer selbst zu heben. Den geplanten dritten Teil wird Ricarda Huch allerdings nicht mehr schreiben. Garibaldi »war in dieser Zeit erschienen wie ein Geist der Vorzeit, dessen übermenschlicher Wuchs und heldenhaftes Schreiten mit den Maßen der verfeinerten Gegenwart nicht in Einklang zu bringen war und das kunstvoll verschlungene Triebwerk ihrer Verhältnisse zerreißen mußte«, so charakterisiert sie ihn in diesem Roman selbst. Garibaldi ist der große Täter, der »einem Gesetz in sich« folgt, dem er um jeden Preis zur Geltung verhilft und damit zum – Erfolg? Die Verfassung, die er Italien erkämpft, ist schließlich ebensowenig Ausdruck des Ausgleichs sozialer Widersprüche und der Realisierung humaner Lebensform wie die Verfassung, in der sich die europäischen Staaten in der Zeit der Entstehung des Romans befinden, als ein Ergebnis der 48er Revolution und der durch sie ausgelösten Reaktion. Der scheinbare Erfolg Garibaldis ist letztlich ein Scheitern. Deshalb wohl vor allem bleibt dieses Werk ein Torso. In der Kennzeichnung Garibaldis als »Geist der Vorzeit« ist die wesentlichste der Ursachen dieses Scheiterns mitformuliert: Garibaldi ragt als eine Art erratischer Block in das 19. Jahrhundert. Er ist zu dem Selbstbewußtwerdungsprozeß nicht in der Lage, den Ricarda Huch vor allem als die Bedingung der Möglichkeit humaner Weltveränderung ansieht.

So wird ein anderer zum Protagonisten für ihre Geschichtsphilosophie: der Mailänder Federigo Confalonieri, den sie als modernen Menschen sieht, als Gegentypus zu Garibaldi. Seinen Bewußtwerdungsprozeß beschreibt der Roman *Das Leben des Federigo Confalonieri* (1910). Nach einer Jugend in innerer Zerrissenheit bieten ihm die revolutionären Bewegungen Italiens ein Ziel und er entwickelt dabei ein durchaus garibaldisches Selbstbewußtsein, das ihn über Gegner und Mitstreiter erhebt.

In zweifacher Hinsicht wird diese Arroganz schwer gestraft: politisch, indem seine Pläne scheitern, und persönlich, indem er aus dem vermeintlichen Gefängnis der Mailänder Gesellschaft in das höchst reale auf dem mährischen Spielberg gerät.

Die Schilderungen des mehr als zehnjährigen Aufenthaltes in diesem Verlies des habsburgischen Absolutismus sind ein beeindruckendes Produkt epischen Gestaltungswillens und doch zugleich Ergebnis gründlichen Quellenstudiums. Alles ist authentisch: die unmenschlichen »Lebens«bedingungen auf dem Spielberg, die planmäßige Zerstörung der physischen und psychischen Widerstandskraft der Gefangenen und der perverse Eifer, mit dem der »gute Kaiser Franz« höchstselbst jede einzelne Schikane veranlaßt und überwacht. Das ergibt ein höchst präzises und eindringliches Bild vom Charakter der Ära Metternich – obwohl es Ricarda Huch wohl erst in zweiter Linie darum ging.

Die Haft bedeutet für Federigo Weltabgeschiedenheit nur in einem sehr vordergründigen Sinn, weil in Wirklichkeit er erst hier es lernt, die vorher für ihn »labyrinthische« Welt zu begreifen und zu durchschauen. Dabei scheint dieser Lernprozeß auf ein resignatives Sich-Bescheiden im Privaten hinauszulaufen, wie es schon der Erzähler des *Ursleu* praktiziert, und die im scheinbar enthusiastischen Schluß sichtbare Ironie, mit der jedes nationale Pathos[49] bedacht wird, verstärkt diesen Eindruck. Jedoch macht die Lebensbilanz Confalonieris auf dem Spielberg klar, daß er an der Notwendigkeit umfassender gesellschaftlicher Änderungen festhält, sich aber sagen muß, daß er die falschen Mittel dazu gewählt hatte, indem er das Leben anderer »um ungewisser Ziele willen« aufs Spiel setzte:

Er hatte vergessen, daß die Menschen nicht mehr anstreben sollen, als das Wohl einzelner zu befördern; er hatte sich blindlings zu den wenigen gezählt, die, das Wohl einzelner mißachtend, ihr Bild des Guten zu verwirklichen wagen dürfen. Mit einem Male wurde er sich aller Härte seines Handelns bewußt.[50]

Die Paradoxie des Schicksalsbegriffes läßt sich nicht zugunsten des einzelnen aufheben. Es ist daher konsequent, daß in ihrem überragenden Werk *Der große Krieg in Deutschland*[51] die Mittelpunktfigur fehlt und nicht einmal ein Erzähler auszumachen ist. Schon beim *Confalonieri* hat Ricarda Huch auf eine Gattungsbezeichnung verzichtet, obwohl es sich zweifellos um einen Roman handelt. Auch hier fehlt sie, aber diesmal ist es kaum möglich, eine Zuordnung zu treffen. Eine Geschichtsdarstellung ist das Werk zwar, indem es als Material nichts als die geschichtlichen Fakten enthält, im wesentlichen auch einer geschichtswissenschaftlichen Vorlage folgt (Schillers »Geschichte des dreißigjährigen Krieges«), Geschichtsdarstellung im modernen Verständnis ist es jedoch auch nicht, indem es bereits auf der ersten Seite und dann immer wieder eindeutig fiktionale Elemente enthält. Ein »historisches Geschehen auf moderne Art, aber im Sinne der alten Epen zu schildern«,[52] schwebt ihr als Ideal für die Darstellung von Geschichte vor, und dieses Buch schreibt sie mit einer solchen »Versessenheit«, als würde sie ihre »eigene Geschichte schreiben«.[63] Das Ergebnis dieser »versessenen« Produktionsweise ist allerdings frei vom Pathos des antiken Epos. Mit der eher kalten Nüchternheit eines Kameraobjektivs werden Menschen und Ereignisse des Dreißigjährigen Krieges abgebildet. So entsteht eine durch viele, oft abrupte, Schnitte gekennzeichnete Bildfolge, die an die moderne

Filmtechnik erinnert. Obwohl die zitierte Erinnerung die Vermutung eines fast unbewußten Schaffensprozesses nahelegt, ist diese Schreibweise beabsichtigt und auf die tatsächlich erreichte Wirkung hin konzipiert.

Personen und Persönlichkeiten des Dreißigjährigen Krieges – Kaiser und Papst, die Fürsten, Heerführer und Geistliche, Wissenschaftler und Bürger, Soldaten, Verbrecher, Opfer – und Geschehnisse werden vor das Objektiv des Erzählers gestellt, tauchen als »Wellen« vor den Augen des Lesers auf; Heldentaten und Greuel, Staatsaktionen und Familienszenen, religiöser Wahn und Aberwitz sowie Exempel höchster christlicher Sittlichkeit werden mit gleicher Objektivität dargestellt und lebendig veranschaulicht, geschichtliche Wirklichkeit quasi noch einmal geschaffen – mit einem geradezu niederschmetternden Ergebnis: Blindheit bestimmt das Verhalten der Menschen. Wie die Tiere handeln nicht nur die verwilderten Bauern und Fischer, die verwundete Soldaten zerfleischen, die mordbrennenden Krieger, die leichenfressenden Dörfler, sondern auch die den Hexenwahn steigernden Bischöfe, die intrigierenden Fürsten, der senile Kaiser. Da gibt es zwar Gestalten, die das Zeug zum »Helden«-Typ der frühen Romane Ricarda Huchs hätten: Wallenstein, Herzog Bernhard von Weimar und vor allem Gustav Adolf, aber sie alle scheitern in dem Augenblick, wo sie handelnd hätten das Chaos in sinnvolle Ordnung verwandeln können. Ihr Tod ist dabei nicht Ursache, sondern nur Ausdruck des Scheiterns, das dennoch nicht aus individuellem Fehlverhalten resultiert, sondern schicksalhaft ist.

Der Dreißigjährige Krieg wird als Verfallsgeschichte gesehen, als logische Folge von Partikularinteressen, Fürstenegoismus und schamloser Geldwirtschaft, als »Zusammenbruch«[54] des alten Reiches, dessen Konzeption als Gegenmodell hier eher erahnbar als erkennbar wird. Die Begegnung Ricarda Huchs mit einem ausformulierten gesellschaftlichen Konzept soll erst nach dem Ersten Weltkrieg stattfinden, und hat mit diesem nur mittelbar zu tun: 1921 liest sie das Buch »Romantischer Sozialismus« von Siegmund Rubinstein und rezensiert es in der Vossischen Zeitung:

Zwei Strömungen werden verfolgt, die sich in Deutschland stets bekämpften: die rationalistische oder individualistische und die romantische oder genossenschaftliche; jene betrachtet den Menschen als Einzelwesen, der von außen durch Herrschaft zur Einheit zusammengefaßt werden muß, dieser als ein Kollektivwesen, das sich freiwillig zu Organen gliedert, die sich wiederum freiwillig zu einem beweglichen Ganzen zusammenschließen; jene führt zu Zentralisation und Beamtenherrschaft, diese zu Selbstverwaltung und Führung durch Vertrauensmänner innerhalb von Genossenschaften. Das germanische Gemeinschaftsideal, wie es sich im Mittelalter in den romanisch-germanischen Ländern ausbildete und auslebte, gründete sich auf genossenschaftlicher Gliederung, auf persönliche Beziehungen; allmählich, im Maße wie die Kraft, welche die mittelalterliche Gemeinschaft begründet hatte, erlahmte, schlich sich in das mannigfach blühende organische Leben das unpersönliche System des modernen Staates ein.[55]

Die Ursachen des im Dreißigjährigen Krieg kumulierenden Verfalls sind für sie nunmehr auf ihren adäquaten Begriff gebracht. Der moderne Verwaltungsstaat stellt sich als Antithese dar zur mittelalterlichen Gemeinschaftsform, die sie eine »kaiserliche Republik« nennt mit einer Ordnung, »die man, obwohl es nicht an strengen Bindungen [...] fehlte, im Vergleich zu den Anschauungen neuerer Zeit Anarchie nennen könnte«.[56] Dieses doch sehr spezifische Mittelalterverständnis kann Ricarda Huch dennoch nicht vor dem Etikett »konservativ« bewahren. Natürlich ist es falsch, aber aus der Sicht eines sehr verengten Fortschrittsbegriffs gilt zwischen »progressiv« und »konservativ« das »tertium non datur«. Auch in ihrem Gesellschafts- und Geschichtsverständnis bleibt es beim Außenseiterstatus der Dichterin. Sie hält unbeirrt an diesem Konzept fest, konkretisiert es historisch zuerst in ihren Biographien *Michael Bakunin und die Anarchie* (1923) und *Stein* (1925), die zwei scheinbare Antipoden über dem gemeinsamen Nenner von Dezentralisation und freiwilliger Kooperation vereinigten, sodann in ihren Städtebildern, die ab 1927 zu der Sammlung *Im alten Reich* zusammengefaßt erscheinen – Miniaturen in zweifachem Sinne als kurze »Lebensbilder deutscher Städte«[57] und als Programm: »Ich glaube, daß es eine Grenze des Umfangs gibt jenseits welcher die Dinge und Verhältnisse nicht mehr schön, nicht mehr zweckdienlich, nicht organisch sein können, und ich glaube, daß wir diese Grenze überschritten haben.«[58]

Es geht ihr keineswegs um die Restitution des Mittelalters. Die mit dem historischen Arbeiten begonnenen philosophisch-religiösen Bücher wie *Natur und Geist als die Wurzeln des Lebens und der Kunst* (1914)[59], *Luthers Glaube* (1916), *Der Sinn der Heili-*

gen Schrift (1919) und *Entpersönlichung* (1919) machen deutlich, daß sie von einer dafür viel zu protestantischen Weltsicht geprägt ist. Es ist ihr vielmehr um die Wiederverwirklichung einer Idee zu tun, die »sich in verschiedener Zeit auch verschiedene Formen«[60] schaffen muß. Deshalb wendet sie sich der historischen Untersuchung moderner Epochen zu, darunter vor allem der, die eine Ablösung des zentralistitischen Beamtenstaates hätte leisten können: den Revolutionsbewegungen in der Mitte des 19. Jahrhunderts.[61]

In einem zweiten, erheblich weiter ausgreifenden Werk über die Revolution von 1848, *Alte und neue Götter* (1930)[62] wird das noch deutlicher. Die »linke« Kritik am Verlauf der Märzrevolution gipfelt bekanntlich im Vorwurf des Verrats an das Bürgertum, das nach Erreichen seiner Ziele das Proletariat auf den Barrikaden allein ließ. Ricarda Huch formuliert den gleichen Vorwurf, radikalisiert ihn womöglich noch – die Linken der Revolutionszeit, wie auch ihre ideologischen Abkömmlinge, verfallen jedoch ähnlicher Kritik. Im Schlußresümee stellt sie diese sogar auf eine Ebene mit den Siegern über die Revolution: »Macht, Gewalt, Geld, Masse, das waren die Prinzipien des neuen Reiches, auch der Opposition; der Sozialismus kämpfte unter denselben Zeichen, wenn auch zum Besten der Arbeiter.«[63]

Im Metternichschen System sieht sie daher geradezu das Ideal kommunistischer Systeme erreicht. Selbstverständlich verbannt sie dieses Urteil zwischen die Stühle der widerstreitenden Ideologien und setzt sie Mißverständnissen aus.

Die Polemik nach links macht die Nationalsozialisten glauben, sie könnte eine der ihren werden, dabei ist Ricarda Huch doch gerade durch den Standpunkt, der ihre Kritik begründet, gegen diese vollständig immunisiert, und sie demonstriert das in ihrem berühmten Briefwechsel mit Max von Schillings :

Was die jetzige Regierung als nationale Gesinnung vorschreibt, ist nicht mein Deutschtum. Die Zentralisierung, der Zwang, die brutalen Methoden, die Diffamierung Andersdenkender, das prahlerische Selbstlob halte ich für undeutsch und unheilvoll.[64]

Die sowjetischen Besatzungsbehörden und ihre deutschen Gehilfen meinen ebenfalls, sie zu den Ihren zählen zu können und sehen sich doch bald veranlaßt zur Distanz und zur Zensur, als sie für die Festschrift zur Wiedereröffnung der Jenaer Universität wiederum von der Freiheit schreibt:

> [...] die deutsche Freiheitsidee, die im Mittelalter einen staatlichen Körper ausbildete, bestand darin, daß aus dem Volke eine Fülle sich selbst verwaltender Glieder hervorging, die sich nach innewohnendem Gesetz und jeweiligen Bedürfnissen entfalteten und nebeneinander verbreiteten, nicht ohne sich gegenseitig zu stören und zu bekämpfen, aber doch ein bedeutendes, wirkungsfähiges Ganzes bildend. Freiheit in diesem Sinne ist der Gegensatz von Zentralisation.[65]

Das ist den von einem Zentralkomitee geleiteten Parteifunktionären und Verwaltungsbeamten natürlich nicht zuzumuten.

Während des Dritten Reiches holt Ricarda Huch noch zu einer grundlegenden und umfassenden Darstellung der deutschen Geschichte aus. Zwei Bände können vor dem Krieg erscheinen[66] – von bösartiger Kritik begleitet. Der dritte Band[67] erscheint erst nach ihrem Tode.

Ricarda Huch hat ihre Entscheidung von 1897 für eine freie Schriftstellerinnenexistenz nie revidiert. Das war allerdings bereits damals den Umständen mehr geschuldet als ihrer Absicht: Sie hatte »7000 Mark zurückgelegt« und hoffte, davon »eine Zeitlang leben«[68] zu können. Schon nach einem Jahr sieht sie sich aber genötigt, sich »mithilfe des ›Vereins für erweiterte Frauenbildung‹ heftig um eine Anstellung als Lehrerin in Wien«[69] zu bemühen. Die Ehe mit Ceconi und der Umzug nach Triest beenden diese Bemühungen, nicht aber die drückende Geldnot, von der sie in ihren Aufzeichnungen und Briefen, wenn auch manchmal nur andeutend, immer wieder berichtet. Ceconi hat Verpflichtungen gegenüber seiner Familie und ist »absolut kein Mensch zum Geldverdienen«.[70] Mit der Rückkehr nach Deutschland wird die Situation eher noch schlechter, denn in München kommt sie mit Mann und Tochter »ganz ohne Geldmittel an«.[71] Ein Darlehen der Freundin Marie Baum hält die Familie über Wasser, aufgenommen in der Gewißheit auf eine Erbschaft Ceconis, die dann aber dem Bankrott einer Bank zum Opfer fällt. Wieder helfen Freunde, vor allem Hermann Reiff, der Schweizer Unternehmer, der ihr Haus in Grünwald kauft, um es an sie zu vermieten und es ihr schließlich nach der Trennung von Ceconi zu schenken. Auch in der kurzen Zeit ihrer Ehe mit Richard bleibt ihre finanzielle Lage angespannt.[72]

Nach ihrer Trennung überlegt sie zum zweiten Mal ernstlich, ihre schriftstellerische Existenz durch einen, wenn auch ungeliebten, Brotberuf zu sichern; denn

> [...] zum ersten Mal in meinem Leben fürchte ich manchmal, daß die Anstrengung [die Arbeit am *Großen Krieg*] über meine Kräfte geht [...], da ich voraussichtlich nichts und jedenfalls viel, viel weniger damit verdiene, als ich müßte (wenn ich für ein Jahr angestrengter, fortwährender Arbeit 1000 Mark verdiene, so ist das doch ein Blödsinn, den ich mir nicht leisten kann).[73]

Es bietet sich ihr die Möglichkeit, als Dozentin in die von Henriette Goldschmidt gegründete Frauenhochschule in Leipzig einzutreten:

> Dann vor allen Dingen hätte ich gern irgendeine bestimmte Einnahme. Du hast keine Vorstellung, wie erschöpfend für die Nerven es ist, von der Hand in den Mund zu leben. Ich kann sagen, daß kaum eine Stunde vergeht, wo ich mich nicht im Unterbewußtsein mit der Frage beschäftige, ob ich wohl Geld einnehmen werde, wieviel ich wohl dafür bekommen werde usw. Nach meinen bisherigen Erfahrungen ist es gut wie unmöglich für mich, von meinen Büchern zu leben.[74]

Dabei hat sie auch schon die Erfahrung gemacht, daß es ihr durchaus möglich ist, »Bücher zum Geldverdienen und namentlich im genre der Detektiv-Romane«[75] zu schreiben: Eine Wette mit den Kindern Richards, die ihr eben diese Fähigkeit absprechen, gibt den Anlaß für die Erzählung *Der letzte Sommer*:[76] »da schmierte ich diese Geschichte ganz schnell in 14 Tagen zusammen«. Sie spricht von dieser Erzählung als »Schmarren«, »Unfug« und »Dummheiten«;[77] tatsächlich jedoch ist das Buch nicht nur ein Publikumserfolg – wenn auch mit Verspätung[78] –, sondern eine Charakterstudie mit virtuoser Verwendung multiperspektivischer Erzählweise.

Noch ein weiteres Mal unternimmt sie den wiederum erfolgreichen Versuch, einen Bestseller zu schreiben. *Der Fall Deruga*, ihr letzter Roman, erscheint 1917, drei Jahre nachdem sie das Manuskript vollendet und bei ihrem Verlag abgeliefert hat. Der Ausbruch und die ersten Jahre des Krieges verzögern die Drucklegung. Der Roman wird zu einem ihrer bekanntesten in Deutschland und auch – wie die dänischen, italienischen,

französischen, serbokroatischen und niederländischen Übersetzungen zeigen – im Ausland. Die Verfilmung von 1938 mag
einen Beitrag dazu leisten, wenn sie auch den Roman mit einem Happy-End verändert.[79] Obwohl ihre Reaktionen auf diese Verfälschung zeigen, daß ihr zu diesem Zeitpunkt das Werk
gar nicht so gleichgültig ist, meint sie noch 1914, es »wäre ja
schöner gewesen, ich hätte das nicht nötig gehabt«:

> Ich habe meinen Zweck erreicht und für die Schundgeschichte [Der
> Fall Deruga] von Ullstein 20 000 Mark bekommen. Nun schreibe ich
> noch ein oder zwei, bis ich Busi so viel Geld hinterlassen kann, daß
> sie nicht abhängig zu sein braucht.[80]

Der Hinweis auf »Busi«,[81] der Ricarda Huch nicht zutraute,
ihren eigenen Unterhalt durch einen Beruf verdienen zu können, verdeutlicht das Motiv für die ständigen Geldsorgen auch
noch zu einer Zeit, wo diese objektiv nicht mehr nötig sind.
Die im Nachlaß vorhandenen Haushaltsbücher zeigen, daß sie
zum Beispiel im Jahr 1911 3750 Mark ausgibt und durch Veröffentlichungen 5841 Mark einnimmt. »Ihre Einnahmen bewegten sich von nun an in einer relativ gleichmäßigen Höhe«;[82]
dennoch resümiert sie 1944, daß sie, »um Geld zu verdienen,
immer angespannt arbeiten und tätig sein mußte«.[83]

Eine briefliche Stellungnahme zur Verleihung des Nobelprei-
ses an Thomas Mann zeugt nicht nur vom unterkühlten Verhältnis der beiden zueinander, sondern von der Verinnerlichung
des auf ihr lastenden Drucks: »Der Nobelpreis kommt gar nicht
dagegen auf, obwohl es natürlich schade ist, daß einer ihn bekommen hat, der ohnehin reich ist, und obwohl ich ihn vorzüglich hätte verwenden können.«[84]

Natürlich ist sie zu dieser Zeit von der generellen wirtschaftlichen Depression auch betroffen und beklagt, daß ihre Bücher
»immer weniger gelesen« werden. Sie fürchtet um ihre Lei-
stungsfähigkeit: »Sollte sie einmal merklich abnehmen – ich
wage nicht daran zu denken, denn mein Vermögen habe ich
natürlich ganz verloren.«[85]

Diese wiederholte Erfahrung erklärt wohl auch, warum es
ihr 1944 nicht möglich ist, den mit 30.000 Mark dotierten Wil-
helm-Raabe-Preis abzulehnen, den ihr die Stadt Braunschweig
zu ihrem 80. Geburtstag »im Einverständnis des Gauleiters«[86]
Hartmann Lauterbacher verleiht. Obwohl sie schon ein halbes
Jahr später wie alle Thüringer wiederum ihr Vermögen ein-

büßt, weil »alle Konten [...] gestrichen«[87] werden, bleibt ihr die
Erinnerung daran »qualvoll« und ein »Flecken auf der Ehre«.[88]

Trotz ihres literarischen und schließlich auch finanziellen
Erfolgs als Berufsschriftstellerin, erkennt sie es noch 1946 als
eine »Krankheit«, »daß ich immer in Eile bin, als ob jemand
mit der Peitsche hinter mir stünde. Ich bilde mir ein, daß ich
mir das angewöhnt habe, als jede Minute Geld für mich
war«.[89]

Thomas Manns scheinbar so preisender Glückwunsch zu
ihrem 60. Geburtstag 1924 gehören zu dem am häufigsten zitierten Urteilen über Ricarda Huch: »Dies sollte ein Deutscher
Frauentag sein und mehr als ein deutscher. Denn nicht nur die
erste Frau Deutschlands ist es, die man zu feiern hat, es ist
wahrscheinlich die erste Europas.«[90] Ricarda Huch selbst hat
sich über diese Worte »geärgert«, vor allem über deren Kontext, da Thomas Mann »von ihren Werken ausschließlich die
›Romantik‹ erwähnte, diese außerdem dazu benutzte, des längeren über seine ›Lieblingsprobleme‹, ›Dichtertum und Schrift-
stellertum‹ zu sprechen«.[91] Weit ärgerlicher ist jedoch, daß 1924
und aus der Sicht Thomas Manns die Qualifizierung als »erste
Frau« gar nichts über den schriftstellerischen Rang der so Apostrophierten aussagt. Ricarda Huch hält überhaupt nichts von
einer gesonderten »Beurteilung der Frauendichtung«, über die
sie sich bereits 1899 in einem Artikel unter dieser Überschrift
in einer Weise äußert, die sie sich wie eine vorweggenommene
Replik auf das zweifelhafte Lob Thomas Manns liest: »Die
Kunst berücksichtigt zunächst das Menschliche, erst in zweiter Linie Männlichkeit und Weiblichkeit, und der Kunstkritiker soll auch erst in zweiter Linie nach dem Geschlechte fragen.«[92] An gleicher Stelle stellt sie jedoch fest, daß es, um einen
Stoff »künstlerisch zu gestalten [...] gewisser männlicher Kräfte bedarf«.

Daß 1926 eine Umfrage der Zeitschrift »Die literarische Welt«
mit dem Wortlaut »Welche Dichter gehören in die Sektion für
Dichtkunst der Akademie« im Ergebnis ihren Namen an 12.
Stelle noch vor Jakob Wassermann, Georg Kaiser, Hofmannsthal, Toller, Brecht und Loerke enthält, dürfte sie mehr gefreut
haben, als die danach häufig wiederholte Feststellung, daß sie
die »erste Frau in der preußischen Dichter-Akademie«[93] gewesen ist.

Ricarda Huch hat sich von der Frauenbewegung der Jahrhundertwende und auch von entsprechenden späteren Aktivitäten ferngehalten, obwohl sie mit zahlreichen Aktivistinnen
dieser Bewegung (Marie Baum, Salomé Neunreiter, Helene
Lange, Ika Freudenberg, Gertrud Bäumer u.a.) befreundet oder
wenigstens bekannt war. Ihre frühe Festlegung – »Offen gestanden schwärme ich nicht für Frauenzeitungen, und für Frauenbewegung interessire ich mich nicht mehr als für alles andere in der Welt«[94] – hat sie nie revidiert, eher noch verschärft
durch den trotzigen Satz »Ich bin gegen das Frauenstimmrecht«
in einem Feuilleton für die Wiener »Neue Freie Presse« aus dem
Jahr 1918,[95] in dem sie »die an sich schlechte Sache« der Einführung des Frauenstimmrechts in Deutschland zu einer guten zu machen sucht. Ziemlich festgefügt konservative Rollen-
vorstellungen sprechen aus diesem Artikel, wie auch aus ihren
anderen Äußerungen zur »Frauenfrage«,[96] und ihre weltan-
schaulichen Schriften (*Natur und Geist* und *Der Sinn der Heiligen Schrift*) verstärken diesen Eindruck noch. Die literaturwis-
senschaftliche Frauenforschung seit den 80er Jahren hat sie
deswegen wohl zunächst auch gar nicht[97] oder nur mit erkenn-
barer Reserve[98] berücksichtigt. Erst seit den 90er Jahren, vor
allem seit dem aus Anlaß des 130. Geburtstag herausgebrach-
ten Band der »Studien«[99] beginnt sich das zu ändern und die
Erkenntnis greift Platz, daß die Schriftsteller*in* Ricarda Huch
weniger aus ihren programmatischen Äußerungen als aus ihrem Werk und ihrer Lebensweise kenntlich wird: Sieht sie den
geistig-schöpferischen Akt der Kunst als im wesentlichen
»männliche Fähigkeit« an, darin ganz offenbar dem 19. Jahrhundert verpflichtet, so stellt ihr völlig unbekümmerter Umgang mit den Rollenerwartungen der Gesellschaft am Ende
eben dieses Jahrhunderts einen Akt der Emanzipation dar, der
erheblich weitergeht als der Forderungskatalog der damaligen
Frauenbewegung. Diesen scheinbaren Widerspruch erleben die
Zeitgenossen:

Ich war darauf gefaßt gewesen, in ihr einem männlichen Frauentypus zu begegnen, denn in ihren Romanen hatte sie wohl nicht ohne
Grund die männliche Ich-Form der Darstellung und einen entsprechend spröden, förmlich gemeißelten Erzählstil ausgebildet. Um so
mehr überraschte mich ihre ungemein frauenhaft mütterliche Art,
mit der sie Mann, Kind und auch den Gast umsorgte.[100]

In *Natur und Geist* hat Ricarda Huch im Geschlechtsunterschied die letzten Wurzeln des Weltgeschehens gesehen, den Dichter nimmt sie davon aus; sie begreift ihn geradezu androgyn:

Daß es Individuen gibt, in denen die Geschlechtseigentümlichkeit aufs äußerste getrieben sind, ist für die Entwicklung des Menschengeschlechts nützlich, aber das geht die Kunst nichts an [...] der Kunstkritiker soll [...] dreist das scheinbar Unmögliche, das Widerspruchsvolle fordern, daß der Mann bis zum gewissen Grade Weib, das Weib bis zum gewissen Grade Mann sei. »Was ist denn das Ideal in jedem Sinne des Worts«, sagt ein romantischer Schriftsteller, »als die dennoch zustande gebrachte Verbindung zweier Elemente, die eigentlich sich zu trennen streben.«[101]

Ricarda Huchs bewußt gelebtes Außenseitertum bestimmt ihre Selbstdefinition als Autorin ebenso wie ihre Haltung zum Geschlechterkonflikt. Als »weißer Elefant« sieht sie sich im Alter, der »wohlwollend aus meiner Wolke auf die irdische Jugend schaut«.[102] Etwas später variiert sie das Bild noch anläßlich des Ersten deutschen Schriftstellerkongresses von 1947, als der »weiße Elephant nicht nur angestarrt, sondern auch geliebt«[103] scheint. Über fünfzig Jahre später ist eher Gegenteiliges zu konstatieren: »Die Herausforderung, die das Huchsche Gesamtwerk darstellt, wurde bis heute kaum wahrgenommen. Ihr Werk ist bis auf wenige Ausnahmen wissenschaftlich unerschlossen.«[104]

Anmerkungen

1 Huch, Ricarda (ca. 1938): Jugendbilder, in: Dies.: (1966–1974): Gesammelte Werke, hg. von Wilhelm Emrich unter Mitarbeit von Bernd Balzer, Köln 1966–1974, (im folgenden »GW« mit Bandnummer und Seitenzahl), Bd. 11, S. 92.

2 Vgl. Huch, Ricarda (ca. 1938): Jugendbilder, in: GW 11, S. 15ff.

3 Huch, Ricarda (ca. 1938): Jugendbilder, in: GW 11, S. 80.

4 Huch, Ricarda (1881): »Donna Diana« von Moreto, in: GW 11, S. 142ff.

5 Vgl. dazu Huch, Ricarda (1946): Mein Tagebuch , in: GW 11, S. 136.

6 Huch, Ricarda (1881): »Donna Diana« von Moreto, in: GW 11, S. 142ff.

7 Huch, Ricarda (ca. 1937): Richard, in: GW 11, S. 153ff.

8 Huch, Ricarda (ca. 1938): Richard, in: GW 11, S. 158f.

9 Huch, Ricarda (1938): Frühling in der Schweiz, in: GW 11, S. 174f.

10 Ebd., S. 175.

11 Bendt, Jutta u.a. (1994): Katalog der Ausstellung »Ricarda Huch – 1864–

1947« des Deutschen Literaturarchivs im Schiller-Nationalmuseum Marbach am Neckar. 7. Mai – 31. Oktober 1994, Stuttgart, S. 44.

12 Huch, Ricarda (1938): Frühling in der Schweiz, in: GW 11, S. 168f.

13 Ebd., S. 201.

14 Widmann, Josef Viktor (1965): Briefwechsel mit Henriette Feuerbach und Ricarda Huch, hg. von Charlotte von Dach, Zürich, S. 184.

15 Huch, Ricarda (ca. 1937): Bremen und Wien, in: GW 11, S. 235.

16 Ebd., S. 237.

17 Huch, Ricarda (1933): Unser Mannochen, in: GW 11, S. 306.

18 Ebd., S. 380.

19 Koepcke, Cordula (1996): Ricarda Huch Ihr Leben und ihr Werk, Frankfurt/M., Leipzig, S. 279.

20 Huch, Ricarda (ca. 1937): Richard, in: GW 11, S. 153.

21 Huch, Ricarda (1938): Frühling in der Schweiz, in: GW 11, S. 183.

22 Brief v. 4. Dezember 1891, in: Widmann, Josef Viktor (1965): S. 166.

23 Huch, Ricarda (1947): Schlußworte auf dem Ersten deutschen Schriftstellerkongreß, in: GW 5, S. 831.

24 Emrich, Wilhelm, in: GW 1, S. 18ff.

25 Und selbst diese führt nicht immer zu haltbaren Urteilen, wie die stets umstrittenen Zuordnungen des Huchschen Werkes zu bestimmten Traditionslinien – Nietzsche, Hegel, etc. – zeigen.

26 Z.B. in Huch, Ricarda (1904): Von den Königen und der Krone.

27 Vgl. Balzer, Bernd (1980), in: Huch, Ricarda (1980): Von den Königen und der Krone, Berlin.

28 Huch, Ricarda (1938): Frühling in der Schweiz, in: GW 11, S. 180.

29 Brief v. 16. Mai 1894, in: Widmann, Josef Viktor (1965): S. 247.

30 Brief v. 4. Dezember 1891, in: Widmann, Josef Viktor (1965): S. 167.

31 Huch, Ricarda (1938): Frühling in der Schweiz, in: GW 11, S. 179f.

32 Aus der Triumphgasse (Leipzig 1902); Vita somnium breve (Leipzig 1903); Gottfried Keller (Leipzig 1904).

33 Huch, Ricarda (1889): Über moderne Poesie und Malerei, in: Ver Sacrum, Heft 9, S. 15-17.

34 Tebben, Karin (1997): Ricarda Huch und Schopenhauer: Zum Ursleu-Roman, in: Ricarda Huch (1864–1947). Studien zu ihrem Leben und Werk, hg. von Hans-Werner Peter und Silke Köstler, Braunschweig, S. 32.

35 Brief v. 17. Mai, 1893, in: Widmann, Josef Viktor (1965): S. 211.

36 Brief v. 23. Februar 1893, in: Widmann, Josef Viktor (1965): S. 204.

37 Huch, Ricarda (1893): Erinnerungen von Ludolf Ursleu dem Jüngeren, in: GW 1, S. 240.

38 Huch, Ricarda (1893): Erinnerungen von Ludolf Ursleu dem Jüngeren, in: GW 1, S. 354.

39 Vgl. die Briefe Ricarda Huchs an Richard in Nr. 1.257 meiner Bibliographie, in: GW 11, S. 599.

40 Das ist wörtlich zu nehmen: frei vom Geist, also töricht.

41 So der Untertitel des Romans.

42 Huch, Ricarda (1907): Über »Aus der Triumphgasse«, in: GW 11, S. 437.

43 Emrich, Wilhelm, in: GW 1, S. 71.

44 Huch, Ricarda (1904): Von den Königen und der Krone, in: GW 2, S. 271.

45 Hoppe, Else (1951): Ricarda Huch. Weg Persönlichkeit Werk, 2. überarbeitete Auflage, S. 325.

46 »Und wie dieser verhängnisvolle Mann [Richard, B.B.] durch seine Existenz einst die Dichtung gleich Tropfen Bluts aus ihrem Herzen herausgepreßt hatte, so verschwand mit ihm zugleich die Dichtung aus ihrem Leben«, Hoppe, Else (1951): S. 590.

47 Huch, Ricarda (1906/1907)): Die Geschichten von Garibaldi. 1. Die Verteidigung Roms, Leipzig 1906 und 2. Der Kampf um Rom, Leipzig 1907.

48 Huch, Ricarda (1908): Über »Die Verteidigung Roms«, in: GW 11, S. 443.

49 Das Confalonieri selbst schon längst überwunden hatte, vgl. Huch, Ricarda (1910): Das Leben des Federigo Confalonieri, in: GW 2, S. 1064, »wenn man imstande sei, den Fortschritt der Menschheit zu fördern, müsse man den Ehrgeiz der Nationen hintansetzen«.

50 Huch, Ricarda (1910): Das Leben des Federigo Confalonieri, in: GW 2, S. 1039.

51 1912–1914, seit der Ausgabe von 1924 unter dem Titel Der dreißigjährige Krieg.

52 Ricarda Huch: Über die Werke vor 1928, in: GW 11, S. 445.

53 Huch, Ricarda (ca. 1937): Die Ehe mit Richard, in: GW 11, S. 381.

54 Titel des 3. Teils des Werkes.

55 Huch, Ricarda (1921): Romantischer Sozialismus, in: GW 5, S. 849.

56 Huch, Ricarda (1927): Im alten Reich, in: GW 8, S. 401.

57 So der Untertitel der Sammlung.

58 Huch, Ricarda (1927): Im alten Reich, in: GW 8, S. 11.

59 1922 unter dem Titel Vom Wesen des Menschen. Natur und Geist, Prien 1922.

60 Huch, Ricarda (1931): Deutsche Tradition, in: GW 5, S. 819.

61 Huch, Ricarda (1923): Michael Bakunin und die Anarchie, in: GW 9, S. 735.

62 Seit der Ausgabe von 1948: 1848. Die Revolution des 19. Jahrhunderts in Deutschland.

63 Huch, Ricarda (1930): Alte und neue Götter, in: GW 9, S. 1544f.

64 Baum, Marie (1950): S. 344.

65 Huch, Ricarda (1945): Der Grundwille des Deutschen Volkes, in: GW 5, S. 934.

66 Huch, Ricarda (1934): Deutsche Geschichte. Römisches Reich deutscher Nation, Zürich und Berlin. Huch, Ricarda (1937): Deutsche Geschichte. Das Zeitalter der Glaubensspaltung, Zürich und Berlin.

67 Huch, Ricarda (1949): Deutsche Geschichte. Untergang des Römischen Reiches deutscher Nation, Zürich.

68 Huch, Ricarda (ca. 1937): Bremen und Wien, in: GW 11, S. 237.

69 Bendt, Jutta (1994): S. 140.

70 Brief an Christiane Rassow v. 8. 1. 98, vgl. Bendt, Jutta (1994): S. 138.

71 Huch, Ricarda (1933): Unser Mannochen, in: GW 11, S. 304.

72 Das belegt der kürzlich veröffentlichte Briefwechsel R. H.s mit dem Bürovorsteher von Richards Kanzlei: Richard verstand z.B. seine Beiträge zum Umbau der gemeinsamen Wohnung als Darlehen, dessen Zurückzahlung er verlangte, vgl. Köstler, Silke (1997): »Lieber Herr Diekmann, Korrespondenz Ricarda Huchs mit Wilhelm Diekmann in den Jahren 1908–1914, in: Ricarda Huch, Studien zu ihrem Leben und Werk, hg. von Werner Peter und Silke Köstler. Jubiläumsband zu ihrem 50. Todestag, Braunschweig, S. 166.

73 Brief an Marie Baum v. 23. Juli 1912, in: Baum, Marie (1955): Ricarda Huch, Briefe an die Freunde, Tübingen, S. 24.

74 Brief an Marie Baum v. 27. Juni 1911, in: Baum, Marie (1955): S. 19. Marie Baum teilt im Kommentar zu diesem Brief mit: »Die Verhandlungen wurden abgebrochen, weil Ricarda im Grunde auf die Freiheit schöpferischer Arbeit nicht verzichten konnte« (S. 22).

75 Brief v. 10. Dezember 1909, in: Widmann, Josef Viktor (1965): S. 389.

76 Erschienen Leipzig 1909 mit dem Erscheinungsjahr 1910.

77 Sämtliche Zitate im Brief v. 10. Dezember 1909, in: Widmann, Josef Viktor (1965): S. 389.

78 Es gab im ersten Jahr zwar vier Auflagen, doch erst 1927 erreichte die 7. Auflage die Zahl von 10.000 Exemplaren – 1941 wurden 85.000 erreicht, damit ist Der letzte Sommer Ricarda Huchs meistverkauftes Werk.

79 »Mit der Ufa und dem Deruga ist es nun doch gelungen, allerdings so, daß mir die Freude daran stark vergällt wurde; denn erstens bekam ich weniger, als ich gewollt hatte, und zweitens machen sie nun ein Happy-End daran [...] und also hat die ganze Geschichte gar keinen Sinn. Es wird mir jedesmal ein bißchen übel, wenn ich daran denke.« Brief an Marie Baum v. 22. Dezember 1937, in: Baum, Marie (1955): S. 198.

80 Brief an Marie Baum v. 8. März 1914, in: Baum, Marie (1955): S. 36.

81 Der Kosename für Ricarda Huchs Tochter Marietta.

82 Vgl. Bendt, Jutta (1994): S. 192.

83 Brief an Reinhard Buchwald v. 12. November 1944, in: Baum, Marie (1955): S. 283.

84 Brief an Elsbeth Merz v. 30. Dezember 1929, in: Baum, Marie (1955): S. 126.

85 Brief an Magda Janssen v. 4. 8. 1929, in: Bendt, Jutta (1994): S. 310.

86 Vgl. Huch, Ricarda (1997): In einem Gedenkbuch zu sammeln...: Bilder deutscher Widerstandskämpfer, hg. von Wolfgang Matthias Schwiedrzik, Leipzig, S. 54, Anm. 38.

87 Brief an Marie Baum v. 28. September 1945, in: Baum, Marie (1950): S. 472.

88 Brief an Marie Baum v. 19. August 1947, in: Huch, Ricarda (1997): S. 27.

89 Brief an Marie Baum v. 4. März 1946, in: Baum, Marie (1950): S. 472.

90 Hier zitiert nach Bendt, Jutta (1994): S. 227.

91 Bendt, Jutta (1994): S. 227.

92 Huch, Ricarda (1899): Die Beurteilung der Frauendichtung, in: GW 11, S. 505ff., Zitat S. 510.

93 Vgl. Bendt, Jutta (1994): S. 312ff.

94 Brief an Annie Green v. 24. August 1896, in: Bendt, Jutta (1994): S. 14.

95 Abgedruckt in Bendt, Jutta (1994): S. 286ff.

96 Neben den bereits genannten Artikeln sind hier vor allem zu nennen: Huch, Ricarda (1902): Über den Einfluß von Studium und Beruf auf die Persönlichkeit der Frau, in: GW 5, S. 743ff. und Huch, Ricarda (1931): Das Junge Mädchen von heute, in: GW 5, S. 901ff.

97 In der von Hiltrud Gnüg und Renate Möhrmann, Stuttgart 1989 herausgegebenen »Frauen Literatur Geschichte. Schreibende Frauen vom Mittelalter bis zur Gegenwart« sucht man den Namen Ricarda Huch vergeblich.

98 Gisela Brinker-Gabler, Karola Ludwig, Angela Wöffen haben ihr einen Artikel in ihrem »Lexikon deutschsprachiger Schriftstellerinnen. 1800–1945«, München 1986, gewidmet und stellen darin heraus, daß Ricarda Huch »heroisch (männliche) Tatmenschen« bevorzugt (S. 141).

99 Ricarda Huch. Studien zu ihrem Leben und Werk 5, hg. von Hans Werner Peter und Silke Köstler, Braunschweig 1994, darin vor allem die Beiträge von Ortrud Gutjahr, Christina Lotz und Heidrun Brzenska.

100 Eugen Kalkschmidt, abgedruckt in Bendt, Jutta (1994): S. 276.

101 Huch, Ricarda (1899): Die Beurteilung der Frauendichtung, in: GW 11, S. 510.

102 Vgl. Brief an Marie Baum v. 26. 12. 1945, in: Baum, Marie (1950): S. 476.

103 Brief an Marie Baum v. 16. Oktober 1947, in: Baum, Marie (1955): S. 379.

104 Gutjahr, Ortrud (1994): Die frühen Romane und späten Erinnerungen der Ricarda Huch, in: Ricarda Huch. Studien zu ihrem Leben und Werk 5, hg. von Hans Werner Peter und Silke Köstler, Braunschweig 1994, S. 84, Anm. 45.

Abbildungsnachweis

Umschlag: nach einem Motiv von Denis Diderot aus der »Encyclopädie«, Paris 1751–1772

Seite 49: Sophie von La Roche, Kreidezeichnung; Deutsches Literaturarchiv Marbach a.N.

Seite 80: Isabella von Wallenrodt, Radierung, etwa um 1760; Staatsbibliothek Berlin

Seite 104: Therese Huber, Scherenschnitt von Luise Duttendorf; Deutsches Literaturarchiv Marbach a.N.

Seite 134: Sophie Mereau-Brentano, Bleistiftzeichnung 1801; Biblioteka Jagiellonska, Krakau

Seite 161: Fanny Tarnow, Autograph: Brief an Johann Friedrich Cotta; Deutsches Literaturarchiv Marbach a.N.

Seite 189: Fanny Lewald, Photographie um 1860; Deutsches Literaturarchiv Marbach a.N.

Seite 216: Luise Mühlbach, Photographie; CS 3: Clara Mundt; Staats- und Universitätsbibliothek Hamburg – Carl von Ossietzky

Seite 245: Eugenie Marlitt, Photographie um 1868 von Ch. Beitz; Heimatmuseum Arnstadt

Seite 278: Gabriele Reuter, Photographie 1898

Seite 312: Ricarda Huch, Photographie 1944 von Leif Geiges; Deutsches Literaturarchiv Marbach a.N.